HENRI CLOUARD

ALEXANDRE DUMAS

ÉDITIONS
ALBIN MICHEL

ALEXANDRE DUMAS

HENRI CLOUARD

ALEXANDRE DUMAS

ÉDITIONS ALBIN MICHEL
22, RUE HUYGHENS
PARIS

A MA FEMME

AVANT-PROPOS

Alexandre Dumas, *lequel? Il n'y en a qu'un, le père bien
entendu, lui seul vit.
La critique cependant s'est acharnée contre lui. René Doumic
a écrit : « L'œuvre d'Alexandre Dumas tient une grande place
dans l'histoire littéraire et n'en tient aucune dans la littérature. »
Un article du* Temps *a répété la même chose sous la signature de
Paul Souday. Et les jugements sévères ne manquent pas dans la
lignée qui remonte jusqu'à Sainte-Beuve chez qui — prenons-en
notre parti — un certain fond de cuistrerie se subodore...
En sorte qu'on tremblerait un peu en entreprenant ce portrait
de l'homme, ce tableau de l'œuvre, si des appuis ne vous y encou-
rageaient, qui vont de Michelet à Théophile Gautier, de* Mme *de
Girardin à Gérard de Nerval. Mais pourquoi ne pas nous mettre
sous la protection aujourd'hui souveraine de Victor Hugo? Évidemment Hugo a rendu son plus bel hommage à Dumas dans
une lettre adressée au fils, et pour être lue sur le bord de la tombe
paternelle; mais il avait préparé par des témoignages antérieurs
déjà élogieux ce témoignage suprême, du 15 avril 1872; et d'ailleurs l'a-t-il jamais renié?
En voici l'essentiel :*

*... Aucune popularité de ce siècle n'a dépassé celle d'Alexandre
Dumas, ses succès sont mieux que des succès, ce sont des triomphes; ils
ont l'éclat de la fanfare. Le nom d'Alexandre Dumas est plus que français, il est européen; il est plus qu'européen, il est universel. Son
théâtre a été affiché dans le monde entier; ses romans ont été traduits
dans toutes les langues, Alexandre Dumas est un de ces hommes qu'on
peut appeler les semeurs de civilisation; il assainit et améliore les
esprits par on ne sait quelle clarté gaie et forte... Ce qu'il sème, c'est
l'idée française...
Alexandre Dumas séduit, fascine, intéresse, amuse, enseigne. De
tous ses ouvrages si multiples, si variés, si vivants, si charmants, si
puissants, sort l'espèce de lumière propre à la France.*

Toutes les émotions les plus pathétiques du drame, toutes les ironies et toutes les profondeurs de la comédie, toutes les analyses du roman, toutes les intuitions de l'histoire sont dans l'œuvre surprenante construite par le vaste et agile architecte. Il n'y a pas de ténèbres dans cette œuvre, pas de mystère, pas de souterrain, pas d'énigme, pas de vertige; rien de Dante, tout de Voltaire et de Molière, partout le rayonnement, partout le plein midi, partout la pénétration de la clarté. Les qualités sont de toutes sortes et innombrables...

Votre père et moi nous avons été jeunes ensemble. Je l'aimais et il m'aimait. Alexandre Dumas n'était pas moins haut par le cœur que par l'esprit; c'était une grande âme bonne.

On les voit s'avancer ensemble, marcher en avant dans le XIXe siècle, Dumas avec Hugo, avec George Sand aussi, un peu après eux Nerval. Tous les quatre, ils ont grandi au soleil et à l'ombre des verdures, Dumas comme Nerval sur les pelouses de l'Ile-de-France. Saluons cette génération littéraire qui a respiré le grand air. Il y a eu dans l'hérédité de Dumas, si l'on tient compte des grands-parents, du père et de la mère, liberté désinvolte des nobles, simplicité robuste du cœur plébéien, gentillesse et ostentation des hommes de couleur. Le hasard de la naissance y a ajouté une formation dans la fraîcheur agreste et sylvestre, dans une atmosphère d'aventure, de romanesque et de rencontres fortuites avec la grandeur historique.

Tout cela a composé une originalité qui peu à peu a passé de la personne dans l'œuvre. Pour l'une comme pour l'autre une étude d'ensemble s'imposait. Non pas que de telles études manquent. Mais sur les plus anciennes des documents nouvellement découverts, des correspondances inédites font porter une ombre qui les vieillit; et les plus récentes, simplement biographiques, négligent l'œuvre écrite, comme si chez Dumas l'homme avait absorbé complètement le romancier et le dramaturge; en outre, elles restent encombrées d'anecdotes douteuses qui se sont répétées de livre en livre sans contrôle.

On trouvera ici un portrait d'Alexandre Dumas où la ressemblance la plus exacte possible a été cherchée. Il apparaîtra au premier plan d'un tableau où, comme dans la réalité, s'entremêlent et chevauchent l'une sur l'autre la vie et l'œuvre d'un écrivain qui attend encore sa place dans le Panthéon littéraire. Tableau et portrait de ce genre évidemment ne pouvaient négliger les amis du modèle, les événements auxquels il a été mêlé, les milieux qu'il a traversés. Une époque en fait le fond.

I

LE VERT PARADIS

ALEXANDRE DUMAS, c'est tout d'abord un nourrisson des bois, des rivières, d'une clairière dans la grande forêt; c'est ensuite un gamin entré dans le monde des oiseaux et qui pratiquera la chasse avant l'âge. Ce sera bientôt un adolescent familier des pelouses et des ronds-points, reçu dans de vieux châteaux Louis XIII entourés de parcs, amoureux d'un essaim de fraîches jeunes filles. La vie de ce garçon prendra et gardera pendant des années un caractère de franche, saine, éclatante idylle, comparable dans notre histoire littéraire aux jeunes années de Rétif de la Bretonne et à celles de Gérard de Nerval.

Mais acquittons-nous tout d'abord des références d'usage à la naissance, aux parents, aux ancêtres.

Les dictionnaires courants, les manuels de littérature, le monument de la place Malesherbes, le buste du Théâtre-Français font naître Alexandre Dumas en 1803. Ils répètent à l'envi une erreur imputable aux incommodités du calendrier républicain et à un faux calcul sur l'an X.

L'écrivain est né le 24 juillet 1802 (5 thermidor an X), à cinq heures du matin, dans Villers-Cotterêts, rue de Lormet, devenue en 1872 rue Alexandre-Dumas. La maison existe encore aujourd'hui, mais n'existent plus ni la chambre natale ni le joli perron en fer à cheval qui donnait accès à la maison au fond de la cour... Le nom du père inscrit sur les registres de l'état civil est Thomas-Alexandre Dumas-Davy de La Pailleterie, avec la qualité de général de division; le nom de la mère est Marie-Louise Labouret. Le grand-père maternel, qui avait servi comme premier maître d'hôtel Philippe d'Orléans, était propriétaire de l' « Hôtel de l'Épée » et commandait la garde nationale. Si le grand-père paternel avait été sans aucun doute premier gentilhomme du prince de Conti et commissaire général d'artillerie, doit-il être tenu pour un marquis de Louis XIV? Oui, a prétendu Alexandre Dumas, mais sans référence ni écho, semble-t-il. Il est admirable, on dirait providentiel si la Providence ce n'était ici lui-même, que ce prince de la fiction ait fait son entrée dans la vie sous un arc d'assez haute hâblerie [1].

M. Charles de Beaurepaire, archiviste de la Seine-Inférieure, avait muni en 1895 un journaliste, Georges Dubosc, de tous les renseignements en sa possession pour écrire un article sur « Alexandre Dumas cauchois », qui se peut lire dans le premier numéro de *la Normandie* (janvier 1896). L'article débute par une anecdote qui nous transporte à Nîmes, dans l'antichambre du cabinet de M. le Maire. Quelqu'un est venu demander pour deux artistes de ses amis la salle de concert de la ville; mais il lui faut attendre, car une noce se présente, et c'est une habitude nîmoise d'enregistrer les actes de mariage dans cette antichambre. Or, un témoin fait défaut. Alors, l'inconnu de très bonne grâce se propose, mettant seulement au service rendu une condition : qu'il embrassera la mariée. Il l'embrasse, se penche sur le registre et signe : Alexandre Dumas-Davy de La Pailleterie...

Sans conteste, et très authentiquement, assurent journaliste et archiviste normands, Dumas descendait d'une famille noble, originaire du pays de Caux et qui remontait au xvie siècle. Le premier de cette famille ayant porté le nom de sieur de La Pailleterie fut un Pierre Davy, écuyer, époux d'Anne de Pardieu, laquelle a fait construire le manoir de La Pailleterie. C'est un Anne-Pierre Davy, seigneur de La Pailleterie, qui prit en 1708 ce qu'on appelait un TITRE DE COURTOISIE et se qualifia indûment de marquis de La Pailleterie. Oh! les armoiries sont là! Magny, continuateur de La

---

1. Dumas, dans ses *Mémoires*, adopte le rectificatif à l'acte de l'état civil, rectificatif obtenu (pourquoi?... Hélas, les archives du greffe ont été détruites par un incendie...) par jugement du tribunal civil de première instance de Soissons, le 27 avril 1813. Le premier acte de naissance donnait au nouveau-né le nom d'Alexandre Dumas, au père celui d'Alexandre Davy-Dumas de La Pailleterie, à la mère le seul prénom d'Élisabeth, enfin retardait d'une demi-heure le moment de la venue au monde.

Chesnaye-Desbois pour le *Dictionnaire de la noblesse*, les décrit
ainsi : « Armes d'azur à un anneau porté par trois aiglons, les
deux en chef avec les pieds, celui de la pointe avec le bec, le
tout d'or. » Pautet, dans le *Nouveau Manuel du Blason*, raconte
que M. de Beauchesne, l'adjoint du surintendant aux Beaux-
Arts, amoureux du charmant pavillon Saint-James, avait eu
la fantaisie d'y faire peindre les armes de ses confrères en littérature, et celles d'Alexandre Dumas y figuraient. Une des
planches de Pautet les représente, elles sont décrites comme
par Dumas dans ses *Mémoires :* « D'azur à trois aigles d'or aux
vols éployés, posés deux et un, avec un anneau d'argent placé
en cœur; embrassés par les griffes dextres et senestres des
aigles du chef et reposant sur la tête de l'aigle de pointe. »
Dumas ajoutait que son père, le général, en renonçant au titre
de marquisat, avait pris en lieu et place de ses armes la devise
Deus dedit, deus dabit... Mais rappelons-nous aussi qu'Alexandre
Dumas fils a proposé une autre substitution plus modeste, trop
modeste et tout de même pas tout à fait exacte : « Ah! disait-il,
les armes de papa, je les connais : beaucoup de gueule sur peu
d'or... »

Marquis de fantaisie, l'aïeul, voyant sa fortune fondre, avait
en 1760 vendu sa propriété normande pour aller à Saint-
Domingue se faire planteur, et s'était fixé à la pointe occi-
dentale de l'île, près du cap Rose, au lieu-dit La Guinodée ou
Trou-de-Jérémie. Mais quatre lustres ne s'étaient pas écoulés
qu'il rentrait en France avec un fils de dix-huit ans, dont
l'avait gratifié là-bas une esclave, morte dix ans après, Louise-
Césette Dumas. Et c'est sous ce nom obscur de sa noire maman
que le jeune mulâtre de Jérémie, camarade parisien de La Fayette,
de Lameth, de Dillon, de Lauzun, s'étant vu couper les vivres à
la suite d'un remariage paternel et du refroidissement qui
s'était ensuivi entre père et fils, s'engagea au régiment des
dragons de la reine, puisqu'il lui fallait gagner sa vie, mais
décidé à ne pas faire traîner nom et titre de la noble famille dans
les derniers rangs de l'armée... Curieux La Pailleterie, en
somme : un exil et deux déchéances, car si sa maîtresse avait
été une esclave de couleur, l'épouse prise à soixante-quatorze
ans était sa femme de charge. Et quant à son fils, tenons-le
pour bâtard [1]. Qu'importe! il allait s'élever au grade de général,

1. Borel d'Hauterive, *Annuaire de la noblesse.*

son père n'ayant été que colonel; il était beau, bien fait, adroit à tous les exercices du corps; enfin une carrière glorieuse l'attendait. Le père étant mort treize jours après l'engagement du fils, le petit-fils, le romancier des *Trois Mousquetaires* peut écrire dans ses *Mémoires* que le dernier lien attachant l'auteur de ses jours à l'aristocratie se trouvait rompu. Allons! plus de La Pailleterie, mais seulement des Dumas! Le nom illustre, le voilà. Le général Dumas, promu général de division à trente et un ans, allait conquérir tous ses grades par des actions d'éclat. C'est lui qui enleva le Mont-Cenis, le 19 floréal an II; à Brixen, défendant seul un pont contre de la cavalerie, il mérita le surnom d'Horatius Coclès du Tyrol. Grâce à sa réputation d'héroïsme, la Terreur n'a pas osé lui faire couper la tête : il avait pourtant sauvé celle de quatre pauvres diables qui dans un village de la Tarentaise n'avaient pas voulu laisser fondre leurs cloches. Accusé mais acquitté, il gagna à l'aventure un autre surnom, M. de l'Humanité.

Hélas! la campagne d'Égypte ne lui fut pas favorable. Ferme sur ses convictions républicaines, il réunissait les officiers de l'état-major pour accuser devant eux Bonaparte d'avoir monté l'expédition par ambition personnelle. Surveillé, découvert, renvoyé en France, fait prisonnier à son arrivée dans le port de Tarente qu'il croyait ami et qui était acquis à l'Autriche, il fut enfermé en 1799 au château de Brindisi sur l'ordre du roi de Naples et à demi empoisonné avec le savant Dolomieu et le général Manscourt [1]. Échangé enfin contre un chef autrichien, il arriva en France estropié, presque paralytique, et l'estomac atteint d'un ulcère. Une si puissante nature d'homme! d'une force proverbiale... Ses soldats l'avaient vu soulever quatre fusils de ses doigts tendus dans leurs quatre canons. Son fils l'a vu, déjà malade pourtant, devant une barrière de parc, s'apercevant qu'il en avait oublié la clef, prendre la barrière entre ses bras et la secouer assez fort pour faire sauter le morceau de pierre par où le pène de la serrure s'enfonce dans la borne. Les anecdotes de ce genre foisonnent sur cet athlète.

Marié depuis 1792, le général retrouvait en rentrant de captivité une fille qu'il avait quittée quand elle avait sept ans. Une sœur aînée de neuf ans attendait donc Alexandre lorsqu'il fit son entrée dans le monde.

---

1. Benedetto Croce, *Hommes et choses de la vieille Italie*, 1954.

Le merveilleux antique entourait la naissance des demi-dieux et des héros. Pourquoi n'existerait-il pas un merveilleux moderne? Il est incontestable que rien, à peu près rien ne s'est passé pour Dumas comme pour les autres humains. A la maison, cet enfant s'appelait Berlick, et voici pourquoi. Sa mère, enceinte de lui, s'était laissée entraîner à une représentation de marionnettes donnée par un forain à l'occasion de la fête de la ville, qui coïncidait avec celle de la Pentecôte. Elle vit donc le diable enlever Polichinelle, et le diable portait pour la circonstance le nom de Berlick. Ce Berlick diabolique, de corps tout noir, de langue et de queue écarlates, avait de quoi troubler la jeune femme. En sortant, elle s'appuya sur sa voisine et lui dit : « Ah, ma chère, je suis perdue, j'accoucherai d'un Berlick. » Sa voisine, enceinte comme elle, mais ignorant les particularités ancestrales des Dumas, lui répondit en plaisantant : « Alors, ma chère, si tu accouches d'un Berlick, moi qui étais avec toi, j'accoucherai d'un Berlock! » Et de rire toutes les deux... Est-ce jaune que riait Mme Dumas? Elle se sentit doublement allégée d'un poids, quand elle donna le jour à un être aussi blanc qu'humain.

Bien entendu, l'enfant ne pouvait recevoir le baptême de tout le monde. Son père ayant demandé à Brune, alors général, bientôt maréchal, d'être parrain, Brune avait amicalement refusé. « Mon cher Général, écrivait-il, un préjugé que j'ai m'empêche de me rendre à tes désirs. J'ai été parrain cinq fois, mes cinq *fillots* sont morts! Au décès du dernier, j'ai promis de ne plus prénommer d'enfants. Mon préjugé te paraîtra peut-être fantasque. Mais je serais malheureux d'y renoncer. Je suis ami de ta famille et cette qualité m'autorise à compter sur ton indulgence. Il m'a fallu être bien ferme dans ma résolution pour refuser le compérage avec ta charmante fille. Fais-lui agréer mes regrets ainsi qu'à ta charmante femme, et agrée l'assurance de mon sincère attachement. » Un *P.-S.* disait : « Je te fais passer quelques boîtes de bonbons pour la petite marraine et sa maman. » Alors on transigea. Le général Dumas, muni d'une procuration du général Brune en bonne forme, tint son garçon sur les fonts baptismaux, assisté de sa fille pour commère. Cela se passait le 30 août 1802.

Ayant ainsi reçu l'eau lustrale sur son péché originel dans l'éclat rayonnant d'étoiles glorieuses, le jeune Alexandre n'eut plus qu'à prospérer. A peine éprouva-t-on à son sujet une légère inquiétude : quand on crut qu'il allait marcher, il se mit à courir; au lieu de marcher, il courait sur la pointe des pieds. On lui mit des sabots, il tombait donc plus souvent, mais il courait toujours. Il en alla de la sorte jusqu'à ses quatre ans. Personne à Villers-Cotterêts ne savait que le petit noir n'a point les pas lents et lourds du petit blanc, quand il commence à marcher; il court en sautillant un peu sur chaque jambe... Mme Dumas l'ignorait comme les autres, comme peut-être le général lui-même, et cela a mieux valu.

La famille menait des jours pareils les uns aux autres dans un petit château de la commune d'Haramont qui s'appelait « les Fossés ». L'enfant Alexandre grandit là avec ses parents, le jardinier Pierre, qui lui rassemblait ses provisions de grenouilles, le nègre Hippolyte, valet de chambre du général, le garde Mocquet, la fille de cuisine Marie et le gros chien Truff.

Un jour que trois gamins venus de Villers-Cotterêts pour se baigner dans la ceinture d'eau, mais sans savoir nager, avaient coulé au fond, le général les sauva avec l'aide d'Hippolyte. Alexandre Dumas, après quarante ans, prétendait avoir gardé la vision de la scène, il revoyait toujours son père mouvoir des formes merveilleuses dans l'eau, puis émerger ruisselant et souriant, véritable Antinoüs en comparaison du nègre si grêle... Souvenir de la quatrième année! Peut-il être absolument sûr? et comment donc se portait le malade ce jour-là? Mais le prisme de la mémoire embellit le passé des premières années, toujours plus ou moins baudelairien :

> Ah, que le monde est grand à la clarté des lampes!
> Aux yeux du souvenir que le monde est petit!

Alexandre n'était encore que dans ses quatre ans lorsqu'il accompagna à Paris son père qui avait à faire quelques démarches et qui voulait consulter Corvisart. Père, mère et fils en profitèrent pour aller voir la sœur aînée à son pensionnat du Marais; puis le père emmena le fils avec lui dans un joli hôtel de la Chaussée d'Antin, chez la marquise de Montesson, veuve du marquis à trente-deux ans, remariée à trente-six avec le père de Philippe-Égalité, épargnée par la Révolution, bien traitée par Napoléon, gracieuse vieille qui joua avec les cheveux de l'enfant en causant. Jeanne Béraud de La Haye de Riou, marquise de Montesson et duchesse d'Orléans, était une consœur par avance; des tragédies, des comédies, des

romans dorment dans les huit volumes d'*Œuvres anonymes*
tirés en leur temps à douze exemplaires...

Il faut dire que le général usait de procédés pour exercer la
mémoire de son rejeton : par exemple, une pièce d'or comme
sceau au souvenir de la visite à la duchesse. Et le lendemain,
comme Brune et Murat étaient venus déjeuner avec eux, il
lui fit enfourcher le sabre de Brune, coiffer le chapeau de Murat,
et faire ainsi équipé le tour de la table au galop.

Une autre « grande dame », comme il sera dit dans *la Tour
de Nesles*, quelques mois plus tard, attendait au château de
Montgobert le jeune privilégié, qui ne s'en doutait pas, et son
père. On était en octobre. Un jour, le général fit atteler un
cabriolet qui emporta père et fils à travers les feuilles mortes.
Ils roulèrent une heure, une demeure seigneuriale apparut,
elle s'ouvrit. Au bout d'une file d'appartements, au fond d'un
boudoir tout tendu de cachemire, une femme couchée sur un
sopha, jeune et belle celle-là, souriait. C'était Pauline Bonaparte, petite, gracieuse, chaussée de pantoufles dorées... Elle
fit asseoir le général sur un tabouret devant elle, posa ses
pieds sur les genoux puissants, joua du bout d'une pantoufle
avec les boutons de la veste. Curieux tableau : Cendrillon et
Hercule mulâtre!... Ils badinèrent autour d'une bonbonnière;
elle se penchait à son oreille, ils riaient. La joue blanche et
rose effleurait la joue brune... Tout à coup des cors retentirent,
une chasse se rapprochait. « Allons voir, princesse!... » Non,
elle se trouvait bien et ne voulut pas se déranger. « Cela me
fatigue de marcher, dit-elle, portez-moi si vous voulez... » Le
général la prit dans ses deux mains et ils demeurèrent dix
bonnes minutes dans cette position devant la fenêtre. Enfin le
cerf déboucha, traversa l'allée, les chiens à sa poursuite, puis
les chasseurs, qui saluèrent pour répondre au mouchoir et à la
main blanche. Alors seulement le général vint reposer la jeune
femme sur le canapé et reprendre sa place auprès d'elle... Oh,
la jolie estampe, mais galante! Sommes-nous au xixe siècle
ou au xviiie ? A quel âge Alexandre a-t-il vu ces choses? A
trois ans, comme il le dit, ou quarante ans plus tard dans les
reflets de l'imagination, en écrivant ses *Mémoires?* Il se produisit probablement, en tout cas, quelque chose de ce qu'il
raconte. Certes, la petite phrase « Je ne sais plus ce qui se
passa derrière moi » révèle un narrateur malin plutôt que
l'enfant absorbé par le film de la chasse. Mais enfin pourquoi,

si l'on ne doute pas de la chasse et du château, douter absolument de quelques gestes de la femme-poupée?

Ni Brune ni Murat n'avaient pu obtenir de Napoléon qu'il renonçât à sa rancune à l'égard de leur camarade, et le général Dumas se vit condamné à vivoter jusqu'à sa mort avec une pension de quatre mille francs. Ni l'indemnité qui lui était due pour sa captivité ni sa solde arriérée de l'an VII et de l'an VIII ne devaient jamais lui être payées. Avant de quitter Paris avec son paquet de déceptions, car du professeur Corvisart lui-même il n'avait obtenu que de bonnes paroles, il recommanda aux deux nouveaux maréchaux sa femme et son fils. Il n'avait aucune fortune à laisser aux siens, sa retraite devait mourir avec lui. Or, en février 1806, il se sentait tout près de ce moment-là.

Quand les grandes souffrances des derniers temps survinrent pour l'accabler, la famille résidait par précaution non plus aux environs, mais à Villers-Cotterêts même, à l'Hôtel de l'Épée, alors tenu par M. Picot, qu'on appelait Picot de l'Épée afin de le distinguer d'autres Picot de la région. L'ultime jour ne tarda plus guère, ce devait être le 26, et le général parut le voir venir et le reconnaître dès la veille, car il fit porter sa canne à pomme d'or chez Duguet, l'orfèvre d'en face, pour être fondue. Le lendemain, Duguet apporta le lingot, c'était le legs du mourant.

A dix heures, il demanda l'abbé Grégoire, à qui il voulait parler en ami plutôt que se confesser. Il réclama son fils, qui avait été emmené chez des cousines, puis, se ravisant : « Non, dit-il, il dort, pauvre enfant, ne le réveillez pas. »

Il expira entre les bras de sa femme, à minuit sonnant. Le « pauvre enfant » couchait chez les Fortier, dans la chambre de la jeune cousine, son petit lit dressé en face du grand. Or, il vécut cette nuit-là, si nous l'en croyons, son premier conte fantastique. Car il a raconté que la cousine et lui en pleine nuit soudain sursautèrent, réveillés par un grand coup frappé à la porte, quoique personne, une fois les portes extérieures de la maison fermées, n'eût moyen d'accéder à cette porte-là. La cousine se souleva, muette d'effroi, sur son lit, mais l'enfant, sans la moindre peur, se leva, parut vouloir sortir.

— Où vas-tu, Alexandre, où vas-tu donc?

— Tu le vois bien, je vais ouvrir à papa, qui vient nous dire adieu.

Elle se leva à son tour, le rattrapa. Mais il se débattait, criait de toutes ses forces : « Adieu, papa! Adieu, papa! » C'est la jeune fille évidemment qui avait remarqué l'heure, heure du coup frappé à la porte, et qui s'en souvint quand elle apprit l'heure de la mort. Mais était-ce minuit? Si Dumas l'affirme dans ses *Mémoires*, son propre cousin cité par lui, avance l'événement de soixante minutes. C'est que minuit fait tellement mieux! Avec onze heures, le conte ne boiterait-il pas? On a un peu peur qu'entre onze heures et minuit d'une part, entre les souvenirs de la jeune fille et de l'enfant devenu grand d'autre part, le coup frappé à la porte ne finisse par se métamorphoser en un coup monté : par l'imagination la plus sincère, la plus candide. A-t-on toutefois le droit de refuser le « quelque chose de pareil à une haleine expirante » que l'enfant aurait senti sur son visage comme un calmant? En sorte qu'il se rendormit, mais avec des larmes plein les yeux et des sanglots plein la gorge. Toujours est-il que le lendemain notre gamin voulut s'emparer d'un fusil pour aller tuer « le bon Dieu », parce qu'on lui disait que « le bon Dieu » avait emporté son père au ciel...

Malgré les efforts de Murat et surtout de Brune, malgré Augereau, Lannes et Jourdan qui s'ingénièrent, Napoléon refusa tout à la veuve d'un officier général qui était un brave, qui avait commandé en chef trois armées et pourtant n'avait même pas reçu la Légion d'honneur; en outre, notre Alexandre plus tard devait voir se fermer devant lui toute école militaire, tout collège civil. Mme Dumas installée avec ses deux enfants dans le logement que les grands-parents s'étaient naguère réservé à l'Hôtel de l'Épée, regarda l'avenir avec angoisse. Mais l'enfance exceptionnelle, l'enfance enchantée d'Alexandre Dumas Ier commençait.

Elle allait s'écouler dans trois maisons presque à la fois : celles de Mme Darcourt, de M. Deviolaine et de M. Collard.

Mme Darcourt, voisine des Dumas, veuve d'un chirurgien militaire, avait deux enfants elle aussi, un fils de vingt-huit ans et une fille de vingt-quatre ou vingt-cinq ans. Si Alexandre connut peu le fils, la fille pouvait plus tard se vanter de l'avoir, pour ainsi dire, élevé. Chaque soir, entre sa mère et les deux femmes, il tenait ouvert dans ses mains un Buffon magnifique, illustré de gravures en couleur, et il apprit à lire pour connaître l'histoire, les mœurs, les instincts des animaux dont il voyait les « portraits ».

M. Deviolaine, cousin par alliance maternelle, fort lié avec le général, inspecteur de la forêt qui entourait de ses cinquante mille arpents les deux mille quatre cents âmes de la petite ville, éblouissait les yeux de l'enfant. Et l'éblouissement devait durer, car c'est ce tout-puissant qui octroyait les permissions de chasse. Un fils et deux filles d'un premier mariage, un fils et deux filles d'un second, entouraient le bourru bienfaisant, violemment coléreux et bon comme le pain. Un gentil château servait de demeure à la famille; mais outre ces vieilles pierres, celles de l'ancien cloître de Saint-Rémy, cloître immense, appartenaient aussi à M. Deviolaine, vénéré par le jeune Alexandre comme un roi des arbres, un empereur des verdures, un dieu du monde qu'elles abritent.

M. Collard, ami intime de M. Deviolaine, mais lui tout au contraire doux et souriant, habitait le petit château de Villers-Hélon, à trois lieues de Villers-Cotterêts. Il n'avait pas repris son nom de Montjouye abandonné à la Révolution. Une délicieuse jeune femme, un fils et trois filles entretenaient son sourire. Eux aussi disposaient d'un parc, dont Alexandre eut jouissance, car M. Collard avait été nommé son tuteur, à la mort du général. Si nous comptons bien, il y eut donc à voir grandir Alexandre Ier huit jeunes filles parentes ou amies intimes. Cette fraîcheur communiquait d'un côté avec la récente histoire, car Mme Collard était une fille de Philippe-Égalité et de Mme de Genlis, laquelle apparut un soir en sorcière à l'enfant épouvanté : son cocher l'avait égarée dans la forêt comme elle venait voir sa famille et elle avait perdu bonnet et faux cheveux à fuir des fantômes. La fraîcheur virginale et enfantine communiquait d'un autre côté avec une nature désensauvagée, faite tout entière pour enchanter les hommes, mais à travers laquelle se retrouvait l'histoire encore et la plus ancienne. Car le jardin des Deviolaine donnait sur un parc magnifique que François Ier avait planté, que l'administration n'avait pas encore condamné, et qui abrita jadis sous ses premiers ombrages Mme d'Étampes, Diane de Poitiers, Gabrielle d'Estrées et leurs royaux amants.

Éléonore Darcourt avait appris à lire au jeune bambin; la sœur d'Alexandre, qui arrivait de Paris aux vacances, lui apprit à écrire. A six ans, il se frottait à la géographie dans

Robinson Crusoé et aux affaires humaines dans *Télémaque*. Il
posséda la mythologie grâce aux *Lettres à Émilie*, ouvrage
ingénieux mêlé de prose et de vers, et qui avait valu grande
réputation à son compatriote Albert Demoustier. Avec Buffon
et la Bible (la merveilleuse Bible illustrée des Collard), quel
bagage! Sédiments appréciables d'un terrain de solidité et de
grandeur, malheureusement compromis par l'utopie et la
confusion. Avec cela, que restait-il à faire au maître d'école
de Villers-Cotterêts, un certain M. Oblet? Deux choses tout de
même. Peut-être enseigner le calcul; mais Alexandre y demeura
rebelle à jamais, et ne dépassa pas la multiplication. Certainement entraîner à une impeccable calligraphie : Oblet dans
la suite devait expliquer les malheurs de Napoléon par son
écriture illisible, à cause de laquelle ses maréchaux interpré-
taient ses ordres tout de travers.

Aux approches de la dixième année, ayant échappé de peu,
mais par la véhémence d'une révolte suivie d'une fugue rou-
blarde, au séminaire de Soissons auquel le promettait une
combinaison familiale, Alexandre entra à l'école privée de
l'abbé Grégoire, vicaire de Villers-Cotterêts. L'abbé prétendit
même lui apprendre le latin, à raison de leçons à domicile qu'il
faisait payer six francs par mois : deux heures chaque matin,
consacrées à des textes de Virgile et de Tacite, qu'il tenait
magistralement en mains afin de ne rien perdre de leur traduction imprimée en regard. Par commodité, le saint homme
laissait le Virgile et le Tacite chez la mère de son élève, prenant
bien soin de les abriter dans une cassette qui fermait à clef.
Mais il arriva qu'Alexandre découvrit le moyen d'entrebâiller
les charnières et par cette ouverture d'extraire les traductions
dont il avait besoin chaque après-midi pour le lendemain.
Aussi Mme Dumas pouvait-elle dire à tout venant :

— Voyez cet enfant, il s'enferme une heure et son devoir
de toute la journée est fait.

Hélas! il y avait les thèmes, et l'abbé s'étonnait :

— Pourquoi donc cet enfant est-il si fort en version et si
faible en thème?

Dumas devait prétendre, devenu homme, qu'il savait des
chants de *l'Énéide* par cœur. La preuve? Elle fait défaut.
Des traductions peuvent suffire à faire aimer chez Virgile ce
qu'il affirmait y aimer, c'est-à-dire, a-t-il écrit fort noblement, « cette compassion des exilés, cette mélancolie de

la mort, cette prévoyance du Dieu inconnu qui sont en lui ».

Pourquoi Alexandre n'eut-il pas comme sa sœur le sens de la musique? La logique maternelle, qui l'exigeait, avait tort. Mme Dumas, ayant acheté à son fils un violon, avait confié l'enfant et l'instrument au père Héraux qui, efflanqué dans sa redingote, la tête pleine d'histoires à dormir debout et victime quotidienne de l'esprit farceur des gamins de la ville, paraissait vraiment sortir d'un conte fantastique allemand. On fut très vite obligé d'abandonner, le père Héraux ne voulant pas voler à une famille honorable et pauvre son argent. Et pourtant le jeune Dumas n'était certes point dépourvu d'une musique intérieure, mais il était incapable de prendre l'habitude de se pencher sur elle et de l'écouter, parce qu'elle était intermittente, parce qu'elle était très rare. Tout le long de sa vie, il ressentira des émotions fortes, violentes, bouleversantes, mais brèves, sans lendemains prolongés, et d'ailleurs espacées. On pense à la secousse d'un coup de feu. A treize ans, il fit sa première communion dans un tel éblouissement que lorsque l'hostie toucha ses lèvres, il éclata en sanglots et s'évanouit. Le curé, M. Rémy, n'y comprenait rien. Il fallut au communiant deux ou trois jours pour se remettre. L'abbé Grégoire, qui vint le voir, le reçut pleurant dans ses bras : « Mon cher ami, lui dit-il, j'aimerais mieux que ce fût moins vif et que cela durât. » Cela ne dura point. En fait de dévotion, il semble qu'Alexandre n'en ait guère eu d'autre que la dévotion filiale.

A vrai dire, la réalité extérieure, la vie d'activité physique, les exercices de force ont pris son enfance presque entière. Si des leçons l'ont passionné, ce furent celles du père Monnier, employé à la succursale du Dépôt de Mendicité de la Seine, mais ancien maître d'armes échoué là à la suite d'accidents d'ivrognerie. Leçons efficaces, celles-là : un bretteur naissait. Pour monter à cheval, pourquoi des leçons? Alexandre apprit seul. Enfin, il joua très jeune avec des pistolets. Il avait douze ans quand l'armurier Montagnon lui confia un fusil. Des curés auxquels cette enfance s'est frottée, le plus agréable fut assurément l'oncle de la cousine Fortier. Elle avait perdu son père et l'abbé Fortier, curé de Béthisy, dans l'Oise, l'avait invitée à venir tenir sa maison. Le brave homme était grand chasseur devant l'Éternel, et Marianne Fortier ayant emmené Dumas passer à Béthisy quinze jours des vacances de 1812, le prêtre l'eut dans son ombre pour faire l'ouverture. Silence de la forêt,

éclats vifs des fusils, marches et affûts, voilà le paradis terrestre d'Alexandre encore enfant. Il avait commencé par
détrousser les sous-bois à la marette, à la pipée, selon les
enseignements du braconnier Hanniquet et de l'enfant dévo-
reur, du jeune ogre, du boulimique Boudoux, son camarade.
Mais il n'allait pas tarder à faire lui-même parler la poudre.
En somme, il a pendant des années développé sa vigueur et
sa souplesse de corps plutôt que ses facultés intellectuelles.
On voyait un grand garçon paraissant treize et quatorze ans
quand il en avait dix et onze, râblé, musclé, avec un air afri-
cain. Sa mère retrouvait en lui le général : ce qui la portait à
lui laisser faire toutes ses volontés. « Tu me fais bien enrager
quelquefois, lui disait-elle, mais au fond je suis sûre que tu as
bon cœur. » Et c'était très exact.

Il est temps d'évoquer maintenant les grandes choses
qu'Alexandre entrevit dans ses treizième et quatorzième
années, et qui ont contribué certainement à le détourner de
ce qui s'apprend à l'école.

Il faut dire qu'il avait commencé par entrevoir dans ses
années d'enfance l'empereur de Russie en compagnie de deux
grands ducs, emportés à travers Villers-Cotterêts par un *kibitz*
à trois chevaux... Mais les souvenirs de guerre oppriment tous
les autres... Le désarroi d'une petite ville menacée par l'ennemi
victorieux, la population prête à fuir ou à se cacher dans les
bois et dans de profondes excavations voisines, les portes et les
fenêtres qui battent, en attendant que quinze cosaques passent
en trombe et qu'une balle traversant la porte d'un magasin
aille briser la colonne vertébrale du marchand, l'histoire de
Villers-Cotterêts a inscrit ces sinistres vignettes en marge de
la campagne de France, et le petit Alexandre a aidé sa mère à
enterrer leurs objets précieux parmi lesquels le lingot du
général. Si les uns disaient les Cosaques terribles, les autres au
contraire les prétendaient peu méchants, pourvu qu'on leur
donnât à manger et à boire. C'est pourquoi Mme Dumas,
quoique terrassée par la peur, s'apprêtait à les recevoir avec
du vin du Soissonnais et un gigantesque haricot de mouton.
Les fausses nouvelles lui en firent confectionner trois successifs
et ce furent toujours les Français qui les mangèrent! La pauvre
femme en vint à vouloir s'échapper vers Paris avec deux
autres habitants de la ville, une vieille fille et un jeune homme,
sur une carriole mal suspendue. Alexandre ne devait jamais

oublier les arrêts imprévus, les brusques reprises de la route, le cercle qui se resserrait autour des quatre voyageurs traqués et tout un tourbillonnement au bruit du canon. La demoiselle bossue voulait voir Paris; il l'y suivit, laissant au Mesnil-Amelot Mme Dumas avec le jeune commis qui avait fourni le cheval, et tous deux assistèrent le 27 mars à une revue de la garde nationale : cinquante mille gardes acclamaient le roi de Rome! Enfin les quatre réunis, après un séjour court mais mouvementé à Crépy-en-Valois, au milieu de combats entre petites unités, rentrèrent à Villers-Cotterêts et y attendirent les événements. Lorsque les alliés eurent occupé Paris, lorsque Napoléon eut abdiqué, mère et fils, qui passaient pour bonapartistes aux yeux de la population, eurent à souffrir d'une malveillance soudain déclarée et le petit Alexandre dut livrer quelques batailles.

Puis ce furent les Cent-Jours, et l'enfant a vu le Napoléon des Cent-Jours, au relais de sa petite ville forestière. L'empereur était assis au fond de la voiture, vêtu de l'uniforme vert à revers blancs; la tête pâle retombait légèrement sur la poitrine. Il avait son frère Jérôme à sa gauche et, en face de Jérôme, l'aide de camp Letort... On avait relayé, les fouets claquèrent, l'empereur fit un bref salut et les voitures, emportées au galop, disparurent au tournant de la rue de Soissons... Quelques jours plus tard, le petit Dumas se trouvait à la poste. Un courrier était passé, qui n'avait rien voulu répondre aux questions, mais qui avait commandé quatre chevaux pour une voiture qui le suivait. Un grondement sourd l'annonça et elle apparut, en direction inverse de la voiture des jours précédents. Le maître de la poste s'avança et demeura stupéfait. Le petit Dumas le prit par le pan de son habit :

— C'est lui? C'est l'empereur?

— Oui.

C'était l'empereur assis à la même place que la première fois, mais sans Jérôme, avec un autre aide de camp, avec le même visage, mais la tête un peu plus inclinée. Il jeta autour de lui le même regard vague, posa la même question : « Où sommes-nous? », donna le même ordre, et la voiture partit aussi vite, mais sur Paris.

Entre les deux voitures, entre les deux apparitions de l'empereur Napoléon aux yeux d'un enfant de Villers-Cotterêts, il y avait eu Waterloo. Et des troupes étaient passées pendant

trois jours, marchant vers Soissons, Laon, Mézières. On avait
vu les trente mille hommes de la vieille garde, calmes et sombres.
Ce merveilleux et lugubre spectacle, le petit Alexandre le
contempla, se sentant encore sous le coup et dans l'exaltation
de ses exploits de conspirateur. En effet, au mois de mars, les
frères Lallemand, deux généraux accusés de conspirer contre
le gouvernement de Louis XVIII, avaient été arrêtés et conduits
à la prison de Soissons après avoir subi les insultes des Cotteréziens. Ils portaient le même uniforme et les mêmes épaulettes
qu'avait portés le général Dumas; la veuve du général éprouva
une profonde émotion. Et puis enfin, quinze jours plus tôt, le
prisonnier de l'île d'Elbe avait débarqué au golfe Juan!

— Écoute, mon enfant, dit-elle à son fils, nous allons faire
une chose qui peut cruellement nous compromettre, mais je
crois que nous devons cela à la mémoire de ton père.

Il s'agissait de faire passer aux prisonniers des pistolets et
un rouleau de louis, qui pouvaient bien avoir été fournis par
un notaire de Villers-Cotterêts, Maître Menesson, bonapartiste
par haine des Bourbons et faute de république possible. Ils
connaissaient le concierge de la prison, ce fut un jeu d'amener dans sa loge Alexandre : « Mon cher monsieur Richard,
Alexandre vient jouer avec votre Charles, tandis que je vais
faire une visite. » Alexandre avait le précieux rouleau dans
son gousset et les pistolets dans sa poche. Malin, il obtint
même (facilité des temps ou désordre de guerre?) la faveur de
voir les prisonniers dans la salle basse, voisine de la loge; et
comme Charles était déjà camarade avec eux, Alexandre le
pressa : « Dis-leur que je suis le fils d'un général, moi aussi. Ils
ont dû connaître mon père... » Ils l'avaient connu. Une chandelle brûlait sur la table, près du lit d'un des deux généraux;
il était sept heures du soir. Et quand Alexandre murmura :
« Je suis venu pour vous voir, renvoyez Charles », le général,
sous prétexte de moucher la chandelle, l'éteignit : il fallut que
Charles sortît pour aller la rallumer... Les prisonniers avaient
finalement refusé le généreux concours. A quoi bon? puisque
l'empereur devait entrer à Paris avant qu'on pût les fusiller...
Cependant le jeune Dumas, très fier, avait gagné à l'affaire
deux magnifiques pistolets, mais aussi quelque chose de son
œuvre future. Car une telle scène, n'est-ce pas déjà du roman
mêlé à de l'histoire, du romanesque et de la chance réunis à
du drame et à du courage?

Mais l'Empire avait sombré... Un soir, la mère prit son fils
à part chez les Deviolaine et assez solennellement lui expliqua
que le comte d'Artois, qui venait d'être nommé lieutenant
général du royaume, et Louis XVIII devenu roi de France,
étaient tous deux les frères du roi Louis XVI. Or, le grand-
père Davy de La Pailleterie avait jadis servi Louis XVI, comme
le père, naguère, la République. L'heure sonnait donc de
prendre une résolution dont tout l'avenir du fils et petit-fils
pouvait dépendre. Allait-il s'appeler Davy de La Pailleterie,
demander une bourse ou l'entrée dans les pages? ou bien
Alexandre Dumas tout simplement et tout court, mais alors
se fermer toute carrière, puisque le général était républicain et
avait servi contre la monarchie? M. Collard, son tuteur et leur
ami, qui partait le jour même pour Paris, connaissait M. de
Talleyrand, le duc d'Orléans, beaucoup de gens de la nouvelle
cour...

— Réfléchis bien avant de répondre, dit Mme Dumas.
— Oh! il n'y a pas besoin de réfléchir, ma mère! m'écriai-je; je
m'appelle Alexandre Dumas, et pas autrement. J'ai connu mon
père, et je n'ai pas connu mon grand-père. Que penserait donc mon
père, qui est venu me dire adieu au moment de sa mort, si je le
reniais, lui, pour m'appeler comme mon grand-père [1]?

Le mouvement est beau, il s'accorde avec les idées de l'auteur, il laisse aussi deviner la part considérable qui revient à
Mme Dumas dans tous les souvenirs de son fils, il ne manque
même pas de prudence. M. Collard obtint d'ailleurs quelque
chose pour ses protégés : un bureau de tabac, qui s'ouvrit place
La Fontaine, chez le chaudronnier Lafarge, au premier étage
et dans une grande salle du rez-de-chaussée, avec deux comp-
toirs pour débiter le tabac et le sel. C'est le fils Lafarge, clerc à
Paris et venu au pays pour essuyer le refus d'une héritière,
qui inspira au jeune Dumas ses premières tentations poétiques.

Il faut lire *Mes Mémoires* pour savoir ce qu'étaient les loisirs des enfants de Villers-Cotterêts, ce que furent notamment
les chasses dans la forêt, ce qu'ont été les chasses d'Alexandre
Dumas, apprenti ravageur de gibier, le petit gibier des airs,
le gros gibier des fourrés. Il faut pénétrer à sa suite dans la
population forestière, lier amitié avec les gardes forestiers

1. *Mes Mémoires*, Paris, 1863.

dans leur vie de silence, dans leur pensée pleine d'arbres, de ruisseaux, de bruissements. Presque tous avaient chassé avec le général Dumas et en gardaient le souvenir; quelques-uns même avaient servi aux armées sous son commandement et c'est lui qui par son influence les avait casés là. Ils firent le plus chaud accueil à son fils, quand l'inspecteur Deviolaine et le tout nouveau beau-frère d'Alexandre, contrôleur ambulant des contributions, le leur amenèrent. Le gaillard! il se vit admis, n'étant encore que dans sa quatorzième année, à une chasse au sanglier. Ses rapports avec les bêtes sauvages ont même débordé l'activité du chasseur, dangereusement parfois. Son existence s'encadre à peu près entre deux taureaux, non pas qu'il prétendît les combattre; mais, enfant, un taureau le chargea, qu'il avait imprudemment agacé, et seule la présence d'esprit d'une voisine le tira du péril; vieillard insouciant, c'est d'un taureau encore que devait le sauver son dogue, le puissant gardien de ses dernières promenades.

Les chasses de ces parages et des jeunes années prennent dans les souvenirs de Dumas une allure de contes dramatiques et parfois cruels. Ce ne sont que pistes suivies pendant des jours, sangliers relancés dans leurs bauges les plus fangeuses, tumultes de chiens, coups de boutoir à la cuisse des chasseurs ou chevrotine dans leurs reins, exploits de carabines, de fusils, de couteaux, parfois hélas! malheurs et deuils.

Mais voilà Alexandre arrivé à sa quinzième année et faisant fonction de troisième clerc en même temps que de saute-ruisseau, chez Maître Menesson, notaire, qui le chargeait d'actes à faire signer dans les villages d'alentour ou de commissions auprès de ses confrères à panonceaux. Bien entendu, la chasse ouverte, il n'oubliait pas de prendre son fusil et, la chasse fermée, il tendait les marettes rencontrées en chemin. Dans cette activité, le sort lui ménagea telle rencontre dont il a frémi, comme des personnages devaient plus tard frémir dans ses romans. Au retour d'une de ses courses, un soir de septembre sur la route de Crépy, tout à coup son cheval au galop (un cheval prêté) fit un écart violent et il se trouva projeté à quinze pas, sur le bord du fossé. Remis debout, revenu au pavé du milieu du chemin, il aperçut un homme au sol et, croyant à une chute d'ivrogne, il se baissa pour l'aider à se relever... C'était un cadavre! Redressé, il lui sembla voir une ombre ramper dans les buissons. Le cheval avait continué et même accéléré son galop. Dumas, affolé, qui rapportait de l'argent, qui était sans armes, prit ses jambes à son cou, fit en un quart d'heure la lieue qui restait à faire et haletant, couvert de sueur et de boue, s'engouffra chez sa mère au moment où le boulanger racontait que le cheval venait de rentrer à l'écurie sans son cavalier... Le meurtrier voleur devait échapper longtemps à la justice, commettre d'autres crimes, mais finir vingt ans plus tard sur l'échafaud.

Comme tant d'autres scènes, celle-là est à lire dans *Mes Mémoires*, où l'auteur la file à merveille pour produire son effet, après l'avoir préparée avec soin jusque dans le paysage, admirable et inquiétant paysage, sans une lumière à l'horizon, sans le moindre aboi de chien, laissant seulement deviner un moulin à vent endormi, aux ailes pareilles à des bras de squelette levés dans l'attitude du désespoir, mais par contre animé par les arbres de la route que le vent tordait, auxquels le vent arrachait leurs feuilles qu'il faisait s'envoler « dans la plaine comme des bandes de sombres oiseaux »...

On peut évidemment se demander ce qu'offrent de sincère et d'exact les *Mémoires* de Dumas, dans les parties du moins pour lesquelles nous ne disposons d'aucun contrôle : ce qui est le cas des chapitres sur l'enfance, sur l'adolescence et sur les débuts parisiens. Assurément l'imagination, l'amplification jouent toujours un rôle non négligeable dans tous leurs récits; mais, après tout, ceux que plus tard on pourra vérifier se découvriront vrais dans leur essentiel. On verra que Dumas ne ment pas, n'invente même pas, ou guère : il arrange.

Quelqu'un qui l'a pas mal fréquenté dans le monde et qui l'a rencontré plusieurs fois en voyage, l'architecte Brunton, a dit de lui : « J'ai toujours reconnu que ce qu'il racontait ou écrivait avait un fond de vérité qu'il savait manier, orner et arranger avec un art sans pareil [1]. »

1. John Brunton, *Choses et autres*, 1876.

II

L'ADOLESCENCE ENCHANTÉE

Villers-Cotterêts, fleur de sa forêt, les châteaux d'alentour et leurs paisibles familles, une population bourgeoise et artisanale pleine de bonhomie, les amitiés avec des jeunes hommes artistes et d'autres pittoresques, avec des jeunes filles amicales, les entretiens du soir et les danses, beaucoup de chasses et quelques aventures : c'est de cette féerie que brillent plusieurs chapitres des *Mémoires*, c'est cette féerie que le roman d'*Ange Pitou* transpose. Nous voici devant Alexandre Dumas à quinze ans.

L'essaim des jeunes filles fait pendant au corps des gardes et à la grande famille des chasseurs. On dirait que la clairière répond à la forêt. « Sous le rapport de ces jeunes filles, peu de villes pouvaient se vanter d'être aussi favorisées que Villers-Cotterêts », a remarqué Alexandre Dumas. Il pensait beaucoup moins, ce disant, à la classe aristocratique et à la classe bourgeoise qu'au peuple mêlé à ces deux classes par ses métiers, marchandes de frivolité, faiseuses de modes, lingères... On descendait des châteaux sur les pelouses, comme on montait des pelouses aux châteaux, et les promenades dans les « allées » créaient une sorte de république gouvernée seulement par les saisons.

Qu'elles étaient ravissantes le dimanche, au printemps, avec leurs robes légères, leurs ceintures roses ou bleues, leurs petits bonnets chiffonnés par elles-mêmes, les filles du vieux tailleur Thierry (Joséphine, brune à la riche tournure; Manette, gaie pomme d'api) et les deux merveilles qu'employaient les demoiselles Rigollot dans leur magasin de chapeaux, de collerettes, de broderies, de gants, de rubans (la nymphe, la chasseresse

Albine Hardi, qui arquait au-dessus de grands yeux bruns ses sourcils réguliers; la blonde, rose, potelée Adèle Dalvin au gentil regard). Et Louise Brézette et d'autres encore... Et toutes mises en valeur par le charme d'une étonnante liberté, par une facile fréquentation entre jeunes gens des deux sexes, par la formation de couples amoureux dont beaucoup répondaient à la confiance des parents. L'été, on se rejoignait sous des verdures au coucher du soleil. L'hiver ou bien en toute saison s'il faisait mauvais, on se réunissait chez Louise Brézette dans les deux premières pièces, la troisième laissée à la mère brodant, à la tante lisant. Une lampe dans cette pièce éclairait vaguement les deux autres où les jeunes gens causaient un peu serrés entre eux, presque toujours à deux sur une chaise. A dix heures, séparation et reconduites. Le dimanche seulement rentrée à minuit, après les promenades, les danses, les tournées dans les fêtes des villages environnants.

De toutes les expéditions, de toutes les parties, de toutes les contredanses, plus encore que de toutes les chasses, Alexandre ne manquait pas une. Le matin, baisers et œil souriant de sa mère; de neuf à quatre heures, le travail, coupé par un repas et qui d'ailleurs lui laissait la tête libre pour rêver; de quatre heures à huit heures l'été, et de quatre à six heures l'hiver, sa mère encore; puis le plaisir, l'espérance, l'amour... Le mois de mai surtout était beau à Villers-Cotterêts, à cause du parc et des deux allées de marronniers gigantesques qui l'encadraient, puis se rejoignant presque, s'enfonçaient à perte de vue. A la fête locale de la Pentecôte, qui durait trois jours, le parc se peuplait de toute la ville confondue en une grande famille, que quadruplaient les invités. Car on venait de La Ferté-Milon, de Crépy, de Soissons, de Château-Thierry, de Compiègne et jusque de Paris, à diligences pleines, et dans des carrioles, des tilburys, des voitures de poste, à cheval. Villers-Cotterêts avait ses deux hôtels pleins et ses cafés regorgeaient.

Cette année, l'année de ses quinze ans, Alexandre vit arriver deux Parisiennes, Mlles Laurence et Vittoria... La première était la nièce de l'abbé Grégoire, lequel avait fait promettre à l'adolescent de s'instituer son danseur, le cher abbé!... Alexandre se prépara à sa fonction par une lecture inattendue du *Chevalier de Faublas*, découvert au fond d'une armoire; il avait donc une théorie de la séduction dans la tête pour le grand dimanche. Mais le reste de sa personne restait plus démuni, car il n'avait trouvé à lui octroyer que son costume de première communion, c'est-à-dire un habit bleu barbeau et une culotte de nankin. Or, en 1818, la culotte ne se portait plus, elle vêtait ce garçon en vieillard! Alexandre aurait dû arborer, pour éviter des sourires qui lui faisaient monter la honte au front, un pantalon collant café clair, des bottes à cœur plissées sur le cou-de-pied, un gilet chamois à boutons d'or ciselés et un habit brun à haut collet. Il restait loin de ces perfections, il était privé même de gants, et quel élégant aurait osé danser les mains nues?

Aussi quels affronts ne subit-il pas! Quels mots cruels ne s'attira-t-il pas! Heureusement son camarade Fourcade (un bon jeune homme envoyé de Paris pour fonder et diriger une école d'enseignement mutuel), largement son aîné et qui disposait, prodigue parisien, d'une double paire de gants, lui en prêta une et tous deux se firent apprécier dans la danse. Alexandre était surtout valseur. — « Vous valsez très bien », lui dit Mlle Vittoria. Encouragé, il débita des choses drôles, la jeune fille s'amusa et finit par se plaire dans ses bras. Elle était belle, cette Andalouse ardente de regard, hardie de poitrine, mouvante de taille. L'adolescent s'enivra. Le mouvement de la valse française dans laquelle s'infiltrait une énergie d'Espagne, ses mains à la taille frémissante, son visage qui sentait passer sur lui des cheveux de la jeune fille, ses yeux plongeant sur des épaules nues, toute cette griserie... Un changement profond s'opéra en lui; il fut fait homme en quelques minutes.

Mais Laurence, grande, mince, blonde, railleuse irréductible, dit à sa compagne : — «Ne va pas me prendre mon collégien, tu sais bien que c'est à moi que mon oncle l'a donné. — Tu me le prêteras pour la valse et je te le rendrai pour la danse... » Le pauvre garçon se sentait devenir un volant que d'habiles joueuses se renvoyaient d'une raquette à l'autre. Il y laissait des plumes. Il souffrait, secouru cependant par une impulsion de virilité et de courage. Étant allé rêver une heure, solitaire, dans l' « allée des soupirs », il revint, poussa un peu ses galanteries, si neuves pour lui. On dansa encore, on dansa une partie de la nuit. Ravissantes scènes, à peine douloureuses, d'une idylle où la volupté se glissait dans les dessous de l'innocence. Peu de sentiment et presque pas d'âme. Mais un étincellement de mouvement, d'ardeur, de drôlerie, de plaisir, et tous les sortilèges de la clairière en forêt.

Seulement, tout allait mal finir... Pendant quinze jours, le jeune Dumas fit à Laurence la cour maladroite d'un benêt. Les promenades dans les bois ne donnèrent rien, tant sa timidité le paralysait. Il n'avait d'audace qu'en rêve. Et pourtant il avait arraché à sa mère les moyens de se faire habiller à la dernière mode. Ce fut, ou plutôt ce devait être un grand jour. Mais tailleur et bottier l'avaient mis en retard pour son rendez-vous quotidien et, lorsqu'il y arriva, ces demoiselles n'y étaient plus. De la part de Laurence, la sœur de l'abbé Grégoire lui remit une lettre. Laurence lui disait :

Mon cher enfant,

Depuis quinze jours je me reproche d'abuser, comme je le fais, de la complaisance que vous croyez devoir à mon oncle qui vous a fort indiscrètement prié d'être mon cavalier. Quelques efforts que vous fassiez pour cacher l'ennui que vous causent des occupations au-dessus de votre âge, je me suis aperçue des dérangements que je cause dans vos habitudes, et je me les reproche.

Retournez donc à vos jeunes camarades, qui vous attendent pour jouer aux barres et au petit palet. Soyez, au reste, sans inquiétude pour moi; j'ai accepté pour le peu de temps que j'ai encore à rester chez mon oncle, le bras de M. Miaud.

Recevez, mon cher enfant, tous mes remerciements pour votre complaisance, et croyez-moi votre bien reconnaissante...

Miaud était employé au Dépôt de Mendicité, mais il avait grandi à Paris. Ce blond grassouillet savait les manières, il portait même un lorgnon suspendu à une petite chaîne d'acier. C'est lui qui, le soir de la fête, croisant Alexandre et les deux jeunes filles, s'était écrié : « Ah, ah! voilà Dumas qui va refaire sa première communion; seulement il a changé de cierge! » Et Laurence, du premier coup, l'avait reconnu pour Parisien. — A quoi? — A sa mise... La lettre lue et relue, Alexandre, anéanti puis emporté, adressa à Miaud un cartel, lui laissant généreusement le choix des armes. Quel choix! Le lendemain matin, en se réveillant, il vit arriver, avec la carte de son rival, une poignée de verges...

Premier amour, première idée de duel... Le susceptible en attrapa une fièvre cérébrale, heureusement prise à temps par le médecin. Mais il eut soin de prolonger sa convalescence de façon à laisser aux deux Parisiennes le temps de quitter Villers-Cotterêts et à pouvoir sortir sans risquer leur rencontre. Il ne devait d'ailleurs jamais les revoir.

Elles ne lui avaient pas seulement instruit le cœur, elles n'avaient pas seulement éveillé son goût de la femme, elles lui avaient donné le souci de se soigner. Elles l'avaient éclairé sur lui-même. Il connaissait maintenant ses avantages, des mains assez belles, des ongles bien faits, des pieds exceptionnellement petits. Il avait des cheveux blonds et bouclés qui venaient de crêper avec ses quinze ans. Ses grands yeux bleus adoucissaient un teint depuis peu tourné au brun. Son nez droit, ses lèvres épaisses s'ouvraient sur des dents assez mal rangées mais d'une merveilleuse blancheur. A cette époque, certes, un peu trop long et trop maigre : « Un échalas », disait-il. Ainsi fait, il excita un jour, à quelque temps de là, dans la diligence qui le portait à Soissons, la curiosité spéciale d'un amateur avec qui il lui fallut se colleter.

Parmi les jolies plébéiennes de Villers-Cotterêts, l'ami Fourcade avait choisi pour compagne dans les promenades en forêt et dans les causeries du soir Joséphine Thierry; Saulnier, jeune clerc de notaire, Manette; Louise Brézette comptait plusieurs assiégeants. Adèle Dalvin, si douce, si timide, venait de manquer un mariage, elle se trouvait libre. Alexandre l'attaqua, fort de ses nouvelles dispositions d'esprit, de sa demi-confiance physique. La résistance sérieuse qu'elle opposait demanda une année de soins, d'attentions, de petites faveurs accordées, refusées, prises de force. Enfin, comme Adèle avait obtenu de sa mère de coucher dans un petit pavillon du jardin, un soir arriva que la porte, qui jusqu'alors se fermait inexorablement sur le dos d'Alexandre poussé dehors à onze heures, s'était doucement rouverte à onze heures et demie; et derrière cette porte, écrit-il dans ses *Mémoires*, « j'avais trouvé deux lèvres frémissantes, deux bras caressants, un cœur battant contre mon cœur, d'ardents soupirs et de longues larmes ».

Les amants organisèrent leur liaison. Trois fois par semaine, Alexandre pénétrait dans le pavillon en sautant fossé et mur, en forçant un passage gardé par le plus indiscret des chiens. Un de ces soirs d'effraction et d'escalade, un homme se jeta sur lui, dont il eut du mal à se débarrasser, car l'agresseur portait bâton et couteau, mais il parvint à le rejeter après une longue et dure lutte sur une pierre où le crâne manqua se fendre. Il n'allait plus jamais avoir affaire à lui dans la suite. Mais c'est qu'aussi il fit pour cela le nécessaire. Ayant deviné qui l'avait attaqué, il eut confirmation de ses soupçons le

lendemain devant la couleur de quelques cheveux trouvés sur
la pierre ensanglantée. Apercevant ensuite le chirurgien qui
revenait de chez le blessé, il alla à lui :

— Qu'a donc un tel, lui demandai-je, qu'on vous a envoyé chercher de chez lui, ce matin?

— Ce qu'il a, garçon? me répondit-il avec son accent provençal.

— Oui.

— Eh bien, il a que sans doute, cette nuit, il n'y voyait pas bien
clair et que, pressé qu'il était de rentrer, il a été donner de la poitrine dans le timon d'une voiture. Le coup s'est trouvé si violent
qu'il en est tombé à la renverse et qu'en tombant il s'est fendu la
tête.

— Quand lui faites-vous votre seconde visite?

— Demain, à la même heure qu'aujourd'hui.

— Eh bien, docteur, dites-lui de ma part que, passant cette nuit
derrière lui, à l'endroit même où il est tombé, j'ai trouvé son couteau et que je le lui renvoie. Ajoutez, docteur, que c'est une bonne
arme, mais que cependant l'homme qui n'aurait que cette arme-là
aurait tort de s'attaquer à un homme qui aurait deux pistolets
pareils à ceux-ci...

Je crois que le docteur comprit.

— Ah! Ah! fit-il; bon! sois tranquille, je le lui dirai. Je présume
que de son côté l'homme au couteau comprit aussi, car je n'en
entendis jamais reparler, quoique quinze jours après je dansasse
vis-à-vis de lui au bal du parc [1].

Se non e vero... Mais que les sceptiques lisent en regard une
autre page, dont ils n'iront peut-être pas jusqu'à prétendre que
les *Mémoires* la font voisiner avec la première dans le seul but
d'authentifier celle-ci. C'est une confession humiliante. Dumas
explique qu'il a voulu éviter de compromettre son Adèle,
tout en racontant autour de lui l'attaque nocturne. Première
faute : pourquoi avoir bavardé? Mais le pire fut de laisser
croire qu'il sortait de chez M. Lebègue, le notaire, ou plutôt de
chez Mme Lebègue, une des filles de M. Deviolaine, qui était
jolie, spirituelle, coquette, indifférente à la malignité publique.
Voici la page :

Un jour, sans que je susse d'où venait ce bruit, sans que je me
doutasse de la cause qui l'avait fait naître, j'entendis murmurer à
mon oreille que j'étais l'amant de Mme Lebègue. J'aurais dû, à

1. *Mes Mémoires.*

l'instant même, repousser ce bruit avec indignation; j'aurais dû faire de cette calomnie la justice qu'elle méritait. J'eus le tort de la combattre faiblement et tout juste ce qu'il fallait pour que ma vaniteuse dénégation eût tout le poids d'un aveu... Pauvre esprit faussé que j'étais! J'eus un moment de joie, une heure d'orgueil à ce bruit, qui eût dû me faire rougir de honte, parce que j'avais laissé croire une chose qui n'était pas.

Je portai bientôt la peine de ma mauvaise action. Mme Lebègue me crut plus coupable que je ne l'étais; elle m'accusa d'avoir fait naître cette calomnie. Sur ce point, elle se trompait : je l'avais laissée vivre, laissée grandir, voilà tout. Il est vrai que c'était bien assez. Elle me ferma sa maison, maison amie à moi et à ma mère, et qui dès lors nous devint hostile à tous deux. Mme Lebègue ne me pardonna jamais... Partout où j'ai rencontré depuis Mme Lebègue, j'ai détourné la tête devant elle, j'ai baissé les yeux devant son regard.

Le coupable avouait tout bas son crime. Aujourd'hui il l'avoue tout haut.

Les amours avec Adèle Dalvin, au contraire, il n'y eut personne qui ne les crût pures. Ainsi va le monde. On continuait de se voir chez Louise Brézette tous les soirs, et cela dura plus de deux ans dans un calme bonheur. Il semblait que sa mère, Adèle, les amis s'entendissent pour assurer au jeune coq sa ration quotidienne de tranquillité douillette, de douces compensations à un travail bien léger, de divertissements : un coq en pâte, exactement, malgré la pauvreté de sa maison.

Dans le même temps, il accédait à la société aristocratique et bourgeoise qui achevait de conférer un caractère unique à la ville cotterézienne, parce que tous les mondes y étaient enserrés dans un petit espace, que sa situation la séparait du reste de la contrée, que son isolement forestier donnait assez l'idée d'un décor de ballet. Qu'advenait-il des Collard et des Deviolaine? Et surtout, que devenaient ces femmes, ces jeunes filles, ces enfants que la clairière voyait arriver aux fêtes, entourés des châtelains des environs, les Montbreton, les Courval, les Mornay, et de quelques bourgeois, les Perrot, les Moreau? Une des demoiselles Collard avait épousé le baron Capelle, haut fonctionnaire; une autre, le baron de Mertens, ambassadeur de Prusse en Portugal; la troisième, M. Garat, négociant considérable, et elle commençait de compter parmi les plus jolies femmes de Paris. Des cinq demoiselles Deviolaine, Léontine et Éléonore étaient mariées, l'une à un notaire, l'autre à un contrôleur des contributions; les trois restant

filles étaient Cécile, brune fantasque, un peu masculine, qui
avait vingt ans alors, Augustine, blanche aux yeux bleus, très
féminine, qui en avait seize, et Louise qui n'avait pas encore
d'âge. C'est par Mme Capelle, toujours parfaite pour lui, c'est
par les Collard qu'il connut le jeune Leuven et noua amitié
avec lui.

Adolphe Ribbing de Leuven, futur auteur du livret du
Postillon de Longjumeau, futur directeur de l'Opéra-Comique,
était le fils d'un seigneur suédois qui avait trempé dans le
meurtre politique du roi Gustave III et s'était vu condamné à
un exil perpétuel, qu'il commença de passer en France. Arrêté,
puis relâché par les Jacobins, tranquille sous Napoléon, expulsé
par les Bourbons, menacé à Bruxelles par les Prussiens à cause
de son attitude francophile, enfin rentré chez nous, mais obligé
de se cacher, le comte Adolphe-Louis Ribbing avait trouvé
asile au château de Villers-Helon qu'il acheta puis revendit à
M. Collard. Il était son hôte depuis quelques jours quand
Alexandre rencontra sur un chemin de la forêt son fils qui
donnait le bras à Mme Capelle et la main à la petite Marie,
cette petite Marie qui devait devenir Mme Lafarge l'empoisonneuse, pour qui Dumas ne pouvait certes pas deviner qu'il
s'emploierait un jour, vainement d'ailleurs... La baronne présenta au jeune Leuven le jeune Dumas, qu'elle invita même
pour le lendemain à un vaste déjeuner en forêt, puis à passer
trois jours au château. Au milieu d'une jeunesse joyeuse et
exubérante, ses espiègleries trouvèrent encore moyen de tran-
cher, puisqu'il se fit avec Leuven assez mal juger et qu'il reprit
à l'anglaise le chemin de la ville.

Le vicomte Adolphe de Leuven était beau et fort élégant.
Non moins beau, non moins élégant, était un officier de hus-
sards, Amédée de La Ponce, qui, venu vivre à Villers-Cotterêts
après avoir fait la guerre en Allemagne, s'y était marié. Il fallait bien qu'il y eût dans la figure de Dumas, dans ses manières,
et déjà dans son esprit, un appel, une promesse, des étincelles,
pour que deux jeunes gens habitués au monde fissent trio
d'amitié avec ce demi-orphelin, fils de général, mais pauvre,
élevé par une modeste femme tenant bureau de tabac. Chaque
jour, ils se réunissaient, d'ordinaire chez La Ponce, qui avait
transformé sa cour en tir au pistolet. C'est Amédée de La Ponce
qui lui disait en aîné : « Apprenez à travailler, c'est apprendre
à être heureux. » Et il lui enseigna l'italien, à l'aide du roman

d'Ugo Foscole, *Dernières Lettres de Jacopo Ortis;* il lui aurait enseigné l'allemand, si Dumas y avait mordu; mais il traduisit pour la plus grande émotion de son cadet, pour son bouleversement, la *Lenore* de Bürger.

Hélas! il fallait vivre, se faire une raison, organiser l'avenir. Alexandre s'apprêtait à solliciter une charge de percepteur de contributions dans un village quelconque. « Je n'avais pas plutôt heurté les premières intelligences que j'avais rencontrées, écrit-il dans une digression des *Mariages du père Olifus*, que je m'étais aperçu que je ne savais rien, ni grec, ni latin, ni mathématiques, ni langue étrangère ni même ma propre langue, rien dans le passé, rien dans le présent, ni les morts ni les vivants, ni l'histoire ni le monde. » En droit même, et malgré les notaires, aucun progrès. « Votre fils est un grand paresseux, qui ne fera jamais rien », disaient les femmes à Mme Dumas... Ce qu'il connaissait, c'était un petit lot de poètes, Parny, Legouvé, Demoustiers, il les lisait sous les arbres de la forêt, et ils l'enflammaient d'ambition [1]. Si l'*Histoire naturelle* de Buffon l'avait pourvu de connaissances utiles, *les Mille et une Nuits* lui insufflèrent le goût du féerique et du merveilleux. Qu'on ajoute les tragédies de propagande voltairienne, le romanesque poivré du *Faublas*, les drames de Pigault-Lebrun, et l'on aura inventorié le bagage littéraire de ce jeune ignorant, qui avait tout juste entendu parler de quelques épisodes du *Quichotte*, de *Gil Blas*, des romans de Walter Scott... Et malgré tout, Leuven et La Ponce avaient entrepris de le dégrossir.

On naît écrivain. Il faut ensuite un climat favorable pour se former, grandir, s'orienter. A créer ce climat pour Dumas, solitudes, majesté de la nature sylvestre, premières lectures dans un cadre privilégié, amitiés encourageantes, amitiés de jeunes femmes, ont-elles manqué? Il connut l'amour; il vit la violence, le crime même. Mais Dumas a toujours montré peu de penchant à réfléchir replié sur lui-même. Il était force agissante, il voyait et sentait un peu gros. Sa nature le portait donc vers le théâtre et, comme il n'avait pas fait d'humanités, vers le théâtre le plus moderne, le plus débordant de vie, le plus chaotiquement vivant, c'est-à-dire l'anglais et l'allemand. Par surcroît, des circonstances ont poussé à cette vocation. Ne lui arriva-t-il pas, encore enfant, de jouer dans un mélodrame

---

1. *Les Mariages du père Olifus*, Paris, 1850.

que des comédiens installés à Villers-Cotterêts et qui mouraient de faim, avaient eu l'idée de donner en représentation à
leur bénéfice? C'était un certain *Hariadan Barberousse* de
Saint-Victor et Corse. Les pauvres diables ayant sollicité
l'aide de deux ou trois jeunes gens de la ville, et toutes les
mères ayant refusé, Alexandre avait été le seul à dire oui, lui,
timide. Le rôle de Don Ramire lui échut : s'y montra-t-il ridicule? Il l'assure, mais enfin il était monté sur les planches et il
avait ainsi permis à une mère, à un père, à des enfants — tous
les Robba — d'avoir de quoi manger pendant les deux tiers
d'une année : huit cents francs de recette! On avait fait avalanche des villes et villages de tout l'arrondissement.

Plus tard, avec plusieurs camarades, garçons et filles, dont
Adèle et Louise Brézette, Dumas joua dans un « grenier », en
réalité au premier d'une longue et large maison, derrière
l'Hôtel de l'Épée, au fond d'une cour, au-dessus d'un menuisier qui fournissait les planches pour asseoir les spectateurs dans
le cadre d'une décoration de verdure et de fleurs. Mais que dis-
je! Il n'était rien de moins que metteur en scène, professeur de
pose et de diction; il guidait les intonations et les gestes,
« disait les mots à souligner, enseignait les contractions de la
face, la direction du regard, l'étendue du sourire », bref se
livrait et livrait ses amis à une « étude constante de l'effet,
sous la direction de La Ponce et de Leuven », qui avaient appris
cette technique à Paris [1]. Comment se fait-il que les *Mémoires*
ne fassent point mention de cette expérience qui a été, en
somme, la première des entreprises dramatiques du grand
homme de théâtre?

Adolphe de Leuven, au cours d'un séjour de cinq mois à
Paris, où il avait été l'hôte d'Antoine-Vincent Arnault, ami
de son père, comme lui ancien proscrit, auteur de tragédies
républicaines, de *Germanicus* et de *Marius à Minturne*, avait
rencontré Scribe, M. de Jouy, Pichat et autres fabricants cons-
ciencieux de théâtre, ainsi que des auteurs moins glorieux, mais
plus proches de lui, tels Soulié et Théaulon, sans parler des
coulisses et du coudoiement de quelques comédiennes. Rentrant
à Villers-Cotterêts, il y apportait les dernières secousses de son
frémissement et un zèle du diable à travailler pour la scène,
à faire travailler Dumas avec lui. Or, Dumas, pendant l'ab-

1. Poumerol, *Bulletin de la Société historique de Villers-Cotterêts*, 1905.

sence de son ami, avait fait lui aussi expérience et découverte.
Avec Paillet, le maître clerc de l'étude Menesson, son aîné de
sept ans, il était allé à Soissons pour y voir jouer, par une
troupe d'élèves du Conservatoire en tournée, l'*Hamlet* de Ducis.
Ce n'était que du Ducis. C'était tout de même pour lui un peu
de Shakespeare, cet inconnu, ce mystère. Enthousiaste, plein
de feu, il fit venir la pièce de Paris et sut bientôt le rôle d'Hamlet par cœur. A travers l'insuffisante adaptation, il pressentait
l'effondrement du convenu, ce convenu sur lequel bâtissaient
encore les Ancelot, même les Delavigne, et l'avènement de ce
vrai dont il portait en lui l'instinct. « Le vers de Térence,
a-t-il noté quelque part, m'a toujours paru un des plus beaux
vers qui aient été faits » : le vers de Térence, *Homo sum...*

Leuven et Dumas s'attelèrent donc à plusieurs pièces,
notamment un drame, *les Abencérages*. Mais comme il fallait
que Leuven ne regagnât pas la capitale sans emporter de quoi
forcer des portes, et pour deux, le genre facile du vaudeville
leur parut offrir des chances plus rapides. Leur *Hiver d'amis*
ne les enchantait pas. Mais leur *Major de Strasbourg* mettait
en scène un vieux guerrier devenu Cincinnatus au repos, et ce
vaudeville patriotique convenait assez bien à une époque où
la France battait l'ennemi dans des couplets vengeurs. Dumas
mit sur pied un de ces couplets,

> Tu vois, enfant, je ne me trompais pas,
> Son cœur revole aux champs de l'Allemagne

qui fit l'admiration de Leuven, plut à La Ponce et capta même
l'attention de l'orgueilleux Lafarge, que Leuven avait depuis
quelque temps ramené avec lui de Paris. Alexandre commençait à croire qu'il avait fait un chef-d'œuvre, il l'avoue et
même écrit à ce propos, modestement : « On connaît le côté
vaniteux de ma personne. » Mais en somme, il remportait là un
succès et s'en rendait compte. Car ainsi s'éveillèrent dans son
cœur « une grande force qui peut tenir lieu de toutes les autres,
la volonté, et une grande vertu, qui n'est certes pas le génie,
mais qui le remplace, la persévérance ». A coup sûr, « qui le
remplace » est de trop. Heureusement pour Dumas, il devait
montrer dans son œuvre, même au théâtre, plus que de la
persévérance et même plus que de la volonté... Enfin, les deux
amis se livrèrent à ces travaux dans les années 1820 et 1821, si

bien qu'Adolphe de Leuven, lorsqu'il repartit pour s'installer avec son père à Paris, avait dans ses bagages une provision d'espérances. Hélas! elles ne devaient pas fructifier : trois pièces, trois refus...

Alexandre n'eut plus alors qu'à revenir aux ambitions les plus modestes. M. Deviolaine, maintenant conservateur des forêts du duc d'Orléans à Paris, n'allait-il pouvoir le prendre dans ses bureaux? Malheureusement, le bourru se montra froid. Avait-il su l'indélicatesse dont sa fille, la charmante Mme Lebègue, avait été victime? Évidemment non. Il lui suffisait de penser que son jeune cousin ne paraissait pas bon à grand-chose.

Sur ces entrefaites, le beau-frère Letellier, nommé à Dreux, avait invité Alexandre. Ce furent des vacances de plus de deux mois, au terme desquelles un événement attendait le jeune homme, une nouveauté de vie, une douleur. Il apprit qu'Adèle, après avoir refusé plusieurs partis, se mariait enfin, par raison, avec un brave homme qui avait deux fois son âge. Il l'avait vue venir, cette heure fatale, il s'y était résigné : la pauvre fille n'avait-elle pas à s'assurer un établissement? N'empêche que la rupture le fit saigner : « Adolphe avait emporté mon esprit, Adèle était en train de briser mon cœur », se plaignait-il encore longtemps après. Ils pleurèrent, il essaya de travailler, il joua à la paume avec frénésie, y mit une telle force qu'il manqua tuer un joueur d'un coup de balle, renonça dès lors à ce jeu pour toujours, et le jour du mariage, il organisa avec un vieux camarade quelque temps délaissé une chasse à la pipée dans les bois des environs, autour d'une hutte en branchages recouverts de fougères. Là encore une séquelle d'aventures le guettait. Les deux amis déjeunèrent, ils dînèrent, la chasse fut abondante. Vers le soir, il rêvait. Soudain, il entendit un violon et des éclats de rire. Le bruit approchait dans le petit chemin, on allait passer à vingt pas de lui, on passa : c'étaient jeunes filles en robes blanches, jeunes gens en habit bleu ou noir, avec de gros bouquets et de longs rubans. Un ménétrier les entraînait...

Je mis la tête hors de notre hutte, et je poussai un cri.

Cette noce, c'était la noce d'Adèle. La jeune fille au voile blanc et au bouquet d'oranger qui marchait la première, donnant le bras à son mari, c'était elle.

Sa tante demeurait à Haramont. Après la messe, on était allé

déjeuner chez la tante; on avait pris, le matin, par la grand-route;
on revenait, le soir, par le chemin de traverse.

Ce que j'avais fui venait me chercher.

Adèle ne me vit pas, elle ne sut pas qu'elle passait près de moi.

Je suivis longtemps des yeux cette file de robes blanches qui,
dans l'ombre naissante, semblait une procession de fantômes...

Alexandre Dumas s'était peut-être laissé marquer plus profondément qu'on ne pourrait croire par ce premier amour,
que voilà détruit. Dans un de ses poèmes de 1826, *Souvenirs*,
il dira :

> Je me croyais heureux... Elle trahit ma flamme
> Et versa dans mon sein le poison des douleurs...

et dans le roman du *Vicomte de Bragelonne* il écrira qu'il faut
être passé par une infidélité pour vraiment entrer dans la vie.
A vrai dire, il n'y avait qu'infidélité forcée de la part de la
tendre Adèle Dalvin. Elle rendait même en se mariant un incontestable service à son amant, il faut bien en faire la remarque,
moins cynique que mélancolique.

Alexandre, deux mois après son retour de Dreux, accepta
une place de deuxième ou troisième clerc (il n'a jamais bien
su) chez un notaire de Crépy, Maître Lefèvre. La place était
avantageuse, on était nourri et logé, ce qui faisait l'affaire de
Mme Dumas, arrivée au comble de la gêne, si du moins son fils
n'a pas pris plaisir ou avantage à exagérer. Enfin elle lui
confectionna son petit paquet et il arriva le soir, à pied, s'installa dans une jolie chambre donnant sur un jardin, avec de
l'encre et des plumes à ne jamais pouvoir les épuiser. L'ennui
pourtant ne tarda point à l'accabler. Il composa des poèmes,
moins pour se distraire (était-ce possible?) que parce que
Leuven l'appelait à Paris, acharné à le persuader qu'ils ne
réussiraient qu'ensemble.

Un jour, son ancien maître-clerc, Paillet, qui avait quitté
comme lui l'étude Menesson, vint le voir. Paillet était devenu
propriétaire à Vez, tout en allant de temps à autre faire le
premier clerc en province ou le deuxième dans la capitale. Il
aimait beaucoup Dumas. Une idée surgit dans la fièvre de leur
cerveau, suscitée et favorisée par une absence de Maître Lefèvre :
aller à Paris. Paillet n'avait que vingt-huit francs, Dumas
sept. Eh bien, on irait à cheval, exactement sur un cheval, le
cheval de Paillet, et l'on vivrait de la chasse. Un cheval, un

fusil, chacun cavalier à son tour, tous deux chasseurs à tour de rôle. Avec trois francs par jour, le cheval aurait les soins nécessaires... Mais les gardes champêtres? Très simple : le cavalier les apercevra de loin, laissera le cheval au chasseur qui fera un galop et sortira du terroir avec le butin; pendant ce temps, le compère s'expliquera avec le représentant de l'autorité. Rien dans les mains, rien dans les poches, et le garde, avec une pièce de vingt sous, ira boire à leur santé.

Ainsi fut fait. Ils couchèrent à Ermenonville et déjeunèrent à Dammartin, avec une chasse si brillante en chemin qu'ils purent entrer dans Paris chargés de quatre lièvres, de douze perdrix, de deux cailles, en sorte qu'à l'hôtel de la rue des Vieux-Augustins où ils arrivèrent le second jour à dix heures et demie du soir et où l'on connaissait Paillet, ils se trouvèrent nourris et couchés durant deux jours et deux nuits, cheval et chien compris, sans avoir à débourser un sou. On les munit même pour le retour d'un pâté et d'une bouteille de vin.

Comment faire le voyage de Paris quand on est Cotterézien et sans or : voilà une idée de romancier. On devine qu'elle n'était pas du goût de Maître Lefèvre qui, revoyant Dumas, lui administra un avertissement ironique et d'ailleurs courtois, qui n'était que provisoire, mais aussitôt reçu fièrement par Dumas comme définitif. Dès le lendemain, il regagnait Villers-Cotterêts, décidé à attendre, plein de confiance, le bon vouloir de la Fortune.

Que l'intermède parisien lui avait été favorable! Il avait retrouvé Adolphe de Leuven, tous deux étaient allés ensemble au théâtre, ayant dans la journée obtenu de Talma, qui se rappelait avoir rencontré le général Dumas chez un ami, deux billets pour venir le voir dans *Sylla*, la tragédie de M. de Jouy, à la Comédie-Française. A midi, Dumas déjeuna chez le comte de Leuven, alla ensuite courir Paris en provincial affolé, dîna à son hôtel avec Paillet, rejoignit Leuven au Café du Roi (au coin des rues de Richelieu et Saint-Honoré) où Leuven avait fait connaissance avec les Merle, les Romieu, les Théaulon et autres vaudevillistes, et où Dumas eut la tristesse de revoir un Lafarge misérable. Puis les voilà dans leurs fauteuils, le rideau se lève.

Talma! Il avait simplicité, force, poésie, grandeur. Alexandre, « étourdi, ébloui, fasciné », se crut la proie d'une magie. Quand ils allèrent saluer le grand comédien dans sa loge, le remercier,

il avait dépouillé la pourpre et déposé la couronne; il respirait
fort au milieu d'admirateurs presque tous illustres, Delavigne,
Soumet, de Jouy, Népomucène Lemercier, Arnault, d'autres...

Je restai à la porte, bien humble, bien rougissant.

— Talma, dit Adolphe, c'est nous qui venons vous remercier.

— Ah! Ah! dit-il, avancez donc!

Je fis deux pas vers lui.

— Eh bien, dit-il, monsieur le poète, êtes-vous content?

— Je suis mieux que cela, Monsieur... je suis émerveillé!

— Eh bien, il faut revenir me voir et me demander d'autres
places.

— Hélas! Monsieur Talma, je quitte Paris, demain ou après-
demain, au plus tard.

— C'est fâcheux! Vous m'auriez vu dans *Regulus*... Vous savez
que j'ai fait mettre au répertoire *Regulus* pour après-demain, Lucien?

— Oui, je vous remercie, dit Lucien (Arnault le fils).

— Comment! Vous ne pouvez pas rester jusqu'à après-demain
au soir?

— Impossible, il faut que je retourne en province.

— Que faites-vous en province?

— Je n'ose pas vous le dire. Je suis clerc de notaire...

Et je poussai un profond soupir.

— Bah! dit Talma. Il ne faut pas désespérer pour cela! Corneille
était clerc de procureur. Messieurs, je vous présente un futur Corneille!

Je rougis jusqu'aux yeux.

— Touchez-moi le front, dis-je à Talma, cela me portera bonheur.

Talma me posa la main sur la tête.

— Allons, soit! dit-il. Alexandre Dumas, je te baptise poète
au nom de Shakespeare, de Corneille et de Schiller!... Retourne en
province, rentre dans ton étude, et si tu as véritablement la vocation, l'Ange de la Poésie saura bien aller te chercher où tu seras,
t'enlever par les cheveux, comme le prophète Habacuc, et t'apporter là où tu auras affaire.

Je pris la main de Talma, que je cherchai à baiser.

— Allons, allons! dit-il, ce garçon-là a de l'enthousiasme, on en
fera quelque chose.

Et il me secoua cordialement la main.

Sur ce geste, les deux jeunes gens avaient eu le bon goût de
se retirer. Dumas aurait volontiers sauté au cou de son ami...
Ils avaient aussi entrevu Mᴵˡᵉ Mars et respiré son parfum.

— Oh oui, s'était écrié Alexandre, je viendrai à Paris, je
vous en réponds!

III

PREMIÈRES ANNÉES DE PARIS

A peu de temps de là, en 1823, Mme Dumas et son fils ayant
fait des dettes et voyant leurs lendemains bien obscurs,
la courageuse femme liquida ce qui lui restait de petites terres
et de biens divers (faut-il y compter le mince lingot légué par
son mari?), se sépara d'une maisonnette longtemps grévée
d'un viager. Une fois la situation nettoyée, ils se trouvèrent à la
tête d'un capital qui s'élevait à la somme de deux cent cin-
quante-trois francs. Encore Alexandre avait-il avantageusement négocié la cession à un Anglais du chien Pyrame, pirate
par voracité et charge accablante pour son propriétaire.

Le bureau de tabac se révélait incapable de nourrir deux
personnes; le cousin Deviolaine faisait toujours la sourde
oreille, et une place espérée dans les services du banquier
Laffitte s'évanouit. Une seule et suprême ressource se laissa
entrevoir au jeune Dumas : s'adresser aux maréchaux de
France, anciens camarades du général, ce qui l'obligeait à
réunir quelques fonds pour aller à Paris. Sa décision fut vite
prise. Il vendit à l'architecte du Dépôt de Mendicité, M. Oudet,
deux gravures de Piranèse rapportées jadis d'Italie par son
père : cinquante francs. Il alla au café, engagea une partie de
billard avec l'entrepreneur de la diligence, le père Cartier. Elle
dura cinq heures, au bout desquelles le jeune homme gagnait
au vieil homme six cents petits verres d'absinthe, qui valaient
douze voyages entre Villers-Cotterêts et Paris, ou, réduits en
espèces, faisaient quatre-vingt-dix francs. Muni de ces cent
quarante francs, il s'acquitta d'adieux indispensables, accomplit au cimetière le rite de la dernière visite, passa avec sa mère
une ultime demi-heure commune et alla prendre à l'Hôtel de

la Boule d'Or la voiture pour Paris. Ils avaient pleuré... « Ma mère pleurait dans le doute, moi, je pleurais dans l'espérance. »

Paris le reçut mal. Il fut le chien dans le jeu de quilles du général Jourdan, se heurta chez le général Sébastiani à du bronze, trouva un général Verdier sans moyens, n'obtint même pas d'être reçu chez le duc de Bellune : voilà l'effet des lettres que toutes ces gloires avaient écrites de son vivant au général Dumas et que mère et fils avaient pieusement conservées; elles ne les reconnaissaient pas! Comment le jeune homme, enfoncé dans cette impasse ne s'est-il pas découragé? Le métal de sa volonté résista. Et au dernier moment, quand la bataille semblait perdue, il la gagna. Le voici à l'extrême bout de sa route, chez le général Foy. Il tend la lettre de recommandation que lui a faite l'excellent Dauré, grand électeur du général Foy dans leur département. Foy est un libéral, il garde le souvenir du général Dumas, et il doit son siège de député à Dauré qui aime Alexandre comme son fils... Mais quelles connaissances possède ce garçon sans diplômes et sans métier?

— Vous savez bien un peu de mathématiques?

— Non, Général.

— Vous avez, au moins, quelques notions d'algèbre, de géométrie, de physique?

Non, non, non, le postulant ne savait absolument rien. Il était au supplice et le général souffrait autant que lui. « Un jour, je répondrai oui à toutes vos questions! s'écria Alexandre, je vous en donne ma parole. » Mais pour attendre ce beau jour, avait-il de quoi vivre? « Rien, rien, rien, Général! »

Le général me regarda avec une profonde commisération.

— Et cependant, dit-il, je ne veux pas vous abandonner.

— Non, Général, car vous ne m'abandonneriez pas seul. Je suis un ignorant, un paresseux, c'est vrai; mais ma mère, qui compte sur moi, ma mère, à qui j'ai promis que je trouverais une place, ma mère ne doit pas être punie de mon ignorance et de ma paresse.

— Donnez-moi votre adresse, dit le général, je réfléchirai à ce qu'on peut faire de vous... Tenez, là, à ce bureau.

Il me tendit la plume dont il venait de se servir (il travaillait à son *Histoire de la péninsule*).

Je la pris; je la regardai, toute mouillée qu'elle était encore, puis, secouant la tête, je la lui rendis.

— Eh bien?...

— Non, lui dis-je, Général, je n'écrirai pas avec votre plume, ce serait une profanation.

Il sourit.

— Que vous êtes enfant! dit-il. Tenez, en voilà une neuve.

— Merci.

J'écrivis. Le général me regardait faire. A peine eus-je écrit mon nom qu'il frappa dans ses deux mains.

— Nous sommes sauvés! dit-il.

— Pourquoi cela?

— Vous avez une belle écriture.

Je laissai tomber ma tête sur ma poitrine, je n'avais plus la force de porter ma honte.

Le général lui fit faire immédiatement une demande au duc d'Orléans pour être employé dans ses bureaux, et il l'invita à déjeuner pour le lendemain. Le lendemain, il lui annonça qu'il avait vu le duc d'Orléans et que la position était enlevée. Alexandre sauta à son cou et déclara qu'il allait vivre de son écriture, mais qu'un jour il vivrait de sa plume. En quoi, sans se douter, il se montrait injuste, car sa belle écriture ne devait jamais cesser de lui être utile, ne fût-ce qu'à recopier la prose de ses collaborateurs... N'y a-t-il pas tenu, et très fort, jusqu'au bout? Bien plus tard dans son existence, un matin, ayant fait prendre de la charcuterie pour le déjeuner et soudain regardant le papier d'empaquetage : « Ah! cette écriture... » : la sienne exactement. Comment était-ce possible? Il demanda à son domestique chez quel charcutier il avait fait l'achat, puis au charcutier de qui il tenait le papier. On découvrit ainsi Viellot, qui, soit imitation, soit hasard, écrivait comme lui-même à s'y méprendre, et qu'il s'empressa d'engager comme secrétaire [1].

Voilà ce qu'il ne prévoyait pas en 1823. Comme il disposait encore de quelques jours, il quitta le général pour courir faire partager sa joie aux Leuven, puis sautant dans la diligence, alla surprendre dans la nuit sa mère, cria la nouvelle de sa victoire.

Trois jours avec elle se passèrent en projets : il fallait qu'elle vînt le rejoindre à Paris. En attendant, puisqu'il était en veine, pourquoi ne pas prendre un billet de loterie? Il prit, il gagna : cent cinquante francs. Il tira aussi à la conscription : pure formalité pour ce fils de veuve. Le jour de la séparation et du

---

1. Pifteau, *Alexandre Dumas en bras de chemise*, Paris, 1884..

départ, toutes les voisines faisaient chœur, le plus chaud des chœurs, un chœur de félicitations. Naguère, elles avaient plaint Mme Dumas d'avoir un enfant propre à rien. « Nous l'avions bien dit, affirmaient-elles aujourd'hui, qu'il deviendrait quelque chose! » Elles ne prévoyaient pas encore qu'il deviendrait quelqu'un.

Les bureaux du secrétariat du duc d'Orléans donnaient de leur troisième étage sur la cour du Palais-Royal. Le chevalier de Broval, directeur général, était un homme de soixante ans; M. Oudard, chef de bureau, en avait trente-deux, M. Lassagne, sous-chef, de vingt-huit à trente. Celui-ci était d'autre part chansonnier et ami de maint vaudevilliste; enfin le rédacteur, tout jeune, s'appelait Ernest Basset. A l'écart, M. Deviolaine occupait seul un grand cabinet d'où il conservait les forêts ducales. Il avait joint sa recommandation à celle du général Foy, Dumas l'apprit de M. Oudard, qui lui dit d'aller au plus vite le remercier. Il y alla... « Si tu t'avises de faire là-haut tes ordures de pièces et tes guenilles de vers comme tu faisais à Villers-Cotterêts, lui dit le bourru, je te réclame, je te prends avec moi, je te claquemure et je te rends la vie dure. — Mais je ne suis venu à Paris que pour cela! — Tu crois devenir un Corneille, un Voltaire? — Non, ce ne serait pas la peine. — Tu feras mieux qu'eux? — Je ferai autre chose! »

Le nouveau venu était le protégé du général Foy, tous le traitèrent bien, quoiqu'il dût ensuite ne pas avoir toujours à se louer de Oudard ni du chevalier. Mais Lassagne fut pour lui et devait rester un ami, un conseiller, un soutien. Dans ses débuts, le novice apprit l'art de calligraphier une lettre, de la plier, de faire l'enveloppe, de poser un cachet. Plier une lettre? Bien sûr, n'y a-t-il pas dix façons de plier une lettre selon la qualité de celui à qui on l'adresse? M. de Broval, venu s'assurer des qualités de son nouveau rédacteur, le fixa de son petit œil gris en le voyant plier une lettre en quatre. En quatre, en carré! C'était pour les hauts fonctionnaires! Aux simples inspecteurs et sous-inspecteurs, on ne donnait pas du carré, mais de l'oblong, avec enveloppe anglaise. Quant au cachet... Ah! le cachet demanda toute une leçon magistrale. A quelques semaines de là, son éducation déjà faite, Alexandre se vit investi d'une mission de confiance auprès du duc d'Orléans : copier cinquante pages d'un mémoire au procureur Dupin, car le duc s'occupait lui-même de son contentieux; ce n'était pas un texte à laisser traîner dans les bureaux, et il fallait le copier dans une pièce attenante au cabinet de travail princier. L'écriture satisfit, mais la ponctuation étonna.

— Ah! ah! vous avez une ponctuation à vous, à ce qu'il paraît.

C'était vrai. Ou plutôt pas de ponctuation du tout, sinon au hasard. Avec une parfaite bonne grâce, le duc prit une plume, s'assit à l'angle de la table et se mit à ponctuer la copie selon les règles... Une partie du mémoire restait à dicter; il la dicta en marchant. Lorsqu'on arriva à cette phrase : « Et quand il n'y aurait eu que cette ressemblance frappante qui existe entre le duc d'Orléans et son auguste aïeul Louis XIV... », Dumas, si peu qu'il sût d'histoire, leva le nez. Le duc sentit l'impertinence involontaire. Il s'arrêta devant le jeune homme :

— Monsieur Dumas, lui dit-il, apprenez ceci : c'est que lorsqu'on ne descendrait de Louis XIV que par les bâtards, c'est encore un assez grand honneur pour qu'on s'en vante... Continuez [1].

Est-ce parce que l'auteur des *Mémoires* les a rédigés après ses principaux romans historiques, est-ce parce que ses romans historiques ont profité de sa fréquentation avec quelques hauts personnages de France? Mais ce ton de grande allure retentit bien des fois dans toute l'œuvre.

Le 1er janvier 1824, Alexandre Dumas passa du surnumérariat au rang d'employé, c'est-à-dire de douze cents à quinze cents francs... Pour ce prix, il lui fallait être au Palais-Royal de dix heures et demie à cinq heures; en outre, quinze jours par mois, de huit heures à dix heures du soir, pour « faire le portefeuille », c'est-à-dire envoyer le courrier du soir au duc, à Neuilly, où Son Altesse passait les trois quarts de l'année. Quinze cents francs! Dumas se crut pendant quelque temps dans la caverne des trésors. Mais il ne lui fallut pas beaucoup de mois pour déchanter. Il s'aperçut d'ailleurs que pas un des fonctionnaires du duc ne pouvait se vanter d'un suffisant traitement. Tous avaient besoin d'autres cordes à leur arc. Les uns épousaient des lingères, les autres prenaient des intérêts dans des entreprises de cabriolets; certains tenaient dans le Quartier Latin des restaurants à trente-deux sous. On savait, on tolé-

---

1. Le Régent avait épousé Mlle de Blois, fille naturelle de Louis XIV et de Mme de Montespan.

rait, la majesté du prince ne se sentait pas atteinte. Mais alors un Dumas, quand il cherchera dans la littérature une voie de salut, pourquoi le tracassera-t-on, le traquera-t-on? On ira jusqu'à suspendre ses appointements... Le règne bourgeois commençait. Heureusement l'activité extérieure de Lassagne, quoique littéraire, était tolérée en haut lieu, sans doute en raison de son dévouement en politique; et Dumas se découvrit très vite capable de copier à la perfection, sans vraiment lire ce qu'il copiait et en pensant à autre chose; enfin tous deux restèrent ensemble dans le même bureau assez longtemps pour que Dumas tirât profit de leurs conversations. Mais il souffrait d'être pauvre. Le journaliste Clavel a conté un jour à un de ses amis qu'étant allé chez Dumas un matin, il l'avait surpris, une paire de ciseaux à la main, occupé à découper un col de chemise en papier pour achever de s'habiller [1]... Il mangeait souvent dans un petit restaurant de la rue de Tournon, attenant à l'Hôtel de l'Empereur Joseph II, et « où l'on servait des dîners, pas très mauvais, ma foi! à six sous le plat [2] ».

Son logement, il l'avait trouvé au nº 1 de ce qui s'appelait alors le pâté des Italiens, en face de l'Opéra-Comique : une petite chambre avec alcôve au quatrième sur la cour assez spacieuse. Loyer annuel : cent vingt francs. Il convint avec la concierge de cent sous par mois pour le ménage. Pour le denier à Dieu, un louis parut don princier. Les meubles indispensables arrivèrent quelques jours après, envoyés de Villers-Cotterêts par Mme Dumas.

Sur le même palier que le nouveau locataire habitait une jeune femme séparée de son mari, une blonde à embonpoint, très blanche de peau, de taille moyenne, au visage attrayant. Lingère avec deux ou trois ouvrières sous sa direction, elle s'appelait Marie-Catherine Lebay, était née à Bruxelles en 1793 et avait laissé son mari à Rouen. Elle était d'humeur enjouée. Cela commença par des promenades du dimanche, continua par des réjouissances de grisette et d'étudiant au restaurant, au bal. Devenue rapidement sa seconde Adèle, elle accepta que, pour raisons d'économie, on fît logis commun... et le 27 juillet 1824, un fils naquit. Arrivée qui ne pouvait passer pour une bénédiction, car Dumas avait décidé de faire

1. Philibert Audebrand, *Alexandre Dumas à la Maison d'or*, Paris, 1888.
2. *Souvenirs* (de 1830 à 1842), Paris, 1854.

venir sa mère à Paris : était-il imaginable de vivre à quatre dans un gîte pour deux? Il se mit donc en quête d'un autre logement pour sa mère et pour lui, pas trop élevé de prix, pas trop éloigné de son bureau, et le trouva au 53 du faubourg Saint-Denis, au second, sur la rue : deux chambres, dont une à cabinet, salle à manger et cuisine. Aussitôt, à Villers-Cotterêts, Mme Dumas liquida son bureau de tabac, mit en vente une partie de ses modestes meubles et débarqua sur le sol parisien, avec son lit, une commode, une table, deux fauteuils, quatre chaises et cent louis... Cent louis! Plus d'une année d'appointements et par conséquent pas mal de mois pour voir venir. Mère et fils puisèrent dans ce tas, mais il diminuait sans cesse, en sorte que trois cent cinquante francs de loyer c'était encore trop cher. Un voisin de palier, employé de ministère et chansonnier, qui s'en allait de la poitrine, les pria philosophiquement d'attendre qu'il fût mort. « Mon logement, fort commode, n'est que de deux cent trente francs, leur dit-il, et vous l'aurez bientôt. » Il tint parole dans l'année. Et néanmoins la situation restait difficile. Est-ce à cause d'elle, ou pour une autre raison (peut-être des incommodités d'escalier), on ne sait, mais ils déménagèrent de nouveau et s'en allèrent habiter un rez-de-chaussée sur la rive gauche, rue de l'Ouest, à trois, cette fois. Le troisième était Mysouff, qui a son portrait dans l'*Histoire de mes bêtes*. Mysouff, chat de gouttière, accompagnait chaque matin son maître partant pour le bureau; il ne s'arrêtait qu'à la rue de Vaugirard, à un endroit où il revenait le soir prendre position à l'heure exacte pour accueillir le maître à son retour et gambader à ses côtés, tel un jeune chien, jusqu'à vingt pas de la maison; puis il courait avertir la maman, qui sortait sur sa porte. Les jours où le maître ne devait pas rentrer dîner, Mysouff le devinait, il ne se dérangeait pas; les autres jours, à coups de griffes, il réclamait qu'on lui ouvrît. Si bien que Mme Dumas l'appelait son baromètre. « Mysouff, disait-elle à son fils, marque mes beaux et mes mauvais jours : les jours où tu viens, c'est mon beau fixe; les jours où tu ne viens pas, c'est mon temps de pluie. »... Que faisait Dumas de ces soirées d'absence? Catherine Lebay ne les accaparaît certes pas toutes.

Car Alexandre, d'un regard de plus en plus avide, sondait l'espace et le temps du côté du théâtre, et franchement de quel autre côté espérer un progrès de situation? Il demeurait en contact avec Adolphe de Leuven, dînant dans la famille Leuven un jour par semaine, régime qui devait durer cinq ans. Il avait couru à la Porte Saint-Martin dès son premier soir parisien. Il suivait attentivement la saison théâtrale.

En septembre 1824, le roi Louis XVIII mourait et Dumas lut bientôt avec admiration l'ode de Hugo sur les funérailles royales. Puis ce fut le sacre de Charles X, qui eut pour le fonctionnaire du duc d'Orléans une curieuse conséquence. La duchesse, qui avait rédigé en italien une relation du sacre, et qui en souhaitait une traduction pour son mari, venait de la demander à Oudard. Mais Oudard ne savait pas l'italien; il alerta Dumas qui le savait et lui confia l'album ducal où se trouvaient notées les actions, les pensées, et les plus secrètes. Pouvait-on lui recommander de ne rien lire de ce qui précédait et de ce qui suivait le récit du sacre? Alexandre n'était pas un ange, il obéit à sa curiosité; et des pages qui devaient nécessairement l'arrêter dans ce journal intime il y en eut une qui le frappa entre toutes : celle où la duchesse d'Orléans racontait comment son mari, entre deux caresses, lui avait avec tous les ménagements possibles appris la mort de son père, Ferdinand... le roi Ferdinand IV de Naples, Ferdinand Ier des Deux-Siciles! Celui-là même qui avait retenu le général Dumas pendant dix-huit mois dans ses prisons! qui avait permis qu'on tentât trois fois de l'empoisonner! une fois de l'assassiner! Ce monarque qui avait vu pendre, brûler, mettre en morceaux les hommes appelés par lui ses amis... « N'était-ce pas étrange, demande Dumas, que moi, fils d'une de ses victimes, je tienne entre mes mains cet album où, le cœur plein de larmes, une fille déplorait la mort de ce roi? Bizarre rapprochement des fortunes et des destinées! » Oudard reçut de grands compliments pour « sa » traduction, il en remercia son employé par deux billets pour le Théâtre-Français. Mais le jeune Alexandre ne s'était-il pas lui-même accordé sa meilleure récompense : la satisfaction de se voir une fois de plus mis par le hasard en présence de circonstances refusées au commun des hommes?

Auparavant, en janvier de la même année 1825, il avait absorbé sa ration périodique de romanesque dramatique, mêlé cette fois de cocasserie. Que peu de chance il avait avec ses costumes et sa toilette! Déjà à son premier jour de Parisien, à sa première soirée de théâtre, sa redingote et sa chevelure, toutes deux trop longues, l'avaient fait moquer au parterre

de la Porte Saint-Martin, puis, à cause de sa fureur, expulser.
Il avait même administré un soufflet et lancé un cartel, mais
dans le vide... Cette fois-ci que deux camarades l'avaient
emmené dîner au Palais-Royal, puis fumer un cigare à l'Estaminet Hollandais, c'est son manteau à la Quiroga avec sa
façon de s'en draper qui souleva des rires. Dumas provoqua les
premiers des deux rieurs et une rencontre fut décidée, ses deux
camarades, anciens militaires, acceptant de l'assister. On alla
se battre à la barrière Rochechouart, dans une de ces carrières
de Montmartre où tout un peuple de pauvres diables trouvaient
asile pour la nuit. Ils se levèrent au passage des six hommes
graves engagés dans ces lieux à une heure matinale, par un
temps de froid et de neige, si bien que duellistes et témoins
ne tardèrent pas à s'avancer majestueusement avec une suite,
et nombreuse. Enfin, on trouva un terrain favorable, une
espèce de plateau.

Le terrain choisi, les épées distribuées, il n'y avait pas de temps
à perdre, il faisait un froid horrible et notre galerie de spectateurs
s'accroissait de seconde en seconde. Je jetai bas mon habit et je me
mis en garde.

Mais alors, mon adversaire m'invita outre mon habit, à mettre
bas encore mon gilet et ma chemise. La demande me parut exorbi-
tante; mais comme il insistait, je piquai mon épée dans la neige, et
je jetai mon gilet et ma chemise sur mon habit. Puis, comme je ne
voulais pas même garder une bretelle et que, comme ce pauvre
Géricault, j'avais perdu la boucle de mon pantalon, je fis un nœud
aux deux pattes pour me sangler les flancs [1]. Les préparatifs prirent
une minute ou deux pendant lesquelles mon épée resta fichée dans
la neige...

Toutes ces injonctions m'avaient été faites très crânement de la
part de mon adversaire. En outre, comme l'épée était l'arme choisie
par lui, je m'attendais à avoir affaire à un homme d'une certaine
force. Je m'engageai donc avec précaution. Mais à mon grand
étonnement, je vis un homme mal en garde, découvert en tierce.

Il est vrai que cette mauvaise garde pouvait n'être qu'une feinte
pour que je m'abandonnasse de mon côté et qu'il profitât de mon
imprudence. Je fis un pas en arrière et, abaissant mon épée :

— Allons, Monsieur, lui dis-je, couvrez-vous donc !

1. Géricault, un jour, au moment de monter à cheval, s'aperçut que son
pantalon n'avait plus de boucle de ceinture; il fit alors ce que fait ici Dumas.
Le cheval l'ayant jeté à terre, il tomba sur le nœud malencontreux et se
froissa deux vertèbres : il devait mourir des suites de cet accident.

— Mais, me répondit mon adversaire, s'il me convient de ne pas me couvrir, moi?

— Alors, c'est autre chose... seulement, vous avez là un singulier goût.

Je retombai en garde. J'attaquai l'épée en quarte et, sans me fendre, pour tâter mon homme, j'allongeai un simple dégagement en tierce. Il fit un bond en arrière, rencontra un cep de vigne [1] et tomba à la renverse.

La pointe de mon épée avait pénétré dans l'épaule et, comme sa station dans la neige en avait glacé le fer, la sensation en avait été telle que mon adversaire, si légèrement qu'il fût blessé, était tombé. Par bonheur, je ne m'étais pas fendu; sans quoi, je l'embrochais de part en part.

Le pauvre garçon n'avait jamais tenu une épée.

Voilà les duels de l'époque. On y risquait la mort. Si Mme Dumas avait su quoi que ce fût de cette histoire, si elle l'avait seulement soupçonnée, l'effroi, le chagrin, l'eussent emportée. Oudard, au contraire, à qui il avait fallu tout dire pour expliquer les retards de ses trois employés, ne se montra pas mécontent.

Au reste, depuis l'avènement de Sa Majesté Charles X, le Palais-Royal était en fête, car le duc d'Orléans venait d'obtenir la faveur que Louis XVIII avait inexorablement refusée à ceux qui la sollicitaient pour lui (« Il sera toujours assez près du trône », disait le feu monarque) : le titre d'Altesse Royale.

1. Une vigne couvrait à l'époque les pentes du mont.

IV

GRANDES LEÇONS

Napoléon dominait encore l'époque, le travail de sa faulx géante faisait encore sentir son effet. Au fond de l'abîme qu'il avait fait s'entrouvrir, un charnier de plus d'un million de Français pourrissait, avec parmi eux combien de poètes, d'hommes de théâtre, d'écrivains!

A ce ravin béant en a correspondu un autre dans la tradition de nos lettres. Elles ont eu elles aussi leur coupure ensanglantée, entre les maintenances du xviiie siècle et les aspirations du xixe ; et de l'un à l'autre bord on s'est regardé longtemps en frères ennemis.

Certes, par-dessus le gouffre, Chateaubriand avait jeté l'immense pont de son génie, mais les contemporains de telles audaces en mesurent l'importance et la signification beaucoup moins nettement que la postérité. Il n'y a eu tout d'abord de visibles, mais à peu près inutiles, que de modestes joints et croisements, ceux des Delavigne et des Soumet en poésie, ces petits, tout petits Chateaubriand lyriques, de plus oubliés encore dans le roman et, au théâtre, des Delavigne également, des Arnault fils, des Ancelot, des Picard, des Alexandre Duval, sans psychologie directe et concrète, sans moyens de retentissement, affligés d'une forme vétuste et, pour tout dire, sans force.

Par-delà ces tentatives avortées, un isolement entêté enveloppait comme d'une forteresse encore miraculeusement debout les tenants de la tragédie pure, Arnault le père, Népomucène Lemercier, Legouvé, Brifaut, Pierre Antoine Lebrun, ces ancêtres à qui s'appliquerait si bien le mot de Jules Lemaître : « ce sont des vieux sans être des anciens ». Qui se souvient aujourd'hui de *Marius* et de *Lucrèce*, d'*Agamemnon* et de *la Démence de Charles VI*, de *la Mort d'Abel* et d'*Étéocle*, de *Ninus II*, du *Cid d'Andalousie?* On imitait, et il n'y avait plus là, en fait de tragédie, que simulacres de dieux creux. Curieux théâtre de conserve! Même ranimé, il n'a plus d'âme. Il n'a qu'une âme fabriquée au magasin d'accessoires. Ranimé? C'est à quoi s'efforçaient des acteurs exceptionnels, de Mlle Mars et de Mlle George à Talma. Ils n'ont fait que dissimuler une agonie, encore était-ce parce qu'un Talma, tragédien, avait le génie du drame, de ce drame qui, sous l'influence d'outre-Manche, essayait de vivre, mais n'était encore qu'embryon et s'appelait, par exemple, *Jeanne Shore*, que Ladières avait pris à l'Anglais Rowe.

En comédie, si l'on jouait toujours les auteurs de l'Empire, Alexandre Duval, Étienne, Picard, il y avait deux contemporains à les éclipser : Delavigne, Scribe, flatteurs du goût bourgeois, admirables agenceurs de machines théâtrales, fournisseurs amènes.

Mais il arrive toujours un moment dans le cours de la littérature où la vie s'impatiente de ne plus s'y reconnaître, parce que la littérature s'est mise à tourner sur elle-même sans plus rien saisir du dehors, tandis que la vie réagit de façon imprévue à des circonstances nouvelles. La littérature peut être encore bien faite, aguichante, voluptueuse, mais la jeunesse vivante ne voit plus qu'une coquette fardée, elle réclame une amante qui, jusque dans ses sentiments et dans ses pensées fasse parler l'instinct, le sang, la vie élémentaire.

Telle était la situation lorsque Alexandre Dumas devint un as dans le pliement des lettres et dans l'application des cachets. Le soir, il s'ébrouait avec son ami Adolphe de Leuven au parterre des théâtres, à l'entrée des coulisses, à la porte des loges : ils rendaient encore visite à Talma, juste quinze jours avant sa mort. Ils le trouvèrent au bain, étudiant le *Tibère* de Lucien Arnault, dans lequel il comptait une fois guéri faire sa rentrée. Condamné par une maladie d'entrailles à mourir de faim, Talma avait affreusement maigri; mais dans cet amaigrissement même il trouvait une satisfaction et l'espérance d'un succès.

— Hein! mes enfants, leur dit-il en tirant à deux mains ses joues pendantes, comme cela va être beau pour jouer le vieux Tibère!...

Dumas, arrivant de sa province, en extase devant un Talma et une Mars, attachait encore de l'importance à ce qui n'était déjà que poussière. Passionné de théâtre plus que de poésie et de roman, il voyait mal se former la vraie figure de son siècle, et malgré ses instincts et ses goûts, il se laissait hypnotiser par une versification éloquente, le jeu des acteurs, la majesté du vide!

Mais la grande leçon de Lassagne allait se faire entendre.

C'était un garçon infiniment séduisant que Lassagne, en même temps que loyal et bon, homme d'esprit, d'une solide culture, supérieur aux vaudevillistes avec lesquels il collaborait, journaliste de verve au *Drapeau blanc* et à *la Foudre*. Dumas n'a cessé de louer et de remercier Lassagne. Écoutons-le. « Il me faisait aimer l'heure à laquelle j'arrivais, parce que je savais qu'il allait arriver un instant après moi; il me faisait aimer le temps que je passais dans mon bureau, parce qu'il était là; toujours prêt à me donner une explication, à m'apprendre quelque chose de nouveau sur la vie, dans laquelle j'entrais à peine, sur le monde, que j'ignorais complètement, enfin sur la littérature étrangère ou nationale qu'en 1823 je ne connaissais guère mieux l'une que l'autre. »

En une conversation mémorable, consignée dans les *Mémoires*, Lassagne commença par balayer aux yeux ou plutôt à la bouche ouverte de Dumas ébahi, la littérature des illustres. *Germanicus* d'Arnault père? — Très mauvais... *Régulus* d'Arnault fils? — Médiocre... Alors la réputation de ces hommes? — Ils se la font dans leurs journaux. « Que M. de Jouy, M. Arnault ou M. Lemercier donnent une pièce dans laquelle Talma ne joue pas et, vous verrez, elle aura dix représentations... » Delavigne, Soumet, etc.? — Talents de transition, en poésie comme au théâtre, tout ainsi que Pigault-Lebrun dans le roman... Veut-on ne plus imiter, marcher librement, inventer? Alors, tout d'abord le travail!

D'où le vaste plan de lecture dressé par Lassagne avec une bienveillance presque paternelle, avec son admirable douceur des yeux et de la voix.

Dumas ignore Eschyle et Shakespeare, connaît à peine Molière : il devra les lire, les relire, les apprendre par cœur; puis il passera aux autres grands Grecs, aux grands Français; de Shakespeare, il descendra à Schiller, tandis que de Molière il n'aura que la ressource de remonter à Térence, à Plaute, à Aristophane. Naturellement, il lui faudrait étudier les langues.

Dumas, en poésie, en est à Voltaire, à Parny, à Colardeau, il devra les oublier et dévorer Homère, Virgile, Dante, cette « moelle de lion », puis se plaire aux modernes qui vont de Ronsard à Byron et à Gœthe, de Milton à Uhland, à Lamartine, à Hugo, à cet André Chénier que va publier Latouche. Dans le roman, il n'a lu ni Gœthe, ni Walter Scott, ni Cooper : qu'il lise *Wilhelm Meister, Ivanhoé, l'Espion;* ils lui donneront de la poésie, des caractères, de la beauté naturelle et grandiose; mais il leur manque la passion... Il s'est enchanté de *Jean Sbogar* de Nodier? Oui, charmant roman de genre, excellent pour détrôner Pigault-Lebrun, mais ce n'est pas cela qu'attend la France. — Et qu'attend-elle? — Elle attend le roman historique... — Mais l'histoire de France est si ennuyeuse!... Surprise et scandale de Lassagne : on vous l'a dit! Lisez d'abord, et ensuite vous aurez une opinion. — Que faut-il lire? — Ah! dame, c'est tout un monde : Joinville, Froissart, Monstrelet, Chastellain, Juvénal des Ursins, Montluc, l'Estoile, Retz, Saint-Simon, Villars, Mme de Lafayette, Richelieu...

On croit rêver... Ce vaste programme au début du romantisme, ce tableau des valeurs universelles dans une lumière de révolte orageuse contre les séquelles du classicisme épuisé, ou plutôt ce panorama clairvoyant et courageux du classicisme éternel dans la bouche d'un jeune intellectuel du temps de Charles X, c'est de quoi renverser bien des antithèses simplistes de l'histoire littéraire. Une histoire générale du romantisme pourrait consister à montrer comment de Lamartine à Hugo et à Vigny, puis à Musset, les écrivains les mieux doués du nouveau siècle ont travaillé à achever, consolider, orner de leurs architectures, sculptures, moulures, le grand pont dont Chateaubriand s'était fait l'ingénieur. Il est remarquable qu'ici Lassagne et Dumas prennent déjà part au travail; ils regardent, réfléchissent, mesurent, et un jour Dumas, architecte et entrepreneur, descendra dans le chantier.

Et cet appel au roman historique, cette prévision de l'œuvre future d'Alexandre Dumas, est-ce du Lassagne apocryphe, une rallonge inventée? En ce cas, le cadeau fait à son aîné par Dumas l'honore magnifiquement, les honore tous les deux, celui qui l'a offert, celui qui le méritait. Si au contraire Lassagne est le seul auteur de toute la leçon rédigée par son jeune ami, on ne saurait exagérer l'importance de son influence. Et puis, pourquoi n'aurait-il pas feuilleté le *Racine et Shakespeare* de Stendhal? Un théâtre extrait des vieilles chroniques y est annoncé, lequel faisait même déjà ses premiers pas avec Vitet, avec Mérimée, avec Loève-Veimars.

Est-il dommage que Dumas n'ait pas eu le temps de suivre exactement et jusqu'au bout les directions de Lassagne, et par exemple ne se soit jamais attelé à l'étude du grec, ni de l'allemand ni de l'anglais? Y a-t-il à regretter qu'il ait donné au moins autant de soin à ses contemporains français, notamment un Nodier, ou à ses contemporaines françaises, une Mme Tastu ou une Mme Gay, qu'à Gœthe, à Dante, à Homère? On ne sait, avec un semblable appareil d'imagination. On se demande si tout ce que nous pouvons rétrospectivement juger le plus utile pour le perfectionner ne l'aurait pas au contraire inutilement contraint et paralysé. Mais alors, que valent, qu'ont valu finalement les instructions de Lassagne? Ont-elles vraiment compté? Oui, elles ont intéressé et soutenu le meilleur de Dumas, elles lui ont donné le sens de la dignité, elles ont éveillé sa sympathie et son respect pour le passé vivant de la France... Et lui, il a sauvegardé toute sa fraîcheur de Villers-Cotterêts, sa vaste idylle, ses sortes de grandes vacances, son espace aérien, sa franche vue des choses, son imagination de prime-saut.

Et pourtant, il avait l'air de commencer par tourner le dos au bon Lassagne, puisqu'il s'ingéniait avec Adolphe de Leuven à fabriquer des vaudevilles comme on façonne des marionnettes. Mais le vaudeville faisait alors recette, et il s'agissait pour Alexandre de gagner quelque argent. Lassagne lui-même donnait dans ce genre du dialogue entremêlé de couplets, et l'un savait aussi bien que l'autre à quel point c'était rester à la porte des véritables lettres... Après plusieurs essais infructueux, Dumas et Leuven décidèrent de s'adjoindre Pierre-Joseph Rousseau, vaudevilliste en littérature, mystificateur à la ville, le double de son ami Romieu, l'amuseur fameux dont l'absence, pendant les trois ans qu'il fut préfet, avait amené des changements dans la capitale. Ces vers d'un auteur inconnu couraient :

> Lorsque Romieu revint du Monomotapa
> Paris ne soupait plus et Paris resoupa.

Rousseau, dit Dumas, « était de cette fameuse école Favart, Radet, Collé, Désaugiers, Armand Gouffé et compagnie, qui ne

travaillaient qu'en entendant sauter les bouchons et en voyant
flamber le punch ». Dumas et Leuven n'obtinrent de lui quelque
travail qu'à grand renfort de vin et d'alcool. C'est à un dîner
chez les Leuven (rue de La Bruyère) que Dumas ayant raconté
par hasard une de ses histoires de chasse, Rousseau s'écria :

— Voilà un vaudeville! Trois bouteilles de champagne firent
jaillir dans leur mousse le plan de *la Chasse et l'amour*. En
trois parts aussi furent distribuées les scènes à écrire. Huit
jours, dix jours, et la pièce était achevée. Un couplet de Dumas
avait eu du succès auprès de ses amis, le couplet que chante le
chasseur parisien, M. Papillon, sur l'air de *Vers le temple de
l'hymen*

> La terreur de la perdrix
> Et l'effroi de la bécasse,
> Pour mon adresse à la chasse
> On me cite dans Paris.
> Dangereux comme la bombe,
> Sous mes coups rien qui ne tombe,
> Le cerf comme la colombe.
> A ma seule vue enfin
> Tout le gibier a la fièvre,
> Car, pour mettre à bas un lièvre,
> Je suis un fameux lapin.

Refusée au Gymnase, précisément pour le couplet ci-dessus,
reçue peu après à l'Ambigu avec le même couplet bissé à la
lecture, la pièce fut représentée sous la triple signature Davy,
Rousseau et Adolphe, le 22 septembre 1825, avec un succès
médiocre. Dumas n'en tira pas moins son premier argent
d'homme de plume (50 francs) en vendant un paquet de ses
billets de spectacle (deux par soirée) à un certain Porcher,
spécialiste de ce commerce, providence des écrivains de théâtre.
Un prêt de trois cents francs suivit... Puis, une seconde pièce
du même acabit, *la Noce et l'enterrement*, inspirée d'une aventure de Simbad le Marin, et qui ne comptait pas moins de
cinq auteurs — Dumas, Adolphe de Ribbing (de Leuven)
James Rousseau, Lassagne et Gustave Vulpiau — ne sut
point convaincre la direction du Vaudeville. Échec au théâtre.
Échec aussi en librairie : car Dumas avait eu l'idée de publier
trois nouvelles de compte à demi avec un imprimeur, et ces
Nouvelles contemporaines ne devaient jamais arriver à séduire
plus de quatre chalands... Ah! la mauvaise passe!

D'autant plus mauvaise qu'Alexandre avait des ennuis au Palais-Royal.

Apprenant la collaboration littéraire de Lassagne et de Dumas, M. Oudard se dressait contre. De son côté, le fruste Deviolaine, loin de soutenir son cousin, le désavouait. Le lendemain même du jour où *la Noce et l'enterrement* avait subi son triste sort, Lassagne parut au bureau avec une mine doublement de circonstance. « Oudard, dit-il à Dumas, prétend que je vous donne le goût de la littérature, que ce goût vous perdra, et il exige que nous renoncions... Quelqu'un vous dessert auprès de M. de Broval. » Sous l'impression poignante de cette nouvelle, Dumas prit son courage à deux mains et marcha droit à son chef. Il entra dans son cabinet les larmes dans les yeux, mais la voix calme, reprocha à Oudard de vouloir condamner trois personnes à vivre avec cent vingt-cinq francs par mois, alors que son travail extérieur ne prenait pas sur son travail de bureau.

M. Oudard, disons-le, aurait pu s'étonner de ce nombre trois. Catherine Lebay? Elle avait son moyen d'existence. L'enfant? Il vivait avec elle et elle semble n'avoir jamais demandé un sou à son amant. Il fallait Mysouff pour faire trois... Les comptes de Dumas! A aucun moment de son existence, ils ne cessent de soulever des points d'interrogation. Pourquoi sa mère et lui avaient-ils fait des dettes à Villers-Cotterêts, malgré le bureau de tabac et quelques reliquats de fortune? Pourquoi, avec ses quinze cents francs d'appointements et les cent louis sauvés du naufrage cotterézien, Dumas crie-t-il misère? Peut-être en a-t-il fourni lui-même l'explication lorsqu'au chapitre CIV des *Mémoires*, il annonce que le modeste capital de cent louis est en train de mourir à peu près en même temps que le général Foy : ce qui, ajoute-t-il, « était effrayant, attendu qu'en un an et demi, nous avions dépensé près de quatre mille francs, c'est-à-dire à peu près dix-huit cents francs de plus que nous n'aurions dû faire ».

Mais Oudard était homme discret. Il exécutait d'ailleurs les volontés de M. de Broval, et sans malveillance personnelle.

— Je reconnais, continua à peu près Dumas, que *la Chasse et l'amour* ce n'est pas de la littérature; mais je ne me sens pas encore mûr pour la littérature véritable; et puis, faire ces pièces pour moi, cela ne vaut-il pas autant que de copier les pièces des autres à raison de quatre francs par acte, comme vous savez que j'y ai passé des nuits? Au reste, Adolphe de Leuven aussi fait du théâtre, et il paraît que vous allez le prendre dans vos bureaux. Mais voilà, les protecteurs de Leuven sont vivants, alors que le mien est mort...

Ici Oudard aurait pu arrêter Dumas en lui disant seulement : « Tiens! Je croyais M. de Leuven votre ami... » Mais non. Trop courtois pour cela, il prit une tangente et demanda :

— Vous voulez donc absolument faire de la littérature?

— Oui, Monsieur, et par vocation et par nécessité, je le veux.

— Eh bien, faites de la littérature comme Casimir Delavigne et, au lieu de vous blâmer, nous vous encouragerons [1]...

Rien ne saurait mieux résumer qu'une telle phrase les rapports de la littérature et du pouvoir sous le règne de Charles X. « Faites de la littérature comme M. Delavigne... » La République, du moins pour les arts, en dira autant par la bouche de M. Thiers, lorsque le président, achevant d'inaugurer une exposition de peinture, se déclarera satisfait en ces termes condescendants : « C'est une bonne moyenne. »

Mais alors, l'éruption de Dumas, sa flamme, sa lave, c'est une date! Pour la première fois, il laisse éclater son espoir orgueilleux, pour la première fois il assigne un but précis à son courage de travailleur et prend un engagement presque solennel. Pour la première fois aussi, il ose braver le ridicule, comme il le fera si souvent dans l'avenir, par l'étalage crâne de sa confiance en lui et de sa fierté d'homme nouveau... Mais l'audace n'a-t-elle pas le droit de prendre cette forme? Audace si téméraire, si folle, et qui le découvre si naïvement jusque dans ses origines exotiques, que nous pouvons le croire lorsqu'il prétend avoir répondu à son chef de service :

— Monsieur, je n'ai point l'âge de M. Casimir Delavigne, poète-lauréat de 1811, je n'ai pas reçu l'éducation de M. Casimir Delavigne, qui a été élevé dans un des meilleurs collèges de Paris. Non, j'ai vingt-deux ans; mon éducation, je la fais tous les jours, aux dépens de ma santé peut-être, car tout ce que j'apprends — et j'apprends beaucoup de choses, je vous jure — je l'apprends aux heures où les autres s'amusent ou dorment. Je ne puis donc faire dans ce moment-ci ce que fait M. Casimir Delavigne. Mais enfin, monsieur Oudard, écoutez bien ce que

1. *Mes Mémoires.*

je vais vous dire, dût ce que je vais vous dire vous paraître très
étrange : si je croyais ne pas faire dans l'avenir autre chose que
ce que fait M. Casimir Delavigne, eh bien, Monsieur, j'irais
au-devant de vos désirs et de ceux de M. de Broval, et, à l'instant même, je vous offrirais la promesse sacrée, le serment
solennel de ne plus faire de littérature.

Et Dumas ajoute, pour nous : « Oudard me regarda avec des
yeux atones; mon orgueil venait de le foudroyer. Je le saluai
et je sortis. »

Est-il besoin de dire que le bruit de l'algarade courut pendant trois jours dans tout le Palais-Royal, ce qui faisait soixante
bureaucrates à se gaudir de leur collègue? Deux seulement
faisaient barrage au rire homérique : Lassagne et un nouvel
employé à la comptabilité qui n'était autre qu'Amédée de La
Ponce... La guerre des bureaux commençait donc au moment
même où le jeune homme déployait, presque secrètement il est
vrai, le plus de mérites. Alexandre accomplissait sa révolution
intérieure. Son navire s'en allant à vau-l'eau, il prenait énergiquement la barre. Tout allait changer. Le sérieux de la leçon
de Lassagne se répandait dans sa vie, dans son être. A partir
de ces jours dramatiques, Dumas se disputa à lui-même. Et
tout d'abord, il s'acharna à combler le trou de son ignorance,
absorbant force littérature, à commencer par Walter Scott,
continuant par Byron, par Cooper. Il entrait donc, délaissant
la doucereuse Mme Cottin, dans le plus rude passé, dans un
grandiose apostolat, dans la plus immense poésie. Et ni Gœthe
ni Schiller ne lui restèrent livres fermés, non plus que Calderon : il fouilla dans la collection Ladvocat, *Chefs-d'œuvre des
théâtres étrangers*. Il alla jusqu'à se fortifier en science, avec
l'aide d'un ami, ce Thibaut qu'il accompagnait même parfois,
le matin de six à sept, à l'hôpital de la Charité et qui lui fit
faire de la physiologie, de l'anatomie. Il a dû à Thibaut de
savoir quelque chose en médecine et d'avoir pu suivre sur
Madeleine, l'héroïne de son roman *Amaury*, les phases d'une
tuberculose, ainsi que l'action des poisons administrés par
Mme de Villefort dans *Monte-Cristo*. Le soir, ils faisaient de la
physique et de la chimie dans la chambre du carabin. Une autre
ardeur de Dumas allait-elle contrarier ces studieuses dispositions? Aux séances assistait presque toujours une belle et
jeune voisine, Mlle Walker, marchande de modes, qui faillit
brouiller les deux étudiants, bien entendu; mais heureusement

un biais fut trouvé, la science et l'amitié eurent le dernier mot.

Grâce à Lassagne et grâce, en somme, à Oudard, Alexandre décida de ne plus manquer de respect à l'art. Il se voulut digne, il revint à son culte des Muses, il écrivit pas mal de vers, vers lyriques, vers de théâtre. Il collabora à *Psyché*, revue mensuelle qui a duré de 1826 à 1829 avec deux ou trois cents abonnés, et aux *Annales romantiques*. On trouve ses poèmes reproduits, les uns avec quelques inédits dans l'*Alexandre Dumas et son œuvre* de Charles Glinel[1], les autres dans les *Mémoires*. Asselineau, dans sa *Bibliothèque romantique* regrettait qu'il n'existât point de recueil poétique au nom de Dumas. En vérité, était-ce nécessaire? Alexandre Dumas remplace l'inspiration par une facilité extraordinaire de prosateur verveux, et certes, il ne prend le temps ni de forger, ni de modeler, ni de ciseler. Ses vers ont surtout l'intérêt de nous montrer son aimable sans-gêne. C'en est amusant! Par exemple, dans son *Élégie sur la mort du général Foy*, il s'octroie de cocasses licences :

De Jemmape et de Waterlo...

Un an plus tard, *Canaris*, dithyrambe vendu au profit des Grecs, marquait un progrès. Tel distique :

Debout! plus de lâches alarmes,
Que le sang des tyrans passe sur tes revers

en donne l'accent. Glinel remarque que dans *le Siècle et la poésie*, dans *Leipzick*, rôde une vague idée du thème sur lequel Hugo devait bâtir *l'Expiation*. Mais l'ensemble des poèmes dumasiens restent dans le goût de Soumet, que Dumas admirait, non seulement pour ses grands yeux inspirés et ses cheveux noirs flottants, mais pour son cœur ardent, pour sa tendre sensibilité. Lui, il oscille du ton de l'ode au ton de l'élégie.

Il dit au pâtre des environs de Rome :

Tu dors! jeune fils des montagnes
Et mon œil, aux débris épars autour de toi,
Reconnaît ces vastes campagnes,
Où fleurissait le peuple roi!

1. Chez Michaud, à Reims, 1884.

Tu dors! et des mortels ignorant le délire,
Nul souvenir de gloire à ton cœur ne vient dire
Que tes membres lassés ont trouvé le repos
  Sur la poussière d'un empire
  Et sur les cendres des héros.
. . . .

Si du fleuve orageux des âges
Tu voulais remonter les bords,
Que verrais-tu sur ces rivages?
Du sang, des débris et des morts;
Les lâches clameurs de l'envie,
La vertu toujours poursuivie,
Aux yeux des rois indifférents;
Et, profanant les jours antiques,
Sur la cendre des républiques,
Des autels dressés aux tyrans.
. . . .

Alors, à cette heure voilée
Où l'ombre remplace le jour,
Quand les échos de la vallée
Redisent de doux chants d'amour,
Seul peut-être, au pied des collines
D'où Rome sort de ses ruines,
Viendrais-tu sans chiens, sans troupeaux,
Et regrettant ton ignorance,
Fuirais-tu les jeux et la danse,
Pour soupirer sous des tombeaux?

Il se dit à lui-même, élégiaque :

  Ah! si de ma douleur lassée,
  La fortune ordonnait soudain
  Que de ma poitrine oppressée
  Le malheur soulevât sa main;
  Si, dans sa course solitaire,
  Un ange, exilé sur la Terre,
  Daignait suspendre mes ennuis,
  Et rendre à mes jeunes années
  Du calme pendant leurs journées
  Et du sommeil pendant leurs nuits :
  . . . .
  Alors de ses longues secousses
  Mon cœur goûterait le repos
  Et mes paroles seraient douces
  Comme le murmure des flots;

> Enfants d'un céleste génie,
> Mes vers en leur tendre harmonie
> N'auraient plus que des chants joyeux,
> Et ma lyre, en doux sons féconde,
> Retentirait au sein du monde
> Comme un écho lointain des cieux.

Dumas n'attachait pas une importance excessive à ses exercices poétiques. C'est au théâtre qu'il prétendait faire sa trouée; il avait lancé un défi qu'au théâtre seulement il pouvait soutenir; il s'exerça à une versification de théâtre en traduisant le *Fiesque* de Schiller. Et surtout il voulut bâtir une pièce d'importance et, dans ce but, espéra des loisirs au moins d'esprit. Ils s'offrirent. La Porte Saint-Martin, ayant reçu contre toute attente le vaudeville de *la Noce et l'Enterrement*, en donna la première le 21 novembre 1826 et quarante représentations devaient suivre. Tous comptes faits avec Porcher, cinq francs par soirée restaient à Dumas, qui lui adoucirent agréablement son hiver et lui permirent de rêver à un futur chef-d'œuvre. Il en profita pour se rapprocher de Soulié, qu'il connaissait.

Tout l'attirait en ce garçon vigoureux et bien assis dans la vie. Frédéric Soulié, solidement instruit, avocat, jouissant d'une rente que lui assurait sa famille, directeur par surcroît d'une scierie mécanique à cent ouvriers, riche par conséquent et d'ailleurs installé dans un coquet entresol de la rue de Provence, ouvrait un port, aux antipodes du malheureux Lafarge. Dumas voyait en lui « une des plus puissantes organisations littéraires de l'époque »; entendant ne plus signer désormais qu'un ouvrage à grand retentissement, il alla dire au poète des *Amours françaises*, qui achevait un *Roméo et Juliette* imité de Shakespeare : « Faisons un drame ensemble. »

Et néanmoins, n'osant pas encore s'atteler à une création de toutes pièces, croyant prudent d'emprunter leur sujet à Walter Scott, les deux jeunes gens entreprirent de mettre en action scénique *les Puritains d'Écosse*, mais sans parvenir à rien bâtir, sans réussir à se multiplier l'un par l'autre. Trois mois de vains efforts... Il fallut renoncer. Mais Dumas a toujours reconnu avoir beaucoup gagné à lutter avec cet athlète : « Je sentais naître en moi, a-t-il écrit, des forces inconnues et, comme ces aveugles auxquels on rend la lumière, il me semblait que peu à peu, de jour en jour, mon regard embrassait un horizon plus étendu. »

On peut donc avancer qu'Alexandre Dumas, après la grande
leçon de Lassagne, en a reçu plusieurs autres de Soulié et qu'à
la suite de chacune d'elles, au fur et à mesure qu'il exigeait de
lui-même davantage, un effort intrépide de travail, de culture,
d'ambition lui élargissait le cœur, lui élevait l'esprit. Or, une
chance imprévue vint de surcroît le servir encore : le contact
direct avec la grandeur shakespearienne. Les acteurs anglais,
Kemple, Kean, miss Smithson, ont passé le détroit en 1827
pour offrir à Paris, dans une série de représentations, Shakespeare intégral. Dumas n'avait guère fait jusque-là qu'entrevoir Shakespeare à travers Ducis, ce Ducis qui devait dans la
suite le faire penser à l'enseigne de chirurgiens spécialisés, les
fournisseurs à la Rome papale d'imberbes à voix pures : « Ici
on perfectionne les petits garçons... » Aux représentations
anglaises, il éprouva une fameuse secousse : c'était dans sa
tête la substitution du « drame étalon » au « drame hongre ».

Les Anglais jouaient dans leur langue, les spectateurs sui-
vaient en s'aidant de la traduction livresque mais assez exacte
de Guizot, et ce furent des spectacles unanimement comparés
à l'Éden, car des créatures de Dieu remplaçaient les anciens
mannequins de plâtre. Les spectateurs éprouvèrent des émotions surprenantes, ils versèrent des larmes. Au soir d'*Hamlet*,
devant Kemple dans le rôle du prince et miss Smithson adorable dans celui d'Ophélie, l'impression de Dumas dépassa son
attente. Ainsi d'ailleurs pour Vigny, Hugo, Nerval, Berlioz et
Delacroix qui étaient dans la salle avec toute la Jeune France.
Berlioz devait errer toute la nuit à travers les rues. D'abord
« foudroyé », il avait eu ensuite l'esprit transfiguré, « centu-
plé » par l'enthousiasme, par le délire [1]. Et Dumas, qui ne sentit pas un moindre bouleversement, prenait conscience de son
importance :

A partir de cette heure seulement j'avais une idée du théâtre et,
de tous les débris des choses passées que la secousse reçue venait de
faire dans mon esprit, je comprenais la possibilité de construire un
monde... C'était la première fois que je voyais au théâtre des passions
réelles, animant des hommes et des femmes en chair et en os. Je
compris alors ces plaintes de Talma à chaque nouveau rôle qu'il
créait, je compris cette aspiration éternelle vers une littérature qui
lui donnât la faculté d'être homme en même temps que héros; je

1. Adolphe Boschot, *Hector Berlioz. Une vie romantique*, Paris, 1920.

compris son désespoir de mourir sans avoir pu mettre au jour cette
part de génie qui mourait inconnue en lui et avec lui...

On n'a pas eu tort sans doute d'écrire que, quelle que soit la
dette du théâtre romantique envers les grands Anglais, « elle
est petite comparée à ce qu'il doit à Ducray-Duminil ou à
Pixérécourt » et qu'il est « souvent beaucoup plus près de
Coelina ou l'Enfant du mystère que d'*Hamlet* ou du *Roi Lear* [1] »...
En effet, le drame populaire, dans la période même où la nouveauté shakespearienne se heurta à la vieillerie des pseudo-
tragédies, battait son plein, et *Trente ans ou la Vie d'un Joueur*,
à la Porte Saint-Martin, révélait au public, dans un succès de
fièvre, Frédérick Lemaître et Marie Dorval. Néanmoins, mini-
miser l'ébranlement de l'irruption totale de Shakespeare dans
les têtes de Hugo, de Vigny et de Dumas serait d'une sottise
aveugle. Le drame romantique peut être du Pixérécourt et du
Ducange, mais élevé au style dans le feu shakespearien quoique
d'ailleurs passé à la trempe de Delavigne, cet habile juste
milieu. Rien n'est en ligne directe et simple dans les filiations
littéraires. Il n'est pas inutile de savoir que le jeune Lamartine, à la veille de descendre sur Paris, avait versifié un *Saül*
ni de se rappeler qu'à l'autre bout de la chaîne Ponsard n'a
nullement été un isolé et que Soumet a produit des tragédies
jusqu'en 1841 et 1844.

Dumas n'allait pas tarder à entrevoir un grand sujet et à
s'en entretenir avec Soulié, à le partager avec lui. Impression-
nés, hallucinés par la révélation anglaise, ils brûlaient d'imprimer au Théâtre-Français une grande force de relief. Ils
vécurent de longues soirées de discussion, dans le studio de
Soulié à Ivry, devant de bons feux de bois... C'est en quittant
son ami un soir à minuit, qu'Alexandre Dumas fit encore une
de ces rencontres avec le destin réalisées dans son existence
avant de l'être si souvent dans son œuvre, car il y a eu beaucoup de réel et de vécu dans son imagination.

La nuit était obscure, le temps pluvieux, le boulevard à peu près
désert. En arrivant à la Porte Saint-Denis, au moment où j'allais
quitter le boulevard pour entrer dans la rue, j'entendis des cris à
trente pas en avant de moi; puis, au milieu de l'obscurité, j'aperçus

1. André Le Breton, *Le Théâtre romantique*, Paris, 1923.

comme un groupe se mouvant violemment sur le boulevard. Je courus vers l'endroit d'où partaient ces cris.

Deux individus attaquaient un homme et une femme. L'homme attaqué essayait de se défendre avec une canne; la femme attaquée était renversée, et le voleur tentait de lui arracher une chaîne qu'elle avait au cou. Je sautai sur le voleur et, en un instant, il fut renversé à son tour, et mis sous mon genou. Ce que voyant, le second voleur abandonna l'homme et se sauva.

Il paraît que, sans y faire attention, je serrais le cou du mien outre mesure, car tout à coup, à mon grand étonnement, il fit entendre le cri « A la garde! ».

Ce cri, joint à ceux qu'avaient déjà poussés l'homme et la femme attaqués, firent venir quelques soldats du poste Bonne-Nouvelle.

Je n'avais pas lâché mon voleur; la garde le tira de mes mains. Alors seulement, je pus répondre aux remerciements de ceux que j'avais délivrés.

La voix de la femme me frappa étrangement.

Cette femme, c'était Adèle Dalvin, que je n'avais pas revue depuis mon départ de Villers-Cotterêts. L'homme, c'était son mari.

Le couple sortait d'une représentation de *la Noce et l'Enterrement*, satisfait d'une pièce où l'on savait que Dumas avait sa part, puis s'était attardé à souper au théâtre... La police emmena tout le monde pêle-mêle, victimes, assaillant et libérateur, qui durent coucher au violon... Dumas ne put fermer l'œil, ses regards d'abord fixés, et longtemps, sur cette femme à qui il devait son premier bonheur d'amant, sur cette mère heureuse maintenant de deux enfants, endormie contre l'épaule d'un autre homme. Puis se détachant d'eux, sa pensée rejoignit quelques figures déjà esquissées de sa future création et s'enferma, pour ainsi dire, avec elles...

Il devait revoir une ou deux fois Adèle Dalvin pendant le séjour qu'elle faisait à Paris. Mais « dès cette époque, écrit-il dans ses *Mémoires*, j'avais donné mon imagination, sinon mon cœur, à une maîtresse qui devait faire grand tort à mes maîtresses passées et à venir... Cette maîtresse, ou plutôt ce maître, c'était l'Art ».

La maîtresse souveraine, en ces semaines-là, avait les traits de la reine Christine.

V

DUMAS S'EMPARE DE LA SCÈNE

Au salon annuel de 1827, le même qui acheva de consacrer Delacroix, les amateurs remarquèrent deux bas-reliefs de Mlle de Fauveau, dont l'un reproduisait l'assassinat de Monaldeschi. Ses études et ses lectures ne dispensèrent point Alexandre Dumas de se demander qui était ce personnage, ou plutôt il le demanda sans tarder à la *Bibliographie universelle* que possédait son ami Frédéric Soulié. Renseigné par ce dictionnaire sur le favori de Christine de Suède et sur Christine elle-même, il lui apparut tout aussitôt que l'histoire de la reine et de son grand écuyer offrait la matière d'un drame.

— Non, dit Soulié, une tragédie.

— Un drame, maintint Dumas.

Sur ce différend, les deux amis convinrent de traiter le sujet chacun à sa façon, le premier prêt lirait sa pièce au Théâtre-Français. S'étant séparés avec froideur, ils n'eurent pas envie de se revoir avant d'avoir abouti.

Soucieux donc de sa *Christine*, Dumas se remettait en mémoire *Wallenstein*, se gorgeait de xviie siècle européen, rêvait à la fille de Gustave-Adolphe, à son renoncement de souveraine, à ses avatars religieux, à son désordre passionnel. Il y eut certes du mérite, car il se cognait la tête, comme à des murs, aux conditions dans lesquelles il lui fallait travailler. Ses ennuis de fonctionnaire s'aggravaient. On le changea de bureau. Oudard le fit passer du secrétariat aux archives, après un séjour au service des secours. Tout d'abord, la disgrâce offrit des avantages : peu de travail, plus de portefeuille, toutes les soirées libres, et pour chef un amateur de lettres, le petit père Bichet, qui traita fort bien son nouvel employé.

Hélas! la sinécure fut supprimée au bout de deux mois, l'employé flottant passa sous la coupe de M. Deviolaine et il eut alors à se battre pour échapper au brouhaha d'un grand bureau peuplé de scribes. De l'isolement, du silence à tout prix! Pouvoir, une fois faite et ponctuellement faite la besogne administrative, penser au drame en train! Il mit donc sa plus haute ambition à obtenir de travailler dans un réduit où le garçon remisait les bouteilles d'encre vides. Ce fut difficile. Comment ne pas s'émerveiller d'une invention dramatique qui a pu préserver sa flamme dans ces courants d'air aux relents de paperasses? Sans compter que Deviolaine avait porté au malheureux le plus rude coup : n'avait-il pas averti Mme Dumas des difficultés dans lesquelles Alexandre se débattait et que les fautes du jeune homme, disait-il, avaient soulevées? Elle qui déjà n'éprouvait que craintes au sujet de son fils et qui avait si peur de le voir perdre son gagne-pain! Elle gardait sa pensée attachée au sort d'Auguste Lafarge, météore dans le ciel de Villers-Cotterêts, pauvre petite pierre sur le pavé de Paris, et qui venait de mourir de misère. Lorsque Alexandre, après une altercation avec le garçon de bureau pendant une absence de Deviolaine, se fut retiré chez lui pour y attendre une réponse à la lettre qu'il avait écrite au terrible cousin, Mme Dumas, déçue par une vaine démarche auprès de Mme Deviolaine, crut tout perdu. Lui, Alexandre l'acharné, Alexandre l'impavide, couché pour trois jours, mais éveillé et ardent — il avait pris l'habitude de travailler au lit pour reposer ses jambes lasses — n'arrêtait pas de besogner sur l'ouvrage de ses espérances... Enfin Deviolaine, ému du désespoir de Mme Dumas, reprit son jeune parent, lui accorda même la niche réclamée, en la tapissant, bien entendu, de menaces. Mais qu'importait au téméraire! Il allait pouvoir achever sa pièce. Il l'acheva.

Restait le plus difficile peut-être : la faire jouer... Dépôt du manuscrit, comité, lecture : comment se débrouiller dans ce labyrinthe? On entrait dans le mois d'avril 1828. Talma était mort, personne au Palais-Royal ne consentait à rédiger une recommandation. « Adressez-vous à Nodier », dit Lassagne... Nodier? Il était de fait que Dumas, le premier jour de son arrivée à Paris, le premier soir qu'il s'était assis dans un fauteuil de la Porte Saint-Martin, avait causé avec un inconnu qui s'était fait expulser comme siffleur obstiné, mais non sans avoir auparavant profité de deux entractes pour apprendre à son jeune voisin deviné très naïf ce qu'est un elzévir, ce qu'est une claque de théâtre, quelles merveilleuses surprises réserve la science, quels mystérieux infiniment petits un fantaisiste peut rencontrer, et même que les vampires existent, puisqu'il en avait vu : toute une bizarre éducation en trois quarts d'heure... « Eh bien, votre inconnu, c'est Nodier, avait affirmé Lassagne. — Il ne peut pas se souvenir de moi. — Il n'oublie rien, écrivez-lui. »

Le baron Taylor lui-même, administrateur du Théâtre-Français, répondit à la lettre. Il donnait rendez-vous pour une heure singulière : sept heures du matin, chez lui... Dumas, déjà influencé par le Nodier d'un soir, n'allait bientôt plus s'étonner des prodiges... Il trouva M. l'Administrateur dans sa baignoire en proie à un auteur qui avait forcé sa porte — à quelle heure, bon Dieu? — et qui l'écrasait sous le poids de cinq actes consciencieusement tragiques, sourd aux supplications de sa victime. L'eau refroidissait... Enfin le tour de Dumas arriva, qui lut sa pièce à un homme gelé dans ses draps, mais se montra sans prétention, plut, s'entendit réclamer acte après acte. Au terme du cinquième, Taylor sauta à bas de son lit :

— Vous allez venir au Théâtre-Français avec moi, dit-il.

— Et pourquoi faire?

— Pour prendre votre tour de lecture le plus vite possible.

— Vraiment! Je lirai au comité?

— Pas plus tard que samedi prochain [1].

La lecture obtenue sans délai pour le 30 avril, faite ce jour-là devant un comité au complet, assura la victoire de la pièce, avec seulement, sur deux ou trois bulletins, cette restriction : « une seconde lecture ou la communication du manuscrit à un auteur qui ait la confiance du comité ». Tel est du moins le récit des *Mémoires*. Mais l'acteur Samson le contredit légèrement, d'après qui la restriction venait du comité unanime [2].

Dumas, hors de lui, courant dans les rues pour avertir maman au plus vite, en perdit son manuscrit. Mais il le savait par cœur! Il l'eut bientôt reconstitué. Au Palais-Royal, alertés par un écho de journal, les bureaux étaient en effervescence, il reçut des compliments. Seul, son chef, M. Fossier, ne montra pas le bout de son nez. « En revanche, dit Dumas, comme il m'envoya de la besogne quatre fois plus que d'habitude, il

1. Dumas, *Mes Mémoires*.
2. *Mémoires de Samson*, Paris, 1882.

était évident qu'il avait lu le journal. » Quant à Deviolaine, il joua son rôle de grondeur, toujours affectueux et dévoué pour la mère d'Alexandre, conquis malgré lui par le gaillard, mais n'en voulant pas convenir. Au milieu de leur discussion, et comme Deviolaine disait : « J'espère bien que je serai crevé avant que ta pièce soit jouée », le garçon de bureau ouvrit la porte pour annoncer qu'un comédien — il appuya sur ce mot — demandait M. Dumas.

— Un comédien! Quel comédien? demanda M. Deviolaine.
— M. Firmin, de la Comédie-Française.
— Oui, répondis-je tranquillement, il joue Monaldeschi.
— Firmin joue dans ta pièce?
— Le rôle de Monaldeschi, oui... Oh! c'est très bien distribué : Firmin joue Monaldeschi; Mlle Mars, Christine...
— Mlle Mars joue dans ta pièce?
— Sans doute.
— Ce n'est pas vrai.
— Voulez-vous que je vous le fasse dire par elle-même?
— Tu crois que je vais me déranger pour m'assurer que tu mens?
— Non, elle viendra ici.
— Mlle Mars viendra ici?
— Elle aura cette complaisance pour moi, j'en suis sûr.
— Mlle Mars?
— Dame, vous voyez que Firmin...
— Tiens, fiche-moi le camp! Car ma parole d'honneur, tu me fais tourner la tête!... Mlle Mars!... Mlle Mars, se déranger pour toi? Allons donc!... Mlle Mars!

Et il leva les bras au ciel comme un homme désespéré qu'une pareille folie eût pu entrer dans la tête d'un membre de sa famille.

Je profitai de ce geste dramatique pour m'esquiver [1].

Hélas! Firmin venait chercher le jeune dramaturge pour le conduire chez M. Picard, auteur de petites comédies de mœurs, peintre éphémère des travers de son temps, ancien directeur de plusieurs théâtres, conseiller du Théâtre-Français, bonhomme narquois et sec. Tout, dans cette *Christine* sur laquelle il avait à donner son avis, devait à coup sûr heurter, scandaliser, contrecarrer, annuler l'auteur de *la Petite Ville* et des *Provinciaux à Paris*. Politesse, sourires... il demanda huit jours. Ces huit jours écoulés, à la nouvelle visite des jeunes gens, même politesse, mêmes sourires, mais ces mots glaçants :

1. *Mes Mémoires.*

— Mon cher Monsieur, avez-vous quelques moyens d'existence?

Dumas avoua ses fonctions.

— Eh bien, allez à votre bureau, mon cher enfant, allez à votre bureau.

Et il rendit le manuscrit avec des croix, des accolades, des points d'exclamation qui devenaient des points d'indignation.

Heureusement Taylor, qui n'acceptait pas de s'être trompé, quoique ne voulant s'avancer qu'à couvert, fit tenir le manuscrit à Nodier, qui le rendit avec cette inscription : « Je déclare sur mon âme et conscience que *Christine* est une des œuvres les plus remarquables que j'aie lues depuis vingt ans. »

— Vous relirez samedi, dit Taylor, tenez-vous prêt.

Non, dimanche, exceptionnellement, à cause du bureau. Le dimanche donc, Dumas crut entendre plus d'acclamations encore qu'à la lecture précédente. En tout cas, sa pièce fut reçue à l'unanimité, sauf correction de quelques détails dont l'auteur aurait à convenir avec l'acteur Samson, ce Samson qui, le contredisant sur la seconde lecture comme sur la première, prétend avoir noté bien des réticences sur les lèvres de ses collègues.

Toujours est-il qu'ils s'entendirent mal, mais reconnaissons à Dumas un étonnant mérite : il se réjouit de cette mésintelligence qui l'amenait à refondre entièrement l'ouvrage.

Quel caprice révélerait mieux une nature authentique d'écrivain que le besoin soudainement éprouvé par Dumas de quitter Paris? Il voulut que la refonte s'effectuât d'elle-même dans son esprit au cours d'un voyage brusqué de soixante-douze heures Paris-Le Havre-Paris... Dans une autre circonstance, bien plus tard, il sentira tout à coup qu'il a besoin de tangage et de roulis, de cordages sifflant au vent, de courses de nuages dans le ciel, sans quoi certains chapitres de son *Capitaine Paul* viendraient mal. Voyageant alors en Sicile et possédant un petit bâtiment sur les côtes, il le rejoindra, déploiera ses voiles, ira mettre à l'ancre dans le détroit de Messine et le roman se trouvera terminé dans les deux jours... Cette fois-ci la diligence, avec un coup d'œil sur la mer, suffisait à le dépayser. Grâce à quoi, la pièce s'enrichit d'un prologue, des deux actes de Stockholm, de l'épilogue romain et du rôle entier de Paula. La première version tenait encore de la tragédie, la seconde a tourné au drame intégral.

Ainsi *Christine* s'acheminait vers sa création théâtrale, rejetant à gauche et à droite les obstacles. Mais elle n'en avait pas encore fini avec eux.

Dumas se crut diplomate en s'effaçant devant la *Christine* d'un certain M. Brault qui était vouée à un four; peu après, il vit celle de Soulié faire fiasco à l'Odéon, et enfin les acteurs du Français, au fur et à mesure qu'ils étudiaient la sienne, devenir de glace : la fortune allait-elle donner raison au petit M. Picard?... Mais non. « Un de ces hasards comme il n'en arrive qu'aux prédestinés... » Oui, Dumas parle ainsi... Quel hasard?

C'était pendant ces traînailleries. Un après-midi qu'ayant besoin de papier à son bureau et ne voyant pas le garçon il était monté à la comptabilité pour en prendre quelques feuilles, il aperçut un volume comme égaré sur une table, s'approcha. Le volume était ouvert à la page 95 et Dumas vit qu'il avait affaire à l'*Esprit de la Ligue* d'Anquetil, historien sans critique, mais clair, agréable et qu'on lisait encore beaucoup en ces années. Il se pencha, tomba sur un épisode du règne d'Henri III et, tout de suite intéressé, dévora les paragraphes relatifs à Saint-Mégrin. Ce gentilhomme attaché au roi, ennemi du duc de Guise, était amoureux de la duchesse et passait pour être secrètement aimé d'elle. Le duc, indifférent à sa femme, mais alerté par des rapports, imagina de lui faire une surprise plaisante, entra un matin dans sa chambre, une potion dans une main, un poignard dans l'autre. Comme il lui adressait des reproches sur sa conduite, il avait l'air de lui laisser le choix entre le poignard et le poison. Après une longue heure d'alarmes, il lui révéla enfin que le soi-disant poison était un excellent consommé... Il s'était agi d'une leçon et l'historien affirmait qu'elle avait rendu la duchesse plus circonspecte par la suite.

La *Biographie universelle*, son amie depuis la découverte de *Christine*, renvoya Dumas au *Journal de L'Estoile* qu'il se fit prêter, et dont une page à la date du 21 juillet 1578, le jetant en pleine fièvre publique, dressa devant ses yeux la figure sanglante de Saint-Mégrin, l'un des beaux et riches mignons frisés de Sa Majesté, qu'en pleine rue vingt ou trente inconnus armés de pistolets, d'épées et de coutelas, percèrent de trente-quatre ou trente-cinq coups : crime resté impuni, tout mignon et favori que fût l'occis, le roi ayant su que le duc de Guise vengeait par là son honneur et qu'il avait le duc de Mayenne, son frère, pour exécutant. L'autre roi, celui de Navarre, aurait dit, au rapport de Pierre de l'Estoile : « Je sais bon gré au duc de Guise, mon cousin, de n'avoir pu souffrir qu'un mignon de couchette comme Saint-Mégrin le fît cocu. C'est ainsi qu'il faudrait accoûter tous ces autres petits galants de la cour qui se mêlent d'approcher les princesses pour les mugueter et leur faire l'amour. »

Et Dumas lut plus loin dans le *Journal*, à la date du 19 août 1579, une autre histoire, parente de celle-là, mais plus pittoresque, le meurtre de Bussy d'Amboise, premier gentilhomme de M. le duc d'Anjou. Mme de Montsoreau, sa maîtresse, lui avait donné rendez-vous pour la nuit dans une maison où l'attendait l'assaut de dix ou douze spadassins apostés par le mari. Le vaillant vendit chèrement sa vie et n'arrêta point de combattre tant qu'il garda un morceau d'épée dans la main, après quoi il s'aida des tables, bancs, chaises et escabeaux, enfin tomba assommé près d'une fenêtre par laquelle il espérait encore se sauver... « Telle fut la fin du capitaine Bussy. »

De ces vieux textes tout aussitôt un drame historique se lève, et voilà Dumas qui en esquisse l'action à grands traits. Il ne lui faut plus que quelques détails de mœurs, il les trouve dans deux livres prêtés par un savant ami, M. Villenave, pamphlets redoutables pour la mémoire des Valois, *la Confession de Sancy*, qui est d'Agrippa d'Aubigné, et *L'Ile des Hermaphrodites*, attribuée à Thomas Artus, sire d'Embly. Avec cela, ne loge-t-il pas le *Don Carlos* de Schiller dans sa tête? Au point qu'il lui empruntera la scène 4 de l'acte II pour en faire la scène 1 de son acte IV... Ainsi équipé et ravitaillé, il écrit son drame en deux mois, c'est *Henri III et sa cour*, et la seconde pièce va passer par-dessus la première.

Il en donna lecture à des amis d'abord, puis à un groupe de littérateurs réunis chez Nestor Roqueplan, qui ne dirigeait pas encore de théâtre et commençait seulement à se faire un nom dans le journalisme littéraire. Il y avait là Alphonse Karr, Alphonse Reyer, Louis Desnoyers, et autres chroniqueurs de ce *Figaro* et de ce *Sylphe* que des hommes de l'âge de Dumas avaient fondés en face du *Constitutionnel* et du *Courrier français*, forteresses du libéralisme en politique en même temps que de la réaction en littérature. Ils s'entassèrent à quatorze ou quinze dans une petite chambre au cinquième, sur des matelas étendus à même le carreau, et Dumas lut aux bougies. Enthousiasme unanime! Firmin, comédien ami, proposa une seconde lecture chez lui devant ses camarades de théâtre, dont Mlles Mars et Leverd, et en présence du baron Taylor. Elle eut lieu. L'effet produit, considérable, déclencha une lecture hors série au théâtre même, le 17 septembre 1828, au terme de laquelle *Henri III*, reçu par acclamations, obtint la priorité sur *Christine*.

Là-dessus, orage à l'horizon administratif. Comme Dumas s'était absenté de son bureau sans autorisation, M. de Broval le mettait à pied, ou plus exactement suspendait ses appointements, ainsi que le téméraire garçon convoqué le proposa par défi. « ... Et votre mère, Monsieur, et vous-même, comment vivrez-vous? » Dumas avait crâné : « Cela me regarde, Monsieur. » Soit! Mais c'était tout de suite la misère. La pensée de sa mère affola le révolté... Est-ce par Firmin qu'il eut la recommandation de Béranger pour solliciter du banquier Laffitte un prêt garanti par le manuscrit de sa pièce? Oui, d'après ses *Mémoires* : « J'allai conter ma peine à Firmin, qui me conduisit chez Béranger. Béranger me conduisit chez Laffitte. Je mentirais si je disais que M. Laffitte mit de l'enthousiasme à me rendre ce service; mais je mentirais aussi si je ne me hâtais de dire qu'il me le rendit. Je souscrivis une lettre de change de trois mille francs, je déposai un double du manuscrit d'*Henri III* entre les mains du caissier et je m'engageai d'honneur à rembourser ces trois mille francs sur le prix du manuscrit. D'intérêts, il n'en fut pas question. » Dans *les Morts vont vite*, l'affaire est menée plus rondement : « J'allai trouver Béranger; il me conduisit chez Laffitte, lui dit deux mots en particulier et, dix minutes après, je sortais de chez l'illustre banquier avec deux années de mes appointements dans ma poche. » Mais *les Morts vont vite* est un livre de 1861, tandis que le récit des *Mémoires* est des environs de 1850. De plus, on sait que Béranger avait assisté à la lecture faite chez Firmin et y avait applaudi. Croyons-en donc les *Mémoires* et ne frustrons pas Firmin de sa belle part.

Alexandre embrassa Béranger, courut chez sa mère, fit tomber les trois billets dans ses mains, l'apaisa ainsi, pour combien de temps? Et se sentait-il lui-même très à l'aise? Fameux tournant d'existence! Il ne touchait plus de traitement, contractait une grosse dette, et les acteurs ne cachaient

pas leur inquiétude devant la nouveauté abrupte de l'œuvre...
Enfin, dernier malheur : l'époque des gratifications étant
venue, c'est-à-dire aux étrennes de 1829, et bien que Dumas
crût y avoir droit pour les trois quarts (il n'avait cessé son
service qu'en octobre), Son Altesse Royale daigna écrire de sa
main sur la liste en face du nom : « Supprimer les gratifications
de M. Alexandre Dumas qui s'occupe de littérature... » Deux
camps s'étaient formés au Palais-Royal, l'un pour, l'un contre,
Oudard neutre. Deviolaine, lui, le cher homme, n'y comprenait
à peu près rien. Entendant beaucoup parler de l'*Henri III* :
« Qui sait, disait-il, si le petit cousin de Villers-Cotterêts... »
Il n'achevait pas, ou bien sa phrase tombait sur ces mots :
« Le b... est assez entêté pour cela! » Et c'est de ce côté-là que
le pire survint.

Car le pire, ce ne fut pas le maître chanteur à faire taire,
dangereux cependant, parce que la pièce était à la censure et
que le misérable dénonçait dans son journal les rôles de mignons
(« sur le scandale desquels on pourrait compter pour remuer la
multitude... »); mais pour parer à ce péril une visite suffit,
avec accompagnement d'un ami et d'une canne... Non, le pire
surgit avec le domestique des Deviolaine accouru au théâtre
pour ramener Alexandre : sa mère avait eu un éblouissement
en sortant de chez ses cousins, elle était tombée et ne reprenait
pas connaissance... Nuit d'angoisse, deux médecins, installation improvisée dans un appartement loué en hâte pour trois
mois au-dessous de chez les Deviolaine et dans lequel on disposa un lit. Heureusement la fille, venue à Paris pour la pièce
du fils, prit coiffe d'infirmière... « Ah! certes, écrit Dumas dans
ses *Mémoires*, on n'a aucune idée de ce que furent pour moi les
deux ou trois jours qui s'écoulèrent entre cette douleur profonde de voir ma mère mourante et ce terrible travail d'un
premier drame à mettre au jour. » Ajoutons : et d'acteurs à
remonter sans relâche...

Le 11 février 1829, jour fixé pour la première d'*Henri III*,
approchait. Nous voici à la veille : encore un effort à faire, une
démarche à tenter. Dumas l'avait décidée depuis longtemps,
mais elle réclamait du cran. Donc, le jeune auteur se présenta
au Palais-Royal et demanda à parler au duc d'Orléans. On crut
qu'il avait une audience : pouvait-on penser autrement? On
prévint le duc, qui se fit répéter le nom deux fois, puis donna
ordre d'introduire. La scène est impayable, d'une audace

inouïe, si elle est vraie, d'une invention admirable, si c'est du roman.

« — Monseigneur, je viens vous demander une grâce, ou plutôt une justice... » Belle entrée en matière. Et que voulait la justice? Tout simplement que le duc assistât à la première d'*Henri III* : parce que Dumas s'était vu accuser auprès de Son Altesse et que Son Altesse avait donné raison à ses accusateurs. Puisque le procès allait se juger le lendemain devant le public, l'accusé priait Monseigneur d'assister au jugement.

On admire que le duc ait fait bonne contenance, mais que cela tombait mal! Le lendemain, il avait vingt ou trente princes et princesses à dîner... Alors Dumas, fou à lier, ou génial audacieux, ou bluffeur sublime :

— Monseigneur croit-il que ce ne serait pas un spectacle curieux à donner à ces princes et à ces princesses, que celui d'*Henri III?*

Son Altesse, au lieu de se détendre comme un ressort au nez du visiteur, garda la plus surprenante politesse; elle invoqua seulement une difficulté horaire : dîner à six heures, lever du rideau à sept. Mais, à Dumas rien d'impossible, et pourquoi ce hardi aurait-il fait machine en arrière? Qu'à cela ne tienne, déclare-t-il : on retardera d'une heure la représentation, Son Altesse n'aura qu'à avancer d'une heure le dîner... Elle ne dispose que de trois loges? Mais toute la première galerie a été réservée, et le Théâtre-Français sera trop heureux de faire quelque chose pour Monseigneur le duc d'Orléans.

Que le duc ait répondu : « Tiens! c'est une idée, cela... » on le croit avec peine; mais cependant tout ne peut-il se réaliser sous le fluide d'un sorcier, de ce « Berlick »? Car enfin, il est patent que le soir de la représentation, la première galerie brillait des décorations princières de plusieurs nations et ruisselait non moins princièrement de diamants : il avait bien fallu que le Gotha eût fini de dîner assez tôt et que son hôte lui eût offert une soirée au théâtre.

A sept heures, Alexandre revêtit l'habit droit et sobre d'un fonctionnaire qui a souvent regardé les portraits de Gœthe. A sept heures trois quarts, il embrassa sa mère, avec qui il avait passé une partie de la journée, mais elle était à demi inconsciente. Puis il partit pour le théâtre, entra en coup de vent, s'enferma dans la petite loge ménagée sur la scène même et d'où il contempla une salle bondée : au parterre, ses amis, ses anciens camarades de bureau; dans une première loge, sa sœur qui y avait reçu Hugo et Vigny privés de places [1]; à un fauteuil d'orchestre, Deviolaine... Le rideau se leva. Le jeune homme n'avait jamais éprouvé de sensation pareille à celle que lui produisit « la fraîcheur du théâtre venant frapper [son] front ruisselant ».

Cette première d'*Henri III et sa cour*, les applaudissements assez vifs au premier entracte, nourris au second, éclatant en tonnerre au troisième, puis montant en véritable délire jusqu'à la fin, imaginerait-on aujourd'hui encore cet événement avec une émotion sans finesse peut-être, mais qui prend au ventre, si l'on ne savait qu'après chaque acte, après chaque round, le lutteur courait voir sa mère et que cette mère pouvait à peine comprendre qui l'embrassait. Au troisième entracte, elle dormait d'un sommeil assez paisible, elle ne se réveilla pas sous le baiser de son fils, dont l'avenir se jouait à quelques toits de là. Ah! que n'était-elle en état d'assister au combat et de contempler la victoire! C'en fut une. La pièce avait empoigné le public, fait crier les femmes, imposé une violence de pathétique sans précédent. M. Deviolaine en avait attrapé la colique et s'était vu obligé de s'enfuir. Quand Firmin s'avança pour nommer l'auteur, la Malibran, qui n'avait pu trouver place qu'au troisième étage, penchée tout entière hors de sa loge, « se cramponnait des deux mains à une colonne pour ne pas tomber ». Le duc d'Orléans « écouta debout et découvert le nom de son employé qu'un succès, sinon des plus mérités, au moins des plus retentissants de l'époque, venait de saluer poète »... Dumas *dixit*. Mais d'autres *Mémoires* que les siens, ceux de Samson, ceux de Séchan, l'ont reconnu, cet étourdissant succès [2]. D'ailleurs Dumas n'a pu inventer une lettre pour l'attribuer à son directeur M. de Broval. Or, cette lettre existe, et elle constitue incontestablement un certificat de triomphe; le mot y est : « ...ce triomphe si justement acquis. » Charles Magnin écrivit dans *le Globe* du 14 février : « Le succès a été immense. »

Juger le drame sur son premier acte ne sied point, Dumas

---

1. D'après Dumas. Cependant un mot de Hugo le remerciait de ses billets (Cécile Daubray, *Hugo et ses correspondants*).

2. *Souvenirs d'un homme de Théâtre* de Ch. Séchan, recueillis par Adolphe Badin, 1883. Séchan est « l'un des témoins les plus sérieux qui soient de la scène française entre 1825 et 1860 » (J.-J. Weiss).

lui-même en reconnaissait l'exposition longue, froide, compliquée. Une psychologie de roman-feuilleton s'y truffe d'invraisemblances. C'est au début de la pièce que se manifeste ici le *deus ex machina*, il s'appelle Ruggieri, l'astrologue et alchimiste italien à qui Balzac devait faire porter un lourd roman, *le Secret de Ruggieri*, et qui chez Dumas nous inflige narcotique, miroir magique, alcôve occulte, porte secrète... Oh ma tête! ma tête!... se plaint le mignon. Et la nôtre, donc! Mais peu à peu la pièce se rapproche de l'acceptable, en dépit de la ferraille bruyante des « Enfer! » et des « Damnation! » et malgré le vernis d'une érudition ostentatoire et naïve. Le drame se dresse, bondit, sur le tremplin de deux forces.

L'une de ces forces, c'est la politique du temps, au troisième tiers du XVIe siècle, c'est la Ligue aux mains des Guise comme un bélier de bataille, c'est la domination de Catherine de Médicis acharnée à garder le pouvoir et à tenir le roi sous sa coupe, haineuse par conséquent à l'égard autant de Saint-Mégrin, par qui le roi lui est disputé, que du duc de Guise. Aussi veut-elle perdre à la fois les deux hommes, et pour y parvenir elle fera de la duchesse son instrument, elle broiera le cœur de cette femme qui aime, mais qui est pure et qui a tu son amour. Et par là nous rejoignons l'autre force, qui est la passion, une passion poignante, un emportement d'amour qui désespérera la femme et jettera les deux hommes l'un sur l'autre. Des enchaînements logiques et terribles, des redoublements de pathétique embrèvent, imbriquent les deux forces. Aussitôt le duc de Guise pris de soupçons, l'action prend sa course vers la catastrophe, à travers la « couleur locale » du Louvre royal, de ses jeux, de ses assauts d'esprit, de ses provocations jusqu'à la scène de la sarbacane et du défi. Mélange de tragique et de comique, mais un comique qui a déjà l'odeur du sang. Puis le mari et la femme s'affrontent, et dès lors la fatalité sanglante sera là, terriblement présente. Il y a un réalisme de la violence dans la scène où le duc armé, cuirassé magnifique et odieux, oblige la malheureuse à écrire un billet de rendez-vous pour Saint-Mégrin, afin de l'attirer de nuit dans ses appartements, à une heure où le duc sera censé présider une réunion de la Ligue. Elle essaie de se dégager, il lui saisit le bras avec son gant de fer :

— Écrivez.

— Vous me faites mal, Henri.

— Écrivez, vous dis-je.

— Vous me faites bien mal, Henri, vous me faites horriblement mal.

Ce ne sont plus les imprécations ou les plaintes de la tragédie, c'est le cri du drame. Et Dumas a su tout de suite bâtir une pièce. A aucun moment l'intrigue ne s'égare, chaque scène est un coup qui porte et qui s'enfonce dans les plaies ouvertes au début : la prise du gouvernement de la Ligue par le roi qui en frustre le duc, les rires des mignons, suppôts du roi, dont le duc est la cible, ou simplement la nuit qui tombe. Et les rebondissements de l'action sautent à la gorge du spectateur. Un seul espoir restait à la duchesse : que Saint-Mégrin ne pût venir. Mais Saint-Mégrin, fort de son amour, a échappé à toutes ses obligations, à l'amitié du roi, aux avertissements de Ruggieri : elle entend se refermer le portail de l'hôtel, elle devine le jeune homme qui approche, il paraît. Ah! qu'il fuie! Elle lui crie la révélation du piège. Mais comment cet amoureux ne réclamerait-il pas d'elle un aveu d'amour, le premier aveu, alors que déjà les assassins font du bruit aux portes? Il le lui arrache et dès ce moment se prépare à combattre avec une sombre joie. Or, tout à coup, le gentil page de la duchesse, dévoué jusqu'à la mort, apporte à Saint-Mégrin une corde qui lui permet de disparaître par la fenêtre... Il est donc sauvé? il courra au duel inévitable en homme libre? Pas du tout, car en bas les tueurs attendaient, commandés par Mayenne. Le duc, qui a forcé la porte de la chambre, se saisit de sa femme, la traîne jusqu'à la fenêtre. On entend crier que Saint-Mégrin blessé respire encore. Alors le duc jette le mouchoir de la duchesse à Mayenne :

— Eh bien, serre-lui la gorge avec ce mouchoir; la mort lui sera plus douce, il est aux armes de la duchesse de Guise!

L'importance d'une telle pièce dans l'histoire littéraire n'est pas niable. Le *Cromwell* d'Hugo n'a jamais été joué, *Hernani* ne l'a été qu'après *Henri III*. Dumas dramaturge a gagné le « Valmy » de la révolution romantique au théâtre, lui-même l'a proclamé sans modestie. Il laissait à Hugo le soin d'en gagner le « Jemmapes ». Quand Hugo, le soir d'*Henri III*, lui tendit la main, il s'écria juvénile et touchant :

— Ah! me voilà donc enfin des vôtres!

— Maintenant, à mon tour! répliqua Hugo, songeant à *Marion Delorme*.

6

« Dieu soit loué, écrivait Charles Magnin dans *le Siècle* du
14 février, voilà un drame qui n'est imité ni de Fenimore
Cooper ni de Walter Scott... » En quoi il exagérait, car la scène
de la signature imposée par la force était prise à *l'Abbé*. Sainte-
Beuve faisait des réserves sur la partie historique, plaquée et
superficielle, disait-il, ce qui est vrai, mais l'intensité du drame
intérieur ne diminue-t-elle pas l'importance du drame extérieur? Et précisément Sainte-Beuve jugeait « la partie dramatique » « belle, touchante [1] ». Vigny, plus subtil, disait chez lui
à des amis : « C'est l'aventure de la dame de Monsoreau que
M. Dumas a représentée. » Quelqu'un prétendait que Dumas
avait eu tort d'employer la personne du duc de Guise : « Ah,
répliqua Vigny, par ce nom-là, il a élevé la pièce, il l'a poétisée.
La pièce sans cela n'aurait plus été qu'une obscure et bourgeoise aventure de ménage [2]. » C'est cet entremêlement de
l'événement historique et des mouvements du cœur individuel
qui fait l'intérêt du genre et le magnifie. Les contemporains se
sentirent déchirés par la force des destinées. Et de plus, la
vivacité dramatique des dialogues, surprenante après tant de
dialogues faussement tragiques, guindés et sentencieux, acheva
de les arracher à eux-mêmes.

Qu'est-ce qui nous choque dans cet art? Pourquoi ce drame
si fort nous laisse-t-il réticents? Ce n'est pas tant que la prose
d'Alexandre Dumas aille à la va-vite. C'est plutôt qu'un personnage aussi important que le duc de Guise n'ait pas son for
intérieur sérieusement fouillé et ne se tienne guère au niveau
de son rôle historique. C'est aussi qu'une emphase est passée
du style dans l'imagination et dans le sentiment. Défaut
extrêmement grave, qui est celui de presque tout le romantisme. « Les plus grandes choses n'ont besoin que d'être dites
simplement, elles se gâtent par l'emphase », avait averti La
Bruyère. Les « grandes choses » d'*Henri III* sont « gâtées »
par cette emphase qui venait peut-être de ce que les événements de la Révolution et de l'Empire avaient communiqué leur force d'ébranlement, leur atmosphère d'orage, à la
société dont une nouvelle génération d'écrivains allait plus
ou moins exprimer l'âme. Tout un monde avait grandi au
milieu des armes. Le théâtre de Dumas a beau reconstituer un

---

1. *Correspondance*, publiée par Jean Bonnerot, t. I, lettre à Louis-Jules
Londierre.
2. *Paris en 1830*, journal de Juste Ollivier.

certain xve siècle, on y entend, comme montant de souterrains, un bruit d'assemblée tumultueuse et des pas de soldats.
Et puis, il faut tout dire : Dumas s'abandonnait à sa nature,
dans laquelle il y avait certainement quelque chose d'une race
qui a pu appeler ses fils les plus modestes Théodose, Socrate,
Napoléon... Naturellement, tirant fierté du trio qu'il estimait
former avec Hugo et Vigny, il n'a pas manqué de le comparer à celui que formèrent à l'autre génération Dumas, Hoche,
Marceau.

Il y eut bien quelques volées de pierres dans les fenêtres du
triomphateur. Huit jours n'avaient pas coulé que *le Constitutionnel* accusait, sinon Dumas, du moins ses plus jeunes admirateurs d'avoir, le soir de la première d'*Henri III*, dansé dans
le foyer du théâtre autour du buste de Racine en criant :
« Enfoncé Racine... ce polisson! » ce que Dumas a toujours
nié. Le lendemain, au tour du *Corsaire :* il traita l'ouvrage de
monstrueux et l'auteur de jésuite pensionné. *La Gazette de
France* alla plus loin, n'hésitant pas à dénoncer une conspiration contre le trône et contre l'autel... Même la flamme des
pistolets faillit ne pas manquer à la fête. Un journaliste obscur
ayant désigné le nouveau dramaturge comme « un petit employé
aux gages de Son Altesse Royale », il y aurait eu duel le surlendemain, si l'insulteur ne s'était fait emporter, dans une rencontre du lendemain avec Armand Carrel, deux doigts de la
main droite. Au reste, Dumas s'étant rendu chez le blessé, trouva
un homme assez sympathique et lui serra... la main gauche.

De quoi donc pouvait-il avoir à se plaindre? Un duc d'Orléans gracieux, venu assister à la seconde représentation de
la pièce, reçut l'auteur dans sa loge au premier entracte. Il lui
raconta même que le roi lui avait fait part d'un bruit malveil-
lant pour tous deux : ils étaient visés, Sa Majesté dans le personnage d'Henri III et Son Altesse dans celui du duc de Guise.
L'Altesse avait répondu : « Sire, on vous a trompé pour trois
raisons : la première, c'est que je ne bats pas ma femme; la
seconde, c'est que Mme la duchesse d'Orléans ne me fait pas
cocu; la troisième, c'est que Votre Majesté n'a pas de plus
fidèle sujet que moi... » Quel honneur pour Dumas! On ne se
rapporte de pareils propos qu'entre égaux. C'est Dumas qui
les a publiés [1]...

_____

1. *Mes Mémoires.*

Le roi lui-même lui fut favorable. Quand sept auteurs de l'école « enfoncée » adressèrent à Charles X une pétition pour le supplier de prêter la force du pouvoir royal au barrage qu'il était urgent de dresser contre l'invasion du drame, « ignoble rival » de la tragédie, Sa Majesté fit la réponse fameuse : « Messieurs, je ne puis rien pour ce que vous désirez, je n'ai, comme tous les Français, qu'une place au parterre. » Mot historique et qui pourtant a été mieux que prononcé : écrit.

Enfin le duc d'Orléans adjoignit Alexandre Dumas à deux aînés, Casimir Delavigne et Jean Vatout pour la conservation de sa bibliothèque. Vatout cultivait la poésie légère et satirique; il devait laisser des ouvrages d'histoire et d'art. A ce moment, dans sa trente-huitième année, il publiait *la Galerie lithographiée* qui décrit les collections du duc en prose et en vers; Dumas y collabora, sans se douter qu'il lirait un jour et même utiliserait un livre de son collègue sur *la Conspiration de Cellamare*. Quant à Delavigne, Dumas et lui se regardèrent pendant un certain temps en chiens de faïence. Il faut se rendre compte que la réussite extraordinaire d'*Henri III* retardait la création du *Marino Faliero* de Delavigne, qu'elle obligea finalement à émigrer de la Comédie-Française à la Porte Saint-Martin : c'était Coriolan chez les Volsques [1]!

Il est certain que des trois, le plus assidu à la Bibliothèque a été, du moins dans les premiers temps, le jeune Dumas. Il y jouissait d'un immense cabinet et y faisait commodément ses recherches littéraires et historiques; en fait de travail, il n'en eut jamais d'autre que son travail personnel. Peu payé, on le pense bien... Comme un portrait ne doit rien négliger et que les antithèses sont de mise pour représenter un personnage romantique, enregistrons une lettre du 17 juin 1829 à Son Altesse Royale dans laquelle Dumas sollicite assez platement l'honneur de rester attaché à la maison d'Orléans tout en jouissant de loisirs et postule la place de bibliothécaire à Eu, où il n'y avait à aller que quelques mois chaque année (citée par Glinel dans *la Revue hebdomadaire* du 12 juillet 1902) et ne taisons point une mauvaise humeur inattendue du grand enfant. Aussi comique que mesquine, elle achèvera très bien un chapitre de drame et d'héroïsme. Écoutons le nouvel illustre rechigner :

1. *Mes Mémoires.*

Comme il y avait six mois que l'on ne me payait plus mes appointements, on antidata ma nomination de six mois. Il en résulta que, comme j'avais quinze cents francs à titre d'employé, et douze cents à titre de bibliothécaire, on économisa, en me payant ces six mois-là comme bibliothécaire, une somme de cent cinquante francs, qui joints à mes gratifications non payées de 1829, constituait une économie de trois cent cinquante francs, lesquels joints aux cinquante francs supprimés à ma gratification de 1828, faisaient un bénéfice net de quatre cents francs pour la caisse royale.

Sur une pareille page, qui ne jurerait d'une pointilleuse avarice? Elle est dans les *Mémoires*. Pourquoi Dumas fils ne l'at-il pas insérée avec ironie dans la préface de son *Père prodigue?*

Cependant le temps passait et Dumas, non pas en prolongement de cette crise d'esprit pratique, mais par impatience d'homme de lettres, vit arriver l'année 1830 en sentant le poids de plus en plus lourd de sa *Christine* qu'il avait toujours sur les bras. Le conflit qui l'opposait aux comédiens du Français, parce qu'ils prétendaient lui imposer une seconde lecture de sa pièce remaniée, allait-il s'éterniser? *Christine* glissait à un sommeil inquiétant.

Mais une lettre d'Harel sonna le réveil. Le directeur de l'Odéon écrivait :

« Mon cher Dumas,

« Que dites-vous de cette idée de Mlle George : jouer immédiatement votre *Christine* sur le même théâtre et avec les mêmes acteurs qui ont joué la *Christine* de Soulié?

« Quant aux conditions, c'est vous qui les ferez.

« Ne vous préoccupez pas de cette idée que vous étranglez la pièce d'un ami; elle est morte hier de sa belle mort. »

Dumas, quoique en froid avec Soulié, lui fit porter la lettre avec cette note griffonnée en marge :

« Mon cher Frédéric, lis cette lettre. Quel brigand que ton
« ami Harel,

                                                    « A toi. »

Le domestique rapporta la réplique de Soulié :

« Mon cher Dumas,

« Harel n'est pas mon ami, c'est un directeur.
« Harel n'est pas un brigand, c'est un spéculateur.

« Je ne ferais pas ce qu'il fait, mais je lui conseillerais de le faire.

« Ramasse les morceaux de ma *Christine* — et il y en a beaucoup je t'en préviens, — jette-les dans la boîte du premier chiffonnier qui passera, et fais jouer ta pièce.

« Tout à toi. »

Après les barrages franchis du comité de l'Odéon, après la corvée de maintes démarches, après une répétition générale des plus prometteuses, la première de *Christine* fut fixée au 30 mars 1830. La veille, Soulié vint demander à Dumas :

— Te reste-t-il cinquante parterres? Donne-les-moi. On organise une cabale contre ta pièce pour demain soir. Mais je viendrai avec mes ouvriers de la scierie mécanique [ses ouvriers l'adoraient] et nous te soutiendrons, sois tranquille!

Frédéric Soulié qui s'était vu « emboîté » trois mois auparavant pour une pièce du même titre, représentée sur le même théâtre et tombée, se démener ainsi pour un rival heureux!... Et celui-ci confiant au concurrent en froid avec lui l'avant-veille encore un paquet de billets capable de faire tomber la pièce à coup sûr s'il était employé méchamment... mœurs touchantes! Mais non, Soulié n'avait ni menti ni rusé. La cabale eut lieu et déchaîna une rude bataille; Soulié et ses cinquante hommes étaient là, ils donnèrent à plein, ils décidèrent de la victoire.

En sorte que la première de *Christine* s'encadre entre deux manifestations émouvantes de confraternité. La seconde s'est produite le soir même, ou plutôt dans la nuit... Dumas attendait chez lui, pour souper, quelque vingt-cinq amis, dont Hugo Vigny, Planche, Paul Lacroix, encadrés par une jeunesse enthousiaste. Or, la pièce avait eu une centaine de vers « empoignés », c'est-à-dire hués et sifflés, qui risquaient de l'être à nouveau le lendemain; il y avait aussi à pratiquer une bonne douzaine de coupures et à les pratiquer tout de suite, afin que les accords fussent achevés à midi pour la représentation du soir. Impossible de se dérober à ces tâches, mais comment faire faux bond à vingt-cinq convives de marque quoique amis? C'était à... courir chez le duc d'Orléans, pour l'appeler en remplacement! Voici ce qui se passa :

Hugo et Vigny prirent le manuscrit, m'invitèrent à ne m'inquiéter de rien, s'enfermèrent dans un cabinet et, tandis que nous autres, nous mangions, buvions, chantions, ils travaillèrent... Ils travaillèrent quatre heures de suite avec la même conscience qu'ils eussent mise à travailler pour eux, et, quand ils sortirent au jour, nous trouvant tous couchés et endormis, ils laissèrent le manuscrit, prêt à la représentation, sur la cheminée, et, sans réveiller personne, ils s'en allèrent, ces deux rivaux, bras dessus, bras dessous, comme deux frères... Te rappelles-tu cela, Hugo? Vous rappelez-vous cela, Vigny?

Quelqu'un, le lendemain matin tira les soupeurs de leur lourd sommeil : c'était le libraire Barba, il venait offrir à Dumas douze mille francs du manuscrit de *Christine* (celui d'*Henri III* l'année précédente, n'avait « fait » que six mille, sur l'offre du libraire Vézard). La pièce parut en librairie, sous la forme de trilogie dramatique, et sous le titre de *Stockholm, Fontainebleau et Rome*, cinq actes en vers, avec prologue et épilogue. Elle arborait cette dédicace : « A Son Altesse Royale Monseigneur le duc d'Orléans, hommage de respect et de reconnaissance, Alexandre Dumas, Paris, 30 mars 1830, 11 heures du soir. »

Qu'était-ce donc enfin que cette pièce tant attendue et qui eut un bonheur à retardement? Ce fut assurément une chance pour *Christine* de naviguer dans le sillage de victoire creusé devant elle par *Henri III*, car ni en mécanique dramatique ni en style elle n'égalait sa devancière. Une reine glorieuse lasse de régner, curieuse de sciences et de lettres, avide de vie libre, mais prisonnière de ses jalousies d'amour et qui, dans un accès de fureur passionnelle, fait assassiner cruellement son favori; la lâche déloyauté de ce Monaldeschi deux fois traître à sa souveraine, traître à sa politique, traître à ses sentiments; la rivalité de deux hommes ambitieux et le jeu de leur haine; enfin, prise entre ces brutalités, Paula, la tendre et amoureuse rivale, et déguisée en page : de telles données proposaient un sujet digne de Shakespeare! Dumas n'en a malheureusement tiré qu'une charpente et des murs de pièce : à l'intérieur, presque tout manque, en dépit d'emprunts à Schiller et à Lope de Vega. On dira qu'il a mis dans le prologue une finesse piquante à évoquer les belles années de Stockholm et qu'à travers l'épilogue à Rome où Christine est allée mourir, on voit poindre quelque chose de grand... Mais la représentation n'a-t-elle pas exclu ce tendre lyrisme, cette velléité épique? Le corps du drame reste centré sur la lâcheté d'un homme, ce qui nous apparaît assez pauvrement dynamique, sans le retournement victorieux qu'Henri de Kleist a ménagé à son prince de Hombourg.

Quant aux vers, une syntaxe prosaïque et singulièrement lâchée en faisait la triste armature. Des alexandrins tels que ceux-ci

> Que c'est une effrayante et sombre destinée
> Que celle de cette âme au trône condamnée
> Qui pouvait vivre, aimer, être aimée à son tour,
> Qui dans elle sentait palpiter de l'amour
> Et qui voit qu'à ce faîte où le destin la place
> Tous les cœurs sont couverts d'une couche de glace!

font regretter que l'auteur n'ait point plagié Hugo davantage, et l'on pense qu'Harel n'avait pas eu tellement tort de lui demander un peu avant la répétition générale de mettre son drame en prose (il avait été bien reçu!). Sainte-Beuve disait à son jeune ami Juste Ollivier : « J'aimerais mieux quatre vers de *Bérénice*, au hasard, que toute la *Christine* de Dumas. » Voici son jugement complet : « *Christine* a réussi après un bon nombre de coupures; il y a du talent aux deux derniers actes; mais c'est de second ordre, et autant au-dessous d'*Hernani* que l'hysope est au-dessous du cèdre, quoique avec assez de prétention de l'égaler [1]. »

La première représentation n'en remporta pas moins un succès incontestable, malgré la bordée de sifflets soulevée par le monologue de Sentinelli, l'anti-Monaldeschi : à l'arrestation de Monaldeschi, la salle s'épanouit. Au cinquième acte, quand sauvé momentanément par l'amour réveillé de Christine, il envoie la bague empoisonnée à Paula, à cette suave Paula, que Dumas n'avait peut-être inventée que pour donner un rôle à Mlle Virginie Bourbier, des cris de fureur assaillirent le misérable, mais se convertirent en bravos frénétiques au moment où, sa traîtrise dévoilée, il rampe aux pieds de la reine, laquelle tardive justicière et résistant aux supplications du lâche, prononce le vers suprême :

> Eh bien, j'en ai pitié, mon père... qu'on l'achève!

Mlles George et Noblet, MM. Ligier et Lockroy avaient admirablement soutenu la pièce. Malgré tout, Dumas reconnaît que

---

1. Sainte-Beuve, *Correspondance*, t. I, lettre à Adolphe de Saint-Valry, 11 avril 1830.

tout le monde sortit du théâtre sans que personne pût dire si *Christine* était une chute ou un succès. Mais le succès s'affirma aux représentations suivantes [1]. Le soir de la seconde, à une heure du matin, l'auteur traversait la place de l'Odéon, encore enivré d'applaudissements, partagé entre la réflexion et le rêve, lorsque d'un fiacre lui arriva son nom, tandis qu'une femme se penchait à la portière. Il s'approcha.

— C'est vous qui êtes M. Dumas? dit l'inconnue.

— Oui, Madame.

— Eh bien, montez ici, et embrassez-moi... Ah! vous avez un fier talent, et vous faites un peu bien les femmes!

Dumas se mit à rire, et embrassa celle qui lui parlait ainsi. C'était Marie Dorval. Ils devaient se revoir.

Quelques jours plus tard, il apprit qu'il avait été proposé pour la Légion d'honneur, très probablement sur la proposition du duc de Chartres. La croix lui fut d'ailleurs refusée, sans doute sous l'influence de M. Empis, chef de bureau à la maison du roi, et qui était un fidèle de la tragédie. Mais le duc d'Orléans l'avait recommandé et il eut connaissance de sa lettre à Sosthène de La Rochefoucauld, intendant aux Beaux-Arts. Elle rappelait son passage au secrétariat du Palais-Royal et à l'administration des forêts ducales, le louait d'avoir été un honorable soutien de famille, témoignait pour lui d'un intérêt sympathique, enfin enregistrait son éclatante réussite au théâtre.

Christine, dont il est difficile d'admettre que *Marie* Tudor ait été le « plagiat complet », ainsi que Dumas fils l'affirmait [2], n'est aujourd'hui ni jouable ni même lisible. Les vraies vitamines de la nouveauté et d'une santé féconde, *Henri III et sa cour* les accaparait. C'est *Henri III* qui rompit avec une tradition mourante de la scène tragique, c'est *Henri III* qui a attisé la flamme d'une tradition nouvelle.

1. En juin : « Les amours de George et de Janin allant mal, ma pièce en souffre. A tout moment, elle est indisposée et je n'aurai eu que dix représentations ce mois-ci » (lettre du 30 à Mélanie Waldor). Peu après : « *Christine* fait toujours de l'argent » *(Ibid.).*
2. Propos rapporté dans la *Revue de la Semaine* du 30 septembre 1921.

VI

LES LAURIERS PARISIENS

Avec son *Henri III*, Alexandre Dumas était passé au rang de vedette.

Où ne rayonnait-il pas, n'étincelait-il pas, comme doué d'omniprésence? On le trouvait dans les antichambres royales aussi bien que dans les salles de rédaction, sur le boulevard et chez les traiteurs. Qui donc a dit que si la gloire parisienne est un temple, le perron de Tortoni en était alors le péristyle? Dumas saisit en 1829 la rampe de ce perron olympien. Et les salons lui ouvraient leurs portes. Une vedette va de succès en succès, qui se multiplient les uns les autres. Elle devient un nom plus encore qu'une œuvre, bien qu'il faille une œuvre, un surgissement d'œuvre, pour donner au nom son vol. Elle commence à l'individu, elle aboutit au mythe.

Alors il arrive, par exemple, qu'un soir où la Comédie-Française représente une de ses tragédies les plus poussiéreuses, le nouveau champion se trouve pris malgré lui dans une querelle de spectateurs à la fin du cinquième acte, les uns réclamant le nom de l'auteur, les autres le refusant. Dumas dans son fauteuil reste sagement muet et, au milieu de tout le monde debout, assis. Soudain son voisin, un vieillard, le désigne du doigt en criant : « Il n'est pas étonnant qu'on siffle à l'orchestre, puisque M. Dumas y est... N'avez-vous pas honte, Monsieur, de vous faire le chef d'une cabale? — Je n'ai pas dit un mot. — N'importe, c'est vous qui dirigez toute la Ligue [1]! » Cela se passait en mai 1829; on donnait le *Pertinax* d'Arnault fils.

Voilà où en était l'enfant déshérité de Villers-Cotterêts, l'ami famélique d'Adolphe de Leuven. Tout se trouvait changé

1. Dumas, *Souvenirs*.

pour lui, autour de lui. Un autre globe tournait sous ses pieds, dans l'atmosphère de gloire qui s'était formée en une nuit.

Où habite-t-il? Plus rue Saint-Denis, bien sûr, même plus rue de l'Ouest. Sa prestigieuse célébrité lui a commandé de prendre sans tarder un appartement moins indigne d'elle, qu'il a trouvé à l'angle des rues du Bac et de l'Université (4e étage), abandonnant la rue de l'Ouest à sa mère, en attendant mieux pour elle [1]. Il s'est meublé non sans élégance, quoique hâtivement : n'aura-t-il pas à recevoir? On le voit même se précipiter dans un luxe de nouveau riche, il se met à s'habiller avec un excès d'éclat et, comme disait M. de Loménie, « abuse de la chaîne d'or, donne des dîners de Sardanapale, crève une grande quantité de chevaux et aime un grand nombre de femmes ».

Ne s'étant pas fait encore à cette époque bourreau de travail, Dumas promenait ses lauriers et menait, c'est le cas de le dire, la vie à grandes guides, courant les rues sur les hautes roues d'un tilbury. Il avait un groom à son service et ce groom, à en croire Musset, était le plus malheureux des grooms. « Comme il n'y a pas de place pour lui dans l'équipage, racontait Alfred de Musset, son maître l'envoie en avant en lui disant : « Tu iras m'attendre à telle heure, sur tel boulevard, à telle place... » Dumas court, court, court et arrive à la place indiquée. Quelquefois le groom n'y est pas, et M. Dumas de jurer et de tempêter. Enfin le groom arrive; son maître le renvoie attendre à une autre place : le pauvre diable se remet en route à pied et le maître recommence à lancer son cheval au galop [2]. »

Musset pouvait bien jeter son venin : il n'empêchait pas son confrère, non seulement d'occuper le pinacle, mais aussi de plaire et de séduire. C'est qu'Alexandre Dumas se montrait le plus aimable et le plus spirituel des hommes, il avait le propos précis, léger, essentiellement français et, sans le vouloir, réagissait contre ce qu'il y eut d'anglo-saxon dans le mouvement romantique : la remarque est de Théodore de Banville, qui s'est toujours rappelé leur première rencontre « dans un de ces *ateliers pour poètes* qu'Alexandre Dumas a

---

1. Mme Dumas aura une bonne, Marie Tissier, à partir du 1er juillet 1831 (d'après un registre sur lequel son fils transcrivait des poèmes et une pièce au crayon, la première version de *Catherine Howard*). Cf. Ch. Glinel, *Le Théâtre inconnu d'Alexandre Dumas*, brochure qu'on trouve à l'Arsenal.
2. *Paris en 1830*, journal de Juste Olivier, 8 juillet, Paris, 1952.

inventés entre tant d'autres choses [1] ». La comtesse Cisterna de
Courtiras qui, ruinée et devenue romancière sous le pseudonyme de comtesse Dash, peignit les mœurs du monde dans
une série de romans pleins d'esprit, a vu le Dumas de 1830
ainsi : « sentimental, passionné, habitant les régions de la
rêverie et de l'illusion, le monde dont les femmes rêvaient au
sortir du théâtre où l'on avait joué *Henri III* [2] ». D'autant
plus séduisant que l'expression presque insaisissable de son
visage agaçait la curiosité. Combien de portraits de lui Tony
Johannot n'entreprit-il pas? Toujours il en venait à gratter la
toile ou à frotter le papier. Dumas avait beau lui dire que
c'était ressemblant : « Non, prétendait l'artiste, et personne
plus que moi ne vous fera ressemblant. — Pourquoi cela? —
Parce que vous changez dix fois de physionomie en dix secondes.
Faites donc ressemblant un homme qui ne ressemble pas à
lui-même [3]! »

Le lendemain du triomphe, Ricourt, alors directeur de
l'Artiste, vint chercher Dumas, le fit monter avec lui en voiture
et ils gagnèrent le quartier de Vaugirard, puis la rue qui s'appelle aujourd'hui Notre-Dame-des-Champs, rue des peintres et
des sculpteurs, des poètes aussi puisque Hugo y demeura.
Descendus de voiture, ils traversèrent un jardin, entrèrent
dans un vaste atelier.

— Tiens, voilà notre homme!

Dumas reconnut Achille Devéria, l'artiste-miroir d'une
époque qui y a reflété « ses modes, ses tournures, ses affecta-
tions et ses excentricités caractéristiques [4] ». La maison de
Devéria réunit souvent la jeune *Intelligentsia* des années les
plus romantiques. Ce jour-là, il s'agissait de faire un sort à la
figure de l'heureux gagnant qu'aussitôt entré on coucha à
demi sur un canapé. Puis, on le supplia :

— Ne posez pas!

La causerie s'imposait, et Dumas ne demandait pas mieux.
Peintre et modèle se sentirent vite amis pour la vie, quoiqu'ils
dussent se revoir à peine dix fois : tel est le sort des grands
travailleurs, remarque Dumas. Au bout d'une heure, Ricourt
emportait la pierre [5] et *l'Artiste* publia cette lithographie aiguë

1. Th. de Banville, *Mémoires.*
2. *Mémoires des autres,* t. VI, Paris, 1897.
3. Dumas, *Mes Mémoires.*
4. Théophile Gautier, *Notices romantiques,* Paris, 1874.
5. Dumas, *Les Morts vont vite,* Paris, 1861.

où l'on voit Alexandre Dumas, à l'ombre des touffes sombres
de sa chevelure, allonger un nez un peu pincé au-dessus d'une
épaisse bouche en museau qu'ombre... la moustache? Non, une
mouche de marquise! Peu après, David d'Angers modelait un
médaillon à son effigie.

Il avait rompu avec Catherine Lebay, ayant commencé par
la délaisser au fur et à mesure que la vie littéraire l'entraînait,
qu'il allait au théâtre et achetait des livres, et que la pauvre
femme, penchée sur ses travaux de lingerie et de couture, le
décevait. Avant ou même après la rupture : Où va-t-il? dut-elle
souvent se demander, si résignée qu'elle fût. Où il allait? Plus
chez les Arnault, en tout cas; longtemps ils l'avaient reçu
tous les dimanches à dîner, mais au lendemain d'*Henri III*
ils l'écartèrent. Il allait, ma foi, presque chaque jour à sa
bibliothèque, y lisait, y bavardait avec ses collègues, et
le jeune duc d'Orléans prit vite l'habitude de venir causer
avec lui. Mais c'est Paris entier qui se transformait pour
Dumas en bibliothèque, en atelier, en fumoir, en salon; il
eut à voir quantité d'amis écrivains et artistes, d'amis comédiens, d'amies comédiennes. Où il allait? Il avait rendez-vous
au Café de Paris avec Jules Janin, jeune prince de la critique
dramatique et dont un roman, *l'Ane mort et la Femme guillotinée*, venait de faire sensation; avec Roger de Beauvoir,
cavalier du roman et du vaudeville et qui se servait de sa
plume comme d'un sabre de parade; avec le docteur Véron,
qui allait passer de la direction de *la Revue de Paris* à celle
de l'Opéra. Il se moquait un peu, comme tout le monde, de
Sophie Gay, mais il admirait Delphine, bientôt Mme de Girardin. Ils étaient amis. Se rendait-il chez ces dames ou chez
Nodier? L'Arsenal a été pour lui quelque chose comme un
Tortoni intime.

Il connaissait Charles Nodier depuis le soir de sa première
journée parisienne. Il en avait reçu aide pour son premier pas
dans la carrière, il lui écrira un jour : « Je vous vénère comme
mon maître, je vous aime en frère et vous respecte en fils. »

Il existe un portrait écrit de Charles Nodier, et il est de
Dumas. On s'y reportera pour savoir ce qu'était Dumas en
amitié, pour connaître aussi ses dons de peintre psychologue.
Cette jolie réussite se trouve aux premières pages de *la Femme
au collier de velours*, un conte emprunté précisément au répertoire de Nodier et qui s'ouvre sur cette figure étonnamment

vivante du grand ami, de l'aîné. Nodier en personne est là, en relief mouvant et actif comme aux miroirs d'une caméra : le bibliophile, le liseur, le flâneur, le fantaisiste, le maniaque et l'homme à la mémoire si curieusement habitée.

Mais comment Dumas est-il passé du Nodier de la soirée du Théâtre au Nodier de l'Arsenal? Mme Ménassier-Nodier l'a dit à Jules Janin et elle l'a répété dans ses souvenirs... Un jeune homme était venu un jour demander M. le Bibliothécaire, lequel ne voulait point le recevoir, parce qu'il connaissait un Dumas qui était un tapeur.

— Y penses-tu? C'est un mendiant et je n'ai pas les six francs...

— Mais enfin, mon père!

— Il faut, ma fille, vous habituer à distinguer un intrigant d'un honnête homme.

Il tirait tout de même six francs de son tiroir.

— Allons, qu'il entre, et c'est toi qui vas payer cette inutile dépense.

Or, le jeune homme qui entra était bien vêtu, bien ganté, leste et charmant : voilà Mlle Nodier triomphante, son père interdit.

— Monsieur, annonça l'inconnu, on va jouer tantôt mon nouveau drame, et vous me feriez un grand honneur d'accepter la loge que voici.

— Quoi! c'est vous, Alexandre Dumas? Et moi qui allais vous donner six francs!

Le nouveau drame était *Henri III* — écrit en effet après *Christine* dont Nodier avait lu le manuscrit — et non *Antony* comme le dit Janin par erreur [1].

C'est à l'Arsenal, au milieu d'une tiédeur intime, auprès du maître de maison et de sa femme, de sa fille, de sa sœur, dans une ambiance tout à fait particulière de poésie, d'érudition, de contes parfois fantastiques, de dîners familiaux aux saveurs franc-comtoises, de danses et de jeux, que Dumas a connu Lamartine, Hugo, Vigny, Musset, le sculpteur Barye, les peintres et dessinateurs Louis Boulanger, Alfred et Tony Johannot, bien d'autres. Il est entré dans la vie littéraire sous ce portique. Peinture, poésie, littérature, chez Nodier et

---

1. Jules Janin, *Alexandre Dumas*, 1871. — Mme Ménessier-Nodier, *Charles Nodier, épisodes et souvenirs de sa vie*, Paris, 1867.

ailleurs, fraternisaient; on trouvait en ce temps-là Shakespeare, Dante, Byron, Walter Scott, dans l'atelier comme dans le cabinet d'études[1]. Dumas avait commencé son commerce avec les artistes dans les années de l'obscure pauvreté. Il n'oubliait pas qu'Henri Monnier, cet « éminent artiste, ce spirituel compagnon, ce vieil ami », avait été clerc de notaire comme lui. « Vous rappelez-vous, cher Granville, demande-t-il dans ses *Souvenirs*, le temps où j'allais vous voir dans votre mansarde, rue des Petits-Augustins? » Il n'en sortait jamais sans emporter des croquis, après de longues et bonnes causeries. Il y avait là et dans les ateliers d'alentour assez de jeunesse et d'espérance pour que, les jours où l'on avait quelque argent, on bût de la bière, et pour qu'aux autres jours, on fût heureux de rire, de fumer, de crier.

Delacroix, Géricault, Scheffer, Boulanger, avaient fait leur démonstration capitale au Salon de 1824. Dumas, dès qu'il eut de l'argent, acheta à Delacroix un *Hamlet, le Giaour, le Tasse dans la prison des fous*. Il lia de bonne heure amitié avec lui. Plus tard, lorsqu'une maladie du larynx eut rendu Delacroix casanier, lui qui avait tant aimé le monde, il arrivait à Dumas d'aller contempler son atelier aux lumières jusqu'à deux heures du matin. Il le trouvait en robe de chambre, le cou enveloppé d'une cravate de laine, dessinant près d'un grand feu, l'hiver, avec une température de trente degrés dans la chambre. Il aima aussi et admira non moins passionnément Géricault. Il a raconté dans ses *Mémoires* avec émotion et grandeur sa dernière visite à Géricault mourant.

Un jour, il alla à la Force, la prison politique où Béranger était enfermé pour avoir lancé le *Sacre de Charles le Simple*. Le chansonnier satirique souffrait d'un excès de visites : n'en compta-t-il pas jusqu'à trois cent cinquante? Signe de la révolution imminente... Dumas, fidèle et reconnaissant depuis le coup d'épaule auprès de Laffitte, partageant d'ailleurs l'attachement populaire pour le poète national du *Vieux drapeau*, sinon pour le lyrique sensuel de *Lisette*, accompagnait ce jour-là lady Morgan avec David d'Angers. Béranger leur dit entre autres choses : « Je ne suis un écrivain ni facile ni rapide, je compose rarement plus de seize chansons par an[2]. »

1. Théophile Gautier, *Notices romantiques*.
2. Lady Morgan, *France in 1829*, 1831.

Un autre jour, Lamennais l'attendait, qui s'intéressa, non pas sans doute à *Henri III*, mais à *Antony*, et désira connaître l'auteur : un ami commun le conduisit rue Jacob. Il a assisté à un dîner où Lamennais réunissait Liszt avec Lacordaire et Montalembert. Dumas a dit combien il sympathisait avec les idées de *l'Avenir*, quoique non sans une arrière résistance sceptique de chasseur. Cette fois, c'est l'écrivain surtout qui semble avoir ouvert l'oreille. Il devait rester frappé d'un mot du Breton : « J'entends encore le cri de certains oiseaux de mer qui passaient en *aboyant*... » Dix ans plus tard, en 1841, quand Lamennais, condamné pour un libelle *le Pays et le Gouvernement*, eut à faire un an de prison à Sainte-Pélagie, Dumas lui rendit visite et constata que les images de l'Italie se réveillaient dans son cerveau où elles s'étaient imprimées presque à son insu...

— Je commence à voir l'Italie, lui dit le philosophe... C'est un pays merveilleux.

La conjonction de célébrités anciennes et nouvelles alterna pour Alexandre Dumas avec l'amitié spontanée, franche et solide, quand elles ne coïncidèrent pas tout simplement, comme dans le cas de Béranger. Il a été de la bataille d'*Othello* comme de celle d'*Hernani*. Aux amis tels que les Devéria et les Johannot, les Girardin et les Nodier, il faut joindre Joseph Méry, le collaborateur de Barthélemy en satires, Alexandre Bixio, bientôt fondateur avec Buloz de la *Revue des Deux Mondes*, une des têtes politiques de l'opposition. Parmi les célébrités : Mérimée, le philosophe Jouffroy, le satirique Auguste Barbier, le critique Gustave Planche. Les antipathies étaient rares chez Dumas. Mais on lui en connaît une violente pour Balzac : l'homme et l'écrivain le crispaient. C'est avec lui qu'il devait avoir au foyer d'un théâtre, plus tard, cet échange de claques :

— Quand je serai usé, je ferai du drame, dit Balzac.

— Commencez donc tout de suite, riposta Dumas.

Si Musset le raillait, Dumas ne lui rendait nullement la pareille. Il le découvrit même avec autant de plaisir que d'étonnement dans le salon de l'Arsenal, le soir où le poète encore inconnu lut des poèmes de ses *Contes d'Espagne et d'Italie* devant les auditeurs habituels, artistes, écrivains, jeunes gens et jeunes filles. « Dès le début, note Dumas dans *les Morts vont vite*, toute cette assemblée de poètes frissonna; elle sentait

qu'elle avait affaire à un poète [1]. » Mais dans la suite? Cet
« ivrogne triste » dont parle Hetzel [2], « l'ivrogne solitaire, égoïste,
méchant et silencieux », l'homme qui vivait d'absinthe et de
rhum, comme l'écrit George Sand au même Hetzel, quel
échange a-t-il pu faire avec le sain et jaillissant Dumas? Et
pourtant à la première de *Richard Darlington* — c'était le
10 décembre 1831 à la Porte Saint-Martin, — Dumas le rencontra dans le corridor des coulisses, tout pâle.

— Qu'y a-t-il donc, cher poète?

— Il y a que j'étouffe.

Il étouffait d'émotion, le grand nerveux.

Dumas revenait du Havre, sa *Christine* achevée, lorsqu'il
trouva chez lui une lettre de Victor Hugo l'invitant avec toute
la nouvelle école à entendre lecture de *Marion Delorme* (qui
s'intitulait alors *Un Duel sous Richelieu*) dans l'atelier de
Devéria. Il s'y rendit, écouta, éprouva une admiration qui a
dû l'écraser et qui nous touche. Dumas avait une conscience
immodeste de sa force de dramaturge, mais une humilité loyale
dans les aveux de sa faiblesse en création poétique. Ce superbe,
ce glorieux, pouvait à l'occasion s'effondrer dans la modestie.
« On m'eût demandé dix ans de ma vie, confesse-t-il, en me
promettant qu'en échange j'atteindrais un jour à cette forme,
je n'eusse point hésité, je les eusse donnés à l'instant même. »
Quand Hugo, sa pièce interdite par la censure, eut refusé l'augmentation de sa pension offerte comme dédommagement, les
écrivains et les artistes du romantisme s'unirent pour inscrire
leurs témoignages de solidarité affectueuse sur les marges du
fameux *Ronsard*, exemplaire in-folio unique, offert par Sainte-
Beuve au jeune maître. Dumas fut de ce beau rassemblement,
avec Lamartine, Vigny, Ulric Guttinguer, Janin, Mme Tastu,
Louis Boulanger... Il avait composé tout un poème :

> Ils ont dit : « L'œuvre du génie
> Est au monde un flambeau qui luit,
> Que sa lumière soit bannie
> Et tout rentrera dans la nuit...
>
> . . . .

Des colères devaient, avec quelque hypocrisie chez Hugo,
séparer quelque temps les deux hommes, à la suite d'un

1. *Les Morts vont vite*, II.
2. Parménie et Bonnier de La Chapelle, *Histoire d'un éditeur et de ses
auteurs*, Paris, 1953.

7

article de Granier de Cassagnac dans *les Débats* du 1er novembre
1833, qu'Hugo a passé pour avoir inspiré et qui accusait
Dumas de piller l'Angleterre, l'Allemagne et l'Espagne. « On
veut vous brouiller, écrivait la duchesse d'Abrantès à
Hugo [1], et l'on y réussit momentanément ». Mais on les a vus
se réconcilier assez aisément, en 1836 par les soins de
Mme Hugo, Dumas s'employer pour la candidature d'Hugo
à l'Académie, Hugo intervenir pour la Légion d'honneur de
Dumas.

A travers cet entrelacs de relations, comment ne pas se
croiser avec Sainte-Beuve? Sainte-Beuve était partout, Dumas
aussi. *L'Almanach des Muses* pour 1830 contient une ode « A
mon ami Sainte-Beuve » qui est une invitation à surmonter
amour, richesse, gloire, et à n'attendre qu'une récompense,
celle de Dieu. Elle commence ainsi :

> Moi, je ne dirai pas : j'ai peu connu la vie,
> Il n'est aucun des biens que la jeunesse envie
> Qui ne soit à son tour passé sur mes douleurs...

De 1830 doit être ce billet :

Mon cher Joseph Delorme, je suis malade et j'ai besoin de vos
Consolations. Envoyez-en-moi et vous serez un bien aimable défunt.
A vous mort ou vivant.

Malheureusement Dumas négligeait le plus souvent de
dater. Sainte-Beuve, lui, a daté du 11 janvier 1831 une lettre à
Dumas lui demandant un mot pour le chef du bureau des
passeports qu'il savait son ami et l'assurant qu'il ne partirait
pas pour la Belgique avant d'avoir vu *Napoléon Bonaparte*.
Est-ce tout? Eh bien, et le monde? et l'entremêlement
du monde et du théâtre, du monde et de la littérature, de la
réputation et de la coquetterie? Dumas ne pouvait rester
étranger à ce labyrinthe.

Un des premiers salons à l'accueillir fut celui de la femme
d'un violoniste en vogue, Mme Lafond. Les bals costumés y
étaient fort brillants. Dumas, pour le premier auquel on l'invita, demanda au peintre Amaury Duval, qu'il avait connu
par l'acteur Firmin, de lui dessiner un costume d'Arnaute avec

---

1. Cécile Daubray, *Hugo et ses correspondants*, Paris, 1947.

broderies, soutache, galons et turban. Le turban enthousiasma
les dames. La Malibran s'en trouva si folle que devant jouer
Desdémone le lendemain, elle voulut que son partenaire
Zuchelli, dans le rôle d'Othello, fût « turbané » comme Dumas [1].

Il fréquenta chez Marie Taglioni. Et la princesse Constance
de Salms aussi le voulut chez elle. Sa tragédie lyrique *Sapho*
avait obtenu grand succès sous le Directoire; elle venait de
publier un roman, *Vingt-quatre heures d'une femme sensible.*
Son surnom de « Boileau des femmes » indique assez l'esprit
de ses épîtres et de ses discours en vers. Mais sa vie était
moins sage que son œuvre poétique, et son salon était fort
mêlé. Celui de la duchesse d'Abrantès, où l'on vit également le
nouveau grand homme, cachait sa misère sous les danses et
les représentations de comédies.

Dumas était reçu chez la sœur de son ami Amaury Duval,
veuve de l'officier Chasseriau (cousin du peintre), qui allait
épouser un riche notaire bientôt député, Guyot-Desfontaines;
chez l'architecte Duponchel, qui devait sous peu diriger l'Opéra.
Il ne manquait pas un bal et toujours très bien costumé [2].
Il dîna deux ou trois fois avec Mme Tallien, devenue princesse de Chimay, et avec son fils le docteur Cabarrus, savant
et homme du monde, mêlé à toutes les aristocraties, esprit
délicieux, rieur, chez Barras, le grand dissolu du Directoire,
à qui Dumas eût tout passé, parce qu'il avait connu le général.
Barras vieillissait oublié à Chaillot. Alexandre vit le vieux
politicien près de mourir, mais toujours scandaleusement gai
et joyeux, même lorsqu'il annonça pour le soir même sa mort :

— Entendez-vous cela, Dumas? Je suis comme Léonidas.
Ce soir, je soupe chez Pluton, et je pourrai dire à votre père,
qui serait si content de vous voir, que je vous ai vu [3].

Ce n'est pas chez Pluton qu'Alexandre Dumas soupait, lui.
Il n'était jamais plus vivant que pour dîner, souper, danser.
Le souper, c'était pour lui comme le champagne de l'orgie
parisienne, c'était le privilège des illustres, c'était le décolleté
des comédiennes. C'était encore autre chose de plus précieux,
qu'il a parfaitement défini. Par son genre d'esprit, il se ratta-
chait un peu à l'aristocratie du xviiie siècle modifiée par ce
que l'Empire avait sauvé de notre passé chevaleresque, et

1. *Mes Mémoires.*
2. Fontaney, *Journal intime*, édité en 1925 par M. Jasinski.
3. *Mes Mémoires.*

naturellement les femmes faisaient flamber cet esprit-là. Or, il
y fallait deux conditions de l'autre siècle, deux traditions : le
dîner et le souper... Le conte des *Mariages du père Olifus*
contient une jolie page sur ces traditions regrettées. Elle vient
à l'appui d'une observation intéressante, à savoir que si le
xixe siècle a commencé dans la tristesse « comme un enfant
orphelin », la Restauration, « assez bonne mère à tout prendre »,
le rendit bientôt insouciant et que « de 1816 à 1826 datent les
derniers éclairs de la gaîté française »...

On dînait encore à cette époque; il y avait des restaurateurs
artistes qui causaient gravement cuisine avec MM. Brillat-Savarin
et Grimod de La Reynière, comme M. de Condé causait avec Vatel...
Aujourd'hui [1], on mange encore au restaurant, mais on n'y dîne
plus.

Puis, non seulement on dînait, mais encore on soupait... Qui dira
ce que l'esprit français a perdu dans la suppression de ce repas charmant qui se faisait à la lueur des bougies, à l'heure où l'on fait les
rêves, à l'heure enfin où tous les soins, tous les soucis, toutes les
affaires, ces fantômes de la journée, sont évanouis [2]?

Une autre page dans les *Mémoires* précise la regrettable
blessure laissée à l'esprit français par la mort du souper :

A onze heures du soir, quand on est délivré des soucis de la journée, quand on sait que l'on a encore sept ou huit heures que l'on
peut employer à son loisir entre la veille et le lendemain, quand on
est assis à une bonne table, qu'on coudoie une belle voisine, qu'on a
pour excitant les lumières et les fleurs, l'esprit se laisse emporter tout
éveillé dans la sphère des rêves, et alors il atteint l'apogée de sa
vivacité et de son excitation... Je suis sûr que la plupart des jolis
mots du xviiie siècle ont été dits en soupant. Plus de soupers! donc,
absence de cet esprit qu'on avait en soupant.

En 1830, le souper était encore une institution vivante. Qui soupait surtout? Le monde du journalisme et du théâtre, quelques
hommes spirituels autour d'une ou deux actrices. Après chaque
représentation du Théâtre-Français, Mlle Mars, sa toilette
achevée dans sa loge, accomplit le tour de force qui consistait à
se déshabiller et à changer de chemise sans laisser voir plus
que le bout des doigts, faisait signe à ceux qui voulaient l'ac-

1. En 1850.
2. *Les Mariages du père Olifus*, James Rousseau.

compagner chez elle, où l'on trouvait le souper servi. Quand elle eut tenu le rôle de la duchesse de Guise dans *Henri III*, Dumas se vit accueilli à ses soupers. Il s'y retrouvait avec Vatout, Romieu, et toute une cour d'élégants et de causeurs. Il professait beaucoup d'estime pour Mlle Mars, après avoir commencé par ne point s'entendre avec elle — et il y eut des récidives. Il l'appelait un honnête homme et elle méritait ce titre. Bonne pour ses amis, généreuse, elle était le plus souvent « pincée, retenue, sanglée, boutonnée comme la femme d'un sénateur de l'Empire », mais parfois charmante et drôle, impayable dans les imitations qu'elle faisait de toute la Comédie-Française [1]. Elle trouvait tout de même que Dumas puait le nègre.

Quel contraste avec Mlle George, reine imposante et libre à la fois des soupers que donnait Harel, directeur de l'Odéon et son amant soumis, « qui attendait d'habitude que George émît son avis pour oser en avoir un [2] »! « La plus belle femme de son temps », proclame Alexandre qui semble en avoir su quelque chose de personnel et de précis... Mais, après tout, ne lui suffisait-il pas d'être de ses familiers? puisqu'elle les recevait au bain, « rattachant de temps en temps avec des épingles d'or ses cheveux qui se dénouaient et qui lui donnaient en se dénouant l'occasion de sortir entièrement de l'eau des bras splendides et le haut, parfois même le bas d'une gorge qu'on eût dite taillée dans du marbre de Paros [3] »... Oserai-je ajouter à ces louanges le quatrain qu'Hugo, vers 1830 précisément, faisait courir sur la déesse :

> Un soir, Mademoiselle George
> Au théâtre fit voir sa gorge,
> Et le public fut convaincu
> Que l'éléphant montrait son ...

Mais on sait que le poète avait à se plaindre de l'actrice.

A ces soupers, « il était impossible — je reviens des vers d'Hugo à la prose de Dumas — d'être plus courtisane grecque, plus matrone romaine, plus nièce de pape que ne l'était George ». Dumas, Harel, Janin, Lockroy (l'acteur du Français, le futur

---

1. *Mes Mémoires.*
2. Dumas, *Une Vie d'artiste*, Paris, 1854.
3. *Mes Mémoires.*

collaborateur de Scribe) autour d'elle dépensaient leur meilleur esprit. On ne se séparait pas toujours sans être descendu au jardin dont une porte ouvrait sur celui du Luxembourg, et Harel, ancien secrétaire de Cambacérès, avait facilement la clef. Les soupeurs en profitèrent plus d'une fois pour achever la fête au clair de lune...

O nuits de 1829, de 1830 et de 1831!

VII

AMOURS

ALEXANDRE DUMAS vivait alors en puissance de maîtresse, et sa maîtresse n'était pas Catherine Lebay... Voici la nouveauté échue à son existence dans l'année 1827, quand il vivotait encore en obscur bureaucrate.

Un des jeunes amis qu'il s'était faits à la *Psyché*, Cordelier Delanoue, fils comme lui d'un général de la Révolution, était venu un après-midi le chercher à son bureau pour l'emmener à l'Athénée, centre culturel, comme on dit aujourd'hui, installé dans un bâtiment du Palais-Royal. En cette fin de journée, une assistance nombreuse, pressée dans une salle basse, écoutait M. Villenave, le littérateur Guillaume Villenave, qui n'a laissé après lui rien de durable, mais qui fut en son temps un personnage assez considérable. Rédacteur en chef de *la Quotidienne* en 1814 et 1815, auteur de pamphlets réactionnaires, poète à ses heures, érudit, disert, il faisait à cet Athénée, depuis 1824, et devait poursuivre jusqu'en 1831, un cours d'histoire littéraire de la France.

C'était un coquet vieillard que sa famille avait accompagné ce jour-là, c'est-à-dire sa femme, son fils Théodore et sa fille Mélanie. Delanoue, à l'issue du cours, présenta son camarade, et toute la petite société, les congratulations achevées, s'engagea dans la direction de Vaugirard, pour gagner la rue de ce nom, jusqu'au 82, où les Villenave habitaient : on prendrait le thé en famille... Pour le long chemin à faire à pied, Alexandre donna le bras à la jeune Mélanie; ils eurent le temps et la commodité, malgré Delanoue et sa présence discrètement indiscrète, de se découvrir l'un à l'autre. Il apprit ainsi qu'elle était mariée depuis cinq ans; elle avait épousé en 1822 le lieutenant Waldor, maintenant capitaine, mais en garnison lointaine, à Montauban, dans les services d'habillement. Les apparitions de l'officier à Paris étaient rares et brèves. Il avait donné à son épouse très intermittente une fille, Élisa.

Mélanie Waldor faisait des vers, comme son frère Théodore. Elle s'ennuyait un peu et rêvait beaucoup. Elle avait le goût de recevoir. Aimé de Pongerville, qui avait traduit Lucrèce en vers français et qui allait entrer bientôt à l'Académie, l'emportait aisément en ce lieu modeste sur Gavarni, qui n'avait pas encore commencé sa carrière lithographique dans *le Charivari*. Mélanie allait chez Nodier et retrouvait à l'Arsenal trois femmes auteurs, Mmes Desbordes-Valmore, Ancelot, Tastu. Comme c'était intéressant pour le jeune Dumas encore inconnu d'effleurer cette existence parisienne, ces relations... Il remarqua que Mélanie Valdor était une rêveuse et une douce. Brune et maigre. Pas une fausse maigre! Mais elle avait de beaux cheveux, des yeux d'un bleu sombre très prenants et un de ces airs pudiques qui provoquent. Une lithographie de Gavarni lui donne fière allure.

Faire sa cour à M. Villenave n'était pas difficile. Collectionneur, bibliomane, amateur, il possédait dans sa collection d'autographes cinq ou six pièces de Napoléon, trois ou quatre de Bonaparte, mais pas une seule signée Buonaparte. Dumas la lui apporta, ne réussissant là d'ailleurs qu'un dernier achèvement de conquête, car la maison l'admettait depuis des mois en familier privilégié. Il finissait par venir rue de Vaugirard deux fois par jour, il étreignait la jeune femme derrière les portes. Il lui lisait tout ce qu'il écrivait et c'étaient des vers; il a ardemment voulu faire d'elle sa muse. Comment les deux jeunes gens auraient-ils échappé l'un à l'autre? Ils devinrent amants le 12 septembre 1827. Le capitaine Waldor à cette époque habillait le 6e régiment d'infanterie à Thionville. Dumas, vainqueur de Vaugirard, aura besoin de dix-sept mois encore avant de remporter sa victoire du Théâtre-Français et d'en voir sa situation transfigurée; il installera alors sa mère au 7 de la rue Madame, tandis que les dames Waldor auront loué un appartement au 11, sans doute pour laisser l'ancien tout entier aux livres et papiers de l'érudit collectionneur. Les amants s'offrirent quelque part dans Paris une petite chambre clandestine [1].

1. Ces renseignements de date et de lieu, malheureusement incomplets, viennent des lettres d'Alexandre Dumas à Mélanie Waldor, conservées à la

Ce fut un amour brillant, tumultueux par moments, tout différent de celui de Villers-Cotterêts. Le temps était passé des échanges fraîchement juvéniles. Si Alexandre avait vingt-cinq ans, Mélanie en avait trente et un. Et puis, la nouvelle partenaire était une mondaine, une femme de lettres, un bas bleu, et certainement dans cette rencontre il crut trouver son compte. Ne demandera-t-il pas à sa maîtresse de l'introduire dans tel ou tel salon, à commencer par celui des Pongerville? Certes, avec l'idée amoureuse de multiplier la double présence, mais on ne peut oublier qu'un salon de plus agrandissait le champ de la tactique littéraire. Enfin il y eut des traverses extérieures et des dissensions intimes.

Incontestablement, elle l'aima, en lui administrant pour preuves ses scènes de femme jalouse, et il lui arrivait de le menacer, de quoi? de l'aimer moins... Et lui aussi l'aima. Il lui écrivit souvent en pleine nuit et en pleine fatigue de travail, il avait ses heures de travail traversées d'appels d'amour, ses désirs amoureux lui montaient à la tête sans tout à fait éviter le cœur. La première lettre, qui est sans date comme en général la correspondance de Dumas, laisse ignorer de quelle « affreuse maladie » la jeune femme avait été atteinte, mais projette une grande clarté sur l'amour qui a uni les deux êtres.

O mon Dieu, dis-moi, mon amour, tu n'as pas éprouvé ce que tu craignais, n'est-ce pas, et ta maladie n'a pas pris le caractère inquiétant. Peut-être as-tu eu tort de ne pas voir Val[1]. Veux-tu que je passe chez lui? Dis — ne négligeons rien, cher ange — ta vie, ta vie si précieuse à mon cœur, elle n'est pas en danger, je le sais, mais elle l'a été, par cette cruelle, cette affreuse maladie, et puis si je pouvais rester près de toi tout le temps, ce serait bien autre chose, mais séparés... Oh oui, je t'aime, je t'aime, je t'aime, oui, cette fièvre m'a passé dans le sang, et il y a plus de frénésie et de passion dans mon amour qu'il n'y en a jamais eu. Ne crains rien, je t'aime, je t'aime et ne puis aimer que toi, toi seule au monde, et si je pouvais t'enlever au monde et fuir avec toi, je le ferais demain, renonçant à tout autre bonheur, à tout autre avenir, ne voulant que toi pour bonheur et pour avenir. Je t'aime, oh! ma Mélanie, ma tête brûle et

Bibliothèque Nationale, cabinet des manuscrits, *Nouvelles acquisitions françaises*, dossier 24.641. Avant qu'elles aient gagné cet asile, beaucoup d'amateurs les ont eues entre les mains et il en a paru d'importants fragments dans plusieurs biographies. C'est pourquoi nous nous contenterons d'en citer telle ou telle phrase, en dehors des quatre lettres qui seront ici données tout entières pour la première fois.

1. Premières lettres d'un nom de médecin.

je suis bien plus près en ce moment de la folie que de la raison. Je ne puis cesser de t'écrire et cependant je ne puis te répéter que ce que je t'ai dit, mais j'éprouve le besoin de remplir des pages du mot Je t'aime déjà mille fois répété — et tu as pu être jalouse — que je suis heureux, tu m'as enfin compris, tu sais ce que c'est que aimer, puisque tu sais ce que c'est que la jalousie... hein! connais-tu quelque chose de pareil, et les imbéciles, les faiseurs de religion qui ont inventé un enfer avec des souffrances physiques, qu'ils se connaissaient bien en tout *(sic)*, mais cela fait pitié, un enfer où je te verrais continuement dans les bras d'un autre — malédiction, cette pensée ferait naître le crime, Mélanie, ma Mélanie je t'aime comme un fou, plus qu'on n'aime la vie, car je comprends la mort et ne puis comprendre l'indifférence pour toi. Ne crois rien de ce que dira ta mère. Je te dirais presque ne crois rien tes yeux dussent-ils voir, tes oreilles dussent-elles entendre, il y a des mirages pour les yeux, des bruissements pour les oreilles. Que le mot Je t'aime t'entoure continuellement. Je charge tous les objets qui t'approcheront de te le répéter. Dis en voyant chacun d'eux : si mon Alex pouvait lui donner une voix, il me répéterait : Je t'aime. Oui, plus que les expressions ne peuvent dire, et cela parce que c'est plus que l'esprit ne peut comprendre. Mille baisers sur les lèvres, et de ces baisers qui brûlent, qui correspondent par tout le corps, qui font frissonner et qui contiennent tant de félicité qu'il y a presque de la douleur. Adieu, ma vie, mon amour. Je t'écrirais un volume, mais un plus gros paquet serait probablement remarqué. Adieu, adieu, je t'aime — aime-moi.

A travers les lettres de l'amant se fait jour une facile et presque comique philosophie de la jouissance. Avec quelle aisance il écartait tout ce qui pouvait le priver de son plaisir! Il admonestait la jeune femme pour les scrupules qu'elle lui opposait :

... Folle que tu es de te faire de la peine de toutes nos discussions, ne comprends-tu pas que ce ne sont que des mots qui ne changeront rien à la chose positive, que Dieu ne peut pas m'en vouloir d'un doute puisqu'il ne m'a pas donné la force de trouver la vérité, et que notre éternité, quelles que soient nos pensées en ce monde, sera toujours la même, immortalité ou néant, il y aura donc dans tous les cas félicité éternelle, ou absence de sensations, et tout cela nous sera commun. Ainsi donc, aimons, aimons encore en cette vie, écartons de nos deux têtes tous les malheurs qu'il sera en notre pouvoir d'écarter, saisissons-en toutes les félicités et ne ramenons pas nos esprits à de tristes pensées.

D'un autre monde — celui-ci est déjà assez mêlé de joie et de douleur — sache seulement que s'il y a quelque chose de moi qui me survive, ce quelque chose, ne fût-ce qu'une étincelle, t'aimera comme t'aime le corps duquel ce quelque chose sera émané. Ainsi mon ange... donne-moi du bonheur en ce monde, et espérons en l'autre, sans compter dessus, le désappointement est une trop cruelle chose.

Adieu, je suis bien fatigué, mes yeux se ferment malgré moi, je te presse sur mon cœur et te couvre de baisers.

Ils semblent s'être conduits en imprudents, avoir éveillé les soupçons des parents, père, mère, frère, qui les épiaient à l'envi, et Mélanie d'ailleurs restait toujours chez elle une petite fille. Les allusions au courrier de la poste, aux commissionnaires, aux cochers, à tout un langage de signes font entrevoir à quelles ruses d'indiens ils avaient recours pour se retrouver, pour voler de pauvres minutes de tête-à-tête ou pour arranger quelque promenade dominicale (en famille!). La petite chambre d'amour caché qui les réunissait (ils en changèrent) était installée pour prendre des repas : « ...moi qui trouvais tant de délices à nos petits déjeuners, à notre petit ménage... ». Ils durent plus d'une fois songer à ne plus se voir, Dumas en tout cas à ne plus paraître chez les Villenave... Il y a une lettre à citer parce qu'elle fait deviner combien les affranchissements doctrinaux du romantisme pouvaient draper de banal égoïsme.

La voici :

5 h. 1/2. — Me voilà arrivé et je t'attends dans un instant, tu seras là sur mes genoux, dans mes bras, nous serons heureux tous deux et puis il faudra nous quitter pour recommencer à souffrir, pour consentir à ne plus nous voir que de temps en temps... Eh bien, quand je te parlais du monde et de ses lois, de ces misérables concessions à la société qui se font toujours aux dépens du bonheur particulier, dis-moi, avais-je tort de le maudire et de regarder comme heureux l'homme qui pourrait s'en affranchir. Dans une nation civilisée, la liberté peut exister pour un peuple, elle n'existe jamais pour les individus. On fait à tout ce qui vous entoure une foule de petites concessions auxquelles le temps et l'habitude finissent par imposer le nom de devoir, et alors qu'on s'en écarte on est coupable. Certes, personne n'aime plus ma mère et ne la respecte plus que moi, eh bien, je regarde comme un préjugé des nations l'amour et ce respect imposés aux parents, l'un et l'autre doivent naître selon moi de leur manière de nous traiter et non du hasard même qui nous les a donnés pour père. Leur devons-nous de la reconnaissance pour la vie qu'ils nous ont donnée? souvent ce n'était pas leur intention, et plus souvent encore ils nous ont fait un triste présent. Nos parents ne le sont que relativement aux soins qu'ils ont pris de nous et il me semble naturel de mesurer l'amour sur les actions et le respect sur les vertus. Mais je ne sais pourquoi je m'abandonne à cette divagation, peut-être encore te fera-t-elle peine, peut-être choquera-t-elle tes idées reçues plutôt que tes idées naturelles.

Il est neuf heures, mon ange et peut-être ne pourras-tu pas venir. Oh! sois tranquille — je viens de bondir de ma chaise, j'avais entendu un pas que je croyais le tien — je ne t'accuserai pas...

Voilà à quoi se réduisait souvent la révolte déclamatoire contre les contraintes sociales : une violence de désir cynique. Il a fallu l'habiller de beaucoup de littérature, et Dumas n'y a pas manqué, de même qu'il ne manque pas de faire savoir dans une de ses lettres qu'il crache le sang. Oh! un « mouchoir à peine coloré »... Mais c'était indispensable.

Ils redoutaient par dessus tout l'arrivée du mari. Si Mélanie était jalouse des autres femmes, Alexandre était jaloux du capitaine. Jaloux, c'est trop peu dire. Il en avait l'obsession. Il se montra prêt à tout pour l'apaiser, fût-ce à agir au ministère pour maintenir le malheureux officier dans sa province, et la plus lointaine possible. « Notre malheur le plus grand sera toujours ta réunion à ton mari, et il faut tout faire pour l'éviter » est une phrase cruellement cynique, qui a peut-être celle-ci pour excuse : « Ah! que je voudrais te voir sans fortune, sans famille, abandonnée de tout le monde, pour te tenir lieu de monde, de famille, de fortune, pour être tout pour toi!... »

Cette jalousie tellement d'accord avec son tempérament entraînait Alexandre à vouloir s'emparer de sa maîtresse corps et âme. Du moins s'y efforça-t-il. Elle avait une ignorance d'adolescente en amour, il l'initia à une sensualité passionnée. « Mes baisers que seul je t'ai donnés ainsi... » Il est clair qu'elle résistait à ce genre d'assaut, beaucoup moins sensuelle que lui, peut-être nullement sensuelle, et par-dessus tout avide d'une passion pour beaux vers. Mais lui, il chercha la plénitude et le bonheur par la possession, par toutes les possessions. Il y a, dans une de ces lettres, une phrase imprévue, inquiétante. « ...N'AI-JE PAS LE MAGNÉTISME POUR TE RAMENER A MOI? » et l'on pense aux étranges agissements qu'il devait un jour prêter à son mystérieux docteur dans les épisodes érotiques de *Joseph Balsamo*. Aussi des protestations d'amour pur sentent-elles un peu l'hypocrisie. En réalité, par esprit de domination autant que par faim, il s'attaquait à la chair. De fait, il mettait sa maîtresse sur le flanc...

Pour nous, il est assez amusant de voir dans les lettres de Dumas deux amours se battre, le sentimental et le sensuel. Avouons que le sentimental ne s'affranchit guère de la banalité; il mettait volontiers des pantoufles, il chantait la romance de la « petite chambre », — l'ancienne et la nouvelle, — il se chargeait même des déménagements :

Le déménagement est à peu près opéré, bon ange. J'ai fait moi-même celui de notre boîte, du linge, des pommes de terre, du beurre et du cœur de sucre. Nous serons assez bien, ha! et beaucoup plus près de toi, beaucoup moins exposés surtout, la maison n'ayant pas une seule vue sur l'escalier et étant celle d'un marchand de meubles, où l'on peut croire que tu vas faire une emplette...

Mais comme l'autre amour, le sensuel, lie davantage! pensait Dumas. C'était celui qui lui convenait. Le gaillard fait le courtois, le chevaleresque, le tendre; et puis soudain, n'y tenant plus, et tout en protestant qu'il est disposé à rougir d'un mot risqué, il écrit : « C'est un bonheur de t'écrire, mais c'en est un plus grand de te voir; il y a la même différence qu'entre te voir et t'embrasser et qu'entre t'embrasser... n'aie pas peur, je ne pousserai pas plus loin la comparaison... » Ou bien : « Comprends-tu le mot *faire la cour*, qu'on emploie comme synonyme d'aimer?... Les malheureux... Est-ce que je t'ai jamais fait la cour, moi?... » Non, il se jetait sur elle.

La liaison dura plus de deux ans. Le triomphe d'*Henri III* éclata et Mélanie s'y est vue associée. C'est chez elle que la pièce fut lue tout d'abord en petit comité; au théâtre, elle eut sa part d'éclairs et de reflets au bord de sa baignoire, dans l'éblouissement du glorieux soir : l'amant partageait les entractes entre elle et sa mère. Puis brusquement, en juin 1830, tout change. Alexandre Dumas laisse les événements extérieurs faire barrage dans le cours de sa liaison. La jeune femme ayant suivi sa mère en Vendée dans une ferme arrangée en manoir, La Jarrie, aux environs de Nantes, entre Clisson et Torfou, il n'est plus guère question dans les lettres de Dumas que de ses besognes professionnelles et de ses relations d'écrivain. Il insiste sur la lassitude qu'il éprouve sous le poids des démarches, sous celui des répétitions au théâtre. « Ce genre de vie, écrit-il, m'use à la fois santé et imagination. » Ensuite éclate la révolution et il en profite pour se contenter d'envoyer quelques nouvelles à l'absente. Enfin la jalousie de sa poétesse l'irrite davantage, quoique à distance, et soudain il l'utilise, cette jalousie, il la dénonce comme capable de détruire un amour. Ne porte-t-il pas déjà assez de charges? Il refuse une charge supplémentaire de jérémiades, de reproches, d'exigences. Qu'on la lui épargne! D'où la lettre suivante, explosion d'irritation, mais aussi jaillissement de tristesse profonde, presque de désespoir, exagéré momentanément sous l'empire d'une colère.

7 juillet, mercredi.

Je ne comprends rien, mon amour, aux retards de 4 jours dont tu me parles, je t'ai écrit avec la plus grande régularité même quand je ne pouvais pas écrire, quand une goutte de sueur me tombait à chaque lettre et que j'étais obligé d'écrire deux fois les mots pour tâcher qu'ils fussent un peu lisibles.

Je ne comprends rien aux reproches qui terminent ta lettre, si ce n'est que ce sont encore des reproches. Je ne me rappelle plus ce que je t'ai écrit. C'est bonheur qu'il faut lire au lieu de récréation, et la phrase doit être construite ainsi : si l'amour devient un tourment au lieu d'un bonheur... oui, mon amie, je te le répète, je comprends dans les commencements d'un amour dont on doute encore ce besoin de s'en assurer même aux dépens de la tranquillité. Mais après un lien de trois ans qui repose sur ce que l'honneur et l'amour ont de sacré, qu'on en soit encore aux petites recherches, aux petites tracasseries d'un amour qui commence, voilà ce que je ne comprends pas. Je t'aime pour toi, mon amour, autant que pour moi, et je ne voudrais pour rien au monde mêler des tourments à tes tourments.

Vois un peu ma position et pardonne-moi quelque inégalité d'humeur. Je suis seul au monde, pas un parent sur qui je puisse m'appuyer pour lui demander un service. Quand je me manque à moi, tout manque non seulement à moi, mais à ma mère d'un côté et à mon fils de l'autre. Tout ce qui est bonheur pour un autre est peine pour moi. J'ai une mère et elle me tourmente. J'ai un fils et je n'en puis tirer encore aucune aide. J'ai une sœur et c'est comme si n'en avais pas. Et si après tout le monde toi aussi arrives avec des reproches au lieu de consolations, mon Dieu, alors que faire? Rassembler vite de quoi vivre seul et abandonner mère, enfant et pays pour aller vivre partout ailleurs comme un bâtard.

C'est au point que j'ouvre tes lettres en tremblant; au nom du Ciel, mon amie, comprends ce qu'une vie d'homme a de tourments. Tu as écrit à Comte pour lui demander de mes nouvelles. Eh bien, cela peut te compromettre. Tu as dû recevoir des lettres de moi tous les deux jours. Moi-même en voilà 4 que je n'en ai reçu de toi. Eh bien, je m'arrange dans ce moment pour te rejoindre au plus tôt, je serai heureux et content près de toi, sois-en sûre — il faut que je touche auparavant de quoi faire ce voyage, il faut que je passe un traité avec le Théâtre-Français, je veux qu'il soit engagé vis-à-vis de moi, mais 8 ou 10 jours peuvent suffire à tout cela, puis je t'arriverai, pour n'être qu'à toi, tout à toi, pour travailler là-bas afin de me reposer un peu, ce que tu me dis de faire. Eh, si je me repose 8 jours, ai-je un père ou une mère dont les revenus courent, non mon amour, voilà ce qui me rend triste, c'est qu'il faut que je travaille le double d'un autre et que le monde encore qui ne sait nullement mes affaires à moi répétera que je gagne et dépense mon argent avec la même facilité. Quelle facilité, quand elle vous coûte des nuits de veille et des jours de maladie.

Ne parlons plus de tout cela, nous irons ensemble aux bains de mer. De nouvelles localités, du repos et toi avant tout me remettront, et je reviendrai à Paris guéri du dégoût que j'ai pour tout le monde et pour moi tout le premier. Adieu, mon amour. Je vais voir mon receveur et m'occuper d'argent.

Adieu encore, ma Mélanie; de loin ou de près, redis-toi bien que tu es la seule femme que j'ai aimée, que je désire te revoir autant qu'on puisse le désirer et que je serai dans tes bras le plus tôt possible. Adieu, mon amour.

Puisse quelqu'un mettre un jour la main sur les lettres de l'amante! Celles de l'amant n'ont-elles pas de l'intérêt? Tout d'abord l'intérêt habituel : parce que c'était lui, parce que c'était elle. Mais aussi un intérêt général, car dépassant l'aventure particulière avec Mélanie Waldor, elles s'ouvrent sur la personnalité de leur auteur. Elles en disent assez long sur son dénuement philosophique et sur sa pauvreté logique dans le maniement des idées métaphysiques et religieuses. Elles témoignent aussi sur son époque. Quel amour à la Sand, ici! Deux ou trois lettres révèlent une brusque fureur passionnelle contre les contraintes de la société, un emportement de révolte qui n'est pas que littéraire, qui monte des profondeurs individuelles, qui entraîne avec lui des lambeaux de chair et qui prouve enfin combien il y a de sincérité et de passion vécue dans le drame d'*Antony*.

Dans le tourbillon des troubles révolutionnaires, des tracas de famille et de métier, des complications entremêlées du théâtre et du monde, quelques jeunes femmes se maintenaient en surface accrochées au cou d'Alexandre : Mélanie Waldor, infiniment moins lasse que lassante et près d'être lâchée; d'autres, les comédiennes notamment, ambitieuses ou amusées, et l'une d'elles les éclipsant toutes. Laquelle? On pourrait croire qu'il s'agissait de la petite Virginie Bourbier, Mlle Delville de son vrai nom, ancienne élève du Conservatoire, qui avait débuté à la Comédie-Française dans *Zaïre* et s'était fait recevoir pensionnaire. Mlle Mars s'était énervée, au cours des répétitions d'*Henri III*, de l'assiduité tenace de l'auteur, car elle l'attribuait à un intérêt trop marqué pour les grâces de la débutante. Mais la débutante n'eut qu'un bout de rôle dans le drame, celui d'une des femmes de la duchesse de Guise, elle n'avait pu obtenir le rôle d'Arthur, le page, et malgré les promesses pour la distribution du drame prochain, la brouille ne devait guère tarder.

Non, il s'agissait de Mlle Bell Krebsamer, présentée à Dumas dans les derniers jours du mois de mai, trois mois après l'éclat d'*Henri III*, à un bal d'artistes. Firmin, l'ayant découverte dans une de ses tournées, réclama pour elle l'influence de son illustre ami. Malheureusement, la saison des engagements était passée depuis avril et Dumas réussit donc mal dans sa protection. Mais tellement mieux dans sa séduction! Le soir du 1er juin 1830, écrit-il dans ses *Mémoires*, « j'avais avec une très jolie femme que j'avais connue chez Firmin et qui jouait les Mars en province, un rendez-vous où il fut question de choses si intéressantes que je ne rentrai chez moi que le lendemain vers midi. » Chez lui, c'était au 25 de la rue de l'Université, la femme habitait au 7. Il ne nous cache pas la durée du siège et de la résistance : trois semaines. La belle Juive, avait « des cheveux d'un noir de jais, des yeux azurés et profonds, un nez droit comme celui de la Vénus de Milo, et des perles au lieu de dents ». Il l'appelle Mme Mélanie S. et les programmes la désignent sous le nom de Mlle Mélanie. Voilà donc la maîtresse nouvelle qui venait de se glisser dans ses jours entre Mélanie Waldor et lui.

C'était sérieux, et la lutte fut chaude entre les deux femmes. En septembre, l'homme qu'on s'arrachait partit pour la Vendée où l'appelait Mme Waldor malade; mais il en revint très vite et, en route, le 22, il écrivait à l'amante laissée là-bas :

Je ne *la* reverrai pas en arrivant à Paris, mon ange. Il faudra cependant quelques jours après que j'aie quelques relations amicales pour lui expliquer les causes de notre séparation. Mais elle aura lieu, mon ange, dût-elle pleurer bien fort et bien longtemps; ses occupations de théâtre la consoleront. Adieu, mon amour, je prends une tasse de café et je pars. Si je m'arrête, ne fût-ce que deux heures à Blois, je t'écrirai. Mille baisers.

Huit jours après, une lettre de Paris s'appliquait assez lourdement à tranquilliser l'exilée et trahissait d'ailleurs l'envie de parler de tant d'autres choses : d'un duel ridicule, de sa pièce en répétition, de la famille du roi :

29 septembre 1830.

Cher amour, je reçois une lettre de ta mère qui me tourmente bien. Tu es toujours malade, mon ange, et ta tête surtout continue à l'être. Pourquoi ton géranium aussi te tourmente-t-il? Il datait d'une autre époque, il devait se briser. Mais pour revivre comme notre amour. Soigne sa tige, mon ange, et tu lui verras pousser de nouvelles feuilles que dans des années tu me donneras encore avec un baiser dessus.

... Qu'as-tu qui te tourmente? Voyons, ne dois-tu pas être tranquille sur moi? Sur moi qui t'aime, mon ange, avec plus de puissance peut-être qu'avant? Refais-toi vite et reviens ou je quitte tout, mon amour, pour aller te voir et t'embrasser.

Sainte-Beuve s'est battu il y a huit jours avec Dubois du *Globe*. Comme il pleuvait, ils se sont battus sous des parapluies, ni l'un ni l'autre n'ont été blessés.

Quant à moi, mon amie, ma pièce se copie. Dans quelques jours nous entrons en répétition. Dieu la garde de malencontre.

J'ai mis en arrivant à la poste la lettre de ton père, j'ai vu ton frère, tout est toujours ici dans un *statu quo* désespérant. Rien ne se fait, le mécontentement contre le ministère et l'amour pour le roi vont croissant.

Mon pauvre ange, je te vois d'ici dans ton lit dans ton petit coin; ta chambre, en fermant les yeux, est tout entière dans ma tête. Guéris-toi, guéris-toi, mon amour, ne te lève pas trop tôt, ne te fatigue pas. Crains le temps mauvais et pluvieux. Ne te tourmente pas des coups d'épingles que te donne ta mère et fais venir vite pour te soigner Henriette.

Et maintenant, ce sera le mensonge pur et simple, ou bien Dumas se mentait à lui-même, ce qui est bien possible. Louvoyait-il? Mais il est clair en tout cas que Bell occupait le terrain.

Le 1er octobre.

Cher amour, je reçois ta lettre, ta pauvre lettre dont l'écriture hachée me prouve tout ce que tu souffres. J'en reçois une en même temps de ta mère qui me donne de tes nouvelles. Amour à moi, tranquillise-toi. Compte sur l'avenir et les promesses de ton Alex. Tu es donc dans ma chambre, cher ange, dans ma chambre où nous avons tant pleuré et où je t'ai promis que tu ne pleurerais plus. Que voulais-tu que je fasse du petit bout de papier que tu avais mis pour *elle?* Tu n'as donc pas reçu la lettre dans laquelle je te dis qu'elle est à Rouen. Elle ne sait probablement pas que je suis de retour à Paris, car je n'en ai encore reçu aucune nouvelle. Quand elle arrivera et qu'elle saura que depuis 15 jours je suis à Paris sans le lui avoir fait dire, elle sera assez fâchée pour que je n'aie plus grand-chose à faire pour la fâcher tout à fait. Tout ira donc bien, mon amour, puis viendra Antony qui te rendra confiance et courage au cœur.

Le 4.

Hier, elle est revenue. Je venais de recevoir ta lettre, c'était un véritable palladium. Je lui en ai fait lire une partie; il y a eu comme tu peux le croire, des larmes en quantité, plus par crainte de son avenir à elle que par véritable amour. Bref, peut-être t'écrira-t-elle, car elle ne peut croire que tu saches tout, elle pense que tu ignores nos relations, et les lettres que je lui ai écrit (*sic*). Mais tu sais tout. Ainsi ne te tourmente de rien, il a été convenu que nous n'étions plus rien l'un pour l'autre qu'amis. Cependant elle m'a quitté en larmes et en colère. N'en parlons plus, mais il fallait te dire cela. Encore une fois, n'en parlons plus, dans cette lettre du moins. Je vais achever vite ma pièce, elle sera engagée et contente, tout sera donc fini.

Mais toi, mon amour, refais ta vie, redeviens forte sans fièvre. Puis l'avenir est large et long, avec une place pour nous deux, et nous retournerons à notre Jarrie.

... Je lui ai remis ton petit mot, il était fiévreux et elle a eu grand-peine à y comprendre quelque chose. Mais enfin, je le lui ai remis. Je ne crois pas, du reste, qu'il y ait en elle amour profond, il s'évapore en mots aigus, puis la certitude que je veillerai toujours à son sort théâtral la consolera de tout.

Enfin, le 12 octobre, après avoir craint une approche du mari (« il faut le faire nommer major, mon amour, il n'y a que ce moyen de nous tirer d'affaire, Courbevoie est trop près de

Paris »), Dumas informe Mme Waldor — en hâte (il s'habille)
— qu'il est de garde — le garde national! — au palais. Puis :
« Sois tranquille pour elle, il y a séparation complète, tu peux
me croire. » Mais c'était tout le contraire. En réalité, Alexandre
aidait Bell à savourer son triomphe.

L'actrice a joué dans *Antony*, dans *Angèle*, sans parvenir
à se faire un nom parisien. Mais la beauté puissante de la femme
tournait comme un phare au centre des admirations; et Dumas
en est resté assez longtemps fasciné. Il a emmené Bell Krebsamer en villégiature avec lui, il a désiré l'emmener en voyage
il a fait d'elle la reine de sa plus grande fête. Ils ont vécu au
moins trois ans en mari et femme. Enfin de cette liaison devait
rester pour les mauvais jours, disait-il, « un de ces vivants
souvenirs qui changent les tristesses en joie, les larmes en sourire », et qui s'est appelé la petite Marie, née le 7 mars 1831,
future Olinde Petel.

Alexandre Dumas pouvait-il avoir son compte avec les deux
Mélanie, la tendre et la forte? Qu'on apprenne à connaître ses
besoins, ses appétits, ses moyens. Le fils du général était
toujours d'attaque. Virginie Bourbier assurément y passa.
Louise Despréaux, qui devait aller jouer Musset au théâtre
de Saint-Pétersbourg et devenir Mme Allan, resta-t-elle une amie
platonique? Hardi qui le dira. En tout cas, c'est elle qui avait
soufflé à Virginie le rôle du page Arthur et Dumas trouvait du
piquant aux comédiennes du Français en travesti. Mlle George,
sa reine de Suède, et bientôt sa Marguerite de Bourgogne, splendeur épanouie dans sa quarantième année, Eden vivant, refu-
sa-t-elle de l'accueillir en passade? Il a laissé entendre que non.
Mlle Duchesnois était-elle trop laide? Elle « avait le charme
de la bonté » et aussi « des bras magnifiques », des jambes
qu'elle montrait volontiers dans *Alzire*[1]. Et Mlle Noblet, de
l'Odéon, qui joua quelque temps le rôle de Paula dans *Christine* et qui avait belle voix, grand œil noir, n'aurait-elle pas
éclairci pour lui sa mélancolie?

Voilà pour le monde du théâtre, mais le monde littéraire
aime lui aussi à jouer le drame et la comédie. Il a joué
avec Alexandre Dumas des pièces brèves, obscures, restées
dans le mystère. Et pourtant la passion amoureuse n'y figure
pas. Mais c'est curieux comme avec lui les amitiés féminines

---

1. Dumas, *Une Vie d'artiste.*

les plus chastes donnaient l'impression de frôler autre
chose. Une lettre, datée du 5 août 1830, adressée à une
Lyonnaise qui demandait des costumes de *Christine* et le
retranchement du prologue, est curieuse [1]. Il s'agissait évidemment de représenter la pièce à Lyon. Mais la lettre se
termine sur cette formule qui ne paraît pas ironique : « J'ai
l'honneur d'être avec respect votre très humble et obéissant
serviteur. » D'une part, Dumas chante à la destinataire les
louanges du peuple révolutionnaire de Paris, du dernier citoyen
de nos faubourgs « qui a donné un spectacle de poésie et de
dramatique »... D'autre part, il dit son regret de n'avoir pu,
à cause de la révolution, aller à Lyon comme il avait compté
le faire, et il ajoute : « Je me promettais un grand bonheur à
vous dire ce que j'ai dans l'âme : il y a dans l'expression des
yeux et l'accent de la voix une vérité et une chaleur qui font
croire, et alors vous auriez cru... » Quelle intrigue commençait?
Non. En publiant cette lettre, *la Revue mondiale* a révélé qu'elle
était adressée à Marceline Desbordes-Valmore. *La Revue* en
ajoutait une autre sans date, mais que son objet reporte à
dix-sept ou dix-huit ans plus tard, au temps du Théâtre Historique et que la poétesse écrit pour recommander à Dumas
un acteur jugé sacrifié. Elle ajoutait étrangement : « Autrefois,
pour aller à vous, c'était une joie; à présent, c'est une crainte...
L'enfantillage féroce d'une femme que nous aimons tous a tari
la confiance d'une des plus pures affections de ma vie. Je suis
gauche et triste quand on méconnaît ma droiture : aussi je n'entre
pas. Je reste sur le seuil. Faites un pas pour m'entendre, car
ce n'est plus librement que je viens demander votre accueil. »
Et elle signe « la muette, bien que la plus sincère de vos *amis* ».
Marceline semble bien dénoncer ici un tort de Dumas, mais de
quel ordre? On sait en tout cas qu'il n'y eut point brouille;
Dumas préfaça chaudement en 1833 le recueil des *Pleurs* et,
à la mort de son amie, il annonçait à Prosper et Hippolyte
Valmore qu'il allait écrire un article pour payer son « dernier
tribut de tendresse et d'admiration ».

Avec George Sand, il ne semble pas qu'une intrigue se soit
nouée, bien que le comte russe W. A. Solohub ait noté dans ses
Mémoires [2], parlant de Mme Sand : « Dumas père avait été,
dit-on, fort avant dans ses bonnes grâces... » Ce ne serait donc

1. Bibliothèque Nationale, cabinet des Manuscrits, n. a. fr. 24.641.
2. Parus en 1887. Cf. la *Revue des Deux Mondes* du 1er juin 1953.

qu'un « On dit ». Parisienne à partir de 1831, engagée par Henri de Latouche dans la petite troupe du *Figaro* où elle retrouvait des amis berrichons, Félix Piat et Jules Sandeau, mais n'y réussissant guère, George Sand était allée passer six semaines à la campagne au printemps de 1832, et en avait rapporté *Indiana*. Une phrase de Dumas dans les *Mémoires* est d'un tour fâcheux : « Avec *Indiana*, George Sand avait mis le pied dans le monde littéraire; avec *Valentine*, elle y mit les deux pieds. » Plus heureux dans le même chapitre, quelques pages plus haut, il parle de « ce génie hermaphrodite qui réunit la vigueur de l'homme à la grâce de la femme, qui pareil à un sphynx antique, s'accroupit aux extrêmes limites de l'art avec un visage de femme, des griffes de lion, des ailes d'aigle. » Autre sphinx tout moderne : le bilan de leurs rapports. Sainte-Beuve fut mêlé à d'étranges négociations dans le temps où George Sand cherchait qui dévorer. On sait qu'en 1833 elle le priait de lui « amener » Dumas en l'art de qui elle avait « trouvé de l'âme »... Elle insistait : « Il m'en a témoigné le désir et vous n'aurez sans doute qu'un mot à lui dire de ma part [1]. » Mais leurs atomes ne s'accrochèrent pas et, en 1836, elle écrivait à Dumas en pleine réputation cette énigmatique missive :

Je vous écris quoique vous ne m'aimiez pas du tout. De mon côté, je ne vous aime nullement, par la seule raison que vous avez été très mal à mon égard.

Du reste, je n'attaque pas votre caractère à tous autres égards. Je ne vous connais pas.

Enfin vous savez tout aussi bien que moi que je dois désirer de voir *Don Juan* et que je n'étends pas mes antipathies de votre personne à vos œuvres. Je ne le puis pas.

J'ai envoyé ce matin chez vous et à la location pour avoir une loge. Partout on faisait queue, et mon domestique n'a pu pénétrer. Je dois partir jeudi soir, mais je veux retarder mon départ d'un jour si vous me trouvez une loge ou tout au moins deux places. Répondez-moi donc aujourd'hui. Je crois que la chevalerie dont vous savez si bien ressusciter l'esprit vous ordonne un peu d'être obligeant pour moi, au terme où nous en sommes [2].

Il s'était donc passé tout de même quelque chose entre les

1. George Sand, *Lettres à Sainte-Beuve.*
2. Copie des fonds Lovenjoul à Chantilly. (L'autographe a été en possession du docteur Joseph Michel.) La première de *Don Juan* a eu lieu le 30 avril 1836.

deux êtres si différents, entre les deux sensualités peut-être, l'une frappée d'inhibition et pour ainsi dire négative, l'autre franche et débordante. Mais saura-t-on jamais?

Les aventures amoureuses d'Alexandre Dumas font penser à un feu d'artifice : des fusées partent et montent avant que les précédentes ne soient retombées, les pièces s'allument et se chevauchent les unes les autres; et si la fête se tient au bord de l'eau, il semble que l'eau s'ouvre et se referme sous la plongée de toutes les braises. Mais dans ces réjouissances, finalement, on ne voit que des comédiennes, et il en sera toujours ainsi. Dumas a aimé dans son monde.

Mélanie Waldor avait vu leur liaison finir avec l'année 1830 et se muer en simple amitié. C'est peu après que Marceline Desbordes-Valmore l'appela « pauvre femme de douleur et passions tristes ». Elle lui écrivait, la compatissante Marceline, de Lyon, le 6 décembre 1834 : « ...il m'a parlé de vous, toujours en mots voilés mais tendres et bienveillants. Vous y pensez toujours, n'est-ce pas? Vous avez trop souffert pour l'oublier... Il paraît tout rempli de l'amour des voyages. Il a l'air en effet d'avoir en tout des bottes de sept lieues [1]... » Elle lui parlait de lui encore en décembre 1835, et même il paraît qu'à ce moment Dumas songeait à écrire une biographie (?) de la délaissée.

On sait qu'en 1841 il continuait à y avoir « amitié » entre les deux anciens amants. Ils se rencontraient parfois, et la petite Élisa jouait avec le petit Alexandre...

Elle, la pauvre bas-bleu, dont on se moquait un peu dans le monde [2], un moment réfugiée dans la confection d'un roman, l'Écuyer Dauberon (1832), puis dans ses Poésies du cœur, encore tout occupées de l'ingrat, et plus tard engagée dans une intrigue avec Camille de Cavour, à l'époque où le comte, ayant quitté l'armée, s'adonnait aux sciences politiques, Mme Waldor finit par entrer dans une obscurité définitive. Jusqu'à ce que, vieille et pauvre, elle en vînt à payer de vers médiocres l'aide de la famille impériale et même à servir la police politique, avant de sombrer dans la misère [3].

Quant aux comédiennes qui brûlent dans leurs amours à d'autres feux, à d'autres braises, elles ne se sont pas plus éter-

---

1. *Lettres intimes*, publiées à Paris en 1876.
2. Fontaney, *Journal intime*.
3. D'après *Papiers secrets et correspondance du Second Empire*.

nisées dans l'existence de Dumas que dans leurs rôles. Même la
Vénus de Milo aux yeux bleus. Elle prenait le large par périodes
pour ses tournées en province et à l'étranger. Elle a fini par
ne plus revenir, elle a disparu devant un règne nouveau. Y
a-t-il eu une joute Krebsamer-Ferrier comme il y avait eu
une joute Waldor-Krebsamer?

Dommage, en tout cas. Certes, il est vain d'éprouver des
regrets rétrospectifs pour Dumas, qui semble n'en avoir jamais
éprouvé lui-même; eût-il été souhaitable que le sort introduisît
une stabilité dans ses destins? Rien de moins sûr. Mais si quelqu'un pouvait y réussir, c'était assurément Bell Krebsamer.
La femme était intelligente. Elle montrait autant de sérieux
dans l'esprit — et même quelque âpreté — que de splendeur
dans la personne physique et de bienséance dans les manières.
Elle avait le sens social. Peut-être était-elle positive, ce n'est
pas forcément un défaut quand on partage la vie d'un Dumas.
Elle lui fit reconnaître leur fille, et il pensa à reconnaître par
la même occasion son fils. Qui sait même si ce n'est pas elle
qui l'y a fait penser? La reconnaissance acquise, Alexandre Ier
enleva Alexandre II à Catherine Lebay et le prit chez lui, rue
de l'Université, où il vivait avec Bell. Or, une lettre d'elle,
écrite à quelques mois de là, révèle d'étonnantes qualités :
netteté d'esprit, caractère, prévoyance et même bonté réfléchie
et un peu sévère. Elle nous renseigne en même temps, et merveilleusement, sur une situation des plus tristes.

Qu'on prenne soin de la situer dans la prolongation d'un récit
de Dumas fils à Blaze de Bury, qui l'a enregistré [1]. Dumas fils
se rappelait avoir vu son père écrivant à la lueur d'une petite
lampe sur une table auprès de sa mère... « Je me souviens,
disait-il, qu'une nuit, je ne dormais pas, je pleurais, je criais,
ma mère me prit sur ses genoux pour me rendormir. Je conti-
nuais à brailler, mon père travaillait toujours; mais les cris le
gênaient et l'impatientaient, si bien qu'il finit par me prendre
d'une main et m'envoya à toute volée sur le lit. Je me vois
encore en l'air... » Cris de la mère, scène de ménage... « Je
rebraille, et mon père s'en va dans sa chambre... »

Dumas fils ajoutait que son père sortit le lendemain sans
avoir revu personne, mais qu'il revint à midi, tout penaud, dîner
en famille et, pour se faire pardonner, apportant un melon...

1. *Alexandre Dumas, sa vie, son temps, son œuvre*, Paris, 1885.

Soit! Mais Dumas avait donc encore sa chambre, et dès lors l'épisode remonterait à l'époque du premier logement, puisque l'installation à Passy est de 1830, époque à laquelle l'enfant ne criait plus la nuit. D'ailleurs, Dumas avait quitté Catherine Lebay en 1827. L'enfant de la pittoresque anecdote était donc un gosse de trois ans tout au plus : c'est jeune pour une mémoire! Allons! qui ne décèle dans cette scène un souvenir, non pas du fils, mais de la mère? Les mots même trahissent : « penaud », « se faire pardonner »... La pauvre femme racontait, répétait, ressassait les choses au mioche, qui a fini par croire à un souvenir personnel et direct.

Et maintenant voici la lettre de Bell Krebsamer :

Mon ami, il faut que je te parle en détail de ton fils et, comme tu ne seras distrait de rien, tu comprendras mieux ce que tu liras que ce que tu entendrais. J'aime donc mieux t'écrire. Tu sais comme j'aime ton fils; donc je le juge avec indulgence et non sévérité. Eh bien, mon ami, je crois que tu ne pourras pas l'élever chez toi. Il y a un fond d'éducation vicié qu'il faut refaire et cela le plus promptement possible. Il serait sans doute bien près de toi si tu pouvais toujours t'en occuper, mais que lui donneras-tu? Deux heures au plus par jour et jamais avec suite. Hors toi il se moque de tout le monde et personne n'en peut venir à bout; je ne puis même parvenir, ni par prières, ni par menaces, à le peigner; il ne veut ni lire ni écrire et fait ses volontés avec tant de violence que je suis forcée de le gronder souvent. Mais le pis de tout cela, le principe de tout le mal, c'est d'avoir été lui dire qu'il verrait sa mère le dimanche et le jeudi. Plus il la voit, plus il revient mutin, hargneux et maussade avec nous tous; je crois fermement que sa mère le dégoûte de nous et même de toi; il ne te demande plus comme les premiers jours; il n'a qu'une pensée, sa mère, le reste n'est absolument rien pour lui; il est revenu mardi à 3 heures, eh bien, il y retourne demain! Elle vient le chercher elle-même, il y couchera peut-être et il aura passé plus de jours chez elle que hors de chez elle. Voilà le mal et il n'ira qu'en augmentant. Ce matin, Adèle, pour le promener, l'a mené avec elle chez Feresse. Il a fait le diable pour qu'elle le menât chez sa mère; il est revenu pleurant, mécontent de n'être pas obéi. Plus il la voit, plus il la veut voir et plus il se détache de toi. Tu perds tout le fruit de ton premier mouvement de fermeté, tu mets entre toi et ton enfant une femme qui met tout en œuvre pour t'aliéner son cœur et, plus tard, l'enfant, plein d'amour pour sa mère, te dira : « Tu m'as séparé de ma mère et tu as été dur avec ma mère »; voilà ce qu'elle lui enseignera. Ton fils, loin d'être plus heureux de la voir ainsi, est peut-être plus à plaindre que si tu l'avais éloigné d'elle en

ompant ses habitudes. Il y a des cas où il est moins dangereux de
riser que de dénouer. Toutes les journées qu'il passe ici se passent
lans les larmes, les mauvaises humeurs et le désir continuel de
'échapper pour aller vers elle et ce désir, et ces larmes, et cette
umeur, tout cela s'augmente à chaque visite. Il faut, je crois,
non ami, veiller à cela et prendre un parti. Il faut que cet enfant
'ait durant quelque temps que toi à voir et à aimer, si tu veux
u'il ne soit pas peu à peu détaché de toi et te considère, te jugeant
l'après sa mère, comme un tyran et non comme un ami.

Il est urgent aussi de le corriger d'une foule de mots et de phrases,
outes plus grossières les unes que les autres, et dont le nombre
'augmente chaque fois qu'il va chez sa mère. C'est inévitable et
'enfant n'en est pas coupable, mais ceci est un des moindres incon-
énients que ces fréquentes relations ont et auront, surtout avec
e temps.

Tu as voulu, en te donnant un fils, te donner un ami. Ne manque
)as ton but, mon Alex. Ceci est une des choses de ta vie trop impor-
ante pour que tu puisses jouer avec, et il faut ici, non du laisser aller,
nais une ferme volonté, bien peser ce qu'il faut faire et, une fois
.on plan arrêté, n'en dévier pour aucun prétexte.

Ce que je te dis là, mon ange, je te le dis avec la même conviction
[ue si j'étais ta femme et que cet enfant fût le nôtre. Ton fils a, pour
)eaucoup de choses, la raison d'un enfant de dix ans, mais il croira
.a mère en tout et toujours avant toi.

Pour obvier à cela, il n'y a pas de temps à perdre et tu te félici-
:eras de l'avoir séparé momentanément d'elle. Tu feras bien de lui
scrire à elle-même à ce sujet.

Mille baisers, mon ange, et déchire cette lettre [1].

L'abominable situation dénoncée avec tant de lucidité aboutit en 1831-1832 à un procès fort pénible mais nécessaire, en
conséquence duquel Dumas s'étant emparé de l'enfant le mit à
la pension Vauthier, puis deux ans plus tard, à la pension
Saint-Victor, laquelle avait pour directeur un M. Goubeaux,
Arthur Dinaux en littérature, collaborateur de Dumas père.
L'enfant fut très malheureux.

Tel a été le revers de la médaille. Qu'est-ce qui ne tourne
pas à la tristesse en ce monde, puisque aussi bien tout décline
et finit? Mais avec Dumas, la merveille est que la médaille
semble se remettre d'elle-même à l'endroit, et que tout reprend
essor.

1. La plus importante des lettres mises en ordre aux Manuscrits de la
Bibliothèque Nationale par M. Marcel Thomas et savamment présentées
par lui dans *La Table Ronde* de mai 1951.

VIII

LE COMBATTANT DE 1830

Alexandre Dumas, dans le même temps qu'il gravissait les pentes de la gloire littéraire, satisfaisait aussi ses goûts politiques.

Il avait peu à peu fait connaissance avec beaucoup d'hommes de l'opposition : Armand Carrel, qui venait chez M. de Leuven, Manuel un peu avant sa mort, Benjamin Constant, Béranger, Barthelémy et Méry. D'autre part, sa mère et lui avaient retrouvé le peintre Lethière, jadis portraitiste du général Dumas et qui l'avait fait également poser pour un *Philoctète* de la Chambre des Députés; ils allaient dîner tous les jeudis chez lui et ils y rencontrèrent de vieux amis du général : Gohier, l'ancien président du Directoire, le poète fabuliste Andrieux, le docteur Desgenettes qui mit le jeune homme en relation avec les Larrey père et fils.

Il avait humé la haine de Napoléon depuis 1814 dans l'air de Villers-Cotterêts. Si sa mère se contentait de soupirer et de pleurer, d'autres faisaient entendre l'imprécation et l'insulte. La femme de l'armurier, dans les fins d'après-midi chaudes, s'installait sur le seuil de sa porte avec son rouet et tout en filant chantait une chanson dont le mémorialiste ne s'est malheureusement rappelé que la première strophe :

> Le Corse de Madame Ango
> N'est pas le Corse de la Corse,
> Car le Corse de Marengo
> Est d'une bien plus dure écorce...

Bien que la famille Dumas passât dans le pays pour bonapartiste, Alexandre avait hérité des sentiments républicains de son père, et par surcroît il s'indignait de ce que le Corse avait coûté à la France, mais tout de même l'épopée impériale le laissait vibrant d'admiration et d'orgueil. Il détesta les Bourbons avec une sorte d'instinct populaire. On voit, dans ses *Mémoires* [1], comme il en arrivait à mettre tous nos malheurs à leur compte, même ceux dont l'Empire était responsable, l'invasion, l'occupation. Les chants de Béranger, *les Messéniennes* de Delavigne expriment son état d'esprit, ou plutôt son état d'âme. Il fut, plus exactement qu'un simple libéral, un *carbonaro*.

Avec le duc d'Orléans, les relations ont tourné autour d'une antipathie braquée sur la personne, non sur la charge. Au contraire, une véritable amitié le liait au duc de Chartres. Si celui-ci eût régné...

Au matin du lundi 26 juillet 1830 parurent au *Moniteur* les ordonnances de Charles X qui dissolvaient les Chambres et suspendaient la liberté de la presse... Dumas avait ses malles faites, son argent en poche (3.000 francs en or) et sa place retenue à Marseille pour Alger, dont les Français venaient de s'emparer : il partait le soir à cinq heures, impatient de voir, de s'informer, d'explorer. Il ne partit pas. « Ce que nous allons voir ici sera encore plus curieux que ce que je verrais là-bas », dit-il à un ami. Puis, appelant son domestique :

— Joseph, allez chez mon armurier, rapportez-en mon fusil à deux coups et deux cents balles de calibre vingt.

La révolution de 1830 commençait.

Dumas a joué un rôle dans les réunions, les fusillades, les marches et contre-marches de rues dont l'histoire compose le triangle des Trois Glorieuses. Son nom s'y trouve mêlé à celui de pas mal de journalistes, surtout Étienne Arago, Armand Carrel, Gauja. Il a pris des commandements éphémères, dressé des barricades, promené dans Paris son fusil, sa carnassière, ses poches bourrées de balles, pris part à une charge guerrière, visité des amis, dépensé plus de salive encore que de poudre. Le voici, au soir du 28 dans la famille Lethière. Il y apprend des nouvelles : rien de décisif, mais des détails intéressants, les arbres en feu sur les boulevards, les mobiliers jetés par les fenêtres du faubourg Saint-Antoine sur les soldats, y compris marbres, chenets, bouteilles et jusqu'à un piano,

1. *Mes Mémoires,* LVIII.

le lancier relevé avec sa poitrine horriblement déchirée parce que la charge du fusil avait été faite de caractères d'imprimerie...

Les *Mémoires* racontent ces journées avec une abondance inouïe de détails. Le député Mauguin a contesté certaines de leurs affirmations, notamment celles qui concernent la commission municipale faisant office de gouvernement provisoire et installée à l'Hôtel de Ville; mais ces affirmations, qui blessaient l'amour-propre du parlementaire, d'une part se trouvent essentiellement d'accord avec l'*Histoire de dix ans* de Louis Blanc (à vrai dire fort utilisée par Dumas), d'autre part ont été confirmées par Charras. Certes, Dumas avait fait large et magnifique part au jeune polytechnicien; mais Charras était un loyal officier à l'époque où il se déclara sûr de la fidélité de ses souvenirs pour décerner à Dumas un brevet d'exactitude. Si l'auteur des *Mémoires* n'a pas manqué de faire çà et là l'avantageux, ç'a été sur des points qui n'ont qu'un rapport infime avec le cours des événements. Evidemment les historiens ne puiseront pas dans Alexandre Dumas; mais comme toujours chez lui, une vérité générale, qui a fini par envelopper tout le récit, rayonne de scènes merveilleusement bien enlevées.

Le « monsieur » qui, drapé dans son manteau de mystère, distribue de la poudre à la porte de l'Institut (qui était-il? d'où sortait-il? d'où tenait-il sa poudre?) a beaucoup de genre. On aime aussi le capitaine rencontré avec ses quinze cents hommes par Dumas qui n'en dispose que de trente : il le reconnaît et l'appelle par son nom, il a vu *Christine*, il demande s'il verra bientôt *Antony*... « Que faites-vous là? — Une chose fort triste, répond-il, notre devoir. » Et il donne des conseils de paix : « Tant qu'on ne tirera pas sur nous, nous ne tirerons sur personne. » Bien entendu, il y eut d'affreuses tueries. Au combat du pont des Arts, Dumas, abrité derrière un des lions de bronze de la fontaine avoisinant le palais Mazarin, prétend avoir sauvé sa peau de justesse, il a eu l'honneur d'un coup de canon tiré sur lui, pour lui! Bien qu'il prenne acte de beaucoup de courage dépensé, de trop de sang versé, y a-t-il moyen de résister aux extraordinaires drôleries qui dominent ces deux cents pages? Il ne l'a pas fait exprès, il était trop évidemment de cœur avec la révolution pour la railler. Mais il avait le sens de l'humain, il s'est intéressé surtout à l'humain dans ses promenades armées à travers Paris, et l'humain des révolutions est une sorte de dieu Janus : ses deux faces, à lui, sont la tragique, la comique.

Il a débuté dans la Révolution par un sauvetage imprévu qu'il accomplit dans la journée du 29. Apprenant que la foule avait forcé l'entrée du musée de l'artillerie, Dumas, décidé à mettre des trésors à l'abri, visa un trophée de la Renaissance : bouclier, casque, épée ayant appartenu à François Ier, arque- buse ayant appartenu à Charles IX et portant en lettres d'ar- gent, tout le long de son canon, l'inscription qui sent la Saint-Barthélémy :

> Pour mayntenir la foy,
> Je suis belle et fideyle;
> Aux ennemis du Roy
> Je suis belle et cruelle.

Et voilà Alexandre le casque sur la tête, le bouclier au bras, l'épée au flanc, l'arquebuse sur l'épaule. Cette ferraille était authentique, il portait de l'histoire de France... déjà! C'est lourd. On l'imagine plié en deux malgré sa force et l'on songe aux quatre étages à gravir. Il avoue avoir manqué tomber en arrivant au quatrième. Et pourtant, emporté par la soif du sacrifice, il ne se contenta point d'une expédition. A peine débarrassé de son butin, il s'élança vers de nouvelles prises et cette fois rapporta la cuirasse, la hache et la masse d'armes. Ainsi possédait-il l'armure complète! Sachant dès lors mieux que personne le terrible poids de cette charge à laquelle il devait faire refaire quelques semaines plus tard le chemin inverse, mais sans doute sur des dos de déménageurs, et se souvenant que François Ier à Marignan l'avait portée pendant quatorze heures à cheval, il se déclarait prêt à croire aux prouesses d'Ogier le Danois, de Roland et des Quatre fils Aymon.

On lui avait parlé d'un rassemblement place de l'Odéon, il s'y rendit et vit cinq ou six cents hommes qui riaient, criaient, fumaient, au milieu d'une provision de poudre; ils faisaient et distribuaient des cartouches. Des « Vive la Charte », des « Vive la République » éclataient. Un homme cria : « Vive Napoléon II! » Charras, qui venait de se voir chassé de l'École Polytechnique pour avoir chanté *la Marseillaise*, était le chef de cette multitude; il expulsa le bonapartiste à la satisfaction de tout le monde, semblait-il. Or, à ce moment, un certain Chopin, qui tenait le manège du Luxembourg, arriva au galop.

Il était vêtu d'une redingote boutonnée, portant un chapeau à trois cornes et montait un cheval blanc. Il s'arrêta au milieu de la place, une main derrière le dos. La ressemblance avec Napoléon était frappante... Si frappante que toute cette foule, dont pas un membre n'avait pris parti pour le bonapartiste expulsé, se mit à crier, d'un seul élan et d'une voix unanime : « Vive l'empereur! » Une bonne femme de soixante-dix ans prit la chose au sérieux, elle tomba à genoux et fit le signe de la croix en s'écriant : « Oh! Jésus! je ne mourrai donc pas sans l'avoir revu [1] »!

Charras était furieux, note Dumas. Lui, il avait totalement oublié la situation politique : « J'étais un simple philosophe étudiant l'humanité [1]... » Mais une grande discussion le tira de sa rêverie. Il comprit que la foule voulait absolument faire Charras général en chef. Le brave garçon ne se doutait pas alors qu'il serait un jour officier glorieux en Afrique, mais jamais général. Il refusa de l'être ce jour-là. Il désignait Lothon, un de ses camarades de Polytechnique, beau garçon qui tenait de l'Hercule et de l'Antinoüs.

La raison sur laquelle il s'appuyait surtout, c'est que lui était à pied et Lothon était à cheval. Lothon, à son avis, avait donc bien plus de droits que lui à être général en chef. En effet, on n'a jamais vu un général en chef à pied.

Lothon se défendait comme un diable pour ne pas être investi de cette haute dignité. Il n'avait pas moins été obligé de céder, lorsqu'un monsieur s'approcha de lui et lui dit tout bas :

— Oh! Monsieur, si vous ne tenez pas à être général en chef, laissez-moi l'être à votre place. Je suis un ancien capitaine et je crois avoir des droits à cette faveur.

Jamais ambition ne s'était présentée plus à propos.

— Ah! Monsieur, dit à son tour Lothon, quel service vous me rendez!

Puis s'adressant à la foule :

— Vous voulez un général en chef? demanda-t-il.

— Oui, oui, oui, répéta-t-on de toutes parts.

— Eh bien, je vous présente Monsieur, un ancien capitaine *couvert de blessures*, et qui ne demande pas mieux que d'être général en chef, lui.

— Bravo! crièrent cinq cents voix.

— Pardon de vous avoir couvert de blessures, mon cher Monsieur, dit Lothon en mettant pied à terre et en présentant son che-

1. *Mes Mémoires.*

val au nouvel élu; mais j'ai cru que c'était le moyen le plus sûr de vous faire sauter par-dessus les grades intermédiaires.

— Oh! Monseigneur, dit le capitaine enchanté, il n'y a pas de mal.

Puis, à son tour, s'adressant à la foule : « Eh bien, demanda-t-il, sommes-nous prêts? — Oui, oui, oui. — Allons, en avant, marche!... Battez tambour! »

Dumas appliqué, dirait-on, à ne perdre aucun des éléments de vaudeville généralement glissés parmi les plus graves événements, raconte encore qu'Étienne Arago, allant porter au *National* le 29 au soir une proclamation qui annonçait la déchéance des Bourbons au profit d'un gouvernement provisoire assez flageolant, fit une singulière rencontre au marché des Innocents. Un ancien acteur, Charlet, servait d'avant-garde à une foule immense en tête de laquelle marchait un homme en uniforme de général.

— Qu'est-ce que c'est que tout ce monde? demanda Arago à Charlet.

— C'est le cortège du général Dubourg, qui se rend à l'Hôtel de Ville.

— Mais qu'est-ce que le général Dubourg?

— Le général Dubourg? C'est le général Dubourg, quoi!

La veille, le personnage s'était présenté à la mairie des Petits Pères :

— Messieurs, avez-vous besoin d'un général?

— D'un général? avait-on répondu. Dans les moments de révolution, il suffit d'un tailleur pour en faire un...

Mais le général avait encore mieux aimé un fripier et, comme les épaulettes manquaient, l'acteur Charlet était allé en prendre une paire au magasin de costumes de l'Opéra-Comique.

A l'Hôtel de Ville, on l'accueillit par une question :

— Que désirez-vous, Général?

— Un morceau de pain et un pot de chambre. Je meurs de faim et d'envie de pisser!

Là-dessus, allant prendre position sur le grand perron, il y reçut le général de La Fayette, mais il fallut rétablir le drapeau tricolore à la place du drapeau noir qu'il avait fait hisser au fronton du monument... C'est à partir de ce moment que La Fayette se mit à embrasser tout arrivant.

Dumas, installé dans un coin de l'Hôtel de Ville, observait, prenait des notes, suivit les négociations de son ancien chef

Oudard avec le duc d'Orléans, s'endormait... A la fin de la matinée du 30, il entendit La Fayette dire à Arago :

— Je vous donne ma parole d'honneur que si Charles X revenait sur Paris, nous n'aurions pas quatre mille coups de fusil à tirer.

On manquait de poudre. Dumas en offrit à La Fayette : il y en avait soit à Soissons soit à La Fère.

— On ne vous la donnera pas.

— Je la prendrai.

Un laissez-passer près du général Gérard, un ordre de réquisition arraché à ce général qui partageait avec La Fayette les pouvoirs militaires, le texte d'une proclamation de La Fayette aux citoyens de la ville de Soissons... voilà Dumas muni. Il n'omit pas d'embrasser le glorieux vainqueur, d'être embrassé par lui, et descendit quatre à quatre les marches de l'Hôtel de Ville. Quitta-t-il Paris à trois heures du matin, comme l'assurent Henri Martin et Paul Lacroix [1]? Plutôt à trois heures de l'après-midi, comme il l'assure lui-même; qu'on songe à toutes les démarches préliminaires qui lui avaient été imposées. En tout cas, il importait d'arriver à Soissons le plus tôt possible et, si l'heure de Dumas est la bonne, avant que cette ville de guerre eût fermé ses portes. S'étant adjoint un certain Bard, jeune peintre de ses amis, il joua un sketch rapide et violent avec la voiture de poste. Il avait déclaré qu'il n'admettrait que le galop; or, il eut affaire à plusieurs postillons successifs et l'un d'eux mauvaise tête, n'accorda que le trot. Dumas portait pistolets, mais qui n'étaient point chargés; il en brandit un, mit une capsule à chaque cheminée, poussa une bourre jusqu'au milieu de chaque canon et, sur une dernière injonction au postillon déjà en train de dételer les chevaux, il appuya sur la gâchette. La capsule fit explosion, la bourre atteignit l'homme en plein visage, l'étourdit. Alors, sans lui laisser le temps de revenir de son évanouissement, Dumas lui tira ses bottes, se les passa aux pieds, enfourcha le cheval porteur et s'envola au grand galop.

A Villers-Cotterêts, accueil triomphal! Il enleva un gars qu'il reconnaissait et qui était de Soissons, Hutin, parce qu'il se vantait d'être camarade avec le portier de la ville, lequel en effet, deux heures plus tard, les accueillit et sans encombre les laissa passer.

1. *Histoire de Soissons*, 1837.

Le lendemain, 31 juillet, tandis que Hutin et Bard faisaient flotter les trois couleurs au haut de la cathédrale, Dumas courut à la poudrière, escalada des murs, se trouva nez à nez avec des officiers du génie, obtint par ses exhortations qu'ils consentissent à se déclarer neutres et ses prisonniers sur parole. Il plaça Bard en sentinelle à la porte en lui donnant le soutien d'un petit canon qui était là et qu'il bourra de deux mouchoirs avec une vingtaine de balles entre eux. Puis il se rendit à la place, que commandait le vicomte de Liniers... Là que se passa-t-il?

Voici le récit des *Mémoires*, résumé :

Le commandant de place, flanqué d'un de ses officiers, refusa de s'incliner devant l'ordre du gouvernement provisoire d'avoir à livrer les poudres à M. Alexandre Dumas et d'ailleurs affirma que la poudrière ne contenait pas plus de deux cents cartouches. Dumas partit aux informations et Bard le renseigna : « Deux cents livres de poudre! » cria-t-il. Revenu à la place, Dumas trouva le commandant en compagnie cette fois d'un lieutenant-colonel du génie et d'un lieutenant de gendarmerie, c'est-à-dire d'une épée et d'un sabre! Lui, il avait laissé son fusil à la porte, mais caressait un pistolet dans chaque poche. Il réitère sa demande, le commandant réitère son refus.

Alors Dumas recule jusqu'à la porte, tire de ses poches les pistolets après en avoir armé secrètement la double batterie et donne aux quatre hommes cinq secondes pour se décider.

A ce moment accourt Mme de Liniers : « O mon ami, s'écriet-elle, cède, cède, c'est une seconde révolte des nègres! » Elle avait, jeune fille, vu ses parents égorgés par les indigènes dans une révolte du Cap; elle regardait ce garçon aux cheveux crépus, au teint bruni par trois jours de soleil, à l'accent créole, et son imagination le noircissait terriblement!

C'est sur cette intervention d'une femme terrifiée que de part et d'autre on proposa et accepta que Dumas allât requérir deux « patriotes », le vicomte et ses subordonnés ne voulant pas avoir cédé à un seul homme. Dumas, fort de leur parole d'honneur, descend, sort, ramène dans la cour Hutin et un nouvel ami, Moreau, qui arment leurs fusils. Le commandant, dès lors, se déclare prêt à la signature, et il signe.

Le chevalier de Liniers, vingt-trois ans après l'événement, a contesté ce récit, dans une lettre à *la Presse* qui publiait les

Mémoires. Tout compte fait, il est certain que sa mère ou bien se trouvait auprès de son père quand Dumas avait fait irruption, ainsi que le dit sa lettre rectificative, ou bien est accourue attirée par le bruit de la discussion, ainsi que le dit Dumas. Il y avait en tout cas avec eux l'officier secrétaire et ce fils dont Dumas n'a pas tenu compte. Le chevalier admet le bouleversement de sa mère et se rappelle que Dumas avait menacé son père d'une arme à feu. Dumas n'aurait-il donc fait qu'arranger un peu la scène en vue de l'effet? Accordons toutefois au chevalier ceci, que Dumas, lorsque l'entente fut faite sur l'appel à une délégation, n'avait plus à menacer. Or, il menaça.

D'autre part, les assertions des deux historiens Martin et Lacroix concordent avec celles de Dumas sur les points suivants : refus de signer l'ordre, affirmation qu'il ne restait que deux cents cartouches, alors qu'il restait en réalité deux cents livres de poudre, volonté de ne céder qu'à plusieurs délégués.

Une seule différence, somme toute, entre les trois témoignages, mais importante et au désavantage d'Alexandre Dumas : c'est que les *Mémoires* présentent la situation comme hérissée de difficultés, extrêmement dramatique, dangereuse même, au point qu'il y avait pour lui question de vie ou de mort. Cela est tout à fait faux. Le chevalier ne peut avoir inventé que depuis la veille son père et le sous-préfet avaient convenu de remettre les poudres à la garde nationale, laquelle s'organisait (ce que Dumas feint d'ignorer). Selon les deux historiens soissonnais, les soldats du 53e avaient déjà arboré des cocardes tricolores et la population connaissait la victoire de la révolution à Paris : pourquoi donc, se demandent-ils, Dumas a-t-il voulu à toute force arracher au commandant de Liniers un ordre écrit? Tout pouvait se passer si simplement! Car le seul vrai sujet de dispute fut que ces messieurs ne voulaient céder qu'à une députation, non à un homme venu de Paris et dont ils ignoraient l'identité : ce à quoi Dumas reconnaît avoir finalement consenti... Il est dès lors évident qu'il a tout dramatisé sur place afin de se donner un rôle décisif; qu'ensuite, en rédigeant ses souvenirs, il a veillé à les agrémenter de pittoresque. Reconnaissons qu'il y a réussi, avec la pauvre Mme de Liniers perdant la tête et se croyant au Cap, la courtoisie du révolutionnaire talon rouge, le petit canon bourré de mouchoirs, les officiers contraints d'obéir à un civil...

Mais l'affaire n'a point fini là-dessus, et maintenant les

deux récits, celui des *Mémoires* et celui de l'*Histoire de Soissons*, vont à peu près coïncider. Le maire réclama pour la ville
les deux cents livres de poudre, c'était légitime. Dumas, heureusement, apprit qu'il y en avait trois mille cinq cents entre-
posées dans le pavillon faisant face à la poudrière. N'ayant pu
en obtenir la clé de l'entreposeur, il s'acharna, relayé par
Hutin, à enfoncer à coups de hache la porte qu'en fin de compte
il fit voler en éclats sous le choc d'une grosse pierre. Les barils
de poudre semblaient l'attendre.

On se procura une voiture pour les emporter, payés quatre
cents francs au génie, on but à la santé de La Fayette, on fit
un bon dîner chez maman Hutin, on sortit de la ville sous les
acclamations des habitants massés sur les murailles, on se mit
en route dans le soir et l'on marcha dans la nuit, avec l'escorte
des pompiers de Soissons et de cinquante jeunes gens à pied
et à cheval, qui ne rebroussèrent chemin qu'à Villers-Cotterêts;
et le lendemain matin, à neuf heures, on fit une arrivée sensationnelle à l'Hôtel de Ville... C'est à ce terme heureux de
l'équipée que le duc d'Orléans en train de devenir Louis-Philippe dit, non sans ironie, à Dumas venu saluer le nouveau lieutenant-général du royaume :

— Monsieur Dumas, vous venez de faire votre plus beau
drame.

Oui, avec une forte dose de comédie. Dose excessive peut-
être et qui se retrouve dans tout son tableau de la Révolution.

Dumas s'est plu à poursuivre le ridicule partout où l'on
ne saurait nier qu'il fût, notamment dans les épisodes signalés
plus haut, auxquels il ne faut pas manquer de joindre celui
de la marche sur Rambouillet, ce film d'une grotesque armée
populaire faisant pendant à la stupide inertie du Bourbon fugi-
tif (et dans laquelle Dumas, pour son compte, commandait à
quinze machinistes de l'Opéra). Il va jusqu'à friser la mauvaise foi dans ses croquis caricaturaux du Gouvernement
provisoire. Mais j'ai assez dit tout ce qui sépare Dumas de
l'histoire, il est juste d'indiquer ce qui l'en rapproche. Comment
s'est réalisée la Monarchie de Juillet, les *Mémoires* en rendent
compte dans leurs chapitres CXLIII-CLX, non point par
des enchaînements rigoureux de faits exacts qu'on ira demander aux historiens, mais par un survol général de psychologie
autant que par des prises de « choses vues » dans leur atmosphère. Des scènes aussi vivantes que significatives, telles que

les réunions chez le banquier Laffitte, les républicains reçus en audience au Palais-Royal, le lieutenant-général présenté au peuple devant l'Hôtel de Ville, avec le drapeau tricolore dans les mains, par le général La Fayette qui l'embrasse — lui aussi! — au milieu des acclamations; ces scènes-là ne réalisent-elles pas un genre d'histoire? Il en résulte pour nous une prodigieuse présence du peuple de 1830. Il s'en dégage même de façon parlante un bilan de l'aventure : échec monarchique, velléité républicaine, entre lesquels le prince commence à boire son calice. Car la lucidité de l'écrivain veille et, sur l'étendue de la nature humaine, rayonne largement. Elle en éclaire les deux grands versants.

Versant du contingent et de l'absurde : les hommes trahis par les hasards, les adversaires aveugles en face les uns des autres, les inconnues de toutes sortes et les plus inattendues sur l'échiquier; et les lâchetés et les compromissions; et aussi certains traits risibles d'une population, par exemple l'opinion publique grondante qui, dans sa vaniteuse légèreté, « voulait venger Waterloo dans les rues de Paris »!

Versant de la grandeur : le courage, l'héroïsme, l'esprit de quelques têtes, le don de quelques cœurs, la jeunesse des écoles, certaine jeunesse prolétarienne, tout ce qui a pu inspirer à Berlioz sa marche funèbre et triomphale en l'honneur des victimes de Juillet.

Entre ces deux extrêmes, Dumas s'est empressé de recueillir quelque chose de touchant et il l'exprime aussi en « chose vue ». Qu'il a aimé tous les appels de la vie à ce qu'on pourrait nommer la tendresse de l'ironie! Je n'en veux pour exemple que ce groupe imprévu de volontaires qui se sont détachés des pauvres troupes débandées au retour de Rambouillet et qui ramènent le fourgon contenant les diamants de la couronne. Ils l'escortent dans les voitures du roi. Étonnant cortège! Carrosses dorés, laquais en grande livrée, hommes en guenille... Ils gardaient quatre-vingts millions de diamants et mouraient de faim!

... Et maintenant, rentrons dans l'action, Dumas nous y invite. Une mission en appelle une autre; après la mission des poudres, une mission vendéenne. Fut-ce parce que la paix intérieure paraissait rétablie et que les intérêts particuliers espéraient déjà voir revenir leur tour? Dumas décida le 5 août de solliciter sa mission pour la Vendée : or, on se rappelle que Mme Waldor y languissait depuis plusieurs mois. Eh bien,

mettons que Mélanie Waldor incarnait la Vendée, tandis que
Mélanie Bell incarnait Paris — rive gauche. On ignore, il faut
l'avouer, à laquelle des deux femmes s'adressait la lettre suivante, écrite le 2 août, entre le retour de Soissons et le départ
pour Rambouillet :

> Je me suis battu comme tu sais que je peux me battre. Le géné-
> ral de La Fayette m'a embrassé à l'Hôtel de Ville et m'a chargé d'une
> mission extrêmement importante. J'ai été obligé de partir à l'ins-
> tant. Je n'ai reçu qu'une égratignure à la main. Ma position est
> maintenant belle et bonne.
>
> Ton ALEX [1].

Invité pour le lendemain à déjeuner chez le général, Dumas
lui exposa son projet, qu'il lui fit accepter et le quitta (après
embrassade) avec dans sa poche une commission d'envoyé
spécial pour la formation d'une garde nationale dans les
départements de la Vendée, de la Loire-Inférieure, du Morbihan et de Maine-et-Loire. Un uniforme s'imposait. Il le fit
confectionner par Chevreuil, un des meilleurs tailleurs de
Paris, sur le modèle qu'avait inventé un ami rencontré à propos : chef-d'œuvre de fantaisie et qui ne correspondait à aucun
corps de troupe, schako à flots de plumes tricolores, épaulettes
d'argent, ceinture d'argent, habit et pantalon bleu de roi. Sur
les routes, on n'allait plus appeler Dumas que « le monsieur
tricolore ». Il monta en diligence le 10 août (Louis-Philippe
occupait le trône depuis la veille), sans se douter qu'il risquait
sur ce chemin de l'Ouest ce qu'à tort il avait cru risquer sur
celui du Nord : sa vie.

A Blois, il prit la malle-poste, à Tours le bateau à vapeur,
aux Ponts-de-Cé ses jambes à son cou pour gagner Angers et
y séjourner quelques jours chez l'ami Victor Pavie, cet aimable
garçon déjà lié avec la plupart des écrivains et artistes du
temps et qui devait publier *Gaspard de la Nuit* un an après la
mort du malheureux auteur, Aloysius Bertrand. A Meurs, il
loua un cheval et suivit son chemin de village en village, avec
l'intention de décrire un grand cercle avant d'atteindre La
Jarrie, où l'attendaient les dames Villenave. Partout, des cris
de « Vive Charles X [2] »!

---

1. Paul Eudel, *L'Hôtel Drouot et la curiosité en 1882* (Paris, 1883). Le
billet est reproduit par Glinel.
2. Dumas, *Napoléon Bonaparte*, préface.

Une secousse : entre Chemillé et Cholet, au moment où il
allait devoir passer entre le bois de Saint-Léger et la forêt de
Breil-Lambert, il s'entendit appeler par son nom. À cent lieues
de Paris, c'était de quoi pour le moins l'étonner. Un paysan
hors d'haleine le rejoignit, qui courait après lui depuis des
heures et qui se jeta à sa botte pour lui embrasser les genoux.
Enfin il retrouva le souffle et s'expliqua :

— Vous ne me connaissez pas, mais moi je vous connais :
vous êtes M. Alexandre Dumas, et vous m'avez sauvé des
galères!

En effet, Dumas, quelques jours auparavant, à Blois, par
deux lettres adressées à Oudard, notre vieille connaissance, et
à Appert, distributeur des bienfaits particuliers de la duchesse
d'Orléans, avait obtenu la grâce d'un Vendéen condamné à
vingt ans de galères pour avoir blanchi des sous de la République et cherché à les faire passer pour des pièces de valeur
trente fois supérieure; il avait femme et enfants.

— Au nom de Notre Seigneur Jésus-Christ, ne vous exposez
pas davantage!

— A quoi, mon ami?

— Mais à être assassiné!

Les Angevins étaient-ils si méchants? Pas du tout, mais ils
étaient persuadés que le cavalier tricolore était venu nar-
guer leur pays. Il avait de la chance de n'être pas encore tué!
L'homme, ayant expliqué le péril couru, annonça le salut qu'il
apportait.

— Laissez-moi aller devant vous ou avec vous, Monsieur, et
quand on saura que vous avez sauvé des galères un homme du
bocage, vous pourrez aller partout habillé comme vous voudrez,
et je vous réponds, foi de chouan, qu'on ne touchera pas à un
cheveu de votre tête... Voulez-vous me laisser faire?

L'homme alla donc devant le cavalier comme un coureur
antique. Il raconta vingt fois le service rendu. Il « préparait
les villages ». Non seulement il n'arriva rien au voyageur, mais
des souhaits de bonheur l'accompagnaient. Ils traversaient
une contrée ensanglantée par la guerre de Vendée à laquelle
l'homme avait pris part dans sa seizième année. Ici, disait-il,
j'ai été blessé. Là, Dumas le scandalisa en célébrant le courage
de Kléber. L'homme n'en resta pas moins fidèle et vigilant. Il
s'acquitta durant six semaines de son service de guide et de
mascotte; et quand, au-delà de Clisson, sa compagnie devint

inutile, Dumas ne put lui faire accepter aucune récompense.
Ils s'embrassèrent, eux aussi, et Dumas prit du large. L'homme,
immobile, cloué, lui faisait des signes à chaque fois qu'il se
retournait... « A un angle du chemin, je le perdis de vue, et
tout fut dit [1]. »

Le séjour à La Jarrie est à compter pour six semaines.
A quoi fut-il employé? A excursionner. Et Dumas paraît y
avoir mis fin sans émotion pour aller à Nantes, de Nantes à
Paimbœuf. Là un trois-mâts, *la Pauline*, valait la visite.
Étrange visite! Le visiteur entra dans les bonnes grâces de
nouveaux mariés partant pour la Guadeloupe, se prit de
pitié pour la jeune femme qui pleurait de quitter la France,
s'offrit à porter de ses nouvelles aux parents tourangeaux,
l'amusa de sa conversation. Il se laissa même emmener en
mer, après entente avec le capitaine pour être ramené à
temps par la barque du pilote. Et il obtint de ce complaisant
marin que le déjeuner fût pris sur le pont.

— Ma foi, dit le mari, je n'y aurais pas pensé, moi.

« Comment se fait-il, se demande Dumas à cette occasion,
que les maris, même les plus amoureux, ne pensent jamais aux
choses auxquelles pensent les étrangers? »

A deux heures de l'après-midi, le trois-mâts entra en pleine
mer. On avait à gauche l'île de Noirmoutier, à droite Belle-Isle,
l'île de Fouquet, qui devait donner plus tard son nom à l'héroïne d'une des comédies de Dumas et, plus tard encore, servir
de théâtre au dénouement de la dernière aventure des *Trois
Mousquetaires*. Mais ce jour-là, Alexandre ne pensait qu'à une
jeune vivante qui l'avait ému. Peu s'en fallut qu'il ne poussât
le voyage jusqu'à la Guadeloupe! Jolie idylle... Il reçut un
baiser à transmettre à la mère et que d'ailleurs le mari
avait sollicité pour lui... « O mystères du cœur! » est-il écrit
dans les *Mémoires*. Non, mais il y a tant de façons d'être amoureux!

Voyageur et pilote eurent un retour agité : mer grosse, pluie
glacée, nuit prompte, accostage dur... Trempé jusqu'aux os,
le flâneur passionné, après une heure de chemin le long du
rivage, entra dans Saint-Nazaire à onze heures du soir, bénit le
grand feu de bruyères à l'auberge, la chemise prêtée par l'hôte,
le lit bassiné. Le lendemain, il était à Nantes, le surlendemain

---

1. *Mes Mémoires*, CLXVI.

à Tours où il s'acquitta de la promesse faite à la jeune femme de *la Pauline*, enfin, le jour même à Paris, assez las finalement de son exil de sept semaines. Il avait besoin de revoir sa patrie révolutionnaire, son soleil de juillet, ses monuments criblés de balles... Hélas! lorsqu'il arriva, « il pleuvait à verse, M. Guizot était ministre, et l'on grattait la façade de l'Institut »...!

Le point final à mettre à la mission vendéenne était un rapport; Dumas rédigea le sien, puis l'envoya au général de La Fayette, qui le remit à Sa Majesté, laquelle fit inviter l'auteur par Oudard à la venir voir. Deux jours après, à huit heures du matin, le roi le recevait dans la pièce même où, duc d'Orléans, il lui avait donné audience, un peu malgré lui, la veille de la première d'*Henri III*.

L'idée d'organiser une garde nationale en Vendée était à abandonner, expliqua-t-il au souverain, si l'on ne voulait pas mécontenter une classe moyenne ayant autre chose à faire que l'exercice ni risquer de réveiller bleus et chouans. Mieux valait ouvrir des chemins, créer des communications, déplacer quelques prêtres, supprimer aux nobles suspects leurs pensions... Que de bon sens, que de raison! Mais le missionnaire était bien capable de passer de là au problème soulevé par la duchesse de Berry, puis de ce problème à des conseils voilés de politique étrangère. Il s'en vante [1], et le roi lui aurait répondu : « Vous voyez les choses en poète. » Sur quoi, l'audience étant finie, le poète sortit à reculons et, rencontrant dans l'escalier Oudard qui lui demanda comment s'était passé l'entretien :

— Hier, nous n'étions brouillés qu'à moitié.

— Et aujourd'hui?

— Nous le sommes tout à fait.

— Mauvaise tête! murmura Oudard en lui disant adieu.

Dumas, en rentrant chez lui, rencontra sur le pont des Tuileries Bixio, l'étudiant en médecine avec qui une barricade lui avait fait faire connaissance, Bixio était en uniforme d'artilleur. Il existait donc une artillerie à la garde nationale? Certainement, et composée de bons amis républicains, Cavaignac, Étienne Arago, Bastide, Barthélemy-Saint-Hilaire, Raspail,... Dumas veut donc en être aussi. Mais ses fonctions près du roi? Oh, que c'est simple! Aussitôt rentré, il rédige sa démission dans les termes suivants :

1. *Mes Mémoires*, CLXXIV.

Sire,

Mes opinions politiques n'étant point en harmonie avec celles que Votre Majesté a le droit d'exiger des personnes qui composent sa maison, je prie Votre Majesté d'accepter ma démission de la place de bibliothécaire.

J'ai l'honneur d'être, avec respect, etc.

Cette lettre n'étant point parvenue entre les mains du roi, paraît-il, Dumas se vit obligé de donner une seconde démission par une autre lettre du 15 février que les journaux insérèrent et qu'on trouve répétée dans la préface de *Napoléon Bonaparte*. Elle est, celle-là, à panache et quelque peu outrecuidante : l'auteur avait vingt-huit ans [1]!

Bixio lui avait promis de le faire recevoir à la 4e batterie, qui était la sienne. Le 1er janvier 1831, Alexandre Dumas se vit donc élu par les artilleurs, capitaine en second de ladite batterie. Ses galons, ses épaulettes et sa corde à fourragère étaient de laine, ils furent d'or. Le 27, il commanda l'exercice, revêtu des insignes de sa nouvelle qualité. L'exercice avait lieu trois fois par semaine de six heures à dix heures du matin dans la cour carrée du Louvre, avec tir à Vincennes deux fois par mois. Mais on « y coupait » très souvent, non toutefois sans un certain risque : la comtesse Dash a accompagné un

---

1. « Sire, j'ai eu l'honneur de demander, il y a trois semaines, une audience à Votre Majesté; j'avais l'intention de lui offrir de vive voix ma démission; car je voulais lui expliquer comment, en faisant cela, je n'étais ni un ingrat ni un capricieux.

« Sire, il y a longtemps que j'ai écrit et imprimé que, chez moi, l'homme littéraire n'était que la préface de l'homme politique.

« L'âge auquel je pourrai faire partie d'une chambre régénérée se rapproche de moi.

« J'ai la presque certitude, le jour où j'aurai trente ans, d'être nommé député; j'en ai vingt-huit, sire.

« Malheureusement le peuple, qui voit d'en bas et de loin, ne distingue pas les intentions du roi des actes des ministres. Or, les actes des ministres sont arbitraires et liberticides.

« Parmi ces hommes qui vivent de Votre Majesté et lui disent tous les jours qu'ils l'admirent et qu'ils l'aiment, il n'en est peut-être pas un qui vous aime plus que je ne le fais; seulement, ils le disent et ne le pensent pas, et, moi, je ne le dis pas et je le pense.

« Mais, sire, le dévouement aux principes passe avant le dévouement aux hommes. Le dévouement aux principes fait les La Fayette; le dévouement aux hommes fait les Rovigo.

« Je supplie donc Votre Majesté d'accepter ma démission.

« J'ai l'honneur d'être avec respect,
        « De Votre Majesté, etc. »

après-midi Ida Ferrier à l'Hôtel des Haricots où Dumas pur-
geait une peine de quatre jours...

Elle avait décidé, l'artillerie de la garde nationale, une
visite officielle aux Tuileries pour le 1er janvier 1831, à neuf
heures du matin. Vint ce premier jour de l'an, à l'heure, comme
toujours, mais Alexandre Dumas en retard, comme souvent.
Il s'étonna : dans la cour, dans le grand escalier, dans les premiers salons, pas un artilleur! Le roi voyant arriver dans la
grande salle de réception le nouveau capitaine en second tout
éclatant de son bel uniforme, lui dit, narquois :

— Ah! bonjour, Dumas, je vous reconnais bien là!

L'étonnement du retardataire grandit. Autour de lui, ses
camarades, tous sans uniforme, étaient atterrés ou riaient.
L'un d'eux lui fit remarquer qu'il se présentait « en habit de
dix sous » et que c'était de l'aplomb! De dix sous? Non :
« dissous ». En effet, le roi venait de dissoudre par décret, dans
la nuit, l'artillerie de la garde nationale pour cause d'esprit
révolutionnaire, mais Dumas avait-il le temps de lire *le Moniteur?* Renseigné, il piqua une rage intérieure. On parla beaucoup de l'incident, les uns croyant à une plaisanterie de mauvais goût, les autres à un acte héroïque.

Et dix jours après, première représentation de *Napoléon
Bonaparte*, pièce qu'Harel lui avait arrachée pour l'Odéon à
son retour de mission en l'enfermant pendant huit jours dans
la plus confortable des chambres, avec tous les livres nécessaires : on avait même fait venir le petit Alexandre pour dîner
avec son père, on avait envoyé un bracelet à Bell Krebsamer...
« Elle n'était pas bonne [la pièce], tant s'en faut! » a confessé
Dumas, mais le titre de l'ouvrage assurait un succès de circonstance. Harel dépensa cent mille francs de mise en scène,
et Frédérick Lemaître, quoique à ses débuts, était déjà magnifique. Par le moyen de ce drame, la rupture avec le régime
devenait publique : l'auteur le lui signifia amplement dans son
préambule. Détail amusant (aujourd'hui) : il fallait faire
reconduire chaque soir par la garde du théâtre l'acteur qui
tenait le rôle de Hudson Lowe, pour qu'il ne fût pas lapidé. La
haine des Anglais, chez Dumas comme dans le peuple de Paris,
dépassait sa haine de Napoléon. Plus tard, dans un de ses
romans, il a défini Sainte-Hélène « le piédestal où l'Angleterre
a élevé elle-même la statue de sa propre honte » et appelé les
Anglais « ces éternels jalouseurs de la France ».

En juin 1832 eurent lieu les obsèques du général Lamarque. Dumas s'intéressait aux émeutes de Grenoble, d'inspiration républicaine, et redoutait en même temps ce qui pouvait sortir des tentatives de la duchesse de Berry en Loire-Inférieure, en Morbihan et en Vendée. Le général, qui avait de l'amitié pour lui en souvenir de son père, comme Foy et comme La Fayette, avait voulu le voir à son retour de Vendée, car le nouveau gouvernement le chargeait lui-même d'une mission dans cette province, pour d'ailleurs le rappeler à peine parti : pourtant, s'il y avait un danger vendéen, qui mieux que Lamarque l'eût détruit dans l'œuf? Mais Dumas accusait Louis-Philippe de souhaiter une insurrection à l'Ouest, parce qu'elle pouvait lui servir de prétexte pour refuser son aide à la Belgique, à l'Italie, à la Pologne. O politique des nationalités! Dumas a eu de l'appétit pour cette viande creuse. C'était le côté chimérique de son attitude politique. D'autre part, ce républicain brûlait d'un patriotisme fou de gloire, et Napoléon à Sainte-Hélène avait nommé Lamarque maréchal. Il pensait à ce proche passé quand, Lamarque étant mort, la famille le désigna comme commissaire aux obsèques et le chargea de faire prendre à l'artillerie la place qui lui revenait derrière le char funèbre.

C'était le 5 juin. Le parti républicain et ses alliés, les sociétés secrètes, avaient la conviction que le gouvernement cherchait une émeute : ils étaient décidés à répondre à toute provocation, et Dumas crut à la bataille. Heureusement, ils ne voulaient pas en prendre l'initiative. La Fayette, Laffitte, Chatelain (du *Courrier français*), le général Pellet, Mauguin (du Gouvernement provisoire de 1830) tenaient les coins du drap, et La Fayette s'appuyait au bras d'un homme du peuple, décoré de Juillet : ces dispositions n'étaient pas de tout repos dans un Paris gonflé de troupes. Le cortège des députés, des proscrits de tous les pays, des artilleurs à carabines chargées, des gardes nationaux étincelants de leurs sabres, des corporations d'ouvriers et cinquante mille citoyens s'ébranlèrent sous la pluie au grondement du tonnerre. Dumas, en uniforme de lieutenant d'artillerie, marchait sur le flanc des artilleurs, une écharpe tricolore frangée d'or au bras gauche, le sabre à la main droite. De temps en temps un homme sortait de la foule et venait lui serrer la main gauche en disant : « Que l'artillerie soit tranquille, nous sommes là! » « Tranquilliser l'artillerie » : était-ce donc une époque bénie? Mais on connaît les affreuses heures de juin, le sang versé sur les boulevards, les charges, les barricades...

Les journées insurrectionnelles vues et rapportées par Dumas ne manquent jamais de détails plaisants, piqués comme plume au chapeau sur le spectacle général, si triste et sanglant qu'il ait été. Qui s'étonnera qu'il ait coupé sa marche martiale, glorieuse et un rien provocatrice, d'une copieuse matelote partagée avec deux artilleurs aux Gros Marronniers, près du pont d'Austerlitz? Il faut dire qu'il restait affaibli d'une attaque de choléra et qu'il manqua s'évanouir en pénétrant dans le restaurant. Aussi n'en sortit-il que pour abandonner la manifestation, et regagner le centre de Paris. Aux environs de la Porte Saint-Martin, il essuya un coup de feu, se jeta dans le théâtre fort à propos, le sauva de la destruction en prenant sur lui de distribuer les fusils de *Napoléon à Schœnbrunn* à un groupe d'insurgés qui réclamaient des armes. Ainsi les magasins d'accessoires se virent à l'honneur, même s'ils n'ont pas été à la peine... Après quoi, le brave exauça les prières de Mlle George et d'Harel en échangeant contre des vêtements civils un uniforme qui lui était cher, mais que ces deux pacifiques devaient trouver compromettant pour la maison. Ils le laissèrent aller dès qu'il décida de courir chez Laffitte. Là, il assista à une parlote, puis, « brûlé de fièvre », il rentra chez lui, non sans s'être évanoui entre son premier et son second étage. On devait le trouver sans connaissance sur les marches, apprit-il de son concierge le lendemain, lorsqu'il se fut levé pour aller aux nouvelles.

Il retrouva Étienne Arago, le suivit au *National*, fit sa liaison avec François et avec l'astronome Savary. Tous se plaignaient de leur déception : on n'avait pas répondu à l'espoir du Paris populaire, paraît-il, tout était donc fini, tout était gâché.

— Non, s'écria un homme du peuple qui avait écouté la conversation, car on entend le tocsin de l'église Saint-Merry et, tant que le malade râle, il n'est pas mort!

L'expression frappa Dumas, il l'a notée dans ses *Mémoires*. On le comprend, elle était étonnamment théâtrale... Quel était le malade qui s'entêtait à vivre? Si c'était le peuple, il avait reçu de rudes coups. Le récit de l'enfant de 14 ans sur l'affaire de la barricade Saint-Merry (écrit à 17 ans et envoyé à Dumas) est terrible. Comme le Gavroche des *Misérables* est décidément vrai! Trop de gamins se sont toujours mêlés aux émeutes. Celui-là vit des choses atroces.

Le 9 juillet, Dumas lut dans une feuille légitimiste qu'il avait été pris les armes à la main, jugé militairement dans la nuit et fusillé à trois heures du matin. L'adversaire le félicitait d'avoir supporté l'épreuve avec courage. Je me tâtai, a-t-il raconté; et comme le journal déplorait la perte de belles espérances littéraires, il envoya au rédacteur sa carte avec des remerciements. Lui, il reçut de Nodier le billet suivant :

Mon cher Alexandre,

Je lis à l'instant dans un journal que vous avez été fusillé le 6 juin à 3 heures du matin. Ayez la bonté de me faire dire si cela vous empêcherait de venir dîner demain à l'Arsenal avec Dauzats, Taylor, Bixio, nos amis ordinaires enfin.

Votre bien bon ami, qui sera enchanté de l'occasion pour vous demander des nouvelles de l'autre monde.

Dumas, lui non plus, n'était pas mort, lui aussi râlait encore. Mais tout de même son arrestation avait été envisagée, ainsi que le lui fit savoir un aide de camp du roi. On lui conseilla donc d'aller passer un ou deux mois à l'étranger. Comme son médecin lui donnait même conseil d'un autre point de vue, il prépara en hâte un voyage en Suisse. On verra que plus d'une fois pour Dumas tout a fini, non par des chansons, mais par des voyages. On verra aussi combien ce remède lui a été fructueux et quel magnifique parti il sut en tirer.

Alexandre Dumas a toujours pataugé dans les alentours de la politique. Parler de ses idées serait exagéré; mais des tendances, des traditions, des imaginations, des humeurs, ont composé un ensemble assez curieux pour qu'on veuille en faire rapidement le tour.

Républicain certes, mais hostile à toute une séquelle du républicanisme. Dumas ne pardonna pas à Louis-Philippe d'avoir fait gratter les blasons de ses voitures. Est-ce de cette façon que les fleurs de lys devaient sortir de la Maison de France? Républicain, mais Français et poète, il comprenait et soutenait, a-t-il fort bien dit, « que la France, même démocratique, ne datait pas de 1789, que nous avions, nous autres hommes du xixe siècle, un immense héritage de gloire à recevoir et à conserver » et que les fleurs de lys avaient flotté sur des drapeaux glorieux. On ne comprend pas qu'une de ses pièces, *le Fils de l'émigré*, ait reproché à la noblesse tant d'ignominies, car il semble avoir dans tout le reste de son œuvre pris à tâche de « grandir notre vieille noblesse au lieu de l'abaisser ». Comment donc! Il l'a « attachée, morte, mais debout, sur son cheval de bataille pour que les ennemis la crussent encore vivante ». Et cela, malgré des opinions « à peu près républicaines ». Ces expressions sortent d'une lettre à un ami, sans date, certainement assez tardive, mais qui a sa place ici, du moins pour le paragraphe dans lequel Dumas se plaint d'attaques inconvenantes contre la noblesse (il a oublié les siennes!) et prend plaisir à en rejeter la faute sur « ceux qui règnent ».

... Ils ont dégradé la France comme on faisait d'un chevalier, traître ou vaincu, ils en ont arraché les armes pièce à pièce, pour les jeter aux aboyeurs de l'émeute, ils ont gratté son blason, le plus vieux, le plus noble et le plus beau de tous, pour y mettre un livre de notaire ou un registre de banquier, je ne sais quelle pancarte enfin, lorsqu'en l'écartelant en croix, ils pouvaient y réunir le coq des anciens Brennes, les abeilles de Charlemagne, les fleurs de lys de saint Louis et l'aigle de Napoléon. Que voulez-vous, mon cher d'Auffray, tout s'en va, et les Bourbons eux-mêmes, cette belle race d'aigles, n'a-t-elle pas tant soit peu fini par des Perroquets [1]?

Il y a du vrai dans cette remarque d'un de ses biographes, G. Ferry : que Dumas s'est toujours porté au secours des causes tombées et des victimes de l'histoire, aussi bien les condamnés de la Gironde et les proscrits du 18 fructidor que Marie Stuart à Fotheringay [2]; et cela ne s'accorde pas mal avec son respect du passé, non point parce que c'est le passé, mais pour les valeurs humaines que ce passé représente et que Dumas n'admet point de sacrifier à la démagogie. Républicain, mais non point démagogue. On devait le voir plus tard, dans sa revue *le Mois*, combattre comme démagogiques les doctrines de Ledru-Rollin.

N'est-il pas curieux de suivre avec lui, dans son *Joseph Balsamo*, Jean-Jacques Rousseau revenant d'une séance de loge où le jeune Marat a montré beaucoup de défiance et de haine, et s'interrogeant sur son œuvre? « J'ai semé, lui fait murmurer

1. Bibliothèque Nationale, manuscrits, n. a. fr. 24.641.
2. G. Ferry, *Les Dernières Années d'Alexandre Dumas*, Paris, 1883.

Dumas, des discours sur l'inégalité des conditions, des projets de fraternité universelle, des plans d'éducation, et voilà que je récolte des orgueils si féroces qu'ils intervertissent le sens de la société... Oh! je suis un bien grand coupable! »

Dumas se méfiait de la plèbe. Il gardait mauvais souvenir des émeutes de février 1831, de la mise à sac de Saint-Germain-l'Auxerrois et de l'Archevêché par une populace furieuse. La Terreur était l'un des dégoûts que lui laissait l'histoire. Déjà en février 1829, dans un de ses poèmes de la *Psyché*, « Reichenau », qui a des vers mélancoliques et doux,

> Il est aux maux passés une douceur secrète
> Que dans les maux présents on ne comprenait pas...

il évoquait des lieux d'exil que l'exilé (ici le futur Louis-Philippe) aime revenir voir une fois qu'il a retrouvé sa patrie,

> Surtout s'il a quitté cette terre natale
> Quand chaque heure d'un homme était l'heure fatale,
> Quand d'un peuple insensé s'agitait la fureur,
> Pour ne point prendre part à de hideuses fêtes,
> Pour ne point applaudir à la chute des têtes
> Dont on saluait la Terreur.

Après 1850, dans *Ange Pitou*, ayant représenté le vain effort de quelques braves pour empêcher le peuple qui vient de prendre la Bastille de déshonorer sa victoire par l'assassinat — la foule hurlante veut des têtes — Dumas écrira cette page, discutable mais intéressante, de psychologie collective :

Le combat d'ordinaire ne rend les combattants impitoyables que pendant le temps qu'il dure. En général, les hommes sortant du feu où ils viennent de risquer leur propre vie, sont pleins de mansuétude pour leurs ennemis. Mais, dans les grandes émeutes populaires, comme la France en a tant vu depuis la Jacquerie jusqu'à nous, les masses que la peur a retenues loin du combat, que le bruit a irritées, les masses à la fois féroces et lâches, cherchent après la victoire à prendre une part quelconque à ce combat qu'elles n'ont osé affronter en face. Elles prennent leur part de la vengeance.

Pour tout dire simplement, cet individualiste aimait l'individu qui sort du peuple, mais la foule le dégoûtait. Il éten-

dait ce dégoût jusqu'à la foule politique, jusqu'au peuple électoral — bourgeois en tête —, parce qu'il se lasse trop vite
d'entendre appeler Aristide le Juste, parce qu'il obéit à des
entraînements irréfléchis, parce qu'il est toujours prêt à croire
qu'il est trahi et à frapper comme traîtres ceux que des ambitieux ou des fanatiques lui désignent. Cela ressort nettement
des romans de Dumas sur l'époque révolutionnaire ou du premier chapitre si beau de *la Tulipe rouge* (qui est en partie de
Maquet, mais que Dumas a accepté). Vers ce même temps à
peu près, c'est-à-dire aux environs de 1850, le même esprit
anime *la Femme au collier de velours*, au chapitre X qui raille
la grande tâche des « patriotes » de 93 : « Ce fut le temps où les
Français surent le moins écrire, mais ce fut le temps où ils
écrivirent le plus. Il paraissait, à tous les fonctionnaires de
fraîche date, convenable d'abandonner leurs occupations domestiques ou plastiques, pour signer des passeports, composer des
signalements, donner des visas, accorder des recommandations
et faire, en un mot, tout ce qui concerne l'état de patriote. »
Du chapitre XI, le titre seul en dit long : « Comment les musées
et les bibliothèques [de Paris] étaient fermés, mais comment
la place de la Révolution était ouverte », ouverte aux charrettes qui amenaient à la guillotine femmes, vieillards et même
enfants...

Dumas est allé regrettant de plus en plus la destruction de
la société polie; celle qui se bâtissait sur ces fondations en
triangle : liberté, égalité, fraternité, ne le satisfaisait pas. La
préface qu'il a mise à *Mille et un fantômes* est, à ce point de vue,
extrêmement vive :

...tous les jours nous faisions un pas vers la liberté, l'égalité, la
fraternité, trois grands mots que la Révolution de 93, vous savez,
l'autre, la douairière, a lancés au milieu de la société moderne,
comme elle eût fait d'un tigre, d'un lion et d'un ours habillés avec
des toisons d'agneaux; mots vides, malheureusement, et qu'on
lisait à travers la fumée de juin sur nos monuments publics criblés
de balles.

Moi, je vais comme les autres; moi, je suis le mouvement, Dieu
me garde de prêcher l'immobilité. L'immobilité c'est la mort. Mais
je vais comme un de ces hommes dont parle Dante, dont les pieds
marchent en avant — c'est vrai — mais dont la tête est tournée du
côté de ses talons.

Et ce que je cherche surtout, ce que je regrette avant tout, ce que mon regard rétrospectif cherche dans le passé : c'est la société qui s'en va, qui s'évapore, qui disparaît...

Cette société qui faisait la vie élégante, la vie courtoise, la vie qui valait la peine d'être vécue, cette société est-elle morte ou l'avons-nous tuée?

Alexandre Dumas a donc vécu la seconde moitié de sa vie dans le regret intense de la *courtoisie* et il s'est sincèrement passionné à « faire revivre les sociétés éteintes, les hommes disparus, ceux-là qui sentaient l'ambre au lieu de sentir le cigare, qui se donnaient des coups d'épée, au lieu de se donner des coups de poing ».

Il n'était pas plus royaliste que le roi, puisqu'il était républicain, — « à peu près » — mais quel aristocrate! « Appartenant moi-même à une ancienne famille dont par une suite de circonstances étranges je ne porte plus le nom... », écrivait-il à l'ami d'Auffray. On le voit revenir à ses ancêtres par un immense détour, par un long désir d'exalter le caractère français, et aussi, il faut bien le dire, par sa prodigieuse insouciance des contradictions.

En effet, sa nostalgie de la société polie ne l'a pas empêché de formuler à peu près dans les mêmes années, en une page de ses *Mémoires*, le principe qui précisément détruit les sociétés pour les renouveler et qui est peut-être d'ailleurs un principe nécessaire à l'humanité comme la respiration l'est à l'homme : « Je ne me rappelle plus quel philosophe disait que, s'il avait la main droite pleine de vérités, il se la ferait fermer par un cercle de fer, de peur qu'elle ne s'ouvrît par distraction et que les vérités ne s'envolassent : moi, j'ouvrirais les deux mains et pousserais encore la vérité de toute la puissance de mon souffle! »

En quoi d'ailleurs il se vantait. Car, dans cette sorte de largesses, bien des choses le retenaient, surtout un doute mêlé à de vagues dispositions religieuses. Nous en revenons toujours à la bizarre cervelle de Dumas.

Élevé par sa mère pieuse, qu'aidait un excellent prêtre, il a toujours gardé dans tout son esprit une teinte de religiosité. Il ne pouvait entrer dans une église sans y prendre de l'eau bénite, ni passer devant un crucifix sans faire le signe de la croix. Un poème de lui, « la Grande Chartreuse » publié dans les *Annales romantiques* en 1835 et qui ne déparerait pas, en somme, une anthologie de la poésie romantique, est assez signi-

ficatif de son état d'âme à trente-deux ou trente-trois ans [1]. Il
s'adresse à un père :

> . . . .
> Je suis ce voyageur criant à vous dans l'ombre,
> Je suis parti d'en bas sans savoir mon chemin.
> Le chemin où je marche est étroit, la nuit sombre,
> Éclairez-moi, mon Père, et donnez-moi la main.
>
> Comme vous, mais chargé d'un différent message,
> J'ai pris le monde en haine et jeune l'ai quitté;
> Et nous avons tous deux tenté même voyage,
> Vous cherchant la lumière et moi la vérité.
>
> Vous, vous êtes monté par les routes arides,
> Moi, j'ai pris les chemins où je voyais des fleurs.
> Votre front s'est couvert de sueurs et de rides,
> Mais vous avez atteint le premier les hauteurs.
>
> . . . .
> Oh! mon Père, aidez-moi de votre expérience;
> Dites-moi si, pour lire au livre écrit par Dieu,
> Il faut prendre un flambeau des mains de la science
> Ou suivre aveuglément la colonne de feu.
>
> Voyant que l'homme court vers une voie amère,
> La religion pleure et le retient... Hélas!
> Il la repousse ainsi que, repoussant sa mère,
> L'enfant devenu fort écarte ses deux bras.
>
> Maintenant tout est là, que votre voix réponde,
> Croyez-vous (car pour moi je ne fais que douter)
> Que la religion soit l'âme de ce monde
> Et que sans son principe il ne puisse exister?
>
> Ou que, pareil au fils qui reçoit de ses pères
> Le manoir qui les vit heureux et triomphants,
> Mais qui sent que le temps en a disjoint les pierres
> Et tremble qu'il ne puisse abriter ses enfants;
>
> Quoiqu'un vieux souvenir, qu'il honore et qu'il aime,
> Prête aux murs une voix qui l'implore pour eux,
> Sous le marteau prudent ils tombent et lui-même
> Il en disperse au loin les débris dangereux.

---

1. Reproduit par Glinel (*Alexandre Dumas et son œuvre*, 1884); qui dit ce
numéro des *Annales* « d'une insigne rareté : ne se rencontre ni à la Nationale ni à la Mazarine ».

. . . .
Dites-moi, croyez-vous que semblable à ce maître,
Le monde renversant lui-même sa maison
Veuille tout démolir, afin de tout remettre
Au creuset épuré de l'humaine raison?

Et quand il jette au gouffre, afin qu'il l'engloutisse,
L'autel avec le Dieu, le trône avec le Roi,
Dites-moi, croyez-vous que la liberté puisse
Réédifier tout, avec un mot... La loi?

A cinquante-deux ans, une netteté soudain surprend. Le drame *la Conscience* paraît, dédié à Victor Hugo en ces termes : « C'est à vous, mon cher Hugo, que je dédie mon drame de *la Conscience*. Recevez-le comme le témoignage d'une amitié qui a survécu à l'exil et qui survivra, je l'espère, même à la mort. Je crois à l'immortalité de l'âme. » La réponse d'Hugo se trouve dans une pièce des *Contemplations* [1] :

Je n'ai pas oublié le quai d'Anvers, ami...

Mais franchissons encore dix ans : tout est changé, du moins si l'on s'en rapporte à son secrétaire du moment, Benjamin Pifteau qu'on trouve exact et véridique sur d'autres points et qui sur celui-là est fort précis. Pifteau prétend l'avoir un jour entendu dire à table, en réplique à un convive qui parlait de l'âme et d'une seconde vie :

— L'âme! une seconde vie! Je n'y crois pas, car une seconde vie est inutile.

— En quoi?

— En ceci, c'est que nous ne nous souviendrions pas de la première. Or, que m'importe à moi, de revivre deux fois, cent fois, et à quoi bon, si je n'ai pas souvenir de mes existences précédentes et s'il n'y a aucun rapport, aucun lien, de l'une à l'autre, c'est-à-dire si je ne retrouve pas ceux que j'ai connus et aimés [2].

Ce spiritualiste à éclipses, qui avait toujours été superstitieux, se faisait dire la bonne aventure, croyait au mauvais œil et portait comme beaucoup d'Italiens une petite corne à sa chaîne de montre pour le conjurer. Tous les prêtres devinrent pour lui

1. *Les Contemplations*, V, 15.
2. Benjamin Pifteau, *Alexandre Dumas en manches de chemise*, Paris, 1884.

des *jettatori*. Un matin de voyage en banlieue, Pifteau et lu
en trouvent un, monté avant eux dans le wagon. Dumas veu
descendre, mais on ferme les portières et le train se met en
marche. « Allons, dit-il en soupirant et en regardant avec affec
tation le prêtre étonné — mais s'offrant malgré tout le plaisi
de faire un mot d'esprit — nous aurons de la chance si nous en
sommes quittes pour cette *rencontre!* » Le magnétisme le tour
mentait : fallait-il y croire ou non? Jeune, il magnétisait se
maîtresses, et Pifteau l'a encore vu, vieillard, faire solennelle
ment des passes, surtout, s'il trouvait pour sujet une jolie fille..
Tout cela sent furieusement le fagot païen. Comment ne pa
s'arrêter à un mot saisissant dans son portrait de Nodier ¹
qui ne date pourtant que de sa quarante-troisième année
Dumas vient de rapporter que son ami, bon catholique, s'es
confessé à l'heure de la mort. Il ajoute : « Pauvre Nodier, i
devait y avoir bien des péchés dans sa vie, mais il n'y avai
certes pas une faute. » Des péchés et pas une faute. Le mot es
profond. Il est de conséquence, puisqu'il suppose une morale
rationnelle ou non, mais de pur honnête homme, et qu'il l'op
pose à la morale chrétienne. Ni péché de Nodier ni péché ori
ginel. Pas d'optimisme systématique à la Rousseau, mais un
naturelle et inépuisable confiance dans la vie.

Il ne paraît pas probable qu'Alexandre Dumas fût franc
maçon. Nulle part n'a été trouvée trace de sa présence dan
une loge ni d'une initiation. Côte-Darly remarque, en outre
que les pages consacrées à la part des sociétés secrètes dans l
genèse révolutionnaire qui introduisent aux *Mémoires su
Joseph Garibaldi* montrent une ignorance totale en matièr
maçonnique ². Les ébats maçonniques tiennent une grand
place dans *Joseph Balsamo* et dans *les Mohicans de Paris*, mai
de toute évidence, le romancier les a dessinés et peints « d
chic ».

A présent, laissons dormir la politique d'Alexandre Duma
jusqu'à 1848, non sans avoir répété qu'elle présente, quoiqu
honnêtement, naïvement, plusieurs faces. Ne lit-on pas dan
un coin des *Mémoires* un dithyrambe en l'honneur des « Titan
de 93 et 94 », vous, dit notre homme, « qui du haut de l'Olymp
monarchique escaladé, avez foudroyé l'Europe! ».

1. En préambule à *La Femme au collier de velours*.
2. Côte-Darly (Mᵐᵉ Albert Lantoine), *Alexandre Dumas et la franc-maçon
nerie*, Paris, 1924.

IX

ANTONY

Tu m'accables d'amour! L'amour, je m'en souviens,
Pour la première fois s'est glissé dans tes veines
    Sous d'autres baisers que les miens!

. . . .
Malheur! car une voix qui n'a rien de la terre
M'a dit : « Pour ton bonheur, c'est sa mort qu'il te faut ».
Et cette voix m'a fait comprendre le mystère
    Et du meurtre et de l'échafaud.

Mauvais vers, vers abominables dans toutes les acceptions
de l'épithète! Mais ils annonçaient avec une sincérité
farouche le drame pour lequel Alexandre Dumas, lorsqu'il le
publia en librairie, ne choisit pas mal son épigraphe, cet orgueilleux défi de Byron : « Ils ont dit que Childe-Harold c'était
moi... Peu m'importe! » Vingt-quatre ans plus tard, dans ses
Mémoires, il osait déclarer : « Lisez *Antony*... Ce que j'ai souffert, c'est Antony qui vous le racontera... Antony, c'est moi,
moins l'assassinat; Adèle, c'était elle, moins la fuite. »

L'auteur d'*Antony* se présente donc comme un forgeron qui
a martelé le fer rouge d'une passion dont brûla tout son être.
Ses vers criminels sont de 1829, c'est-à-dire de la période de sa
vie où il avouait avoir été torturé de la jalousie la plus féroce,
celle qu'inspire un mari à l'amant : on se rappelle que certaines
de ses lettres en bouillonnent, en tremblent. Un matin que ce
mari absent et lointain annonça son retour à Paris, l'amant ne
faillit-il pas devenir fou [1]?

---

1. *Mes Mémoires*. — Et dans une lettre à Mélanie Waldor «Tu retrou-
veras bien des choses de notre vie dans *Antony*, mon ange, mais de ces choses
que nous seuls connaissons. Ainsi peu nous importe, le public n'y verra rien;

Il n'est pas interdit de penser que Dumas exagère et qu'il gonfle jusqu'à l'hyperbole littéraire son angoisse et sa rage. Ou plutôt on le connaît assez pour deviner que le supplice n'a pas duré longtemps, mais qu'il a été violent, et que sur cette violence la littérature s'est greffée. Une différence qui compte entre Antony et Dumas, c'est qu'Antony restait douloureusement fidèle à Adèle d'Hervey, tandis que très vite Dumas avait trompé allégrement Mélanie Waldor. Mais enfin il n'est pas niable qu'il a formé et nourri le drame de sa substance personnelle; le drame s'est préparé dans le cœur et dans la chair du dramaturge, puis est devenu dans sa pensée une sorte de pomme de Newton.

La pomme tomba un jour qu'il se promenait sur le boulevard. Il eut une véritable vision. S'arrêtant tout à coup, il se dit : « Un homme qui, surpris par le mari de sa maîtresse, la tuerait en disant qu'elle lui résistait et qui mourrait sur l'échafaud à la suite de ce meurtre, sauverait l'honneur de cette femme et expierait son crime [1]... » Il existe d'ailleurs quelque part des notes manuscrites qui pourraient être de Bixio, et d'après lesquelles c'est à leur auteur que Dumas aurait dit : « Qu'est-ce que tu penses de cette idée : un homme qui..., etc. [2]. Le fait certain, c'est qu'en six semaines la pièce était faite, admirablement faite, quoique avec l'artifice d'usage et quelques invraisemblances..., comme il y en a dans la vie!

Antony se détache avec plus d'apparat encore qu'*Henri III* sur un fond d'embrasement lyrique, de surprises épiques, mêlés à toute une comédie dramatique, car il y a eu de tout cela dans la genèse du spectacle comme dans l'emballement parisien de l'accueil.

Après une lecture assez froide devant les comédiens du Français, puis un arrêt à la censure, les répétitions commencèrent à l'automne, dès que la censure eut été supprimée par le gouvernement de Louis-Philippe. Mais personne n'avait confiance dans la pièce, pas même l'auteur. Firmin n'aimait

---

nous y verrons, nous, d'éternels souvenirs. Quant à Antony, je crois que personnellement on le reconnaîtra, car c'est un fou qui me ressemble beaucoup. »

1. *Mes Mémoires.*
2. D'après Eugène Héros dans *Le Gaulois du Dimanche*, à l'occasion de la matinée donnée par le Théâtre-Français au profit du monument du général Dumas. Eugène Héros aurait vu lesdites notes dont la trace est perdue.

pas son rôle, il appelait Antony « un rabâcheur », il voyait dans cet homme, « sans cesse en hostilité furieuse contre les autres hommes », un monomane. Mlle Mars, s'étant fait faire pour quinze cents francs de robes[1] (calculez en monnaie d'aujourd'hui), tenait absolument à ce que rien n'en fût perdu pour les yeux; elle prétendait donc attendre l'arrivée du nouveau lustre qui était promis au théâtre pour dans trois mois. Au reste, l'un et l'autre, au lieu de déchaîner la violence de l'œuvre, la retenaient. Dumas retira sa pièce, enchanté d'avoir des prétextes à saisir, et persuadé qu'il la sauvait. Or Hugo, en portant *Marion Delorme* à la Porte Saint-Martin, avait à peu près traité avec le directeur, Crosnier, pour Dumas comme pour lui. *Antony* prit naturellement le même chemin, ou plutôt Dumas gagna le boulevard Saint-Martin, entra dans la maison qui avait une sortie rue Meslay, et sonna chez Mme Dorval.

Marie Dorval, qui venait de passer du mélodrame au drame, brillait d'un talent qui ne devait rien à la tradition. « Dramatique et non tragique, elle... a été femme où d'autres se seraient contentées d'être actrices »; elle tirait du fond d'elle-même ses intonations, ses cris, ses sanglots; d'un simple mot, d'une interjection, elle faisait jaillir des effets électriques, insoupçonnés même de l'auteur[2]. Quand la pièce l'eut emballée, elle exigea pour partenaire Bocage, parce qu'avec son teint pâle, ses cheveux noirs, ses yeux d'un bleu sombre, l'acteur Bocage (Pierre-Martinien Tousez) reflétait sur son visage une fatalité byronienne et nullement la beauté d'Apollon, comme l'écrivait à tort Henri Heine dans ses *Lettres sur la France*. Ardent, passionné, amer, mélancolique, tel que le peint Gautier, il réalisait le type presque parfait, quoique un peu dégingandé, du beau ténébreux romantique.

— « Mon bon chien... », fit Marie Dorval : ce qui était une gentillesse d'amour plus que d'amitié, et qui avait eu sa raison d'être, depuis le soir de la rencontre place de l'Odéon; mais présentement elle prononçait ces mots avec regret, pensant que c'était l'amoureux qui venait la surprendre après six mois de disparition. Or, il tombait mal, car elle se refaisait une virginité. Qui diable l'y aidait? Alfred de Vigny. Il la traitait tantôt en duchesse, tantôt en ange; elle prétendit en être folle.

---

1. Réduits à douze cents dans les *Souvenirs dramatiques*.
2. Théophile Gautier, *Notices romantiques*.

Et par surcroît, elle avait une raison encore de se faire respecter : n'était-elle pas nouvelle mariée? Elle venait d'épouser Jean-Toussaint Merle, l'auteur dramatique : un moyen comme un autre de se séparer, expliqua-t-elle. D'ailleurs, Merle avait le bon esprit pour le moment de se prélasser à la campagne. Aussi lorsque le visiteur lui annonça qu'il venait lui lire sa pièce, à elle, pour elle, pour elle seule, elle battit joyeusement des mains.

C'est une des plus ravissantes scènes des *Mémoires :* Dumas entreprenant, repoussé (elle sonna sa femme de chambre), en passe même d'être battu à la suite d'un mot trop insolemment galant, expulsé ensuite par une porte clandestine pour céder la place à Vigny que Dorval aurait volontiers envoyé pour une fois au diable, mais tout de même invité à revenir le soir, prié également de ne plus la tourmenter... Craignait-elle de n'avoir pas la force de se défendre? car elle aimait Vigny et il l'adorait. Et puis, est-ce qu'on trompe les hommes de génie? Oui évidemment, mais « tant pis pour celles qui le font »!

— Ma chère Marie, lui dit Alexandre, tu es l'esprit le plus élevé et le meilleur cœur que je connaisse. Touche là, je ne suis plus que ton ami.

Il lui apprit pourquoi Mlle Mars ne se montrait pas pressée de représenter son héroïne.

— Tu sais, déclara-t-elle, que je n'en ferai pas faire pour quinze cents francs, de robes, moi, mais sois tranquille, on trouvera moyen de s'attifer... C'est donc une femme du monde, hein? Quel bonheur de jouer une femme du monde, mais une vraie, comme tu dois savoir les faire, moi qui n'ai jamais joué que des poissardes. Allons, vite, mets-toi là, et lis.

Il commença. Impatiente, elle vint s'appuyer à son dos pour lire en même temps que lui par-dessus son épaule... Le premier acte terminé, elle l'embrassa au front. Ce n'était pas de l'emballement... Mais au second acte, il eut contre son épaule une poitrine palpitante. Une scène entre les deux amoureux déchirés fit tomber une larme sur le manuscrit, une seconde larme, une troisième. Le lecteur releva la tête pour embrasser l'auditrice émue.

— Oh! que tu es ennuyeux! Va donc, tu me laisses au milieu de mon plaisir.

A la fin de l'acte, là où l'amoureuse s'échappe :

— Ah! dit Dorval en sanglotant, moi je ne m'en irais pas, va!

Il lut l'acte III, elle l'écouta parcourue de frissons. Puis :

— Eh bien, maintenant?

— Tu ne te doutes pas de ce que lui fait Antony?

— Comment! Il la viole?

— Un peu, seulement elle ne sonne pas, elle.

— Oh! tu n'y vas pas de main morte, toi...

Au repos, elle pensait déjà à la façon dont elle jouerait, dont elle crierait.

Au bal de l'acte IV, au cours duquel une mondaine au cœur sec frappe d'une insulte à peine déguisée la pauvre amante compromise, Dumas sentit battre le cœur de la comédienne à travers le corsage pressé contre lui. Soudain, elle lui prit le cou entre ses deux mains. A un autre moment, il s'arrêta de lire.

— Sacré nom d'un chien! se fâcha-t-elle, pourquoi t'arrêtes-tu?

— Je m'arrête, parce que tu m'étrangles.

— Tiens, c'est vrai. Mais c'est qu'aussi on n'a jamais fait de ces choses-là au théâtre. Ah! c'est trop nature, c'est bête, ça étouffe!

En revanche, elle trouva le cinquième acte un peu mou. Il avoua que M{ll}e Mars, qui le trouvait trop dur, le lui avait fait changer d'un bout à l'autre. Ils décidèrent qu'il le referait. Mais quand? Où?

— Eh bien, ici, fit-elle.

Il n'avait qu'à prendre la chambre de Merle. On lui ferait du feu. Il souperait.

— Et si Merle revient?

— Bah! nous ne lui ouvrirons pas, à lui!

A trois heures du matin, l'acte était prêt. A neuf heures, elle repassait déjà son rôle, étonnamment naturelle, vraie, douloureuse, poignante.

— Oh! tu verras, mon bon chien, tu verras, quel beau succès nous aurons!

Elle envoya chercher Bocage, ils déjeunèrent; puis la pièce lue et Bocage conquis, restait à mettre Crosnier au courant. Bocage s'en chargea. Mais Crosnier, homme affable et même spirituel, n'était évidemment pas né pour s'enthousiasmer d'*Antony*, il laissa traîner les choses pendant tout l'hiver 1830-1831. Et quand enfin il eut inscrit la pièce pour le 3 mai, il se refusa à faire le moindre effort de mise en scène. Dumas n'eut à compter que sur la foi des acteurs.

Mais tant de retard, — deux années — allait finalement le servir. Les événements avaient créé dans le pays une de ces situations fiévreuses très propres à répondre par un immense écho à la révolte éloquente d'un homme. La révolution de juillet, le procès des ministres de Charles X, les manifestations de foules en armes : de quelle ambiance plus favorable le délire individuel d'un bâtard, d'un solitaire, d'un paria aurait-il pu jouir? *Antony* a eu la chance de se faire jouer dans un climat d'émeute.

La pièce ramenait le public à la Restauration. La jeune baronne Adèle d'Hervey a son mari colonel à Strasbourg; elle est restée à Paris avec sa fille qui n'a pas deux ans, elle va dans le monde, elle reçoit. Et cependant, elle n'arrive pas à oublier un jeune homme, le poète Antony, qui l'aimait lorsque le colonel a demandé sa main et qui obtint alors qu'elle fît attendre quinze jours sa réponse au prétendant. Mais le jeune homme n'a jamais reparu... Or, voici, après trois ans, une lettre de lui : il s'annonce, il va surgir. Laissant à sa sœur Clara le soin de le recevoir, elle s'enfuit, elle prend la voiture.

Or, les chevaux se sont emballés au moment même où Antony arrivait et il a sauvé la jeune femme. Le voilà blessé. Un médecin l'a fait transporter dans la maison, évanoui, et ne répond de lui qu'à condition qu'on le garde là. Mais que dira le monde? Il faudrait une excuse!

— Une excuse?

Antony, qui s'est réveillé, déchire l'appareil mis à sa blessure. Le sang coule, ses yeux se ferment... Au terme d'une scène brûlante d'amour ravivé, cette phrase qui précède un second évanouissement : « Et maintenant, je resterai, n'est-ce pas? » fait entrevoir le drame. Il était vraiment impossible d'accrocher plus fortement le spectateur qu'aussitôt des questions assaillent : pourquoi la disparition? pourquoi le silence de trois ans? pourquoi la réapparition?

Au second acte, Adèle, affermie dans sa volonté de fuir, car le devoir et même l'affection l'attachent à son mari, ne peut néanmoins refuser de recevoir le jeune homme, qui a une grave révélation à lui faire : Clara a obtenu d'elle cette faveur. Étonnante Clara! plus commode encore pour l'auteur que pour sa sœur qui la supplie. « Oh! Clara, sauve-moi! Dans tes bras, il n'osera pas me prendre! » Enfin le voici, l'homme redouté. Leur tête-à-tête les martyrise, la visite d'une amie, la vicomtesse de Lacy, les soulage. Soulagement éphémère, car la dame entreprend d'évoquer l'hospice des Enfants-Trouvés, d'où elle revient de remplir ses fonctions de charité... Ému, curieux plus encore, Antony la presse : une femme du monde peut-elle admettre que ces malheureux deviennent un jour des hommes comme les autres? Derrière un flot de sarcasmes gros d'orages, il s'avance davantage, il demande :

— Et si un de ces malheureux était assez hardi pour vous aimer?

— Le paria, répond le monde par la bouche de la mondaine, devrait se rendre compte de ce qui lui est interdit. Quelle femme consentirait...

Dans le malaise qui suit, Antony, resté seul avec Adèle d'Hervey, lui avoue qu'il est précisément un de ces maudits : et voilà la raison de sa disparition. Elle venait d'ailleurs de le deviner.

— A vos parents, lui dit-il, il fallait un nom... C'est alors que je vous demandai quinze jours... Il existe un homme chargé, je ne sais par qui, de me jeter tous les ans de quoi vivre; je courus le trouver, je me jetai à ses pieds; des cris à la bouche, des larmes dans les yeux, je l'adjurai par tout ce qu'il avait de plus sacré, Dieu, son âme, sa mère... Il avait une mère, lui! et que ma mère meure! je n'en pus rien tirer... Je le quittai, je partis comme un désespéré, prêt à demander à chaque femme : « N'êtes-vous pas ma mère? »

Il s'exalte. La jeune femme le supplie de se calmer, puis elle invoque la société et ses lois, le monde et ses exigences. Ne doit-on pas les accepter, même si l'on a le désir de s'y soustraire? Alors bondit la rébellion du bâtard :

— Et pourquoi les accepterais-je, moi? Pas un de ceux qui les ont faites ne peut se vanter de m'avoir épargné une peine ou rendu un service; non, grâce au ciel, je n'ai reçu d'eux qu'injustice et ne leur dois que haine... Ceux à qui j'ai confié mon secret ont renversé sur mon front la faute de ma mère... Pauvre mère!... Ils ont dit : « Malheur à toi qui n'as pas de parents! » Ceux à qui je l'ai caché ont calomnié ma vie... ils ont dit : « Honte à toi qui ne peux pas avouer à la face de la société d'où te vient ta fortune!... » J'ai voulu forcer les préjugés à céder devant l'éducation... Arts, langues, sciences, j'ai tout étudié, tout appris... Insensé que j'étais, d'élargir mon cœur pour que le désespoir pût y tenir! Dons naturels ou sciences acquises, tout s'efface devant la tache de ma naissance... Il fallait dire mon nom, et je n'avais pas de nom!...

Éloquent, débordant de douleur, le malheureux rend sensible l'injuste cruauté de son sort; il réclame un mot d'amour. Elle ne résiste ni à la pitié ni à la passion.

— Antony, mon Antony, oui, je t'aime.

Puis, le congédiant, car la nuit avance, elle murmure un « demain », un « bientôt ». A quoi pense-t-elle, puisqu'elle a décidé de partir pour Strasbourg et d'y chercher refuge auprès de son mari? Elle a même griffonné une lettre d'adieu qui en informera Antony... Justement Clara vient l'avertir que la voiture est prête; elle part, bouleversée, en pleurs, la tête perdue.

L'acte III est celui de l'auberge, dans un village, à deux heures de Strasbourg. Antony a devancé la fugitive, furieux d'amour et de haine pour la femme qu'il croit lui avoir menti. Il attend sa proie, s'étant arrangé pour qu'il n'y ait plus une voiture ni un cheval dans le village. Mme d'Hervey se verra donc obligée de passer la nuit dans la seule chambre disponible, avec laquelle communique par un balcon la chambre d'Antony. Il a occupé son attente à taillader les meubles de son poignard; tout baigne dans une ambiance de mauvais coup... Adèle, arrivée, prend possession de sa chambre, apeurée, mal rassurée par l'hôtesse. Soudain, dans la nuit, une vitre se brise, une main avance, ouvre l'espagnolette, un homme entre, c'est Antony. Il met un mouchoir sur la bouche de la femme, se saisit d'elle, l'entraîne...

Après la chute, le scandale... A Paris, on a su ou deviné, ce qui est tout de même un peu étonnant. Évidemment, les deux amants ont commis l'imprudence de revenir presque en même temps, et ils vont se rencontrer à l'acte suivant dans le salon de la vicomtesse qui donne une soirée. Ils ne se cachent guère, les amants! Et la vicomtesse ne se montre pas sévère à l'amour libre...

Il est intéressant qu'à la réception de Mme de Lacy des propos soient échangés sur l'école romantique. Thibaudet l'a noté dans son *Histoire de la littérature française* : Dumas, écrit-il, « a osé avec succès lier, comme Molière dans *le Misanthrope*, des scènes de discussions littéraires à l'action, les faire comme Molière contribuer à l'action ». Dumas, en effet, n'est pas

homme à égarer un acte dans la digression comme il s'étonne
que Hugo l'ait fait plusieurs fois, notamment dans *Hernani*
avec le monologue de Charles-Quint. Chez lui, la conversation
comme le lyrisme, s'il les accepte, poussent à la marche du
drame. Si un poète se plaint chez Mme de Lacy que les passions
se fassent rares et raréfient la matière littéraire, c'est un moyen
aisé d'engager le dialogue qui va broyer Adèle d'Hervey et la
perdre.

— Il y a encore, dit une méchante chipie, des amours profondes
qu'une absence de trois ans ne peut éteindre, des chevaliers mystérieux qui sauvent la vie à la dame de leurs pensées, des femmes ver-
tueuses qui fuient leur amant, et, comme le mélange du naturel et
du sublime est à la mode, des scènes qui n'en sont que plus dramatiques pour s'être passées dans une chambre d'auberge... Je pein-
drais une de ces femmes...

Antony fait de son regard le tour du salon : la vipère n'ayant
ni mari ni frère à qui l'on puisse demander raison, il prend le
parti de l'appuyer avec une fougue d'abord ironique, puis
fracassante, afin de l'écraser comme sous une pierre :

— Oui, Madame a raison, et puisqu'elle s'est chargée de vous
tracer le fond du sujet, je me chargerai, moi, de vous indiquer les
détails... Oui, je prendrais cette femme innocente et pure entre
toutes les femmes, je montrerais son cœur aimant et candide,
méconnu par cette société fausse au cœur usé et corrompu; je
mettrais en opposition avec elle une de ces femmes dont toute la
moralité serait l'adresse, qui ne fuirait pas le danger parce qu'elle
s'est depuis longtemps familiarisée avec lui, qui abuserait de sa
faiblesse de femme pour tuer lâchement une réputation de femme;
je prouverais que la première des deux, qui sera compromise sera la
femme honnête, et cela non point à défaut de vertus, mais par
manque d'habitude... Puis, à la face de la société, je demanderais
justice entre elles ici-bas, en attendant que Dieu la leur rendît
là-haut.

Là-dessus, la littérature doit céder la place à la contre-
danse, et Antony le premier y invite. Mais hommes et femmes
se dispersent autour d'Adèle isolée. Alors, dans le boudoir où
la bonne vicomtesse la laisse en tête à tête avec Antony, une
admirable scène se déroule de plaintes et de craintes, rythmée
par le *leitmotiv* de la phrase qu'Adèle imagine sur toutes les

lèvres : « C'est sa maîtresse »; mais elle s'achève dans une étreinte de confiance et de consolation : la seule scène douce et tendre de cette pièce qui, dans toutes les autres, n'est que violence, cruauté, ou bien comme l'a dit *le Figaro* de l'époque, « sent l'alcôve »... Et tout de même, Adèle aurait mieux aimé que l'amie, la protectrice survenant ne la surprît pas dans les bras de son amant... Mme de Lacy a cru bien faire, elle amenait le domestique qu'Antony avait envoyé par la vieille berline à Strasbourg pour y surveiller les déplacements du colonel d'Hervey et qui accourt l'avertir que le colonel sera à Paris dans quelques heures... Adèle est partie pour rentrer chez elle. « Arriverai-je à temps? » s'écrie-t-il...

Le dernier acte se passe chez Mme d'Hervey, dans la chambre où elle se livre au désespoir. Antony, faisant irruption, l'exhorte à fuir. Quitter sa fille? Elle refuse, elle ne veut pas désespérer son mari. Affronter ce mari? Elle hésite. Mourir avec son amant? Ce serait le déshonneur pour l'enfant... On frappe au portail d'entrée; puis, tandis qu'on crie à la porte de la chambre : « Enfoncez cette porte! », un dialogue tragique s'engage entre les amants. Elle réclame la mort :

— Tue-moi, par pitié!

Une mort qui sauverait sa réputation, elle la demanderait à genoux.

— Et à ton dernier soupir, tu ne haïrais pas ton assassin?

— Je le bénirais... Mais hâte-toi, cette porte...

— Ne crains rien, la mort sera ici avant lui... Mais songes-y, la mort!

— Je la demande, je la veux, je l'implore.

Elle se précipite dans ses bras.

— Je viens la chercher.

Antony alors lui écrase la bouche d'un baiser, puis furieusement :

— Eh bien, meurs!

Et il la poignarde, à la minute même où la porte enfoncée livre passage à M. d'Hervey. Adèle est tombée dans un fauteuil.

— Infâme! s'écrie le colonel. Que vois-je?... Adèle!... morte!...

Antony, jetant son poignard aux pieds de l'officier :

— Oui, morte! Elle me résistait, je l'ai assassinée.

L'effet que produisit cette pièce torrentielle et dure sur le public de l'époque se devine. Il y avait dans la salle toutes les

mines farouches, toutes les chevelures extravagantes, toutes
les coiffures à la girafe, toutes les manches à gigot, tous les
souliers à cothurne, tout le romantisme habitué du théâtre.
Mais il y avait aussi des gens sans préjugés, tout cœur et tout
nerfs, prêts à se donner à Dorval, à Bocage. Avec deux ou trois
intonations admirablement justes de Dorval, avec le « Et
maintenant je resterai, n'est-ce pas » de Bocage, le rideau put
tomber sur le premier acte au milieu des applaudissements.
Au second acte, Bocage s'empara du public par son air de
héros inconnu. Au troisième, Dorval fit un sort extraordinaire
à des phrases très simples, mais explosives et bourrées de
drame : « Mais elle ne ferme pas, cette porte » ou « Il n'est
jamais arrivé d'accident dans votre hôtel, Madame? » La
scène dressée abrupte devant le viol imminent fit peser
sur la salle un silence, aussitôt suivi de trépignements et d'acclamations.

A l'entracte, Dumas ne pouvait s'arracher à Dorval dans sa
loge, tandis que le régisseur appelait pour l'acte IV. L'actrice
mit dehors son auteur, elle le poussa trois fois avec ses lèvres.
Sans courage pour affronter les premières scènes, il sortit,
rencontra Bixio, fit avec lui un tour sur le boulevard du côté
de la Bastille. Ils bavardaient et riaient comme des collégiens.
Ah! qu'on se le rappelle : ils n'avaient pas trente ans... Ils
rentrèrent cependant pour la scène de l'insulte mondaine.
Dans cette scène et dans les deux suivantes, Dorval s'éleva au
comble du pathétique... « Quelle vérité dans ses gestes, dans
ses poses, dans ses regards lorsque, défaillante, elle s'appuyait
contre quelque meuble, se tordait les bras et levait au ciel ses
yeux d'un bleu pâle tout noyés de larmes! et comme dans cet
amour éperdu, à travers cet enivrement coupable, elle restait
encore honnête femme et dame! Cet amant, on le sentait bien,
devait être l'unique, et ce cœur brisé par la passion n'avait
pas de place pour une autre image [1]. »

Dumas, sentant qu'il ne fallait pas laisser le public se refroi-
dir et qu'une longue interruption serait dangereuse, cria aux
machinistes : « Cent francs, si la toile est levée avant que les
applaudissements aient cessé! » Gagné! On applaudissait encore
quand les trois coups retentirent. Le moment d'angoisse des
deux amants au bout de leur destin fut un moment d'angoisse

[1]. Théophile Gautier, *Notices romantiques.*

aussi pour l'auteur, car Bocage oublia le mouvement qui devait tourner le fauteuil pour qu'Adèle pût s'y écrouler. Mais une Dorval ne s'inquiète pas pour si peu, quand la passion la possède! Au lieu de tomber sur le coussin, elle tomba sur un bras du fauteuil, voilà tout! et elle jeta son cri de désespoir — *Mais, je suis perdue, moi!* — avec une si poignante douleur que toute la salle se leva. Enfin, au dénouement, les derniers mots d'Antony, pourtant indispensables, et qui respirent, disait Gautier, « l'amour le plus chevaleresque », s'entendirent mal dans le tumulte des cris poussés par les spectateurs électrisés. On réclama l'auteur, dans les couloirs on le reconnut, on se rua sur lui, on lui déchira ses basques. Quel dommage! Il s'était fait bien beau : redingote bleue pincée à la taille, jabot de dentelle jaillissant du col, pantalon de fine laine serré sur des bottes vernies; il tenait à la main un haut-de-forme de castor mordoré...

Les témoignages écrits d'un triomphe sans précédent au théâtre ne manquent pas. Celui de Théophile Gautier suffira : « Ce que fut la soirée, a-t-il écrit, aucune exagération ne saurait le rendre. La salle était vraiment en délire; on applaudissait, on sanglotait, on priait, on criait. La passion harcelante de la pièce avait incendié tous les cœurs [1]. »

Qu'aurait-ce été, — nous ne saurions l'imaginer — si le public avait su dès ce soir-là que le poignard d'Antony fut un vrai poignard? Un petit poignard italien du XVIe siècle, que Bocage avait admiré chez Dumas la veille de la représentation et qu'il se fit prêter pour tuer Adèle d'Hervey. « Bon! dit Dumas, seulement prévenez Mme Dorval. » Bocage oublia, il ne prévint pas, et le lendemain soir, emporté par l'émotion, grisé par le succès, il y allait trop fort et blessait l'actrice, qui poussa un cri merveilleusement de circonstance! Lorsque, rappelés, ils revinrent saluer le public, elle tenait la main gauche sur son cœur, de peur que l'on vît des gouttes de sang sur son peignoir blanc [2].

Les conditions sociales ont tellement changé depuis cent vingt ans que le sujet même d'*Antony* l'alourdit d'un handicap.

---

1. Théophile Gautier, *Notices romantiques*.
2. Albert de Bersaucourt, *L'Opinion* du 17 septembre 1927. Jules Lecomte savait l'histoire de ce poignard acheté par lui à la vente de Mme Dorval, à qui Dumas l'avait donné et qui se servait du pommeau formant cachet pour fermer ses lettres.

Toutefois ce n'est que le sujet occasionnel, le sujet essentiel restant la passion amoureuse qui empoigne et tue. Ce sujet-là, Dumas l'a traité avec un art sommaire, mais fort. Certes les thèmes les plus courants du premier romantisme sont là, et prosaïsés, vulgarisés; mais Dumas ne les a-t-il pas incorporés à une anecdote très humaine? Certes encore, certaines répliques — « Demandez à un cadavre combien de fois il a vécu », « Tu es à moi comme l'homme est au malheur » — nous font rire : mais ce fut langage littéraire d'époque.

Ridicule, Antony? Beaucoup moins que Didier ou Ruy Blas. Frénésie invraisemblable? Frénésie vraie, effet historique de la Révolution, de l'Empire et des luttes de 1830. Péripéties exceptionnelles et folles? Peut-être. Folles de jeunesse, en tout cas. Que c'est jeune, risque tout, *giour*, comme disait une spectatrice pâmée! Dénouement odieux et grotesque? Mais non. André Bellessort a eu l'idée de le comparer à celui d'une affaire scandaleuse qui passionna l'Algérie vers 1890, l'affaire Chambige, dont Paul Bourget s'est inspiré pour son *Disciple*. « Le jeune homme qui survivait à la femme trouvée morte près de lui, affirmait devant le tribunal qu'elle s'était tuée volontairement, ce qui était dénoncer la faute de cette jeune femme, épouse et mère, qui appartenait à une très honorable famille. Le procureur de la République termina, si je ne me trompe, son violent réquisitoire en opposant à cette défense de l'accusé la générosité romanesque d'Antony[1]. »

On a parlé d'une malfaçon dans la construction de la pièce... En effet, le monde a connu la liaison; même si le colonel se tait, n'y en aura-t-il pas moins scandale ? Soit! Mais cela n'empêche point que par son crime Antony prend sur lui toute l'infamie et qu'Adèle ne sera plus qu'une victime à plaindre : en quoi finalement il s'affirme homme de sacrifice et d'honneur.

Bien sûr, *Antony*, c'est le drame, c'est-à-dire, un mécanisme d'horloge qui fait traverser aux heures, arbitrairement, des orages passionnels. Mais quoi! ne s'agit-il pas d'un type théâtral dont les ouvrages d'Henry Bernstein ont été les derniers représentants, type qui devait s'illustrer de noms illustres, type de la pièce moderne, en somme, dont l'invention a succédé à celle du drame historique et qui se débarrasse du passé par le

---

1. André Bellessort, préface au *Théâtre romantique d'Alexandre Dumas*, Paris, 1920.

sujet, les idées, les personnages, le langage, les costumes? Et peut-être suffit-il pour voir dans *Antony* le départ du drame moderne que Dumas, incontestablement le premier, y ait « arboré le drapeau de l'adultère », selon l'expression de Champfleury qui intitule bravement tout un chapitre d'histoire littéraire « L'adultère en 1830 [1] ».

Drame à thèse par conséquent? Pas du tout, et heureusement, puisque l'adultère auquel il a donné de la grandeur est aujourd'hui, comme le disait Robert de Flers, « aussi embourgeoisé que le mariage ». Au contraire, flamme de vie individuelle, explosion d'éléments, densité concrète, et d'ailleurs, selon les propres termes de l'auteur, « scène d'amour, de jalousie, de colère en cinq actes ». Antony, ce n'est pas Saint-Preux, ce n'est plus Byron, mais c'est le contemporain exact de Julien Sorel. Il va, lui, par l'affirmation du droit absolu de l'amour et de toute la personne humaine, jusqu'à la rupture avec la société, avec la morale. Or, ce n'est pas un faible, une tête penchée; il a le poignet aussi vigoureux que le cœur vaillant. Il s'avance jusqu'au crime.

Le théâtre de Dumas, décidément, c'est du forcené et du diabolique. Dans le drame historique, cette colère anime des personnages les uns contre les autres et l'auteur, se servant de l'histoire, essaie d'éterniser l'anecdote. Dans le drame moderne, la colère s'engouffre dans une âme individuelle, et c'est entre elle et la société, plus exactement entre elle et le « monde », comme la foudre entre le nuage et le sol : elle frappe et tue ce qu'elle rencontre.

En sorte que la vraie, l'incomparable nouveauté d'*Antony*, ce fut peut-être la violence. Violence des situations, des péripéties, des dialogues, et qui éclate sous une charpente construite avec une hardiesse inflexible afin de pouvoir résister, dirait-on, à la déflagration prévue, suscitée.

Lorsque le Théâtre-Français voulut en 1834 reprendre *Antony*, un article du *Constitutionnel* dénonça la pièce comme immorale et Thiers était ministre de l'Intérieur. L'académicien Antoine Jay, l'auteur de l'article, dénonçait les pièces comme un Thiers réprime les insurrections. Le 28 avril, deux semaines après les terribles insurrections de Lyon et de Paris, le ministre frappa la pièce d'une interdiction qui ne devait être

1. *Vignettes romantiques*, Paris, 1883.

levée qu'à la fin du Second Empire. On sait par une note de Marie Dorval, trouvée après sa mort dans un de ses albums, qu'elle envoya à M. Jay une couronne de rosière dans un carton, avec une toute petite lettre, le tout attaché par une faveur blanche. La lettre disait :

« Monsieur,

« Voici une couronne jetée à mes pieds dans *Antony;* permettez-moi de la déposer sur votre tête. Je vous devais cet hommage,

> Personne ne sait davantage
> Combien vous l'avez méritée.

L'académicien renvoya carton, couronne, faveur blanche, avec ce billet :

« Madame,

« L'épigramme est jolie et, puisqu'elle porte à faux, elle est de trop bon goût pour que je ne tienne pas à la garder. Quant à la couronne, elle appartient à la grâce et au talent, et je m'empresse de la remettre à vos pieds.

« 30 avril 1834. »

Il ne manquait pas tout à fait d'esprit, l'auteur de *la Conversion d'un romantique.*

L'interdiction coûta à M. Jouslin de La Salle, alors administrateur de la Comédie-Française, dix mille francs que le tribunal de la Seine, dans son audience du 14 juillet 1834, le condamna à payer, comme dommages-intérêts à Alexandre Dumas [1] : ce qui gonflait encore le pactole qui avait coulé pendant cent trente soirées : — chiffre inouï pour l'époque. Et *Antony* était devenu la pièce de toutes les représentations à bénéfices. C'est à l'une d'elles, donnée par Mme Dorval et Bocage au théâtre du Palais-Royal, que se produisit un incident révélateur. Une erreur des régisseurs ou des machinistes, faisant tomber le rideau sur le coup de poignard, coupa la phrase ultime et fatidique : « Elle me résistait, je l'ai assassinée. » Le public la savait par cœur, cette phrase, mais en ayant

---

1. Ch. Glinel, *Alexandre Dumas et son œuvre.*

furieusement besoin et ne voulant pas s'en voir frustré, il se mit à la réclamer avec de tels rugissements qu'on se décida à relever le rideau. Dorval avait repris la pose de la femme tuée; mais Bocage, furieux de sa phrase rentrée, avait regagné sa loge et refusait d'en sortir. La salle se fâcha, menaça de tout casser. Ce que voyant, l'actrice se dévoua. Elle redressa la tête, se leva au milieu du silence miraculeusement rétabli, s'avança jusqu'à la rampe et là, héroïque, cria : « Messieurs, je lui résistais, il m'a assassinée! » Un tonnerre d'applaudissements la récompensa de sa bonne grâce et de son esprit, ou peut-être — qui sait? — accepta la variante...

X

L'HOMME DE THÉATRE

Victor Hugo rencontré un jour, très agité et brandissant un journal, était comique.

— Qu'y a-t-il? demanda Dumas en riant.

— Croirais-tu, dit Hugo, que ce journaliste prétend qu'Alfred de Vigny est l'inventeur du drame historique?

— L'imbécile, s'esclaffa malignement Dumas, comme si tout le monde ne savait pas que c'est moi [1]!

Ce n'est pas Hugo, en effet, qui avait ouvert la carrière du drame historique, mais Dumas sans conteste avec *Henri III et sa cour*. Dumas aurait pu dire également : « Imbécile, quiconque ignore que j'ai ouvert la carrière du drame moderne avec *Antony!* » Dans l'une et l'autre carrière, il n'a cessé ensuite de faire voler son char. Il n'a même pas manqué de s'exercer aussi sur la voie de la comédie, où il lui est arrivé de faire penser à Marivaux. Qui donc concevrait Dumas sans ses triomphes de théâtre, sans ses combinaisons et relations de théâtre? Homme de théâtre ne suffit pas, c'est *bête de théâtre* qu'il faut dire.

Bête de théâtre, l'habile homme à qui de toutes parts on apporte des esquisses de pièces ou des pièces mal bâties et qui les rebâtit ou tire de l'esquisse une pièce qui n'y avait pas été soupçonnée. Bête de théâtre, le dramaturge qui construit des pièces avec des figures bien découpées dans le décor plutôt qu'avec des caractères, avec des situations trop exceptionnellement saisissantes, mais attentif à faire se détendre les coups de théâtre comme des ressorts d'acier, à faire se heurter des passions presque élémentaires, souvent forcenées, toujours

1. John Brunton, *Choses et autres*, Paris, 1876.

agissantes : quelque chose comme du théâtre à l'état pur, c'est-à-dire tout spectacle, tout mouvement, toute accélération.

Pourquoi tant de dynamisme s'est-il figé? Pourquoi l'élan de ces pièces les porte-t-il si difficilement jusqu'à nous? Pourquoi enfin tant de déchet?

Pour les drames historiques, c'est bien simple et c'est évident : ils sont pris dans un empaillement. Une pièce de théâtre qui reprend une situation connue, des personnages connus, n'a de chances de rester vivante qu'à condition de moderniser situation et personnages. Ainsi ont fait Racine pour ce que lui fournissait la légende, Shakespeare pour ce que lui fournissait l'histoire. Cette modernisation qui n'a pas manqué aux romans d'Alexandre Dumas, a manqué trop souvent à son théâtre, à *Charles VII chez ses grands vassaux*, à *Catilina*, à *Caligula*, aux romans mués en drames qui vont des *Mousquetaires* au *Chevalier de Maison rouge*. Qu'est-ce qui sauve en partie *Henri III*? C'est d'abord la violence romantique; mais c'est surtout que l'humanité quotidienne y double l'histoire largement : Vigny avait raison, *Henri III* c'est un ménage qui se détruit. Sans cet élément qui arrache la pièce au cimetière du passé, il eût fallu pour durer, pour égaler Shakespeare, courir à l'opposé, c'est-à-dire tenir l'histoire comme la barre d'un navire et la pousser énergiquement dans la tempête jusqu'à l'épopée, là où elle peut retrouver les grandes crêtes de la destinée humaine : ce que l'auteur d'*Henri III* eût pu réussir, s'il eût été poète, avec la grande figure politique de Catherine de Médicis au premier plan de la lutte religieuse, ce que l'auteur de *Christine* avait le moyen de tenter avec la nostalgie ou l'horreur du trône.

Dumas semble avoir eu le pressentiment de l'œuvre nécessaire lorsque à propos de *Catilina* il écrivait à son collaborateur Maquet : « Nous avons étudié l'histoire... mais nous l'avons lue avec nos lunettes [1]. » Il paraît que les lunettes n'avaient pas de verres assez forts. Alors l'histoire portée sur les planches restait de l'histoire, c'est-à-dire une exhumation.

Il est également certain que Dumas a le tort et la faiblesse de faire des assemblages plutôt que de tailler en plein bloc. Sa traduction en vers de la *Conspiration de Fiesque* domine toute son œuvre, elle y a versé, comme un jeu de construction pour

1. Lettre manuscrite, Bibliothèque de l'Arsenal, fonds Lacroix, n° 1120.

grands enfants, les coups de poignard et les cachots, les crimes masqués et les conspirations, les amours qui consument. Et dans l'amalgame allemand de Schiller, Dumas a encore jeté beaucoup de Walter Scott. Qu'est son *Charles VII?* Une rapsodie d'*Andromaque*, de *Gœtz de Berlichingen*, de *Quentin Durward* : « Comme œuvre d'assimilation et d'imitation, a-t-il avoué, c'est mon plus gros péché. » *Kean*, mi-drame historique, mi-tableau de mœurs, en incarnant le thème romantique de l'artiste opposé au commun des mortels comme un seigneur et comme une proie — « après l'Antony du monde, c'est l'Antony des planches », disait Barbey d'Aurevilly — donnait une chance à Dumas, qui ne l'a saisie qu'à moitié parce qu'il y a une consistance dans les affaires humaines, une densité mystérieuse dans les êtres qui lui échappaient. Et tout de même *Kean*, représenté aux Variétés le 31 août 1836 et qui fut un des plus dynamiques tremplins de Frédérick Lemaître, faisait dire à Henri Heine : « La réputation de Dumas qu'on disait obscurcie a reparu dans tout son éclat; il y a là une création, un vrai tableau de la vieille Angleterre, et j'ai cru voir devant mes yeux feu Edmond Kean, que j'ai vu tant de fois [1]. »

« Il y a là une création », comme il y en avait eu une dans *Henri III*, comme il a été tout près d'y en avoir une dans *Christine*, comme il y en a une dans *la Tour de Nesles. La Tour de Nesles!* Existe-t-il une autre pièce autour de laquelle on puisse mieux se battre pour et contre Dumas?... Il est raconté depuis Brantôme et ses *Dames galantes*, depuis Robert Gagnin et son *Compendium supra francorum Gesta*, depuis Villon et son

> ...où est la reine
> Qui commanda que Buridan
> Fût jeté en un sac en Seine

que Marguerite de Bourgogne, femme de Louis X le Hutin, et ses deux sœurs faisaient racoler les jeunes gens de bonne mine arrivés de peu à Paris, les entraînaient à l'orgie luxurieuse dans des chambres de cette tour sinistre qui trempait ses fondements dans la Seine comme pour être mieux prête à y jeter au petit jour ses cadavres : car les perverses et cruelles princesses livraient leurs amants d'une nuit à de méthodiques assassins... Or, tout cela est impure légende et l'on sait que

---

1. Lettre citée par Blaze de Bury, dans son livre sur *Alexandre Dumas*.

l'histoire dit tout autre chose de plus simple : qu'en 1314 Marguerite de Bourgogne et sa belle-sœur Blanche de La Marche ont été convaincues d'adultère avec les deux frères Philippe et Pierre Gaultier d'Aulnay, gentilshommes normands. Enfermées au Château-Gaillard d'Andely, Marguerite y fut étranglée sur l'ordre du roi son mari, tandis que Blanche était envoyée attendre la mort dans un couvent. Quant à Jean Buridan, docteur scolastique, recteur de l'Université de Paris en 1347, il n'a absolument rien de commun avec le capitaine légendaire et n'a pris aucune espèce de part à des désordres auxquels l'a peut-être mêlé la calomnie de ses adversaires en philosophie.

Comment le romantisme, le plus souvent animé d'une curiosité sympathique et passionnée pour le passé de la France, a-t-il pu tremper dans de tels crimes de vandalisme moral, comment n'a-t-il pas résisté à des envies qu'il faut bien appeler sadiques? Accordons-lui les circonstances atténuantes, puisque c'était littérairement tentant : trouver dans la légende présentée comme histoire toute une pépinière de mélodrames capables de surclasser le roman noir (décor sinistre, nuit d'orage, masques, inceste, assassinat...). Tentation pour les auteurs, tentation pour un vaste public. Paris se précipita, *la Tour de Nesles* le happa, en pleine épidémie de choléra éclatée depuis un mois et qui devait en durer cinq encore. La pièce dura davantage. Devant le théâtre qui l'affichait, une foule en plein hiver sous des flocons de neige : n'est-ce pas ce que nous montre une lithographie de Daumier? Il fallait bien qu'on eût promis aux gens de les réchauffer à l'intérieur...

On ne les avait pas trompés. A l'intérieur, ils trouvaient Mlle George dans le rôle de Marguerite de Bourgogne et Bocage dans celui de Buridan; ils assistaient à une exposition endiablée où le tragique s'érige dès les premiers mots, ils entendaient un dialogue de passion et de volupté, autour du masque que la femme se refuse à laisser tomber jusqu'à ce qu'une épingle arrachée la marque au visage à travers le velours. « Je te reconnaîtrai partout, lui crie l'homme. — Insensé que je voulais sauver et qui veut mourir! » Il va tomber poignardé. La femme alors se démasque : « Regarde et meurs! — Marguerite de Bourgogne, reine de France... » A ce moment monte de la Seine la voix du crieur qui fait sa ronde : « Il est trois heures, tout est tranquille; Parisiens, dormez. »

C'est au cours de ce premier acte pareil à une bousculade que Buridan dévide la tirade inoubliable, de grosse et touchante niaiserie :

N'avez-vous pas remarqué que ce doivent être de grandes dames?... Avez-vous remarqué ces riches habits, ces voix si douces, ces regards si faux? Ce sont de grandes dames, voyez-vous!... Elles ont oublié toute retenue, toute pudeur; oublié la terre, oublié le ciel. Ce sont de grandes dames, de très grandes dames, je vous le répète!...

Aux actes suivants, les invraisemblances dévalent en avalanche : le rendez-vous qu'assigne à la reine Buridan déguisé en bohémien, le secret terrible détenu par Buridan et qui lui permet de se faire nommer premier ministre, le coup de théâtre qui le jette cependant dans un cachot où certaines de ses paroles ont l'air de sortir des murs lugubres (« Marguerite, ces fers sont trop lourds... »). Mais la scène de la prison est belle, une idée géniale la conduit.

Si la reine, en effet, abandonnait le capitaine dans la nuit de sa basse fosse ou l'y faisait assassiner, qui saurait lui disputer la victime? Mais si elle cède à l'envie de venir l'humilier, lui, il a l'arme terrible de la parole, il saura s'en servir. En effet, il lui assène le coup d'une révélation qu'elle pourrait enterrer avec lui, mais qui l'épouvantera au point que c'est elle-même qui délivrera le prisonnier de ses chaînes, qui en fera un triomphateur. Seulement, il va éprouver lui aussi, en complice, le malheur; il va apprendre qu'ils sont ses fils, et les fils de Marguerite, ces jeunes gens dont l'un, Philippe d'Aulnay, est mort assassiné à la Tour de Nesles en sortant des bras de sa mère et dont l'autre, Gaultier d'Aulnay, s'y rend pour subir le même sort; c'est lui en personne, Buridan, qui l'y a envoyé pour venger son frère. Hélas! le père et la mère assisteront au meurtre, arrivés trop tard pour pouvoir l'empêcher. A la fin donc, de découverte en découverte, de révélation en révélation, Marguerite de Bourgogne apparaîtra multi-criminelle : parricide, adultère, incestueuse avec un fils, meurtrière avec les deux. Dans sa chute, elle entraîne Buridan; le tavernier les livre l'un et l'autre au grand prévôt chargé d'arrêter par ordre du roi quiconque sera trouvé cette nuit-là, reine ou ministre — dans la tour maudite...

Le voilà, ce drame dépourvu de vrai support historique et

sans nécessité psychologique, cette masse d'abominations, ce bloc d'impossibilités, — mais irrésistible de mouvement et d'engrenage, de surréalité puissante quoique absurde, machine théâtrale monstrueuse, fureur dramatique élevée à son maximum de tension. Et sans doute y fallait-il la prose de préférence aux vers, surtout aux mauvais vers de *Christine*, aux vers médiocres de *Charles VII*, une prose d'ailleurs rapide et rude, avec quelque chose d'électrique, que Victor Hugo appréciait. Est-ce tout? Non. Une autre force encore meut ce Léviathan, celle d'un personnage typique, d'un type d'époque, mais qui, surtout pour le peuple, est de tout temps : le capitaine Buridan. Une page éblouissante de J. J. Weiss a célébré l'aventurier, arrivant on ne sait d'où, mais en qui tout répondait au volcanisme révolutionnaire du premier tiers du siècle. Mystérieux, fatal, ayant fait la guerre, sa bravoure de gentilhomme ravit un immense public, il sera son homme. Il bafouera la majesté royale, jouera de toutes les puissances. Le peuple parisien des Trois Glorieuses s'est reconnu en lui. Ce Buridan éclipse Hernani et Ruy Blas, car ce n'est pas lui qui aurait langui auprès de sa reine ou se serait laissé amuser par un Don Salluste, il annonce Bussy, d'Artagnan, le Chevalier de Maison Rouge et tous les héros des romans de Dumas. Il emporte dans son entrain tout le drame, il traîne les Érynnies après lui, il est conforme à la conception de 1830 qui fut, comme l'écrit Weiss, une « conception titanesque de la nature humaine ». Le style même est entré dans la danse. Si nous le jugeons usé aujourd'hui, n'est-ce point parce qu'il a connu un trop vif et trop long succès? Le Rossini aussi s'est trouvé épuisé par les musiques militaires [1].

S'arrêter à *Caligula* ne s'impose certes pas, la pièce n'a jamais joui d'une haute considération. Il fallait être Marcelline Desbordes-Valmore, trop dévouée à Dumas, pour y voir « Rome entière avec sa République déchirée en lambeaux par la courtisane Messaline [2] ». La mode fut quelque temps, sur les boulevards, de dire « Tu me caligules » pour « Tu m'ennuies [3] ». Mais ce drame fournit l'occasion de revivre une soirée théâtrale sous le règne de Louis-Philippe puisque Mme de Girardin a esquissé celle du 26 décembre 1837 au Théâtre-

---

1. Cf. J.-J. Weiss, *Le Théâtre et les mœurs*, Paris, 1889.
2. *Lettres intimes*, 27 décembre 1837.
3. J. Cherbuliez, *Revue critique des Livres nouveaux*, 1838.

Français, dans un des « Courriers de Paris » qu'elle donnait au journal de son mari et qu'elle signait Charles de Launay. Sa chronique du 30 commençait par une série de scènes de salon, ou plutôt par une même scène rebondissant de salon en salon :

— Irez-vous ce soir, Madame, voir la pièce nouvelle? — Non, vraiment, je n'ai jamais pu avoir de loge. — Vous vous y êtes prise trop tard. — Trop tard! Voilà deux mois que j'ai envoyé au bureau de la Comédie-Française pour louer une loge, on n'en louait pas; mon frère y est allé lui-même, il y a quinze jours, il n'a pas été plus heureux que moi...

On annonce le comte de X.

— Vous êtes bien fier, vous, mon neveu, lui dit la maîtresse de maison, vous avez une loge et vous verrez ce soir *Caligula*. — Ne m'en parlez pas, je suis furieux. J'avais une loge en effet, mais on a rayé mon nom sur la liste...

On annonce Mme G.

— ... C'est la première fois depuis trente ans que pareille chose m'arrive, car j'ai assisté au triomphe de tous nos grands maîtres; j'ai vu, je crois, toutes les premières représentations qui ont eu de l'éclat... J'envoyais retenir ma loge un mois d'avance il est vrai, mais enfin je l'avais toujours; aujourd'hui, j'en suis réduite à demander l'hospitalité à un journaliste de mes amis...

Un journaliste, ces journalistes... Ils étaient, paraît-il, les rois du moment, — les juges! vous voulez dire... Mais des juges arbitraires sont presque des rois absolus... Et Mme de Girardin de se plaindre d'un changement survenu depuis quelques années : le public élégant ne paraît plus aux premières... Or, à la première de *Caligula*, surprise! On aperçut dans la loge du roi M. le duc et Mme la duchesse d'Orléans, la princesse Clémentine et les jeunes princes. « M. le duc d'Orléans, remarque la chroniqueuse, qui aime les gens d'esprit, quoi qu'on dise, professe une grande bienveillance pour Alexandre Dumas, cela est tout naturel et prouve pour son bon goût... »

Le duc de la première d'*Henri III* régnait, la nouvelle Altesse Royale était pour Dumas un ami. Et tout de même Mme de Girardin, amie elle aussi de Dumas, se demanda si la place des princes était là; car en somme, l'auteur avait fait une pièce républicaine, au risque même de soulever des manifestations dans la salle. Il est vrai qu'il s'y était si habilement pris! On avait su que le manuscrit du poète, copié par lui-même, chef-d'œuvre de calligraphie, enrichi de charmants dessins de Bou-

langer, de Dauzats, devait être déposé par l'ouvreuse dans la
loge royale, comme un libretto ordinaire. Comment aurait-on
pu avoir le mauvais goût de « faire manquer la surprise »?

Après les princesses de cour, les princesses de théâtre. Mme de
Girardin reconnut toutes les actrices de Paris : Mlle Elssler,
Mme Dorval, Mme Voluys, Mlles Falcon, Anaïs, George, Pauline Leroux, Mme Dabadie, toutes excepté cependant Mlle Déja-
zet. Et tous les acteurs de Paris! Et comme ils venaient se
montrer « dans le costume qui leur était le plus avantageux »,
leur parterre offrait un flambant coup d'œil : Ah! si les journalistes eux aussi étaient venus en costume!

Il paraît bien que la mise en scène, ce soir-là, laissa à désirer. Le char de l'empereur ressemblait à « une petite voiture de
bains à domicile ». Un char tragique? Ah! Non. Pas tragique
davantage, le banquet soi-disant somptueux, en réalité frugal
et sinistre dans une salle qui avait l'air d'un réfectoire. Et puis,
quelle façon de dire les vers, à la Comédie-Française! « On
n'entend pas un mot », sauf dans la bouche de Firmin, de
Ligier et de Beauvallet. Chaque acteur a sa prononciation,
à laquelle doit se faire le spectateur. Les femmes surtout.
« Mme Paradol supprime toutes les consonnes. Dans ses imprécations contre les dieux qui l'ont trahie, elle doit s'écrier :
« Vous êtes de faux dieux! » elle dit : « Ou êtes eu au ieux! »
Ida Ferrier n'a pas moins donné sur les nerfs, ainsi que
Mlle Noblet.

Et pour finir : « On vendait à la porte une médaille de
plomb frappée en mémoire du triomphe de *Caligula*. Ceci
n'est pas tragique non plus; mais on avouera que c'est du
moins fort comique. La médaille a obtenu beaucoup de succès
et un brevet d'invention... »

Ces ironies comme ces émerveillements font voir quelle
place considérable Alexandre Dumas occupa dans le théâtre
de son temps. Il devait l'occuper ainsi très avant dans le
siècle. Quand ce n'était point par des drames historiques,
c'était par des pièces de mœurs et par des pièces sociales dont
la série se suspend à *Antony*.

Les trois actes de *Richard Darlington* ont joui du privilège
de se voir magnifiquement portés par Frédérick Lemaître,
alors dans toute sa fougue à la Porte Saint-Martin et qui élec-
trisait ses partenaires. Par surcroît, « on savait d'avance que
la pièce avait un côté politique, et la fièvre des esprits faisait

à cette époque orage de tout », fût-ce d'un spectacle électoral
en Angleterre. Richard Darlington a l'air d'un Antony qui se
serait fait une raison pour mener sa vie comme une entreprise,
en aventurier de la politique, se servant du mariage pour
gravir l'échelle sociale, meurtrier de Jenny sa première femme
pour épouser une fortune, enfin démasqué par son père qui
n'est autre que le bourreau... On avait affaire là à un spectacle
qui prenait les spectateurs au ventre. Quand une femme
demande à l'homme qui veut la tuer : « Qu'allez-vous faire? »
et qu'il répond : « Je n'en sais rien, mais priez Dieu », comment
une salle parisienne de 1831 n'aurait-elle pas frissonné? Elle
poussa des cris de terreur. Dumas lui-même aimait de cette
pièce l'allure brutale, le cachet politique, l'accent moderne.
Le public sentait comme lui. On s'écrasa à la porte du théâtre;
au lever du rideau, la salle de la Porte Saint-Martin semblait
près de crouler. Hélas! ardeur brève... Aujourd'hui, nous repro-
chons à Dumas d'avoir indiscrètement emprunté aux *Chroniques de Canongate* et d'avoir poussé Walter Scott dans le
sens de la tragédie, c'est-à-dire de l'avoir dénaturé.

L'année suivante, à *Antony* encore fit penser *Térésa*, comme
l'envers peut faire penser à l'endroit. Car, cette fois, c'était
le joug social accepté et tourné, c'était toujours l'adultère,
mais installé. On ne voit d'honnête dans cette pièce qu'Amélie,
fille d'un premier lit du baron Delaunay, on n'y voit de noble
que le baron, tout le reste éclate d'infamie. La pièce est forte,
mais représente malgré son satanisme le prosaïsme de la vie,
tandis qu'*Antony* en représentait l'exception héroïque. Ida
Ferrier, dans le principal rôle, remporta un triomphe sur la
scène de l'Opéra-Comique, où le drame fut joué tout d'abord.
Dans *Angèle*, joué à la Porte Saint-Martin par Bocage et
Lockroy, Ida Ferrier et Mélanie Krebsamer, le 28 décembre
1833, un « bel ami », Alfred d'Alvimar, abandonne sa maîtresse,
séduit une jeune fille, projette d'épouser sa mère parce qu'elle
a crédit à la cour. Mais Angèle aime un homme et elle a le
courage de lui révéler qu'elle va être mère; cet homme, Henri
de Muller, qui se sait poitrinaire, condamné, près de mourir,
fait justice de l'intrigant, puis se hâte d'épouser la jeune fille
afin de lui sauver l'honneur... Comme Dumas arrivait en droite
ligne au drame bourgeois réaliste qui allait faire les beaux soirs
des trois quarts du siècle, jusqu'en 1914!

En même temps, les renouveaux de mise en scène l'ont

préoccupé. Ce ne fut pas sa faute si le luxe impérial de *Caligula* avait été décommandé. *Don Juan,* mauvaise pièce de 1836, en prose et en vers, s'agrémenta d'un ballet d'ombres. Les ombres, couleur de chauve-souris, portaient un loup noir sur le visage et agitaient une sombre gaze autour d'elles, on aurait dit les ailes de la nuit. « C'était d'une volupté étrange et, mystérieuse, silencieuse, ce doux menuet de morts et d'âmes masquées, se nouant et se dénouant dans un rayon de lune [1]. » Dans une scène de *Richard Darlington*, il était entendu que le mari de Jenny jetterait la malheureuse par une fenêtre donnant sur un précipice, mais comment devrait-il s'y prendre? Une lutte entre les époux? Le public ne l'aurait pas acceptée. Un mouvement de bascule par-dessus le balcon? On aurait vu de la salle les jambes de la jeune femme, et la salle aurait ri. « Mais Dumas était un véritable homme de théâtre, écrit un ancien décorateur de l'Opéra qui fréquentait en 1832 la Porte Saint-Martin, il chercha et il trouva le jeu de scène; c'est-à-dire qu'il nous montra Jenny fuyant éperdue devant l'attitude menaçante de son mari et s'approchant d'elle-même de la porte-fenêtre pour appeler au secours. Richard n'avait plus alors qu'à la suivre, à la pousser un peu à droite, derrière les deux battants de la fenêtre refermée, et à reparaître seul [2]. »

Tout cela ne laisse-t-il pas deviner, même à travers les drames les plus noirs, qu'au contact des planches une alacrité, une aise, un enjouement, une ivresse montaient à la tête de Dumas? Il se sentait accéder à un monde fermé et pourtant immense, destiné à la féerie; et pourquoi n'aurait-il pas été lui-même, à ses heures, lutin, farfadet, elfe, génie? Il était donc avide de nouveauté, il espérait toujours susciter des miracles. Aussi, la quarantaine venue, et comme à ce moment de sa vie il s'intéressait à l'époque de la Régence, une griserie d'élégance, de bel air, de grâce, d'accortise s'empara de lui, et il écrivit, de 1839 à 1843, des comédies qui répondent par un écho à peine outré de romantisme, à peine vulgarisé par un mulâtre contemporain de Louis-Philippe, au *Jeu de l'amour et du hasard* et au *Mariage de Figaro.* D'où le curieux brelan : *Mademoiselle de Belle-Isle, Un Mariage sous Louis XV, les Demoiselles de Saint-Cyr.*

---

1. *Journal des Goncourt,* 25 mars 1863.
2. Ch. Séchan, *Souvenirs d'un homme de théâtre (1831-1855),* recueillis par Adolphe Badin, Paris, 1883.

Blaze de Bury tenait la première de ces pièces pour le développement d'un petit acte de Brunswick refusé aux Variétés[1]. C'est bien possible. Car ayant fait jouer sa comédie au Théâtre-Français le 2 avril 1839, Dumas disait un peu ironiquement à un ami : « Les Parisiens n'ont pas le sens commun; j'ai travaillé trois ans à faire un chef-d'œuvre qui a nom *Caligula*, il n'a eu que quelques représentations; j'ai fait en huit jours la pièce dont vous me faites compliment, et le public y court comme affolé[2]. » L'affolement a duré, car la pièce, quarante ans plus tard, dépassait la quatre centième. Dumas en offrit le manuscrit autographe à la reine Christine d'Espagne, qui l'en remercia par l'envoi du cordon de l'Ordre d'Isabelle la Catholique[3] : ce qui d'ailleurs fait douter que la souveraine ait été une lectrice bien attentive de *Mademoiselle de Belle-Isle*. Elle a obéi à une autre raison pour décorer l'auteur, dont l'hommage lui fournissait un prétexte[4].

Ah oui, homme et bête de théâtre, inventeur prestigieux, impeccable technicien! Quelles cartes ne lui étaient pas bonnes pour ses réussites scéniques, à ce virtuose de l'imbroglio! La rancœur de Mme de Prie, maîtresse lâchée, la fatuité de M. de Richelieu, la naïveté charmante d'une fille de la noblesse bretonne venue à Paris pour obtenir la grâce de son père et de son frère embastillés, la jalousie de son fiancé, le chevalier d'Aubigny, une partie de dés qui n'a pour enjeu rien de moins que la vie du perdant, un secret promis par serment et qui semble empêcher la jeune fille de sauver les siens sans perdre l'homme qu'elle aime, font la délectable, plaisante, mouvementée intrigue d'une comédie qui ne menace de verser dans le drame que pour mieux piquer.

Un des éléments de l'habile complication, c'est le pari fait par l'audacieux roué d'avoir une nuit de la jeune fille : pari qu'il a l'illusion bavarde d'avoir gagné, au point que le chevalier le croit quelque temps son rival heureux. Mais il la doit, cette illusion flatteuse, à l'ancienne maîtresse que l'ombre nocturne a secondée dans sa supercherie, et tout est bien qui finit bien... Le Théâtre-Français garde dans ses archives un

---

1. *Figaro* du 3 octobre 1883. — Brunswick était le pseudonyme de Léon Lhérie.
2. John Brunton, *Choses et autres*.
3. L'Héritier de l'Ain, *Plutarque drôlatique*, 1843.
4. Cf. plus loin, chap. X.

manuscrit original de *Mademoiselle de Belle-Isle*, avec une
scène à laquelle Dumas eut toutes les peines du monde à
renoncer. C'est à la fin de l'acte III. La petite-fille de Fouquet
dit à son chevalier, en parlant du duc de Richelieu : « Cet
homme a menti. Je vois tout conspirer contre moi et puisqu'il
vous faut une preuve, pour vous convaincre que je suis digne
de vous, ayant foi en votre honneur, je suis prête à vous donner
le mien pour vous prouver que je suis toujours digne d'être
votre femme... » Et à l'acte IV, au lever du rideau, d'Aubigny
sortait de la chambre de sa fiancée en s'écriant : « Et j'ai pu la
croire coupable! »

S'il est vrai que Mérimée ait conseillé à M. de Rémusat,
ministre de l'Intérieur, de demander une pièce à Alexandre
Dumas et que Dumas ait écrit *Un Mariage sous Louis XV*
pour satisfaire à cette demande [1], Mérimée n'a pas dû se dire
mécontent, car son ami y suivait la même veine que pour
Mademoiselle de Belle-Isle, en faisant mousser davantage le
« léger » et le « hasardeux » qui enchantaient Théophile Gautier. La comédie réussit, « grâce à la vivacité du dialogue, à la
promptitude des reparties et aux mots spirituels dont elle est
parsemée », écrit le chroniqueur [2], qui ajoute : « Il n'y a que la
manière de s'y prendre pour faire passer les choses et, de
ce côté-là, nul n'en remontrerait à M. Dumas, pas même
M. Scribe. »

Le vieux camarade Adolphe de Leuven et Léon Lhéri-
avaient collaboré à *Un Mariage sous Louis XV*, ils collabo-
rèrent également aux *Demoiselles de Saint-Cyr*, qui fait entendre
le même son que ses deux comédies-sœurs, quoique dans des
conditions plus contestables. Sainte-Beuve néanmoins n'était
ni juste ni exact lorsqu'il reprochait à Dumas, dans *la Revue
suisse*, d'avoir fait parler les pupilles de Mme de Maintenon
comme des lorettes. Janin disait mieux en s'étonnant que de
jeunes filles ne parlassent que d'amour dans la chaste et noble
maison, où par surcroît deux libertins entrent comme dans un
moulin et l'un d'eux par la fenêtre! « Qui vous empêchait,
demanda le critique à Dumas, d'annoncer que la scène se passait
à Pontoise ou à Pantin, dans l'institution de Mlle Rosalba [3]? »

---

1. *Mes Mémoires*, VII.
2. *L'Histoire dramatique en France*, t. II, Paris, 1859.
3. J. Janin, *Le Critique Jules Janin et le dramaturge A. Dumas*, à propos
des « Demoiselles de Saint-Cyr », Paris, 1843.

Soit! Mais Janin lui-même parlait du « joli manuscrit ». Et puis, à la fin de la comédie, la garde arrêtait les deux libertins et l'on annonçait deux mariages forcés sous la menace de la Bastille. En sorte que les mères de famille venues à la Comédie-Française le 25 juillet 1843 se sentaient rassurées.

De telles pièces ont fait faire des rêves à l'esprit solidement sérieux que fut André Bellessort. Ah! disait-il, supposez que Dumas ait eu la langue, la grâce, la fantaisie de Musset : quelles œuvres étonnantes nous aurions possédées! Mais à quoi bon rêver en histoire littéraire? A rester dans la réalité, on doit convenir que le théâtre d'Alexandre Dumas représente le plus mauvais mélodrame romantique. Cependant il est traversé çà et là d'éclairs de force ou de grandeur; et il reste incontestable qu'*Henri III* et *la Tour de Nesles* comptent dans l'histoire littéraire, qu'*Antony* et *Mademoiselle de Belle-Isle* gardent encore de la vie. D'ailleurs, nous devons nous dire que Dumas ne disposait pas que de ce clavier, et les autres comptent davantage, sur lesquels il a joué tous les grands airs romantiques. Enfin n'oublions pas qu'à leur égard, Weiss et Sarcey ont rivalisé d'admiration. Sainte-Beuve lui-même écrivait à ses amis Olivier pour *la Revue suisse*, le 31 juillet 1843 : « Tel qu'il est, et dans la disette d'auteurs dramatiques, Dumas a son prix, il a de l'entrain, de la gaîté, de la dextérité et de la charpente; son drame a du jarret et la planche joue sous lui. » En dehors du grand théâtre de psychologie ou de poésie, et si l'on ne veut pas du théâtre idéologique, quel autre proposera-t-on que celui d'Antony, de Buridan et du duc de Richelieu? Je citerai Sainte-Beuve encore, qui a loué Dumas dramaturge pour ses dons « presque physiques », pour « cet esprit qui semble résider dans *les Esprits animaux*, comme on disait autrefois... ». Allons, osons le demander, est-ce qu'au Théâtre-Français du xixᵉ siècle ce diable d'homme n'a pas injecté de la... graine de taureau?

XI

DIX EXISTENCES EN UNE

CEPENDANT les journées, les mois, les années d'Alexandre Dumas tournaient sur eux-mêmes et autour de lui avec une effarante vitesse, entraînés comme en un tourbillon par la vie publique, le monde et ses fêtes, les voyages, les amours, enfin et surtout le travail. Dumas a été un travailleur infatigable. Tout autre eût sué d'ahan. Or, il avait le sourire pour abattre la plus écrasante besogne. En travail, il arrivait à l'impossible, et en ne retranchant de la vie à peu près rien, sauf tout de même le sommeil.

Chaque année : une, deux, trois pièces de théâtre, avec ce que cela comporte d'allées et de venues, de lectures devant les comités, de débats avec les comédiens, d'après-midi donnés aux répétitions; bientôt durent s'y ajouter deux ou trois romans, quatre ou cinq récits, des chroniques, des articles... De quoi sont faits, par exemple, les douze mois de 1841? De ceci : une pièce à mettre au point à la Comédie-Française, une autre à la Porte Saint-Martin, deux romans à jeter à la voracité des cabinets de lecture, sept à huit volumes d'impressions de voyage à rédiger; sans parler des visites au prince royal qui a son jeune fils à lui faire connaître, d'une correspondance abondante, d'allers et de retours Florence-Paris. Quand Dumas aura dépassé soixante ans, Charles Chincholle louera encore « le plus patient et le plus robuste des travailleurs », un « Protée » du travail [1].

Ne fallait-il pas, pour engendrer ce monde de littérature, un merveilleux moral?... Dans ses années de jeunesse, Dumas avait pris le ton à la mode. La seule gaîté permise à l'époque

1. Charles Chincholle, *Alexandre Dumas d'aujourd'hui*, Paris, 1869.

était le rictus satanique, la grimace de Méphistophélès... « J'ai mis comme les autres un masque sur mon visage [1]. » Il l'avait bien fallu pour que l'adoptât un temps qui tout entier « posait pour le sombre et pour le terrible [1] ». L'affreux masque devait tomber peu à peu. On a vu le visage à découvert quand ont paru les premières *Impressions de voyage*. Il était gai naturellement et ne s'assombrissait de tristesse que lorsqu'il avait pour cela une raison.

Et ne fallait-il pas aussi un exceptionnel tempérament? La nature personnelle de Dumas, ouverte, allante, audacieuse, comportait nécessairement un fond de force physique. Dumas appartient à la race des Hugo, des Michelet, des Balzac, des Préault, des Frédérick Lemaître et des George Sand; il est de cette famille d'artistes athlètes, de cette grande génération du plus puissant romantisme. C'étaient des tempéraments forts, pas des malades, pas des têtes penchées, pas des roseaux pensants, mais des chênes. Dumas, de tous ceux-là, n'apparaît pas le moins vigoureux.

Sa personne, ses gestes, sa démarche, se caractérisaient surtout par la puissance. Si l'on en croit ses secrétaires qui ont laissé des souvenirs, le moins observateur des hommes disait en le voyant : « Celui-là est une force. » Voici comment la comtesse Dash voyait le Dumas de trente-cinq ans : « Sa taille était superbe, on sait combien il était grand. On se mettait encore en culottes courtes en ce temps-là pour certains bals. Dumas montrait volontiers de très belles jambes. Avec cela, de très beaux yeux bleus couleur de saphir dont ils avaient l'éclat lorsque son intelligence les animait. » Un autre contemporain a noté un menton rattaché à de robustes mâchoires, un cou de buffle... « On croirait voir le Mirabeau du drame et du roman [2]. »

Banville raconte dans ses *Mémoires* qu'une fois Dumas avait eu le caprice de mener son tout jeune fils à un bal masqué qui se donnait à la barrière Montparnasse. Là, costumé en postillon, le « grand homme » avait dansé toute la nuit sans se reposer une minute et même avait porté des femmes à bras tendu, comme un Hercule de foire. Rentré chez lui au matin, il voulut ôter sa culotte de peau blanche, mais elle s'était plaquée et

1. Dumas, *Souvenirs*, Paris, 1854.
2. Marc de Montifaud, *Les Romantiques*, Paris, 1878.

mêlée à ses muscles gonflés. Pour le débarrasser de cette « culotte de Nessus », le fils dut la fendre avec un canif et la mettre en morceaux. Après cela, que pense-t-on que fit le colosse? Que devine-t-on qu'il choisit? Il choisit le travail, la production, la copie! Après avoir bu un bouillon, il s'attabla devant des feuillets de papier qu'il se mit à remplir jusqu'au soir.

Dumas n'a jamais pris des loisirs pleins et entiers, le travail a toujours collé à lui. Quand l'agitation politique de 1831, si peu propice à des tâches d'écrivain, l'eut décidé à fuir Paris, bien qu'*Antony* tînt encore l'affiche, il partit au hasard le 6 juillet, avec l'intention de dénicher un coin où il lui fût possible d'écrire en paix. Il avait toutefois envie de la mer et comme il connaissait Le Havre pour l'avoir aperçu en 1828, il en prit la direction. Là, il s'enquit d'un trou tranquille. On lui indiqua un petit village bien isolé dont lui avait parlé le peintre Huet : il reconnut le nom, Trouville. Mais où était-ce? Quel air avait la pauvre colonie de pêcheurs? Quelle langue parlait-elle? C'est à Honfleur qu'on le renseigna. Par terre, apprit-il, mauvais chemin, mauvaise charrette, et il y en avait pour cinq heures. Par mer, deux heures de barque; il choisit la mer, arriva au but, découvrit quelques maisons à l'embouchure de la Touque, sur la rive droite, entre deux petites chaînes de collines, tandis qu'une plage s'animait de femmes et d'enfants qui cherchaient moules et crevettes. Sur la rive gauche, d'immenses pâturages promettaient des chasses aux bécassines. Dumas eut la joie de céder à la fascination immense qu'exerçait sur lui l'étendue marine, de respirer ses âcres senteurs, de se bercer à son murmure, de se rafraîchir à l'espace.

Voilà comment, entre toutes les choses du xixᵉ siècle dont Alexandre Dumas est l'inventeur — pour reprendre la formule de Banville —, il y a à inscrire la station balnéaire de Trouville. Car on connut bientôt à Paris sa villégiature, on en parla. Et dans la suite, quand on eut dégusté dans *la Presse* ses allègres, frais, aérés, chapitres des *Mémoires,* quand on eut humé les pages succulentes sur la pension de la mère Oseraie, à cent sous pour deux (avec des dîners qui avaient pour menu : potage, côtelettes de pré-salé, soles en matelote, homard à la mayonnaise, bécassines rôties, salade de crevettes, cidre à discrétion), on se mit à accourir. Trouville était découvert et conquis, Trouville était perdu...

Dumas n'y était pas venu seul, Bell Krebsamer l'accompagnait. La mère Oseraie fut bien étonnée qu'on lui demandât deux chambres et ne comprit rien à la raison gaillarde que le voyageur lui fournit. Dumas s'empara de la chambre qui donnait sur la vallée; s'il eût choisi celle qui regardait la mer, ses marées, ses barques, adieu le travail! Il prit la précaution de s'y mettre le soir même du 7 juillet, comprenant que s'il n'affrontait pas tout de suite le joug, il passerait ses journées à tirer des oiseaux de mer, à cueillir des huîtres et à pêcher des anguilles. Or, il avait à écrire en un mois les vers de son *Charles VII*. Il ne fit pas exprès de tuer un jour le plus beau des marsouins.

Voici son emploi du temps du 7 juillet au 10 août. Chaque matin, éveillé par le soleil, il ouvrait les yeux, tendait les bras, prenait son crayon, cherchait et tournait ses hémistiches. Dix heures, déjeuner; onze heures, chasse aux bécassines. De deux à quatre, travail; de quatre à cinq, nage. Cinq heures et demie, dîner. De sept à neuf, promenade. De neuf à onze ou minuit, travail. Ce qui fait de sept à huit heures de labeur quotidien. Nous ne savons pas du tout à quoi s'occupait sa belle compagne.

Rentré à Paris le 10 août, il assista le soir même à une représentation de *Marion Delorme*, en homme qui valait à lui seul toute une claque, s'empressa de lire *Charles VII* à des amis, puis à l'Odéon, s'acquitta de son *Richard Darlington* qu'il avait à Trouville même accepté de composer en collaboration avec Goubaux et Beudin, eut à recommencer pour cette pièce la série de répétitions qui l'avait accablé pour *Charles VII* et qui lui mangea tout le mois.

Des récits historiques pour la *Revue des Deux Mondes*, des vers pour les *Annales romantiques*, la composition de *Térésa*, et tout ce que nous ne savons pas, mirent le comble au poids de la meule qu'il avait à tourner.

Ce qu'on sait à peine, ce qu'on ne fait qu'entrevoir, c'est tout ce qui venait se mettre en travers de tels travaux : un fol enchaînement de plaisirs et de réjouissances, de charges et de corvées, auxquels s'ajoutaient les soucis d'argent et les spéculations, la poursuite des succès de toutes sortes, parfois même la fuite lourde sous les échecs...

Rien qu'en obligations théâtrales, en relations avec les directeurs, en surprises de coulisses, Dumas avait son compte. La représentation à bénéfice pour un acteur ou une actrice qui la demande et envers qui l'on a une dette de gratitude, ce n'est pas si rare : il faut alors improviser une pièce en un acte et dans le plus court délai. Un ami a-t-il apporté le sujet, et deux autres ont-ils déjà débrouillé le scénario? Reste à dîner avec eux vers les cinq heures de l'après-midi, à numéroter les scènes dans la soirée jusqu'à minuit, à se lever de bonne heure le lendemain pour les écrire : l'acte sera achevé, mais vingt-quatre heures y auront passé. Ainsi est née pour Mlle Dupont, soubrette du Théâtre-Français, la comédie du *Mari de la veuve*. Qu'était-ce donc pour des ouvrages plus sérieux! Des complaisances obligées ont voulu qu'un drame en cinq actes comme *Térésa* fût bâti en moins d'un mois.

Encore y avait-il là travail normal et de métier. Mais savait-on jamais ce que les hasards pouvaient apporter de surcharge imprévue? Des polémiques, des duels. Et pourquoi Dumas aurait-il échappé au choléra? On sait que le choléra du printemps 1832 a emporté près de vingt mille Parisiens. Quel Paris! Les *Mémoires* brossent une description hallucinante de ce Paris infernal. Dumas, qui avait commencé par combattre le fléau à sa manière — n'y pensant pas, vivant et travaillant comme à l'ordinaire, s'amusant même quand il pouvait, recevant quotidiennement ses amis (le peintre Boulanger, Chatillon, Delanoue, parfois Hugo qui disait des vers, Liszt qui injuriait le mauvais piano)— crut bien un soir se sentir pris. Un peu désorienté, mal assisté de sa bonne qui perdait la tête, il avala par erreur un verre plein aux deux tiers d'éther, pour un tiers de malaga. Il s'évanouit, mit deux heures à reprendre ses esprits, frissonna de froid et vit le médecin lui faire prendre à l'aide de quelque conduit malcommode un bain de vapeur sous ses couvertures, tandis qu'une voisine charitable le frottait pardessus les draps avec une bassinoire brûlante de braises. « Je ne sais pas ce qu'il adviendra de moi en enfer, écrit-il en conclusion de ce récit, mais je ne serai jamais plus près d'être rôti que je ne le fus cette nuit-là... Je passai cinq ou six jours sans pouvoir mettre le pied hors de mon lit; j'étais littéralement roué. »

C'est dans cet état, amaigri de vingt-cinq livres, miné par une fièvre tenace dont la durée se prolongea, que, mettant ou ne mettant pas le pied hors de son lit, il le mit dans le guêpier de *la Tour de Nesles* et de deux années et demie de pataugeages journalistiques et judiciaires dans lesquels l'entraîna le jeune Gaillardet, son collaborateur malgré lui. Il trouva pourtant le moyen de faire représenter, pendant que *la Tour de Nesles* poursuivait sa carrière fructueuse, trois autres pièces, tout en travaillant à un livre d'histoire, à une quinzaine d'articles d'histoire et de voyages pour la *Revue des Deux Mondes.*

Assurément Dumas aurait pu se donner moins de mal et, fort de ses succès, prendre un peu de bon temps. Mais il lui fallait tant d'argent! Les guides avec lesquelles il avait pris l'habitude de mener sa vie ne raccourcissaient point; elles s'allongeaient. On eût dit qu'il multipliait la difficulté de vivre afin de la jouer avec plus de brio. Est-ce que, non content de voyager en France et en Europe, il ne s'avisait pas de voyager dans Paris et, pour ainsi dire, ses pénates sur le dos? En d'autres termes, combien de fois n'a-t-il pas déménagé! Il était passé de la rue de l'Université au square d'Orléans (42, rue Saint-Lazare), dans un bel immeuble neuf où habitaient déjà Étienne Arago, le musicien Zimmermann et deux autres amis. L'an 1833 n'était pas à sa fin que l'instable locataire quittait le square d'Orléans pour le premier étage d'une maison aujourd'hui abattue, 30, rue Bleu [1]. Là tout de même il resta fixé cinq ans. Après quoi, c'est la rue de Rivoli qui le reçut au quatrième d'un grand immeuble à balcons avec vue magnifique sur les Tuileries. Cette progression domiciliaire accuse évidemment les soucis ambitieux d'Ida Ferrier, qui avait succédé à Bell Krebsamer; le couple était-il encore assez médiocrement meublé rue Bleu? C'est la comtesse Dash qui le prétend; mais Jules Lecomte, qui vit là Dumas, parlait d'une chambre à coucher « tendue en soie chamois, avec des bordures en broderie » et le plafond fait d' « une seule glace ». Jules Lecomte avait encore remarqué des rideaux de velours bleu, un mobilier en bois de citronnier, des tapis de pelleterie [2]. Ce n'était déjà pas si mal. Mais rue de Rivoli, la comtesse Dash elle-même s'inclinait : installation de beaucoup de goût, dit-elle [3]. Alexandre et Ida n'auraient jamais eu peur de trop de luxe pour rendre dîners et soupers auxquels Paris les invitait ou invitait Dumas seul. Tenons compte aussi des plaisirs de la gastronomie, auxquels tout cadre ne sied pas, et même de l'art culinaire qui a singu-

---

1. Bleu, sans *e*, nom de l'architecte qui avait fait bâtir la rue (*Voyage en Suisse*, épilogue).
2. *Lettres sur les écrivains français* par Van Engelgom (Jules Lecomte), Bruxelles, 1837.
3. Comtesse Dash, *op. cit.,*

lièrement occupé notre homme. Il prépara longtemps le recueil de recettes époustouflantes qui devait paraître posthume [1] et qui certes ne propose pas une cuisine à la va-vite ni à l'économie; ne s'agissait-il pas d'art, en effet, de grand art?

Ainsi Dumas faisait-il tout avec largesse. Il était né ostentatoire, c'est évident. Sa générosité naturelle se mêlait de vanité naïve. Et puis, le quarteron ne voulait-il pas jeter de la poudre aux yeux des purs blancs? le républicain à l'enfance pauvre n'était-il pas possédé de l'envie d'éclipser les princes? Le roi Louis-Philippe avait donné au début de l'année 1833 un bal splendide auquel assistaient toutes les illustrations politiques, mais auquel manquaient si manifestement les artistiques et les littéraires que Bocage déclara à Dumas : « Il faut « enfoncer » le bal des Tuileries.

— Comment?

— Donnez-en un, vous.

— Moi! Et qui aurai-je?

— D'abord les gens qui ne vont pas chez le roi, puis ceux qui ne sont pas de l'académie. Il me semble que c'est déjà assez distingué...

— Merci, Bocage, j'y penserai.

Il y pensa si bien, qu'à l'approche du Carnaval un appartement du même palier, vide, se voyait annexé au sien avec l'agrément du propriétaire, qui laissa tomber une cloison. Tous les amis peintres avaient été mobilisés pour décorer en quatre jours les pièces nues, mais chauffées à grands feux. Decamps, Nanteuil, les Johannot, Ciceri, Ziégler, Delacroix, tirèrent leurs sujets des romans ou des pièces des auteurs invités, si bien que le jour du bal, Rodrigue, le Rodrigue du *Romancero*, Lucrèce Borgia, Cinq-Mars, Debureau, le sire de Giac, la Esmeralda, entourés des lions et des tigres de Barye, séchaient sur les murs. A sept heures, le restaurateur Chevet arriva avec un saumon de trente livres, une galantine colossale, deux chevreuils rôtis, un pâté d'ogre fourni par trois lièvres. Saumon et galantine provenaient d'un échange contre quatre des chevreuils rapportés d'une mirifique chasse menée par Dumas avec une pléiade d'amis dans la neige de la forêt de Ferté-Vidame. Tant de gibier, qui devait subvenir aux besoins du souper, avait pour l'arroser une armée de bouteilles : trois

---

1. *Le grand Dictionnaire de cuisine*, gr. in-8° avec deux portraits, 1872.

cents de Bordeaux, qui chauffaient, trois cents de Bourgogne qui rafraîchissaient, cinq cents de Champagne qui se glaçaient. Deux orchestres avaient été prévus, un dans chaque appartement, avec un superorchestre peint par Grandville et dont les trente ou quarante musiciens reproduisaient les visages des amis en caricature.

Tout a été colossal ou extraordinairement imprévu dans ces préparatifs de fête. La voiture emportant les chasseurs? « Une immense berline » que Dumas se trouvait posséder « je ne sais plus comment », dit-il [1]. Le retour à Paris? Lourd d'un butin de neuf chevreuils pendus à l'impériale de la voiture comme à l'étal d'un boucher. L'atelier improvisé dans l'appartement vide? Le champ de manœuvre de peintres qui quatre jours de suite n'y avaient arrêté leur travail que pour se coucher. Au premier jour, les Johannot avaient voulu peindre à la lumière; le lendemain, désespoir! ils s'aperçurent qu'ils avaient pris les couleurs les unes pour les autres, et que leurs deux tableaux ressemblaient à deux immenses omelettes aux fines herbes. Mais l'habile décorateur qu'était le père Ciceri arrangea les choses à coups de pinceau balayeurs. Au dernier jour, le jour même du bal, c'est en trois heures d'improvisation que Delacroix « enleva » son roi Rodrigue devant le cercle des jeunes gens émerveillés.

Vers minuit, on reconnaissait — car c'était un bal costumé, non masqué — les comédiennes et les comédiens de la Comédie-Française, c'est-à-dire la cour des Valois sous les costumes d'*Henri III*, mais aussi les vedettes d'autres théâtres, Mlle George en paysanne de Nettuno, Mlle Falcon, la belle Juive, en Rébecca, Bocage en Didier... On vit des femmes du monde qui avaient eu l'impertinence de venir sous un masque, folles de curiosité. Tant de beautés se firent tout un soir les favorites de La Fayette, vieillard coquet et galant dans son costume de vénitien; Rossini en Figaro rivalisait avec lui de popularité. Buloz, Véron, Odilon Barrot, Eugène Sue avaient endossé des dominos sur place. Petrus Borel en jeune France, Delacroix en Dante, Frédérick Lemaître en Robert Macaire, Musset en paillasse, s'entouraient de Turcs, de Russes. Dumas s'était choisi un costume 1525 d'après une gravure du frère du Titien. Il y avait un bey d'Alger, un torero. Comme Pierre

---

1. *Mes Mémoires.*

Tissot, l'académicien virgilien, s'était fait une tête de valétudinaire, à peine avait-il paru que Jadin, le peintre, déguisé en croque-mort, un crêpe au chapeau, lugubre, lui emboîtait le pas, lui murmurant de cinq minutes en cinq minutes dans le cou ce simple mot : « J'attends... » Il n'attendit guère, car Tissot, au bout d'une demi-heure, s'était enfui.

Après le souper, qui dut sentir les plaisirs forestiers, le bal eut son vrai commencement. La fantaisie des artistes l'animait, le déchaînait. Dumas animait et déchaînait les artistes. Pourquoi ne s'était-il pas déguisé en Méphisto? Il faisait boire, il appareillait les couples, il embrassait les femmes. Comparer ce bal à celui du Doyenné qu'évoque Gérard de Nerval dans *la Bohême galante*, serait vouloir que coulent côte à côte un torrent furieux à la fonte des neiges et un ruisseau d'arrière-printemps, clair sur les galets. Mais la gaîté était égale. A neuf heures du matin seulement, la foule des invités sortit, musique en tête, sur la rue des Trois-Frères et courut « un dernier galop dont la tête atteignait le boulevard, tandis que la queue frétillait encore dans la cour du square [1] ».

Dumas affirme dans ses *Mémoires* avoir compté à un moment près de sept cents personnes. D'autres en ont compté cent... Le chiffre exact restera une énigme. Une autre énigme a longtemps enveloppé d'une inexplicable obscurité la maîtresse de maison, en qui certains ont prétendu et prétendent encore reconnaître Ida Ferrier. Et pourtant il aurait été difficile à Dumas de désigner Bell Krebsamer plus clairement qu'il ne l'a fait par sa description des *Souvenirs* comme des *Mémoires* : une « très belle personne, avec des cheveux noirs et des yeux bleus ». Aucun doute, puisque Mlle Ferrier était plus blonde que les blés. Mais quoi! Les historiens littéraires ont beaucoup tardé à reconnaître l'importance de la seconde Mélanie, et sans doute aussi leur vertu les empêchait-elle d'entrer dans les complications habituelles à Dumas, qui venait d'offrir la couronne à Ida Ferrier alors que Bell Krebsamer n'avait pas encore abdiqué... Deux reines! Joug léger pour un républicain qui jouissait de la force d'un débardeur et de l'humeur d'un pacha. Et certes Ida, petite, n'aurait pas eu la splendeur de la belle Juive pour faire valoir la collerette empesée et le feutre noir à plumes noires que la maîtresse de maison portait à la ressemblance d'Hélène Fourment, seconde femme de Rubens.

1. *Mes Mémoires.*

A l'avènement d'Ida Ferrier, Alexandre Dumas vit s'ouvrir un chapitre important de ses amours et s'accélérer le tournoiement de la trombe qu'était sa vie.

Ne prenons pas l'acteur Bocage pour un entremetteur, mais il s'emballait pour de jeunes actrices découvertes hors de Paris et s'efforçait à la fois de leur faire un sort et d'apporter aux auteurs des moyens frais... Celle-là jouait dans la banlieue; il la présenta à Dumas pour le rôle d'Amélie Delaunay. L'auteur de *Térésa*, émerveillé par la vierge pure qu'elle créa dans ce drame d'amour incestueux, la fit-il demander à la fin de la représentation pour lui proposer de débuter à quatre mille francs dans une pièce de lui sur un grand théâtre? Ou bien la jeune femme, regagnant les coulisses avec une couronne d'éclatant succès, tomba-t-elle reconnaissante dans les bras de l'écrivain à qui elle la devait? Toujours est-il qu'il l'emmena souper [1]. La suite traîna d'autant moins que Bell Krebsamer jouait alors en province ou à l'étranger. Bell revenue, Ida rompit, quoique à ce moment elle cherchât vainement à briller au Palais-Royal. Mais enfin la séparation de Dumas avec Bell ne tarda point; il renoua alors avec Ida en lui faisant donner le rôle d'Angèle à la Porte Saint-Martin, en décembre 1833. Elle allait aussi tenir en 1834, sans réussite spéciale, le rôle de la malheureuse héroïne dans *Catherine Howard*, puis ceux de Bon Ange et de sœur Marthe dans *Don Juan*. Son échec à la Comédie-Française devait achever de la convaincre que sa beauté seule lui laissait une chance. « Elle avait un adorable visage, des yeux admirables qui semblaient noirs et qui ne l'étaient pas; ses sourcils et ses cils qu'elle peignait avec un art infini, paraissaient d'ébène. Sa peau était un vrai satin blanc, à peine rosé; ses lèvres de corail, son nez d'un dessin irréprochable complétaient un ensemble comme on en rencontre peu. Elle avait les cheveux d'un blond adorable; quand elle les frisait en boucles à la Mancini, elle ressemblait à un bel émail de Petitot... Ses mains et ses bras étaient des merveilles, ses épaules et sa poitrine étaient d'une blancheur de lait [2]... » C'est une femme qui a fait ce portrait, aussi les défauts ne lui ont-ils pas échappé : dents défectueuses, pieds sans grâce : d'où le choix de robes traînantes avant que c'en fût la mode

1. Jules Lecomte, *op. cit.*
2. Comtesse Dash, *op. cit.*

et bien qu'elles aient failli plusieurs fois la faire tomber sur la scène! Surtout une taille qui prenait de l'ampleur à l'excès. Des charmes, mais « quelles masses [1] »!

L'obésité croissante de Mlle Ida compromettait les pièces dans lesquelles elle tenait un rôle, car ce rôle ne pouvait être qu'important. Aussi donna-t-elle beaucoup de mal à son illustre amant, envieuse de créations pour lesquelles elle n'était point faite, dépensant un argent fou pour ses costumes, dont il fallait que Dumas réglât la différence entre leur prix et la somme accordée par la direction. Ses lettres de sollicitation donnent assez l'idée d'un homme dont sa maîtresse exige qu'il s'expose à se noyer pour lui cueillir une fleur. En voici une, adressée au théâtre de la Porte Saint-Martin; elle est du 27 mars 1832 :

Monsieur Ferville à qui je présente tous mes compliments empressés, me permettra-t-il de lui rappeler tout l'intérêt que j'aurais à ce que Mlle Ida remplace à la Porte Saint-Martin Mlle Noblet, puisque je trouverais à ce théâtre où je compte donner au moins deux ouvrages dans le courant de l'année un talent qui me plaît et qui m'a déjà été très utile?

Harel, je crois, a besoin de cette jeune personne... et ce n'est pas à un aussi excellent comédien que M. Ferville que j'aurai besoin de rappeler ce qu'il y a d'espérance dans le début de Mlle Ida.

Nous en avons d'ailleurs déjà causé avec M. Ferville et je l'ai trouvé si bien disposé que je ne doute pas de toute son aide dans cette affaire à laquelle j'attache une importance réelle.

Le minimum des appointements serait de 3.000 francs, costumes payés.

Mille compliments encore et mille fois répétés.

P.-S. — J'aurai l'honneur de voir M. Ferville demain ou après-demain [2].

Une autre lettre adressée au directeur du *Journal des Théâtres* cinq ans plus tard, le 24 février 1837, fait presque respirer encore le même air :

Mon cher voisin,

L'engagement nous arrive à l'instant même, signé de MM. les membres du comité de la Comédie-Française et est au choix d'Ida

1. *Ibid.*
2. Manuscrits de la Nationale, n. a. fr. 24.641.

pour les débuts, et tout à fait indépendant de l'engagement que je compte souscrire de mon côté : la Comédie, comme vous le voyez, s'est mise en frais de délicatesse. Ida ira vous voir demain et vous expliquera tout cela. Mais elle a voulu que vous fussiez instruit de la chose à l'instant même où elle a été signée. Tous mes remercîments de la bonne police que vous avez voulu faire pour nous, et mille compliments empressés [1].

Hélas, engagée comme jeune première, l'actrice n'obtint jamais au Théâtre-Français d'autre rôle que dans *Caligula*, donné vingt fois seulement du 26 décembre 1837 au 16 février 1838, et elle vit s'acharner sur elle, dans le fameux « Courrier » du vicomte de Launay, l'implacable Mme de Girardin. « Comment prendre la profession d'ingénue avec une taille semblable? L'embonpoint de Mlle Ida, jeune fille rêveuse et sentimentale, toujours vêtue de blanc, vierge timide au pied léger, fuyant un infâme ravisseur, ange et sylphide dont on cherche les ailes, est risible et révoltant. Il faudrait au moins être transportable, quand on se destine à être enlevée tous les soirs. » La prononciation aussi laissait à désirer. Comme l'écrivait le vicomte, « depuis dix ans, Mlle Ida est enrhumée ». Une prononciation vulgaire et vicieuse, bon pour les femmes du drame moderne; on la lui passait et elle n'avait pas mal fait dans *Angèle* : « Cela s'appelait avoir des larmes dans la voix. » Mais dans le drame historique comme dans la tragédie, quand Stella, racontant la résurrection de Lazare, doit s'écrier : « Un miracle, ma mère! », quel accent dramatique peuvent bien prendre ces mots devenus sur les lèvres d'Ida : « Un biracle, ba bère [2]? »

La carrière manquée à la scène, Ida Ferrier essayait de la réussir à la ville en jouant, non pas d'un empire sensuel exercé sur Dumas, mais d'une habileté de maîtresse de maison. Elle recevait à merveille, et Dumas aimait cela. Elle savait se faire aider de sa mère, veuve d'un maître des Postes de Nancy. Pas de gaspillage, mais « le tout monté sur une grande échelle », et l'on recevait souvent, on fêtait les directeurs, les acteurs, les journalistes dont Mlle Ferrier avait besoin [3], et les gens du monde qu'elle imposait à Dumas, lequel ne les aimait guère. Mais rien n'était mieux ordonné que ses dîners, et Dumas

1. Ch. Maurice, *Histoire anecdotique du théâtre*, Paris, 1856, citée par Ch. Glinel.
2. *Courrier de Paris*, 30 décembre 1837.
3. Comtesse Dash, *op. cit.*

était reconnaissant. La liaison dura des années. Ida domina l'appartement de la rue Bleu, celui de la rue de Rivoli. Elle tint avec son amant table ouverte. Elle voyagea avec lui en Suisse et en Italie.

Elle avait malheureusement mauvaise nature, peu de cœur, un fond de corruption, une rouerie de femme intéressée. Le fait d'avoir été élevée dans un pensionnat de Strasbourg en compagnie de jeunes filles nobles lui avait donné de la prétention. Son terrible esprit de jalousie et de domination empoisonna la vie d'un homme qui mettait son travail au-dessus de tout et qui avait donc grand besoin de tranquillité. Elle le mit au régime de deux ou trois scènes par jour, l'espionna dans sa correspondance et dans ses sorties, voulut convaincre le monde qu'elle le tenait sous sa coupe.

Elle eût mieux aimé lui savoir des maîtresses obscures que seulement le soupçonner de jeter ses regards sur une actrice en renom. Qu'elle fut jalouse de Marie Dorval! Il fallait bien que la soixantaine marquât Mlle Mars pour qu'elle l'admît comme protectrice de son ménage. C'est Mlle Mars en effet, aidée d'une femme restée pour nous inconnue, qui raccommodait le couple, avec des péripéties impayables [1], chaque fois qu'il se décousait... Foucher, le beau-père d'Hugo, racontait que « la petite Ida », non contente de ruiner « le grand Dumas », « le battait par-dessus le marché [2] ».

De telles cohabitations étaient rares et remarquées à cette époque. On se montrait cinq ou six couples irréguliers, aux premières, comme une curiosité. Est-ce pour cela que les amants convertirent leur liaison en mariage? Plusieurs autres raisons ont été avancées. Dumas aurait commis l'imprudence d'amener sa maîtresse à un bal donné par son ami le duc d'Orléans et même de la lui présenter; le duc alors lui aurait dit : « Il est bien entendu, mon cher Dumas, que vous n'avez pu me présenter que votre femme. » Mais l'anecdote manque de vraisemblance et sa source ne jouit d'aucun crédit [3]. On a aussi raconté que le tuteur d'Ida, entrepreneur de vidanges, s'il vous plaît, aurait employé le capital de sa pupille, quarante mille francs, pour acheter deux cents mille francs de créances sur

---

1. *Ibid.*
2. Lettre à Mme Asseline, sa sœur, publiée par Asseline fils dans son *Victor Hugo intime*, Paris, 1885.
3. Eugène de Mirecourt, *Les Contemporains*, Paris, 1854-1865.

Dumas et qu'escorté de gardes du commerce, il serait venu sommer le grand homme de choisir entre épouser ou aller à Clichy, c'est-à-dire en prison pour dettes [1]. On remarquera que de pareilles sommes feraient neuf ou dix millions d'aujourd'hui, c'est beaucoup. Mais qui sait? Un ancien acteur, Marcel Luguet, qui a fini ses jours à la maison de retraite Galignani, a dit avoir connu Dumas après son mariage et tenir de lui-même sa réponse à un ami qui s'étonnait d'une union légitime avec une telle femme.

— Mon cher, c'est pour m'en débarrasser [2].

Le mariage eut lieu, le 1er février 1840, à la mairie du 1er arrondissement et à Saint-Roch, avec pour témoins Chateaubriand et Roger de Beauvoir, à qui Chateaubriand, après avoir béni la mariée et considérant le lourd volume de son corsage, aurait murmuré : « Voyez, ma destinée ne change pas, tout ce que je bénis tombe [3]. »

Aux défauts harassants de la dame et à l'incompatibilité d'humeur des deux amants devenus époux, s'ajoutèrent des différends d'un genre particulier. Ida élevait gentiment Marie, la fille de Bell Krebsamer, mais elle n'acceptait point le fils de Catherine Lebey, pas plus que le fils ne l'acceptait.

Le père, lui, adorait son fils, si le fils ne l'adorait pas. Le père avait traité le fils encore enfant en adolescent, il traitait l'adolescent en jeune homme. Il regrettait de ne pas l'avoir auprès de lui et de le maintenir en pension, où l'adolescent fut aussi malheureux que l'avait été l'enfant : *l'Affaire Clemenceau* et la préface de *la Femme de Claude* ont raconté son long supplice. Et cependant quelles lettres de large affection son père lui écrivait, témoin celle-ci, malheureusement non datée et qui parle de quel embarquement?

> Mon cher enfant,
>
> Arrivé sans accident.
>
> Je t'embrasse avant de monter en bateau.
>
> Ne baise pas trop ton amie du quai et ne fais pas de pleine eau sous ses fenêtres. Voilà les deux seules choses que je te recommande.
>
> Adieu, mon cher enfant. Prends bien soin de toi, tu sais que tu es la seule chose que j'aime en ce monde [4].

1. *Mémoires* d'H. de Viel-Castel.
2. *Le Petit Bleu*, juillet 1902.
3. Claudin, *Mes Souvenirs*, Paris, 1884.
4. Manuscrits de la Bibliothèque Nationale, n. a. fr. 24.641.

Dans d'autres lettres [1], il engage « l'enfant » à se faire donner quelques leçons par l'armurier Devismes ou bien il lui promet de l'emmener dans un voyage en Corse, ou encore il l'envoie passer les vacances chez sa sœur, Mme Letellier, soit à Béthisy-Saint-Pierre, près Verberie, soit à Nogent-le-Rotrou.

N'est-il pas touchant et assez surprenant dans une telle existence, de trouver le temps de penser à des problèmes d'éducation et de donner à un fils que bien des choses séparent de vous les conseils de lecture que contient une longue lettre de 1839 ou 1840? Elle est à inscrire à l'actif, dans le compte de Dumas, cette lettre inattendue, même si un paragraphe du long *post-scriptum* fait sourire...

> Mon cher enfant,
>
> Ta lettre m'a fait grand plaisir, comme toute lettre où je te vois dans de bonnes dispositions. Les vers latins ne sont pas une chose bien importante. Cependant apprends-en la mesure, pour que tu puisses scander la langue, si par hasard tu étais obligé de la parler — en Hongrie par exemple, où le moindre paysan parle latin. Apprends le grec fortement, afin de pouvoir lire Homère, Sophocle, Euripide dans l'original et apprendre le grec moderne en trois mois — enfin exerce-toi bien à prononcer l'allemand; plus tard tu apprendras l'anglais et l'italien. Alors, et quand tu sauras tout cela, nous jugerons nous-mêmes, et ensemble, la carrière à laquelle tu es propre.
>
> A propos, ne néglige pas le dessin.
>
> Dis à Charlieu de te donner non seulement Shakespeare, mais encore Dante et Schiller.
>
> Puis ne t'en rapporte pas aux vers qu'on te fait faire au collège. Ces vers de professeur ne valent pas le diable. Étudie la Bible à la fois comme livre religieux, historique et poétique — la traduction de Sacy est la meilleure. Cherches-y, à travers la traduction, la haute et magnifique poésie qui y est renfermée — dans Saül, dans Joseph. Lis Corneille, apprends-en des morceaux par cœur. Corneille n'est pas toujours poétique, mais il parle toujours une belle langue colorée et concise. *Dis à Charpentier de te donner de ma part André Chénier.* Charpentier demeure rue de Seine, tu sauras son adresse chez Buloz. Dis à Collin [2] de te faire donner par Hachette 4 volumes intitulés *Rome au siècle d'Auguste.* Lis Hugo et Lamartine — mais seulement les *Méditations* et les *Harmonies* — puis fais toi-même un petit travail des choses que tu trouveras belles et que tu trou-

---

1. Lettres publiées par M. Marcel Thomas dans *La Table ronde* de mai 1951.
2. Un fonctionnaire du ministère de l'Instruction publique.

veras mauvaises, tu me montreras ce travail à mon retour. Enfin travaille et repose-toi par la variété même de ton travail. Soigne ta santé *et sois sage.*

Adieu, mon cher enfant; je dis à Dommange[1] de te donner 20 francs pour tes étrennes.

Je t'embrasse.

P.-S. — Dis à Collin qu'aussitôt ma pièce reçue j'écrirai à Buloz pour arranger son entrée.

Va chez Tressé, prends chez lui à mon compte : les poésies d'Hugo et son théâtre, le Molière du Panthéon.

Je te donnerai Lamartine à mon retour.

Lis Molière beaucoup. C'est un grand modèle de la langue de Louis XIV. Apprends par cœur certains morceaux du *Tartuffe,* des *Femmes savantes* et du *Misanthrope.* On a fait et on fera autre chose, mais on ne fera rien comme style de plus beau que cela. Apprends par cœur le monologue de Charles V d'*Hernani;* le discours de Saint-Vallier, du *Roi s'amuse;* le monologue du Ve acte de Triboulet; le discours d'Angelo[2] sur Venise; le discours de Nangis à Louis XIII dans *Marion Delorme;* enfin, de moi, tu peux aussi apprendre le récit de Stella dans *Caligula* et la chasse au lion d'Yacoub, ainsi que toute la scène du IIIe acte entre le comte, Charles VII et Agnès Sorel[3]. Voilà parmi les anciens et les modernes ce que je te conseille d'étudier surtout. Plus tard, tu passeras des détails à l'ensemble.

Adieu, tu vois que je te traite en grand garçon et que je te parle raison. Tu vas avoir seize ans au reste et c'est tout simple que je te parle ainsi.

Ta *santé* surtout. C'est dans l'avenir la source de tout.

Seulement, à mesure que Dumas s'enfonçait dans son second concubinage, le « cher enfant » pouvait-il résister au besoin de le juger? Sa mère ne l'en détourna certainement pas... La faute du père ici est indéniable, l'existence de son fils lui imposait un devoir qu'il a trop facilement jeté aux orties. D'où des querelles, d'où l'obstination du jeune Alexandre, à ne plus vouloir mettre les pieds sur les tapis paternels. Deux lettres en prennent acte, qui ont précédé ou suivi de peu la précédente, la belle lettre de conseils affectueux. Tout cela remonte au temps où le garçon se partageait entre son pensionnat de la rue de Courcelles et ses visites à Passy, demeure de la rancœur.

1. Un des hommes d'affaires de Dumas.
2. *Angelo, tyran de Padoue.*
3. Dans *Charles VII chez ses grands vassaux.*

Première lettre :

Mon cher enfant,

Je n'ai pas reçu l'autre lettre que tu m'as écrite, sans cela j'y eusse répondu aussitôt.

Ce n'est point ma faute, mais la tienne, si les relations de père à fils ont tout à coup cessé entre nous : tu venais à la maison, tu y étais bien reçu par tout le monde, quand tout à coup, il t'a plu, excité je ne sais par quel conseil, de ne plus saluer la personne que je regardais comme ma femme, puisque j'habitais avec elle; à compter de ce jour, et comme il n'entrait pas dans mon intention de recevoir de conseils, même indirects, de toi, l'état dont tu te plains a commencé et, à mon grand regret, a duré six ans.

Maintenant cet état cessera le jour où tu le voudras : écris une lettre à Mme Ida, demande-lui d'être pour toi ce qu'elle est pour ta sœur, et tu seras toujours et éternellement le bienvenu; ce qui peut arriver de plus heureux pour toi c'est que cette liaison continue, car, comme je n'ai pas eu d'enfant depuis six ans, j'ai *la certitude* de n'en pas avoir et tu restes ainsi mon seul fils et mon fils aîné.

Si tu fais cela — ce dont je te prie sans l'exiger, ne voulant rien devoir à la contrainte — non seulement tu seras le bienvenu tous les quinze jours, mais encore tu me rendras aussi heureux qu'il est en ton pouvoir de le faire.

Je n'ai pas autre chose à te dire. Réfléchis seulement que, si je me mariais avec une autre femme que Mme Ida, je pourrais avoir trois ou quatre autres enfants, tandis qu'avec elle je n'en aurai jamais.

Je crois au reste que, là-dedans, tu consulteras ton cœur plutôt que ton intérêt, mais, au reste, cette fois, contre l'habitude, tous deux sont d'accord ensemble.

Je t'embrasse de tout cœur.

P.-S. — Tu devrais au lieu de signer Alex Dumas comme moi, ce qui peut avoir pour nous deux un jour de graves inconvénients, puisque nos deux signatures sont pareilles, signer Dumas-Davy; mon nom est trop connu, tu comprends, pour qu'il y ait doute, et je ne puis ajouter « père » : je suis encore trop jeune pour cela [1].

Seconde lettre :

Mon cher ami,

Tu sais bien une chose, c'est que si tu étais hermaphrodite et qu'avec l'hermaphroditisme Dieu t'eût accordé la faculté de faire la cuisine, je n'aurais pas d'autre maîtresse que toi.

1. Lettre publiée par les soins de Marcel Thomas, *loc. cit.*

Mais, malheureusement, Dieu a disposé de toi d'une autre façon.

Aie donc une fois pour toutes l'esprit assez supérieur pour que nos cœurs se touchent et se comprennent toujours malgré les obstacles matériels qui se trouvent entre nous.

Tu es et tu seras toujours l'aîné de mon cœur et le privilégié de ma bourse, seulement je te réponds bien moins de ma bourse que de mon cœur.

A toi [1].

Mais voilà le père marié avec sa maîtresse, et le fils a seize ans; Alexandre II ne peut s'empêcher de comparer la situation d'Ida Ferrier avec celle de Catherine Lebay; alors le sentiment entretenu par sa mère d'une affreuse injustice dont il s'estime victime lui monte au cerveau. Dans une lettre de Dumas à un ami, écrite de Florence, où il se vante que les fêtes de la ville ne l'empêchent nullement de travailler, on lit ce paragraphe mélancolique :

Y a-t-il longtemps que tu n'as vu Alexandre? L'entêtement de ce malheureux enfant est à peu près mon seul chagrin. C'est lui qui m'a à peu près forcé de quitter Paris. Je l'ai autorisé à aller passer ses vacances chez M. Hénon [2], informe-toi s'il est parti... Ma femme t'embrasse [3].

Les années passent, la situation respective du père et du fils s'est aggravée. En 1843, Alexandre II, jeune homme, reçoit d'Alexandre Ier la semonce que voici :

Mon cher ami,

Ta lettre est des plus impertinentes. Je ne fais pas de grands mots avec toi. Je ne fais pas de gentilhommerie avec Mme Dumas. Je ne sais pas qui te donne le fort mauvais conseil de te brouiller avec moi, quand tu sais très bien que cette brouille est le dernier coup auquel je sois accessible.

J'ai cru que je pouvais faire de toi un ami, je me suis trompé. J'ai cru quand j'avais quelque chagrin que je pouvais te les *(sic)* laisser voir, je me suis trompé. J'ai cru qu'au milieu des sacrifices éternels que je m'impose j'aurais quelques moments de joie : ceux que je passerais avec toi, je me suis trompé. N'en parlons plus.

Je suis fâché qu'à dix-neuf ans tu aies trop de confiance en toi

1. *Ibid.*
2. Directeur du pensionnat de la rue de Courcelles.
3. Manuscrits de la Bibliothèque Nationale, n. a. fr. 24.641.

pour ne pas faire quelqu'un juge de ta position et t'en rapporter à cette personne. Cette personne, quelle qu'elle soit, te donnerait tort.

Aller hors de Paris n'est pas se créer un avenir; propose quelque chose qui soit raisonnable et je le ferai.

Merci de la douleur que tu me fais — la douleur retrempe — probablement que mon premier roman en sera meilleur. Je t'aurai dû cela.

P.-S. — Tu aurais pu te dispenser de me faire, la veille de ta lettre, annoncer ta résolution par Mlle Blanche. Ces sortes de filles ne me paraissent pas dignes de ces sortes de secrets.

La brouille entre père et fils devait finir à peu près en même temps que le ménage entre le mari et la femme. Raccommodé avec son fils, Dumas lui a donné beaucoup d'argent, lui a permis de s'enrôler dans la jeunesse dorée, l'a associé à sa brillante existence, et Dumas fils écrivait en 1881 à Blaze de Bury : « Mon père que j'aimais fort, quoi qu'on dise... » Lorsque Alexandre II s'est mis à écrire, Alexandre I, après quelques semaines de mauvaise humeur, lui a fait fête. Il voulut un jour le marier avantageusement : « Il y a une chose dont je suis convaincu, c'est que si tu le veux, tu épouseras d'ici à six mois une jeune fille de dix-huit ans — jolie — avec un million de dot. Si tu juges que cela vaille la peine d'en causer, viens me voir [1]. »

Ida Ferrier et Dumas se sont l'un l'autre abondamment trompés. D'amusantes anecdotes se répètent de biographie en biographie, je n'en ferai pas état, tant elles sont suspectes. L'une d'elles, d'une grossière drôlerie, assimile Ida à une place publique. Disons plutôt boudoir hospitalier et convenons que Roger de Beauvoir n'a été qu'un numéro de série. Dumas de son côté ne s'est refusé ni à Dorval ni à bien d'autres. On lui prête Juliette Drouet. Il a eu Atala Beauchesne, ancienne maîtresse de Frédérick Lemaître, et, après son mariage, Clarisse Miroy, Mlle Parson. Lui-même en oubliait. Le règne d'Ida Ferrier, on le voit, n'a pas été pour Alexandre un temps de restrictions amoureuses et il a eu le monde du théâtre pour harem. Dès le début de sa liaison, il avait noué avec une comédienne peu connue une intrigue curieuse.

Un jour, à table d'hôte, dans un hôtel de Genève, Dumas

---

1. Bibliothèque Nationale, Manuscrits, n. a fr. 24.641.

disait à des voyageurs : « Vous avez eu tort de ne pas être passés par Lyon; il faut voir Lyon : songez donc! Une ville qui noue deux fleuves autour de sa taille [1]!... » Qu'on ne s'étonne pas d'une si délicieuse métaphore, Dumas aurait pu dire pourquoi il était porté à se souvenir de la ville comme d'une femme coquette. Il y avait connu, quitté, retrouvé à maintes reprises une actrice qui jouait les ingénues au théâtre municipal et n'en était pas moins réellement jeune, Mme Hyacinthe Meynier. Sa famille était nombreuse et l'avait pour unique soutien; pourtant, lui disait Dumas : « Tu serais presque ma fille... » L'aventure commença en 1833, une aventure différente de toutes celles auxquelles les femmes l'avaient habitué. Il en reste un paquet de lettres qui ne sont certes pas à négliger [2].

La première phrase de la première lettre pourrait tout résumer :

« Hyacinthe chérie, je n'aurais pas cru qu'on pût faire un homme si heureux en lui refusant tout. »

Pas absolument tout. A en croire cette lettre, la bouche de la jeune femme ne s'était pas montrée impitoyable, et les mains n'avaient pas moins parlé que les yeux. Cependant Alexandre, — qui l'eût cru? — se sentait engagé sur la voie angélique : « Savez-vous, écrit-il, que vous réaliseriez un rêve que j'ai toujours fait, c'est d'avoir un amour en dehors de tous mes autres amours, un amour isolé. Avec de l'absence. Plus de cœur que de sens. Un de ces amours auprès duquel on accourt de loin lorsqu'on éprouve une grande peine ou un grand bonheur. » Avait-il vraiment toujours fait un tel rêve? La fin de la missive nous laisse perplexes : « Si vous saviez quelles angoisses vous m'avez fait [3] ces deux jours. A chaque instant, j'espérais, j'étais fou. Vous ne pouviez pas venir, vous ne le deviez pas... Je ne vous aimerais peut-être plus comme je vous aime. Oh, quel merci! »

Il venait de la quitter, il venait de quitter Lyon et descendait vers la Méditerranée, lorsqu'il lui écrivit une lettre où le langage séraphique faisait place à un langage gaillard et militaire. La jeune femme devait s'amuser de l'alternative,

---

1. John Bunton, *op. cit.*
2. Fonds Lovenjoul, copies provenant d'une acquisition Charavay, janvier 1894. Certaines lettres sont adressées à une intermédiaire qui servait de poste bénévole, Mme Magdeleine Duval, rue Désirée, 21, à Lyon.
3. Que ce genre d'incorrection soit signalé une fois pour toutes, il est assez fréquent dans la correspondance de Dumas.

car l'amoureux la traite de « malicieuse personne », en ajoutant :
« Nous verrons qui se lassera, vous de rire, moi de vous aimer. »
Mais voici des préludes d'assaut :

Savez-vous, chère enfant, que vous êtes admirablement organisée
pour la défense, ce qui ne laisse pas de m'inquiéter beaucoup. Vous
avez de l'esprit et pas d'amour, par où voulez-vous que je vous
attaque? Il faut que je cherche parmi vos amis quelque traître qui
m'indique le côté faible. Si une de vos lettres pouvait commettre
cette trahison, vous me rendriez bien joyeux, mon amour. Du reste,
demain j'aurai une lettre de toi à Valence, et je verrai bien au travers des mots quelle sera la pensée.

Oh! « ce malheureux vous »! Il « cesse d'être français entre
gens qui s'aiment, entends-tu bien, car je veux que tu m'aimes,
que tu me le dises et surtout que tu me le prouves ». Nous
voilà loin des anges. Malheureusement, l'ultimatum réussit
rarement en guerre blanche amoureuse. En tout cas, Dumas
annonçait son retour à Lyon pour dans quatre mois, et comptait y passer et repasser cinq fois, à raison d'un séjour de trois
jours chaque fois : « quinze jours de bonheur ». Suivait une
habile manœuvre de chantage sentimental. Il prétendait qu'il
allait s'en aller « à mille lieues de son pays », qu'une moisson
de souvenirs lui était donc nécessaire pour apaiser « bien des
heures de découragement et de désespoir ». Qui reconnaîtrait
là Dumas?

Plus loin, dans la même lettre : « Tu parlais de venir. »
...Tiens! elle n'avait pas peur. Et déjà il s'imagine lui baisant
les yeux et la bouche pendant toute la longue route... Mais il
n'en sera plus question. A la place, il a repris un vieux thème :
s'étant connus et aimés dans un autre monde, c'est le même
amour qui se continue dans celui-ci. Mais il le renouvelle avec
une habileté assez coquine : dans l'autre monde, croit-il se
rappeler, leur amour « était beaucoup plus avancé » et il leur
« faut bien vite arriver au point où il en était »...

Ainsi lui écrivit-il de Vienne, de Valence, d'Orange, et dans
chaque ville il trouvait à la poste restante quelques lignes de
la « méchante et malicieuse enfant », qui le laissait répéter
cent fois : « Je t'aime », sans lui répondre une seule fois « Je
vous aime », et qui certainement, lorsqu'il viendrait la serrer
dans ses bras, lui ferait une belle révérence en lui disant : « Je
vous admire. » Scène qu'ils avaient dû jouer ensemble souvent,

bien qu'il frissonnât par tout le corps lorsqu'il la touchait. En attendant, « Vous êtes une coquette », lui écrit-il, et il la menace : « Prenez garde. Vous riez et vous jouez avec la passion, vous vous brûlerez au cœur, et je serai vengé alors. Seulement je tuerai celui qui m'aura rendu ce service. » Est-ce sérieux? On le voit revenir si vite et si aisément à la douce idylle!

... Oublieuse, qui a laissé ses fleurs sur ma cheminée. J'en ai emporté une et laissé l'autre. J'ai pensé que peut-être vous enverriez Madeleine [1] dans ma chambre et qu'elle la prendrait. Si j'avais pu emporter ainsi la moitié de vous! Savez-vous du reste que j'aurais été bien embarrassé du choix, Dieu me l'octroyant. J'aime encore mieux laisser tout et le reprendre à mon retour. Oui, n'est-ce pas? A mon retour, ignoré pour tous, vous seule le saurez. Vous viendrez me voir. Je passerai des heures près de vous, sans que personne m'empêche de poser ma tête sur votre épaule, de baiser vos lèvres, de me brûler aux rayons de vos yeux. Je vous aimerai à mains jointes, ne craignez rien.

A la bonne heure! Ces deux dernières phrases définissent nettement un programme, le programme imposé et maintenu par la volonté féminine, malgré les intentions mâles, en dépit des « je vous aime comme un fou », des « je vous embrasse à vous étouffer ».

Il n'est pas impossible que le « je vous admire » de la comédienne, tout sincère qu'il fût, sous-entendît quelque intérêt de situation, et, dans ce cas, n'était-il pas naturel que Dumas, auteur illustre, se prêtât à l'encourager? Il ne pouvait pas ne pas lui dire, mais il lui dit sincèrement (la pointe qui achève le paragraphe nous en est garante) :

Tenez-moi au courant de l'époque où vous jouerez *Henri III*. Je ferai tout ce que je pourrai pour être à Lyon. Car ce n'est pas le tout que vous soyez jolie, que vous soyez gracieuse, que vous ayez de l'esprit et du talent, il faut que vous puissiez venir à Paris. Ce n'est point assez d'un horizon, il vous faut un avenir et je vous donne ma parole d'honneur d'homme qui vous juge comme s'il ne vous aimait pas, que cet avenir est dans votre cœur. Aimez et osez. Il va sans dire que c'est moi que vous aimerez...

1. Magdeleine Duval. Cf. la note 2 de la page 197.

La formule de la fin est à ne point perdre :

Adieu, je t'aime, mon ange, et je baise ton front et tes genoux; tu vois que je saute par-dessus tout ce qui n'est pas à moi.

Très importante et très intéressante est une lettre dont la date exacte nous échappe, mais qu'importe! On y trouve définies pour les beaux yeux de Mme Meynier (au fait, nous ne savons absolument rien de son physique) les positions respectives d'Ida Ferrier et de Dumas, c'est-à-dire un état de déception et de dégoût propre à provoquer des consolations si la jeune Hyacinthe ne s'était pas barricadée dans sa prudente cruauté. Une telle lettre ne nous apprend rien, mais elle nous confirme tout de la charlatanerie d'amour dont Ida Ferrier avait leurré son illustre amant. Elle éclaire aussi chez Alexandre Dumas une constante de son âme, une malchance de sa destinée.

Je ne vous remercie pas de votre lettre, Hyacinthe. Je l'attendais cependant, avec bien de l'impatience, puisque, tout souffrant que je me trouvais hier, j'ai fait cinq lieues pour l'avoir douze heures plus tôt. Je vous ai mal comprise, c'est possible. Mais vous aussi, vous m'avez mal compris, Madame. Ce que vous voulez bien appeler la gloire n'a toujours été pour moi qu'un moyen d'arriver au bonheur. Or, mon bonheur à moi, c'est dans l'amour que je l'ai constamment cherché et malheureusement sans l'y trouver jamais. Ai-je besoin de vous dire que les occasions de renouveler et de varier cette recherche ne m'ont point manqué depuis l'âge de 25 ans auquel j'ai donné *Henri III* jusqu'à l'âge de 30 ans auquel je suis arrivé.

Le dernier amour que j'ai éprouvé ou, pour parler plus justement, la dernière liaison que j'ai formée et dont vous connaissez l'objet, puisque son nom a été prononcé par vous dans notre dernière conversation, m'a donné un instant l'espoir d'avoir trouvé la réunion de la beauté physique et de l'abandon du cœur. Mais bientôt je me suis aperçu que son amour, aussi étendu que son organisation permettait qu'il le fût, était loin cependant de répondre à la force du mien. Trop fier pour donner plus qu'on ne me rendait, j'ai renfermé cette surabondance de passion dans mon âme, j'ai rêvé un voyage, j'ai intéressé un gouvernement et une vingtaine d'hommes d'État dans une entreprise qu'ils ont cru m'être inspirée par une pensée profondément artistique et nationale et qui n'était rien autre chose que l'irruption d'un cœur trop plein. Si j'avais été roi, j'aurais fait une guerre, conquis un peuple peut-être. Et tout cela parce que la poitrine de ma maîtresse était trop étroite pour renfermer un cœur.

Qu'est-ce que cette entreprise nationale et artistique soutenue par un gouvernement, agréée par une vingtaine d'hommes d'État? Eh bien, le grand projet exista. Dumas en faisait étalage le 4 août 1834 chez la duchesse d'Abrantès. Il préparait un voyage de quinze mois, « pour se mettre en mesure d'écrire l'histoire militaire, religieuse, philosophique, morale, et poétique de tous les peuples qui se sont succédé sur les bords de la Méditerranée; il devait joindre à ces récits la description des principaux lieux baignés par cette mer, depuis la Palestine jusqu'aux colonnes d'Hercule, et enrichir sa description de cent vues et de cinquante vignettes que M. Taylor s'était chargé d'exécuter ». Il prévoyait une dépense de 50.000 francs, cinq jeunes enquêteurs, un brick mis à sa disposition par le gouvernement, etc. [1]. Pas la moindre réalisation, on ne s'en étonnera pas. Parodions une phrase de Dumas : la vie était trop modeste pour contenir les trésors dont une telle imagination tentait de la combler.

Avec tout cela, la lettre signifiait une rupture. Après avoir rappelé à Hyacinthe Meynier qu'un hasard la lui a fait rencontrer, qu'elle s'est attachée à lui sans connaître l'état de son cœur et qu'en approchant sans savoir la flamme de la poudrière elle a provoqué une explosion, il poursuit sa lettre dans un style qui, lui fait-il remarquer, ressemble peu à celui des lettres précédentes :

Maintenant, Madame, ce qui n'a été de votre part qu'une imprudence serait désormais un crime. Je ne suis pas, comme vous paraissez le croire, de la nature des dieux. L'encens qu'on brûle à mes pieds porte à mon cœur et non à ma tête. J'ai plus d'amour que de vanité et je ne puis comme un marbre antique voir s'agenouiller devant moi une femme sans la prendre dans mes bras et sans la presser contre mon cœur.

Mais voilà, comme Daphné, Madame, que vous invoquez Dieu contre moi et que Dieu vous change en laurier. Moins orgueilleux qu'Apollon, je ne me ferai pas une couronne de vos branches. Mais aussi ne m'exposez jamais à sentir battre un cœur sous l'écorce dont vous vous enveloppez.

Tout est donc fini. Ce serait jouer inhumainement avec moi que d'exiger que je vous revoie jamais. Vous avez le droit de prendre mon amour et de le mettre sous vos pieds puisque j'ai été assez

1. *Mémoires du général baron Thiébault*, publiés par Fernand Calmettes, Paris, 1894.

imprudent pour ne pas le retenir à deux mains dans ma poitrine.
Faites.

Adieu, Hyacinthe, encore une fois j'aurai été déçu dans mes
espérances, il n'y a que l'ambition qui me réussit et vous serez de
celles qui m'aurez fait le cœur assez sec pour qu'elle puisse l'habiter.

Que j'aie un dernier mot de vous en m'embarquant à Marseille,
voilà tout ce que je vous demande désormais.

Votre frère [1].

Fausse rupture. Dumas ne rompit pas plus qu'il ne s'embarqua à Marseille. On sait qu'il se contenta de parcourir le
Midi de la France, remettant à l'année suivante les embarque-
ments méditerranéens. Et dès sa remontée vers Paris, la correspondance a repris, sous quelle impulsion? La suite laissera
deviner que la jeune Lyonnaise y a mis du sien, mais son cor-
respondant ne demandant pas mieux. Le 17 novembre, elle est
redevenue « le bel ange » et elle lui rouvre « les portes de la
jeunesse ». Nous apprenons et notons avec soin que des amis
l'ont desservie... Ou peut-être ont-ils voulu servir Dumas? Ils
ont perdu leur temps. « Vous me jurerez, n'est-ce pas, que ce
qu'on m'a dit n'est pas vrai : vous êtes une charmante enfant
sans feinte ni tromperie, vous ne pourriez être ainsi avec moi
et en aimer un autre... Ce serait à faire douter de la pureté des
anges et de la sainteté de Dieu... » Naïveté ridicule, ou astu-
cieuse amorce sous un langage de roman-feuilleton? Un mois
plus tard : « Vous êtes une bonne, chère et loyale enfant que
j'aime de toute mon âme et à qui j'ai bien besoin de le dire. »
Et puis, brusquement, le 2 janvier 1835, changement à vue [2].

Dumas s'est décidé, retrempé par Paris, à faire la coquette,
il s'est tu, il a eu l'air d'oublier; ou bien, tout simplement, il
a eu trop à faire. Résultat : une lettre de Lyon pleine d'amour...
Il répond avec une joie de victoire : « Ah! froide vestale qui
pensiez attiser éternellement le feu et ne vous y brûler jamais,
vous m'aimez et vous me le dites dans chaque ligne, dans
chaque mot, dans chaque lettre. Merci, merci. » Du coup, c'est
de trois ans qu'il s'est rajeuni, et d'ailleurs un réel rajeunissement lui fait dire de fraîches et ravissantes choses. Mais qui
sait s'il n'est pas tombé dans un piège? La suite de la lettre

---

1. Cette lettre a déjà été publiée par Ch. Glinel, dans la *Revue hebdomadaire* du 12 juillet 1902.
2. A partir de ce moment, les lettres sont datées par la plume de Dumas
ou par le timbre de la poste.

trahit une inquiétude. Nous découvrons que Mme Meynier a déclaré au grand homme qu'elle remettait son avenir entre ses mains : il n'avait qu'à désigner celle des trois villes, Saint-Pétersbourg, Bruxelles ou Lyon dans laquelle le plus de chances pouvait attendre une comédienne, et elle irait s'y établir avec sa famille. Comme il est amusant de voir Dumas se débattre sous cette responsabilité inattendue et d'un coup de reins la rejeter! S'il arrivait malheur à la pauvre enfant ou à l'un des siens dans la ville désignée? Si ce malheur paraissait alors avoir été improbable dans une autre ville? et comment oublier qu'il ne pourrait pas être partout où elle serait? ou qu'il n'y serait que par la partie la plus pure de son cœur? Bien entendu, dès qu'elle appellerait à l'aide, il accourrait... « Voilà ce que je vous dis comme père... Et puis j'ajoute comme amant : Lyon est sur ma route et j'y passerai quatre fois cette année. » Bref, le statu-quo... C'est délicieux.

« Comme amant » est façon de parler; Dumas n'avait rien vu changer aux conditions de l'amour lyonnais, puisqu'il écrivait, le 10 janvier :

Sais-tu que ta dernière lettre est très compromettante et qu'avec elle, pour peu que je sois fat, je pourrais faire croire que tu m'as cédé. Je m'empresse donc de t'envoyer un certificat de vertu et de pureté. L'ange s'est défendu comme un vrai démon, l'ange est encore mon amante et n'est point encore ma maîtresse, et il peut me regarder en face sans rougir et sans se voiler de ses ailes.

Le « démon » lui avait-il donc administré une définitive douche froide? Dumas se replie si nettement sur les découragements de carrière, sur la noirceur de la société littéraire et sur le « travail infernal », il exprime égoïstement une si vive satisfaction d'entendre sa protégée décider de demeurer fixée à Lyon, qu'on parierait pour un prochain renoncement. Il n'a jamais travaillé davantage, il n'a jamais préparé de meilleur cœur un voyage. S'il peut avouer : « Je n'ai même plus de gros orages dans ma vie; non, c'est tout bonnement du mauvais temps, une misérable petite pluie qui refroidit sans rafraîchir; c'est la fin du printemps, que veux-tu? » il y a là de quoi penser qu'il va se résigner à un été médiocre avec ses tracas de carrière et de ménage, sans consolations lyonnaises très positives.

... Povero que je suis!... *Je t'aime* ne t'arrive que par le facteur, tout glacé de la route... Mon cœur t'a quittée si vivant et voilà que je le sens de nouveau qui s'ossifie, et j'ai peur que tu ne le retrouves tout couvert d'une croûte de pierre, comme les pauvres fleurs qu'on met dans ces fontaines d'Auvergne qui ont la faculté de conserver, il est vrai, mais qui ne conservent qu'en pétrifiant... Maintenant, je n'ai plus même de fleurs pour toi, mon pauvre ange, pour toi à qui j'aurais voulu garder les plus belles et les plus parfumées, et encore ai-je grand peur de flétrir les tiennes en soufflant dessus.

Quelle mélancolie! quelle impression de dénouement, de terme, de clôture!

Un mois s'est écoulé entre ce message de fatigue et les dernières nouvelles envoyées à la « chère ange aimée » *(sic)*. Un long mois, janvier a trente et un jours. Mais, écrivait-il le 10 février, « j'arrive d'un voyage ». Lequel donc? « Un voyage, toujours pour les maudites affaires! » Combien maudites! Elles faisaient croire qu'il avait pu la savoir malade et ne point lui écrire tout aussitôt!

Pauvre chérie, toi souffrante, toi dans le délire, et moi n'étant pas là pour tenir ta pauvre tête perdue et pour absorber en moi toutes les paroles indiscrètes que tu laissais échapper. Oh! tu m'aimes bien, véritablement et de cœur, toi. Et je ne puis être près de toi, te serrer éternellement dans mes bras. La vie est ainsi faite, que veux-tu?

Je ne sais quand je te verrai, mon ange, et voilà ce qui me damne. Tout est horriblement long à terminer dans ce maudit Paris. Puis-je commencer à croire que le malheur me vient? Tout ce qui jusqu'à présent me tournait à bien, commence à tourner à mal. Ma dernière ressource sera de tout quitter quand je serai las de tout, et de me réfugier où tu seras.

Tu ne me dis rien de tes affaires et cependant elles me tourmentent beaucoup. Que vas-tu faire? Que vas-tu devenir? As-tu des nouvelles de Rouen? Restes-tu à Lyon? Aurai-je eu sur ta vie la mauvaise influence qui commence à se répandre sur la mienne? Tu me parles de tes lettres tristes, bon Dieu! Pauvre enfant, si je trempais ma plume dans mon cœur, je t'en écrirais bien d'autres.

Je croyais te voir du 15 au 18, et voilà que je ne sais plus maintenant quand je pourrai partir : je t'enverrai pour te distraire ou pour t'ennuyer deux volumes que j'ai été obligé de faire depuis mon retour.

Pardon, mon ange, mais voilà qu'on me dérange. Je t'écrirai cette nuit. Je t'embrasse mille et mille fois. A cette nuit. A toi.

La lettre de la nuit, nous ne la possédons pas. A-t-elle été écrite? Nous n'avons plus aucune autre lettre à Mme Meynier.

Ces dernières pensées parties de Paris pour Lyon serrent un peu le cœur, pour peu qu'on se soit attaché, même mollement, à ce papillon provincial attiré par un globe éclatant de la capitale et qui, brûlé ou non, a été déçu. On pense aux espoirs de la pauvre petite, à ses charges (« ta famille est nombreuse, mon ange et, tu me l'as dit, tu es son seul soutien, car Dieu n'a pas voulu qu'il te manquât une vertu »), on imagine une destinée si fragile! L' « ange » ou le « démon » venait d'être malade jusqu'au délire, et elle attendait une lettre et la lettre, quand elle est enfin arrivée, imposait logiquement cette conclusion qu'elle n'osait point exprimer : « Mieux vaut nous séparer, et d'ailleurs nous ne sommes point unis. » Les lignes où l'illustre amoureux parlait de tout quitter et d'aller s'enterrer avec sa jeune amie n'importe où dans le monde ne contiennent pas le moindre grain de sincérité. Dumas aura-t-il repensé à la femme-enfant encombrante, lorsqu'il fut rentré de son voyage de deux années en Provence, en Italie, en Sicile? Ne se sera-t-il pas laissé accaparer momentanément par une maîtresse plus commode? N'aura-t-il pas glissé à l'oubli de la difficile idylle emportée par le tourbillon du travail, des entreprises, de la réputation, des plaisirs?

Mais c'est peut-être se tromper, et d'autres lettres un jour pourraient démentir celles-là.

Mme Meynier, cédée par Lyon à Paris, s'est produite au Théâtre de la Gaîté en 1836, en 1837, et *le Monde dramatique* a loué son jeu touchant et pathétique dans des drames d'Ancelot, d'Alboize et de Paul Foucher. Un soir, elle reçut d'un inconnu une bouteille de vitriol qui la brûla à un pied. C'était en 1836. L'année suivante, en janvier, un accident technique la fit tomber et se blesser légèrement. Elle put remonter sur la scène le 15 février, dans un drame de Fournier et Arnould, au milieu des cris de joie de tous ses camarades, et le public, à la fin de la représentation, la rappela [1]. Ce fut son dernier soir parisien, après lequel il est probable qu'elle regagna Lyon.

Au cours de ces dix ou douze mois de Paris, si Dumas l'a revue, aucune trace n'est restée de leurs rencontres; il semble plutôt qu'aucun des deux n'a cherché à revoir l'autre. De toute façon, la vie de Dumas ne laissera plus apparaître désormais, sous le nom de Mme Meynier, qu'une femme auteur de

1. Ch. Glinel, « Notes sur Dumas », *Revue hebdomadaire* des 12 et 19 juillet 1902.

Marseille. Elle aura écrit une comédie, *Valentin et Valentine*, que Dumas retouchera, qu'il ne consentira point à signer avec elle, bien qu'elle doive le lui demander avec cris et injures, et qu'elle fera représenter finalement sous le pseudonyme de Max de Bourdon en 1868 [1]. Il est peu croyable que la petite Lyonnaise vieillie soit devenue femme de lettres à Marseille... Paix aux dames Meynier!

Mais, au fait, dans la carrière amoureuse d'un homme qui, après tout, n'a pu se vanter que de conquêtes aussi faciles que nombreuses, n'a-t-elle pas été, cette histoire touchante et pitoyable, un assez cuisant échec? On en connaît un autre, infligé par une comédienne, déjà illustre, celle-là, puisque c'est Rachel. Un échec en cinq-sec. Les lettres qui en font foi, publiées et commentées par M. Victor Degrange [2], proviennent de la bibliothèque des tzars de Tsarskoïe-Selo, vendue à Lucerne en 1932. Elles nous mènent jusqu'en 1843, au mois de juin.

Rachel avait vingt-deux ans. Une de ses tournées l'avait arrêtée à Marseille, où son amant d'alors, le comte Waleski, l'accompagnait. Dumas, de retour d'Italie, voyant le vieil ami Méry en leur compagnie, les aborda avec aisance, offrit à tous trois un dîner au bord de la mer, s'enflamma pour la Belle Majesté, comme il l'appelait, regagna Paris très épris. Il semble d'ailleurs que l'enchanteresse lui ait accordé quelques serrements de mains et qu'elle se soit un peu appuyée contre lui, le soir du Prado. Elle avait ramassé sur la plage un petit morceau de marbre et le lui avait donné « en souvenir de notre douce soirée ». Était-ce suffisant comme premier pas?

Dumas osa écrire une lettre extrêmement lourde et maladroite, il faut en convenir, une lettre fade et honteuse à la fois. En outre, il s'humiliait dans une clandestinité d'avance et platement acceptée :

... On ne se trompe pas à un mot, à une ligne. Je suis trop loin pour que vous me disiez un mot, vous pouvez craindre de m'écrire cette ligne : je vous en prie, écrivez-moi une lettre bien indifférente, d'un seul paragraphe. Chargez-moi de vous envoyer un volume, une brochure, une chose quelle qu'elle soit enfin, et je saurai que cette bienheureuse commission muette pour tous, expressive pour moi seul, voudra me dire d'espérer.

1. Ch. Glinel.
2. *Bulletin de Bibliophilie*, septembre et décembre 1932, janvier 1933.

Point de réponse. Une seconde lettre insista, qui n'était plus attaque banale, mais aveu d'émotion sincère. Des phrases pouvaient toucher, venues d'un écrivain glorieux : « Du jour où je vous ai vue, où je vous ai parlé, tout a été fait... J'ai couru au théâtre, je vous ai revue et je suis parti fou... Si vous saviez comme vous êtes belle, comme vous avez, jusque dans l'intimité, ces grandes qualités théâtrales qui vous font si magnifique sur la scène... Je vous dis de loin que je vous aime, de près je n'oserai peut-être pas vous le répéter. » Des fleurs fanées pâlissaient dans la lettre. Seulement n'était-ce pas très grosse et choquante habileté d'insinuer qu'une rivale avait tenté de le retenir à Gênes?

Cette fois Rachel répondit et si fermement, si hautainement, que Waleski a dû collaborer à cette lettre splendide du 16 juillet 1843 :

Monsieur,

J'avais espéré que mon silence suffirait pour vous prouver que vous m'aviez mal jugée; il en est autrement, je suis donc forcée de vous prier de cesser une correspondance dont je suis et dois être justement blessée. Vous me dites, Monsieur, que vous n'oseriez pas me répéter de près ce que vous m'écrivez; je n'ai qu'un regret, c'est celui de ne pas vous inspirer de loin autant de déférence que de près.

J'ai accepté avec empressement l'offre que vous m'avez faite de m'écrire, je vous l'avouerai naïvement, je me trouvais flattée de recevoir des lettres de M. Alexandre Dumas, mais rien, rien au monde, ni dans votre conduite ni dans vos paroles ne pouvait me faire conjecturer la nature de lettres que vous vouliez m'écrire : M. Méry aussi a bien voulu me promettre de m'adresser quelques lignes, je me suis empressée, comme vous, Monsieur, de l'encourager à tenir cette promesse et je n'ai pas à regretter à son endroit ce que j'ai fait.

Je vous ai dit que je conserverai longtemps le souvenir du dîner que vous avez donné au Prado; en effet, Monsieur, une petite réunion au bord de la mer, la présence de deux grands poètes que je pouvais croire mes amis, une soirée charmante et tout cela auprès de la personne qui possède toutes mes affections, n'était-ce pas plus qu'il n'en fallait pour laisser un souvenir, mais jamais je n'aurais pu imaginer que ce que j'ai dit à cette occasion fût de nature à recevoir une interprétation si loin de ma pensée. Je savais qu'avec les sots il faut peser ses moindres paroles, j'ignorais qu'il y eût des hommes d'esprit avec lesquels les mêmes précautions fussent nécessaires.

P.-S. — La fausse interprétation que vous avez donnée à mes paroles m'oblige à ajouter encore que si je vous ai dit de m'adresser vos lettres au théâtre je n'avais qu'un motif *unique*, l'incertitude de l'hôtel que j'habiterais pendant mon séjour à Lyon, au surplus j'ai fait la même recommandation à toutes les personnes à qui j'ai donné mon adresse à cette époque.

La manière dont vous avez souligné le mot théâtre m'a prouvé que cette explication était nécessaire.

Dumas, d'ordinaire courtois et laudateur de la courtoisie, ne put se sentir ainsi cinglé sans riposter d'un coup de lanière qu'on n'attendait pas de lui :

Madame,

Puisque vous le voulez absolument, restons-en où nous en sommes, ce sera toujours une partie du chemin de fait pour l'avenir.

Votre admirateur et surtout votre ami.

Rachel, en renvoyant à Dumas ses trois lettres, y joignit quelques mots qui tous portent. On remarquera ceux qui veulent écarter l'idée d'une présence que précisément ils révèlent.

Monsieur,

Je vous renvoie les deux lignes que vous n'avez pas craint de m'adresser; quand une femme est décidée à n'invoquer le secours de personne, elle n'a pas d'autre moyen de répondre à une offense; et si je me suis trompée sur votre intention, si vous avez laissé tomber par mégarde de votre plume ces deux lignes au milieu de vos innombrables occupations, vous serez charmé de les ravoir.

Même si cet épisode peu reluisant pour notre héros pouvait s'intituler « la Coquette punie », le plus puni des deux fut bien celui qu'on pense, et un titre s'impose : « les Amours faciles sont une mauvaise école. » Dumas fit une dernière réplique, adressée à Waleski, reconnaissant sans rancune apparente qu'il s'était vu repoussé du siège d'une ville dont le comte était gouverneur. Il demanda à rester un ami autant qu'un admirateur : grâces qu'on accueillit froidement. Mais il pouvait avoir la rancune tenace de l'éléphant. Quand l'actrice italienne Adélaïde Ristori viendra se produire à Paris, il organisera son los dans *le Mousquetaire* en l'opposant cruellement à Rachel, dont il précipitera ainsi le discrédit.

Et Madame tenait toujours. Comment ne pas suivre avec
quelque ironique pitié Alexandre Dumas rejoignant le foyer
où elle l'attendait? Foyer dédoublé; foyer français et foyer
italien. Le ménage, en effet, vécut beaucoup à Florence, où
Madame prit l'habitude de demeurer, même lorsque son mari
regagnait Paris pour les affaires. Elle lui mandait un jour
qu'on allait jouer *Ruy Blas* en société à Florence et de lui
apporter les costumes en revenant; une lettre existe de Dumas
à Hugo lui demandant s'il a encore les costumes qu'avait dessinés Boulanger [1]. Ida Ferrier, à partir d'avril 1845, n'a plus
guère bougé que pour aller mourir à Pise en mars 1859. Elle
avait à Florence pour passeport une lettre de son mari à l'ambassadeur de France, ainsi conçue :

> Cher ambassadeur,
>
> Voici Madame Dumas qui vous est fidèle comme votre éternel
> printemps et qui retourne demander à Florence une hospitalité
> qu'elle lui a déjà si gracieusement offerte. Soyez bon pour elle à ce
> voyage comme vous l'avez été aux autres, et un beau jour j'irai
> moi-même vous remercier et vous serrer la main.
> Tous les respects du cœur.

Ce fut peut-être là une des dernières galanteries de Dumas à
sa femme, car une année n'avait pas coulé qu'ils se séparaient
de corps, puis de biens. Il eut à lui assurer une pension de
six mille francs, un million et demi de notre monnaie.

Si l'on y réfléchit, Alexandre Dumas dans son intérieur,
vis-à-vis de son travail de plus en plus exigeant, comme il
pouvait se sentir seul! Encore séparé de son fils, étouffé d'amis,
tous caparaçonnés dans leur tâche, occupé de maîtresses, et
même marié à l'une d'elles, mais parmi ces femmes n'en trouvant aucune vraiment capable de le satisfaire et de le maintenir à son meilleur niveau, il n'a eu auprès de lui personne
pour le consoler de la mort de sa mère.

C'est une attaque d'apoplexie foudroyante qui eut raison
d'elle, le 1er août 1836. Ce jour-là a été celui du plus grand
chagrin de Dumas, quoi qu'il ait dit, car enfin à la mort de
son père il n'était qu'un garçonnet. Et le remords aggrava sa
peine, comme il arrive toujours; car sa mère, il se souvenait de

1. La librairie Loliée a possédé cette lettre autographe, jointe avec
d'autres documents à des œuvres illustrées d'Hugo éditées par Hetzel.

l'avoir torturée d'inquiétude, sans le vouloir, mais aussi sans trop s'en vouloir; depuis leur installation à Paris, il lui avait accordé d'autant moins de présence qu'il ne pouvait guère lui faire partager ses ambitions ni même les lui faire bien comprendre. Elle habitait depuis quelque temps l'assez lointain faubourg du Roule, seule avec une bonne. De telles mères sont déjà de pauvres mortes, eût dit Baudelaire, et elles ont sans doute de grandes douleurs.

Au-dessous d'un croquis de Mme Dumas sur son lit funèbre par Amaury Duval, le fils inscrivit ces vers :

> Oh! mon Dieu...
> Vous m'avez entendu pendant son agonie
> Prier à vos genoux, le cœur ardent de foi.
>
> . . . .
>
> Je demandais, mon Dieu, que, moins vite ravie,
> Vous retardiez l'instant de mon dernier adieu;
> Pour racheter ses jours je vous offrais ma vie,
> Vous n'avez pas voulu, soyez béni, mon Dieu!

La veille, dans une heure brûlante de piété filiale, possédé du besoin d'une consolation, il avait poussé un cri dans la direction de l'homme qui de tous ses amis a peut-être été le plus sincère, et il n'en a pas eu de plus loyal : le jeune duc d'Orléans. Il lui avait écrit pour lui dire : « Au chevet de ma mère mourante, je prie Dieu de vous conserver votre père et votre mère... » Une heure passa. Puis quelqu'un demanda le fils prostré, c'était un valet de chambre du prince envoyé aux nouvelles. En hésitant, il se laissa arracher l'aveu que son maître l'attendait en bas dans sa voiture, après être allé rue de Rivoli et avoir monté les quatre étages de la maison, parce qu'il croyait que la mère habitait avec son fils. Dumas descendit, trouva la portière de la voiture ouverte et, tandis que le duc d'Orléans s'excusait de son prétendu retard, il se pencha sur ses genoux et pleura, non sans voir par le carreau de l'autre portière briller les étoiles du ciel[1].

C'est aussi en ces sombres circonstances que Victor Hugo, malgré le refroidissement de leur amitié, écrivit à Dumas qui l'avait invité aux obsèques[2] :

---

1. Dumas, *Les Morts vont vite*, Paris, 1861.
2. Le corps de Mme Dumas fut transporté à Villers-Cotterêts.

J'aurais voulu une moins triste occasion de vous serrer la main. Vous verrez bien demain au premier regard que vous arrêterez sur le mien, que vous avez eu tort de douter jamais de moi.

Je serai demain chez vous à l'heure.

Vous avez bien fait de compter sur moi. C'est un retour de noble confiance digne de vous et digne de moi. Votre ami, Victor.

La mort de sa mère ranima dans la mémoire de Dumas un ancien projet. Mis en relations avec ses compatriotes haïtiens par on ne sait quelle souscription qu'ils avaient lancée et pour laquelle ils l'avaient sollicité, il leur adressa le 5 août la curieuse proposition d'une autre souscription à laquelle ils n'avaient certainement pas pensé : une souscription à un franc, ouverte aux seuls hommes de couleur du monde entier, afin d'élever une statue au général Dumas.

A cette souscription, leur écrivait-il, ne pourront se joindre, pour les sommes qui leur conviendront, que le roi de France et les princes français, ainsi que le gouvernement d'Haïti, et si, comme il y a tout lieu de le croire, la somme, au lieu de se monter à 25.000 francs [1], se monte à 40.000, on fondrait une seconde statue pour une des places de Port-au-Prince; et alors j'irais la conduire et l'y ériger moi-même sur un vaisseau que le gouvernement français me donnerait pour l'y transporter.

Je ne sais, Messieurs, si la douleur récente que j'éprouve et qui éveille cette vieille et éternelle douleur de la mort de mon père, ne me rend pas indiscret et ne grandit pas à mes propres yeux les mérites de celui que Joubert appelait la terreur de la cavalerie autrichienne, et Bonaparte l'Horatius Coclès du Tyrol; mais il me semble, en tout cas, qu'il serait bon que les Haïtiens apprissent à la vieille Europe, si fière de son antiquité et de sa civilisation, qu'ils n'ont cessé d'être Français qu'après avoir fourni leur contingent de gloire à la France.

L'idée de mobiliser à son profit les vaisseaux du gouvernement est ancienne, on le voit, chez Dumas; elle devait lui revenir un jour à l'esprit, ce n'était que partie remise. Les Haïtiens d'ailleurs restèrent sourds, et il n'y eut ni seconde ni même première statue dressée au nom du génie noir universel.

1. Prix prévu de la statue.

XII

LES VOYAGES

Pour distraire sa douleur après la mort de sa mère comme
pour mettre de l'espace entre sa personne et la police
royale, mais aussi tout d'abord dès 1832 par goût et par plaisir
Dumas a jalonné ses années 1832-1836 de voyages : en Suisse,
dans le Midi de la France, en Italie, sur les bords du Rhin.

Il ne fut pas un voyageur banal, il avait sa manière à lui. Ni
la piquante fantaisie sentimentale de Sterne, ni la sensibilité
littéraire de Xavier de Maistre, ni la sensibilité artiste de
Gautier, ni la puissance descriptive de Hugo n'étaient dans
ses cordes. Il obéissait à une curiosité d'homme de théâtre.
Évidemment, il a pris des vues de villes et de sites. Mais il se
montre surtout sensible au mouvement et à la vie, aux passions, aux instincts, bref au jeu des hommes, auquel il adjoint
celui des animaux : les choses mêmes ne restent pas pour lui
d'immobiles décors. Est-ce que le monde n'a pas été pour
Alexandre Dumas un immense plateau de théâtre?

Les pays traversés lui servaient de prétextes à des évocations d'histoire faites dans un mouvement de roman : par
exemple, Christine et Monaldeschi à Fontainebleau, dans le
Midi de la France. Il se servait de guides locaux, on le devine,
d'histoires régionales. Quand il a voulu parler de Marseille, il
a abondamment utilisé une *Histoire de Provence* de Louis Méry
toute une chronique du xvie siècle n'a-t-elle pas passé de ce
précieux livre dans celui de Dumas qui n'a pas pu lui résister
car elle est pittoresque à souhait.

Ce voyageur toujours éveillé, toujours offert et dont la puissante bonhomie semblait attirer les ragoûtantes surprises, n'a
jamais manqué l'occasion de raconter une histoire drama-

tique, tel le crime obscur d'un médecin de bourg nivernais, ni de saisir l'imprévu, comme à Sauvigny, dans la belle église romano-gothique, où l'orgue et une voix solitaire faisaient retentir le *Stabat mater* de Pergolèse à travers la solitude et l'ombre de minuit.

Donc, l'indispensable seulement, en fait de description; mais de bonnes histoires et des contes saisissants, de la tragédie et de la comédie, de l'esprit, du bavardage savoureux. Avec tout cela, une sorte de chance, à moins que ce ne soit une habile rouerie, pour rendre compte sans le chercher du climat d'une contrée, de l'atmosphère d'une ville, de l'ambiance d'un milieu. Miguel de Unamuno écrivait à Barrès : « Dans les livres de Dumas ou de Gautier sur l'Espagne, remplis de méprises, de fantaisies, de petites erreurs, il y a plus de vérité que dans n'importe quel gros in-folio doctoral d'un Wolff quelconque [1]. »

Prenez les *Impressions de voyage en Suisse.* Tout ce qu'il faut avoir vu s'y trouve, les salines de Bex aussi bien que le Righi, l'île Saint-Pierre comme le Saint-Bernard, et visités plutôt que décrits, géants avec qui l'on est étonné de causer. En outre, les souvenirs historiques devenus de merveilleuses aventures vivifient le spectacle : vulgarisation, c'est entendu, dont le « Guillaume Tell » restera le modèle, mais qui arrive à créer des présences. Encore est-ce autrement que le plus authentique Dumas se révèle. Une anecdote montrera comme il était à tu et à toi avec ce qu'il parcourait et voyait, tout prêt à nous y inviter comme chez lui, à nous le faire partager. Les Suisses avaient marqué de deux piliers distants de vingt à vingt-cinq pas l'emplacement supposé des deux arbres qui assignèrent à Guillaume Tell et à son fils leurs positions respectives dans l'héroïque épisode de l'arc et de la pomme.

— Avec une arme à feu, assura Dumas à ses guides, il n'est pas difficile d'abattre une pomme à cette distance.

Un des guides l'ayant mis au défi, Dumas, qui portait toujours une carabine en bandoulière, tira de sa poche une pièce de cent sous :

— Si je n'attrape pas cette pièce deux fois sur quatre, dit-il, je me défais de ma carabine.

Il toucha la pièce deux fois de suite, à l'émerveillement des témoins, et, preuve qu'il attachait quelque importance à cet

---

exploit, il tint à se faire délivrer un certificat par le syndic des guides montagnards [1].

Lorsqu'un chamois dans la montagne remplaçait la pièce de cent sous, le narrateur comme le chasseur faisait belle journée; et quand un ours blessé à mort avait tué avant de mourir son vainqueur et lui avait dévoré une partie de la tête, ce drame affreux résumait si bien les jeux dangereux mais exaltants de la montagne qu'il le mettait en scène avec entrain et que, risquant le mauvais goût, il inventait allégrement les beefsteaks d'ours, quitte à se faire maudire par les hôteliers du lieu, car durant des années ils ne reçurent plus un voyageur sans le voir chercher dans le menu ce mets sensationnel, illustre et imaginaire.

Et l'on arrive ainsi à ce qui fait l'intérêt capital des récits de voyages d'Alexandre Dumas, c'est-à-dire à des histoires qui n'ont plus grand-chose à voir avec la Suisse, à d'autres encore qui auraient pu se passer n'importe où. Alors, où en est le voyage? demandera-t-on. Sont-ce récits *de* voyages que nous sert l'auteur, ou récits *en* voyage? Récits de voyages malgré tout, puisque les spectacles naturels, les scènes de mœurs, les étrangetés rencontrées séparent largement les histoires les unes des autres, et qu'enfin on se sent toujours en vacances. Mais récits en voyage assurément, puisque le voyageur s'arrête et dévide un conte. Si l'on pense à une sorte de grande table d'hôte où tout le monde écouterait le conteur, convenons que le conteur est incomparable, nullement commis voyageur, mais écrivain sans peur et sans reproche.

D'autant moins commis voyageur que son humeur contenue est plus souvent tragique que comique. Ce voyage en Suisse aligne beaucoup de morts : le jeune homme mort par timidité, les amants morts de honte et de désespoir au fond de leur adultère démoniaque, l'homme frappé par la foudre des sommets et dont le compagnon survivant ne parvient point de toute une nuit à fermer les yeux, la victime d'un duel extraordinaire de bravoure, de défi, de haine et d'implacabilité. Les mânes de Dumas demandent certainement que nous nous arrêtions à cet épisode du duel.

Dans une hôtellerie suisse de tourisme, à table d'hôte, un commis voyageur français agaçait Dumas par son esprit assez

1. John Brunton, *op. cit.*

vulgairement gai, tout en montrant qu'il avait du cœur, et ce contraste vivant fournit à l'épisode une de ses plus vives épices. Un baronnet anglais avait affiché aux dépens de ses voisins de table ce sans-gêne auquel les Britanniques de cette époque se reconnaissaient dans les hôtels comme dans les wagons, et le jeune Français qui aurait pu s'appeler Gaudissart mais qui s'appelait Alcide Jollivet, lui fit sentir sa goujaterie avec une si insolente et d'ailleurs épaisse ironie qu'une rencontre fut décidée pour le lendemain. Il importe de savoir que jamais Jollivet n'avait tenu pistolet ou épée. Le sort désigna le pistolet; or, l'Anglais était un tireur redoutable. Et cependant le Français imposa des conditions qui frappèrent de terreur les témoins.

— Je veux, exigea-t-il, que nous marchions l'un sur l'autre, un pistolet dans chaque main et que nous tirions deux balles à volonté.

Une île de la rivière ayant été choisie pour la rencontre, Dumas, un des témoins de son compatriote, alla chercher les armes dans la barque qui avait amené les six hommes. Il commençait à les charger quand Jollivet le prit par le bras et lui dit : « Laissez cette besogne à mon autre témoin, j'ai deux mots à vous communiquer. » Tous deux s'écartèrent un moment. « Je n'ai personne au monde, dit Jollivet, et si je suis tué, personne ne me pleurera si ce n'est une pauvre fille qui m'aime de tout son cœur. — Lui avez-vous écrit? — Oui, voilà une lettre. » Les autres attendaient... « Du sang-froid! recommanda Dumas au jeune homme. — Soyez tranquille. »

Les témoins frappèrent trois fois dans leurs mains et, au troisième coup, les adversaires se mirent en marche. Deux hommes pleins de vie qui s'avancent l'un vers l'autre pour se donner la mort, c'est pour les spectateurs une sensation poignante. Ici, impossible de ne pas citer Dumas :

Pour moi, mes yeux s'étaient fixés comme par enchantement sur ce jeune homme dans lequel, la veille au soir, je ne voyais encore qu'un farceur d'assez mauvais goût et auquel à cette heure je m'intéressais comme à un ami. Il avait rejeté ses cheveux en arrière, sa figure avait perdu toute expression de plaisanterie triviale qui lui était habituelle; ses yeux noirs, dont seulement alors je remarquai la beauté, étaient hardiment fixés sur son adversaire, et les lèvres entrouvertes faisaient voir des dents violemment serrées. Sa démarche avait perdu son allure vulgaire, il marchait droit, la tête haute, et le danger lui donnait une poésie que je n'avais pas même soupçonnée en lui... Cependant la distance disparaissait entre eux; tous deux marchaient d'un pas mesuré et égal, ils n'étaient plus qu'à vingt pas l'un de l'autre. L'Anglais tira sa première balle. Quelque chose comme un nuage passa sur le front de son adversaire, mais il continua d'avancer. A quinze pas, l'Anglais tira sa seconde balle et attendit. Alcide fit un mouvement comme s'il chancelait, mais il avança toujours. A mesure qu'il s'approchait, sa figure pâlissante prenait une expression terrible. Enfin il s'arrêta à une toise à peu près, mais ne se croyant pas assez près, il fit encore un pas, et puis un pas encore. Ce spectacle était impossible à supporter.

— Alcide, lui criai-je, est-ce que vous allez assassiner cet homme? tirez en l'air, mordieu! tirez en l'air!

— Cela vous est bien aisé à conseiller, dit le commis-voyageur en ouvrant sa redingote et en montrant sa poitrine ensanglantée, vous n'avez pas deux balles dans le ventre, vous.

A ces mots, il étendit le bras et brûla à bout portant la cervelle de l'Anglais.

— C'est égal, dit-il alors, en s'asseyant sur une pierre, je crois que mon compte est bon; mais au moins, j'ai tué un de ces brigands qui ont fait mourir mon empereur.

Voilà le duel du Français et de l'Anglais, dont le Français d'ailleurs réchappa. Est-ce qu'un conte de cette qualité, histoire exacte ou arrangée, mais filée en conte littéraire, ne pourrait point passer pour être de Mérimée? Sa terrible sobriété ne manque pas de grandeur.

En Suisse, Dumas s'est vu face à face, ne fût-ce que pendant quelques heures, mais de façon inoubliable, avec de hautes figures qui entraient déjà dans l'histoire.

Chateaubriand, exilé volontaire après la Révolution de juillet, s'était fixé à Lucerne, hôtel de l'Aigle, bien nommé pour la circonstance. Dumas ne le connaissait pas personnellement; à Paris, il n'aurait pas osé se présenter à lui (il n'avait pas la moitié de son âge). Mais hors de France, le trouvant ainsi solitaire, il osa solliciter d'être reçu en compatriote. Le garçon de l'hôtel répondit à sa curiosité : « M. de Chateaubriand vient de sortir pour donner à manger à ses poules. » Dumas le fit répéter, croyant avoir mal entendu. Le garçon répéta. Étonné, un peu inquiet, le voyageur laissa son nom en réclamant la faveur d'être reçu le lendemain. Le lendemain, on lui remit une lettre envoyée de la veille au soir. C'était une invitation à déjeuner... Ému, le cœur battant, mais vite mis à l'aise, il put jouir d'une belle et large conversation qui prit, à son étonnement, des couleurs de républicanisme social. Le déjeuner fini, on alla voir le lion de Lucerne, devant lequel se tint une conversation de même goût, mais qui cette fois opposa les deux hommes. Chateaubriand la conclut en disant : « Maintenant, allons donner à manger à nos poules... »

Oh! il n'était pas devenu fermier. Tout simplement Dumas le vit égrener du pain sur un bras du lac, du haut d'un pont couvert; les poules étaient des poules d'eau... Mélancolique, silencieux, Chateaubriand soupirait. Pourquoi donc, s'il regrettait Paris, n'y pas revenir? Mais il expliqua qu'il ne voulait pas voir un roi lié par la charte et donnant des poignées de main à des chiffonniers. « C'est triste à en mourir », dit-il. L'élection? soit! pour retremper la royauté à sa source... Mais alors il fallait élire Henri V et ne pas faire sauter un chaînon... Il déclara donc qu'il ne retournerait en France que pour défendre la duchesse de Berry, si elle se laissait prendre en Vendée. « Sinon? demanda le visiteur. — Sinon, poursuivit Chateaubriand en émiettant un second pain, je continuerai à donner à manger à mes poules. »

La reine Hortense s'était retirée, après 1815, au château d'Arenenberg. Elle s'appelait alors la duchesse de Saint-Leu. Dumas avait entendu parler d'elle comme d'une bonne fée, il lui avait voué un culte. Ayant laissé de grand matin sa carte chez la lectrice et reçu dans l'après-midi une invitation à dîner, il se rendit au château et rencontra dans le parc la duchesse accompagnée de deux femmes et d'un jeune homme, qu'elle quitta pour venir à lui et pour lui dire comme elle le remerciait de n'être point passé près d'une pauvre proscrite sans lui rendre visite... On entra, elle fit voir des souvenirs, des talismans, des trésors. Puis, ce fut le dîner. Après quoi l'on passa au salon et bientôt, Mme Récamier étant annoncée, le jeune Dumas fut aux anges! Enfin on pria Mme de Saint-Leu de se mettre au piano. Elle chanta alors diverses romances dont elle avait récemment composé la musique...

— Si j'osais vous demander une chose? dit Dumas enhardi. — Eh bien, que me demandez-vous? — Une de vos anciennes romances. — Laquelle? Celle-ci : *Vous me quittez pour marcher à la gloire.* — Mon Dieu! fit-elle.

Elle ne se la rappelait plus. Mais lui, il avait entendu sa

sœur aînée la chanter, car les romances de la reine Hortense
étaient célèbres. Il s'en souvenait, il se leva, récita les vers :

> Vous me quittez...
> Mon triste cœur suivra partout vos pas...

et alla jusqu'au bout des strophes. La reine passa la main sur
ses yeux pour essuyer une larme. Cette romance, sa mère,
l'impératrice Joséphine, l'avait entendue la veille du départ
de l'empereur pour Wagram, alors que déjà les bruits de divorce
commençaient à se répandre. Joséphine avait pleuré... « Mille
pardons! s'excusa Dumas, comment n'ai-je pas deviné cela?
Je ne demande plus rien. — Si fait, dit la reine, en se remettant au piano. Tant d'autres malheurs sont venus passer sur
celui-là que c'est un de ceux sur lesquels j'arrête ma mémoire
avec le plus de douceur; car ma mère, quoique séparée de
l'empereur, en fut toujours aimée... » Elle laissa courir ses
doigts sur les touches, un prélude plaintif se fit entendre, puis
elle chanta avec toute son âme, comme elle avait dû chanter
devant l'empereur. « Je doute, écrit Dumas, que jamais homme
ait ressenti ce que j'éprouvai dans cette soirée. »

Et il resta trois jours l'hôte de la reine Hortense. Le dernier
jour, dans le parc, il se vante d'avoir fait un vrai cours d'histoire sur Napoléon libérateur des peuples d'Europe, parce qu'il
y a jeté le blé des révolutions et préparé ainsi les moissons
républicaines...

— Mais, demanda la reine, si un membre de la famille voulait le ramener à la gloire et au pouvoir?

— Alors, Madame, je lui dirais d'obtenir la radiation de son
exil, d'acheter une terre en France, de se servir de l'immense
popularité de son nom pour se faire élire député, de tâcher par
son talent de disposer de la majorité de la Chambre et de s'en
servir pour déposer Louis-Philippe et se faire élire roi à sa
place...

Déposer Louis-Philippe, pourquoi pas? Mais Dumas aurait
certainement souhaité qu'on lui épargnât l'exil. Il aimait
entretenir le culte de grands sacrifiés. Le révolutionnaire de
1830, en passant à Reichenau, n'éprouva-t-il pas le besoin
d'aller faire ses dévotions dans une chambre du collège où
jadis l'ancien duc de Chartres était venu gagner sa vie?

Dumas en voyage écrivait chaque soir ses notes quotidiennes, et généralement dans une baignoire. Voyageant en diligence, mais marchant beaucoup à pied, il goûtait le délassement du bain dans les auberges, qui, à l'époque, n'offraient cette douceur qu'en Suisse. Il ne s'aperçut jamais que les indigènes « eussent la moindre velléité de prendre leur part à cette jouissance »; mais lui, il se plaisait à faire de la baignoire son cabinet de travail, se demandant si le bien-être qu'il y trouvait ne teintait pas ce qu'il écrivait de bienveillance pour les hommes et d'admiration pour les choses... Et qu'on y songe : les bains pouvaient être de lait, le bain d'eau coûtait cinq francs et le bain de lait dix francs, l'un et l'autre chauffés devant certains des plus beaux paysages du monde. A tout compter, il est évident que les hôteliers mettaient le paysage à plus cher que le lait!

Ses voyages en France, Dumas les a faits dans le même esprit que celui de Suisse : il en a rassemblé les images dans de *Nouvelles impressions*. Ils étaient partis le 15 octobre 1834, lui et le paysagiste Godefroy Jadin. Un autre peintre, le « raphaélique » Amaury Duval, comme il l'appelle, devait les rejoindre en Italie, où d'ailleurs ils n'allèrent point, du moins cette fois. Les deux acolytes se contentèrent du Midi français, visitant Arles, Beaucaire, Nîmes, Aigues-Mortes, Marseille, Avignon, ne brûlant point les grands chemins dans leur chaise de poste, ne s'enterrant point non plus dans les bibliothèques, mais allant « partout où un point de vue pittoresque, un souvenir historique ou une tradition populaire » les appelait. Ajoutons : partout où il y avait un drame à étreindre, une drôlerie à capter. Toujours le voyage de découverte et d'aventure.

Avouons-le, Dumas a exagéré la dose de passé historique ou légendaire. La vallée inférieure du Rhône nous fait refaire la campagne d'Annibal, la Crau et la Camargue nous traînent sur les traces des Saintes-Maries, le Grau du Roi nous embarque avec saint Louis; y avait-il pour cela besoin de Dumas? En revanche, il nous fait un cadeau de prix chaque fois qu'il enveloppe une évocation d'histoire peu connue dans la surprise d'une aventure personnelle. L'assassinat du maréchal Brune à Avignon n'est certainement pas présent dans ses détails à beaucoup d'esprits et la lutte d'une voiture contre le mistral sur les routes n'est pas forcément quelque chose d'original. En embrevant les deux thèmes, Dumas a écrit une page insigne.

Accablé de vent, de nuit et de froid, le voiturier de Dumas et

de Jadin se trompe, il passe devant Avignon sans reconnaître
une ville. Quand il s'aperçoit de son erreur, les voyageurs se
disent que certainement les portes sont fermées : à quoi bon
revenir? Mais une nuit de glace en chaise de poste manque de
confort, et voilà les gendarmes! Jadin va montrer son passeport, quand Dumas, toujours intuitif, fait la bête, feint une
gêne inquiète, objecte l'obscurité. Ce qu'il a prévu arrive; les
gendarmes emmènent le trio : ils peuvent se faire ouvrir les
portes de la ville, eux! si bien qu'en route les deux compères
ont tremblé de se voir relâchés. Une fois dans les murs, ce
n'est plus qu'un jeu; reconnus en règle par le poste, ils décident
d'aller coucher à l'auberge du Palais-Royal, où Dumas demande
pour lui la chambre 3... Pourquoi le 3?

— Je suis le filleul du maréchal Brune.

Le maréchal était mort dans cette chambre. Dumas regarda
le trou d'une balle entre le lit et la cheminée, à trois pieds et
demi de haut, seule trace du meurtre. « Il me serait impossible,
a-t-il noté, d'exprimer l'effet que produisit sur moi ce vestige
de mort. » Il allait cependant finir par s'endormir après trois
heures du matin, quand l'idée lui vint qu'il était peut-être
couché dans celui des deux lits sur lequel jadis on avait déposé
le cadavre. Cheveux dressés, front en sueur, il entendait les
battements de son cœur. Fantômes, rumeurs... Quand il se
réveilla le lendemain, il lui semblait sortir d'un cauchemar,
remonter de la mort... Présenté dans un tel cadre, baignant
dans ce sang remué, comment l'assassinat historique, minutieusement raconté, ne prendrait-il pas toute sa force d'horreur
et d'ignominie?

Voilà les deux amis à Nîmes. Pense-t-on que Dumas aura
vu comme tout le monde les arènes? Non, il passa plusieurs
heures d'une nuit en tête à tête avec elles, ce qui lui fournit
de la vérité poétique pour tout un chapitre. Dans le jour (autre
belle occasion pour le narrateur), il les contempla en proie à
une ferrade... Ici intervint un troisième personnage, Mylord,
le chien de Jadin. Il bondit dans l'arène, accrocha de ses dents
de fer les naseaux d'un taureau et souleva l'admiration de
trente mille spectateurs!

Pourquoi Dumas ne tient-il pas rang d'honneur au Féli-
brige? Il avait conquis les titres nécessaires dans sa longue
histoire de la tarasque et dans son portrait voluptueux des
Arlésiennes. Peut-être les félibres ont-ils estimé trop mélan-

colique un portrait qui attire l'attention sur « ce teint blanc et rose qu'ont les fleurs qui bordent les fleuves ou qui poussent dans les marais ». Et quant à la ville d'Arles, ne la réveillez pas de sa poussière romaine! supplie-t-il. « Arles est une tombe, mais la tombe d'un peuple et d'une civilisation, une tombe pareille à celle de ces guerriers barbares avec lesquels on enterrait leur or, leurs armes et leurs dieux... »

Une autre page est à tirer de pair. Dumas inventeur, précurseur, y tue la description proprement dite, y annonce l'impressionnisme littéraire de la fin de son siècle :

Je l'avoue, les meilleurs et les plus doux souvenirs de ma vie sont ceux de ces courses faites en Suisse, en Allemagne, en France, en Corse, en Italie, en Sicile et en Calabre, soit de moitié avec un ami, soit seul avec ma pensée. Les objets qui sous votre regard n'ont souvent pris qu'une couleur vulgaire, prennent du moment qu'on les revoit avec le souvenir, une teinte poétique dont vous n'auriez jamais cru que la mémoire pût les revêtir... Ce trajet de Saint-Gilles à Nîmes (fait à pied en compagnie de Jadin) n'offre rien de remarquable, et cependant je m'en souviens avec grand plaisir, non que j'aie conservé mémoire des accidents de terrain, mais ce que je me rappelle, c'est un magnifique jour de l'automne méridional, le son des cloches traversant un air limpide et facile à respirer, enfin un air de fête répandu dans la campagne et qui lui venait de groupes de paysans qui se rendaient à Nîmes, endimanchés dès le samedi pour la ferrade du lendemain...

C'est l'impressionnisme du souvenir. Ne dirait-on pas du Fromentin?

Quelle variété, décidément, quelle récréation de lecture! A côté de grandes contemplations attristées, comme celles des Baux et de la Crau, il y a les parties de plaisir, la chasse aux macreuses sur l'étang de Berre et la pêche à Marseille, la pêche-chasse aux lanternes, ou plutôt au harpon et au feu de sapin dans un réchaud de fer. Qu'on n'oublie pas les bouffonneries, mais tirées du réel, dont la meilleure est la découverte d'une ville, la ville de Bouc, surgie du désert de la Crau, en miraculeux décor à cette auberge perdue, où Dumas et Jadin demandèrent et obtinrent une bouteille de vin de Cahors...

Il était deux heures de l'après-midi, le coche s'arrêta, ils descendirent. « Pourquoi nous dépose-t-on là? — Vous êtes arrivés à la ville de Bouc... » Rien autour d'eux, sinon trois mai-

sons, deux fermées et une ouverte. S'avançant, ils trouvèrent
un aubergiste... qui jouait tout seul au billard. Il demanda
une heure pour préparer le dîner. « Mais en attendant? — Vous
pouvez visiter la ville. — Quelle ville? — La ville de Bouc. »

Dumas sort. Il a beau regarder, il ne voit que Jadin lisant
un papier imprimé et collé à un mur.

— Il faut, lui dit Dumas, que Bouc soit quelque ville sou-
terraine comme Herculanum, ou cachée dans la cendre comme
Pompéi. En effet, pas le moindre vestige. — Eh bien, je l'ai
découverte, moi, dit Jadin. La voilà. Et il montre du doigt
l'imprimé. Dumas s'approche et lit :

Napoléon, par la grâce de Dieu empereur des Français, roi d'Italie, etc.

Avons ordonné et ordonnons ce qui suit :

Il sera élevé une ville et creusé un port entre la ville d'Arles et le
village de Martigues. Cette ville et le port s'appelleront la ville et le
port de Bouc.

Notre ministre des Travaux publics est chargé de l'exécution de
la présente ordonnance.

Donné en notre château des Tuileries, le 24 juillet 1811.

Signé : NAPOLÉON.

Au-dessous de l'ordonnance, le plan... Hélas! la campagne
de Russie avait pris trop d'hommes, les ingénieurs furent rappelés. Ils n'avaient eu le temps que de creuser un canal, de
tracer un plan, et de laisser bâtir trois maisons sur lesquelles
il y en eut deux à ne jamais trouver de locataires.

« J'eus un instant de terreur, a confessé Dumas, l'idée
m'était venue que le dîner pourrait bien être aussi fantastique
que la ville. » Il s'assura que la broche tournait et que les casseroles étaient sur les fourneaux. Comme apéritif, l'hôte les
invita à faire un tour dans la ville... « Je vous rejoins en face
du théâtre... » En effet, à quelques pas de l'auberge, une perche
hissait un écriteau : « Théâtre de Sa Majesté l'impératrice
Marie-Louise. » L'aubergiste arrivait; il s'improvisa cicerone,
montra les abattoirs, le Jardin des Plantes, les fontaines, tous
les monuments de cette cité qui n'avait qu'un défaut : n'être
jamais née...

De l'Italie, Dumas a pris une vue générale en 1835 et 1836,
puis il est retourné faire en 1840, 1841, 1842 — en attendant

mieux! — des séjours prolongés à Florence et à Rome. Il avait en 1834 dépensé pour son voyage six mille francs, il en dépensa dix-huit mille cette fois. N'était-il pas parti avec Ida Ferrier?

L'Italie lui a inspiré quatre livres, *Une Année à Florence*, *la Villa Palmieri*, *le Corricolo*, *le Speronare*, qui font partie des *Impressions de voyage*. Ils auraient pu, groupés, s'intituler *Rome, Naples et Florence*, avec d'autant plus d'aise que Dumas a su dénicher dans les chroniques italiennes telle histoire, celle de Bianca Capello, qui lui faisait dire fort justement : « Il y a plus d'un roman moins étrange et moins curieux. » Étonnante histoire, en effet, d'amour, d'ambition, de suspicion et d'empoisonnement, histoire d'énergie criminelle... Pendez-vous, stendhaliens!

Dumas a habité Florence. Il vivait en 1840 *via* Arondinelli, avec Ida Ferrier, dans une maison prêtée par son ami Cooper, attaché à l'ambassade anglaise. En écrivant à une amie de venir les rejoindre, il a été amené à parler de leur installation. Il payait un loyer de 200 francs par mois pour un appartement avec chambre à coucher, boudoir, petit salon, salle de bains et cabinet de toilette, comptait 500 francs pour la table (« Nous avons un excellent cuisinier »), 260 francs pour une voiture louée de huit heures du matin à minuit, 300 francs pour les dépenses de fantaisie. Soit 1.260 francs par mois, plus de 300.000 de nos jours.

Il y a vraiment eu un Dumas florentin. Il avait des lettres de recommandation pour la meilleure société. Le prince Corcini l'invita à venir voir du balcon de son casino la course des Barberi et, du salon de son palais, l'illumination sur l'Arno. D'autre part, il fréquentait chez l'ex-roi Jérôme. Une lettre écrite à Florence le 25 juin 1840 lui fait honneur. Il l'adressait à un ministre français qui doit être Thiers :

Monsieur le Ministre,

Vous m'avez permis de vous écrire et j'en profite.

J'ai vu hier le prince de Montfort [1] et j'ai longuement parlé de vous avec lui.

---

1. Le titre exact pris par Jérôme Bonaparte pour venir en France était *comte de Montfort*. Il y vint en 1845, mais se lia avec les républicains et Guizot le pria de repartir. Il y revint en 1847.

Savez-vous ce que regrette ce pauvre roi sans royaume et ce pauvre exilé sans patrie, c'est encore moins la Westphalie ou la France que l'absence de son nom sur l'Arc de triomphe.

Il serait beau à vous, Monsieur, qui comprenez si bien ce qui est grand, de donner à ce pauvre proscrit la seule consolation qu'il peut maintenant attendre! D'ailleurs, rappelez-vous qu'outre ses droits, puisqu'il a commandé en chef cinq ou six armées, c'est le dernier frère de Bonaparte qui soit resté fidèle à Napoléon. C'est bien un titre au moment où les ossements de Sainte-Hélène vont rentrer en France.

Il m'a dit cela hier, sans savoir que je vous écris aujourd'hui. Vous restez donc entièrement libre du parti qu'il vous plaira d'adopter.

Seulement, je vous prierai, si vous lui accordez cette grâce, que ce soit moi qui la lui annonce.

Adieu, Monsieur, continuez à faire de grandes, de belles et bonnes choses, et tâchez au mois de septembre ou d'octobre de vous souvenir de moi pour m'envoyer, si cela est possible, en Égypte.

Tous les respects du cœur [1].

Dumas vécut réellement de la vie de Florence, tout en travaillant intensément. L'été, il passait les fins d'après-midi aux Cascines sous les ombrages impénétrables au soleil; là, il regardait passer les calèches; le soir, il faisait alterner les fêtes données par la comtesse Nencini avec les réjouissances populaires. L'hiver venu, c'était la promenade quotidienne le long de l'Arno, parmi Français, Anglais et Russes. Il allait au théâtre. A la « Pergola » (ces Bouffes de Florence), qui n'avait sa loge? Mais le vrai spectacle était dans la salle, pavoisée de toilettes. Dumas, comme tout le monde, braquait sa lorgnette sur les loges l'une après l'autre, sans souci de la scène, sauf s'il y avait ballet. En d'autres théâtres, il entendait du Mozart, du Rossini, du Meyerbeer.

Il était si bien de Florence qu'il lui arrivait de s'y conduire en gamin. L'acteur Doligny survenu à la tête d'une troupe française se proposait de présenter au public florentin *Richard Delington, Antony, la Tour de Nesles*. Le malheureux avait oublié que l'auteur de ces drames était tenu par toute l'Europe officielle, grâce au *Constitutionnel*, comme un auteur immoral. Comment faire? Ils ne virent qu'un moyen : changer les titres des drames et les noms du dramaturge. Un imprimeur y consentit, ce qui donna sur les affiches : *l'Ambition ou le Fils du*

1. Bibliothèque Nationale, Manuscrits, n. a. fr. 24.641.

bourreau, par M. Scribe; l'*Assassin par amour,* par Eugène
Scribe; l'*Adultère puni,* par M. Eug. Scribe... Dans ces conditions, la censure accorda le visa qu'elle avait d'abord refusé.
Le soir, toute la ville savait. On se réjouit à l'idée d'entendre
de l'Alexandre Dumas sous le pseudonyme d'Eugène Scribe,
et jamais n'avait éclaté pareil succès [1].

Et, avec tout cela, à Florence, comme aussi bien à Rome et
à Naples, un beau matin il quittait famille, amis, travail, et
disparaissait. Une quinzaine, un mois, six semaines après, on
le voyait reparaître souriant, épanoui.

— D'où venez-vous?

— De Paris.

— Qu'avez-vous été faire à Paris?

— Causer.

Il se contentait quelquefois d'un saut jusqu'à Marseille,
pour retrouver Joseph Autran, connu déjà comme poète et
qui préparait sa tragédie, *la Fille d'Eschyle.*

Dumas regardait attentivement autour de lui, toujours à
l'affût de quelque chose d'exceptionnel et de piquant à écrire.
Lorsqu'il tenait enfin son motif, c'était en général une trouvaille de mœurs... Qu'est-ce que « l'absence de mari »? C'est,
l'anneau de Gygès à son doigt, le mari partout et nulle part.
Jamais dans la voiture ni dans la loge, mais toujours dans une
autre voiture et dans une autre loge. On rencontre une femme
de la société trois fois par jour pendant six mois, on la croit
veuve : on apprend par un mot de la conversation qu'il n'en
est rien. On cherche l'époux, on le réclame, on s'entête à le
voir. Peine perdue. On devra quitter Florence sans avoir fait
sa connaissance... Du reste, cela changeait déjà avec les jeunes
générations.

Autre bizarrerie : le cavalier servant... Dans les mariages
de convenance, qui sont les plus fréquents, il arrive au bout
d'un temps plus ou moins long tel moment soit de lassitude
soit d'ennui où le besoin d'un tiers se fait sentir. Maussaderie,
bouderies, récriminations... Les époux vont se détester? Non
pas, grâce à l'ami qui se présente alors et à qui la femme narre
ses chagrins, le mari ses agacements. Tous deux se soulagent
de la part qu'ils lui font porter. Au fond, quel grief dressait le
mari contre sa femme? L'obligation contractée tacitement de

---

1. Dumas, *Souvenirs.*

l'amener partout avec lui. En quoi la femme renâclait-elle à la société dans laquelle son mari la conduisait? En ce qu'elle se voyait forcée d'y aller avec lui... L'ami, en se sacrifiant pour le mari et pour la femme, ramène chez l'un comme chez l'autre les sourires. Bien entendu, on ne le réduit pas à ce rôle, car alors la combinaison ne tiendrait pas : il y a de vieux droits dont le mari ne se soucie plus, et qu'il se laisse enlever un à un. L'ami les prend sans se trouver enchaîné. Ainsi le ménage s'est plié tout doucement à la forme d'un triangle équilatéral, pour la satisfaction de chacun... Est-il besoin d'avertir que depuis longtemps plus rien de ces arrangements n'existe?

Dumas jouissait abondamment de cette Capoue, en 1842, quand le deuil le plus imprévu vint l'en tirer. Un jour de juillet, il roulait vers Quarto, maison de campagne du prince Jérôme, où il était attendu pour dîner. Les deux fils de l'ex-roi, qui guettaient sa venue sur le perron, lui tendirent les mains, tristes de le voir arriver si gai...

— Vous ne connaissez pas une terrible nouvelle?... Vous venez de perdre une des personnes que vous aimiez le plus au monde.

Ce ne pouvait être que son fils ou le duc d'Orléans. Pour son fils, on l'aurait prévenu.

— M. le duc d'Orléans?

— Il s'est tué en tombant de voiture, le soir du 13 à quatre heures et demie.

13 juillet! Ce jour-là, entre deux et trois heures, Dumas écrivait à la reine Marie-Amélie pour solliciter d'elle une recommandation. La flotte du prince de Joinville et de l'amiral Duperré, en passant au large de l'île d'Elbe, avait entraîné les filets de pauvres pêcheurs, leur fortune; Dumas avait appris l'accident au cours d'une excursion en barque avec le prince Napoléon[1]. La lettre n'était pas partie, il l'adressa au duc d'Aumale, avec ces quatre lignes pour la reine : « Pleurez, pleurez, Madame, toute la France pleure avec vous. Pour moi, j'ai éprouvé deux grandes douleurs dans ma vie : l'une le jour où j'ai perdu ma mère, l'autre le jour où vous avez perdu votre fils.»

Bien entendu, il s'était jeté dans les bras de Jérôme, et il prétend lui avoir dit : « Monseigneur, permettez-moi de pleurer un Bourbon dans les bras d'un Bonaparte! »

1. Dumas, *Causeries*, 1ʳᵉ série, Paris, 1860.

A la duchesse d'Orléans, il envoya une prière pour son fils : « O mon Père qui êtes aux cieux, faites-moi tel que vous étiez sur la terre, et je ne demande pas autre chose à Dieu pour ma gloire à moi et pour le bonheur de la France [1]. » Il porta ces quatre messages à l'ambassade [2]. Puis il entreprit de faire quatre cents lieues pour assister aux obsèques de celui dont il disait : « Quel miracle il avait fait! Il nous avait réconciliés avec la royauté [3]... » Dumas voyagea de jour et de nuit.

En chemin, il dut se remémorer tout ce qui l'attachait à ce jeune prince prématurément emporté. Il l'avait vu adolescent et venant lui demander dans la Bibliothèque du Palais-Royal d'obtenir de son père qu'il le laissât assister avec ses frères à la première de *Christine* [4]. Ensuite l'affection était née entre eux d'une bonne action faite en commun. Les parents ne voyaient pas d'un très bon œil leur sympathie, a prétendu plusieurs fois l'ancien employé du duc d'Orléans. Pourtant le futur Louis-Philippe ne lui demanda-t-il pas un jour de faire comprendre à son ami, de huit ans plus jeune que lui, qu'il devrait veiller à être plus sage et à ne pas ruiner sa santé? Et Dumas écrivit à celui qui n'était encore que le duc de Chartres pour lui conseiller un régime... A quelque temps de là, Dumas étant malade, son médecin, qui était celui du prince, l'engageait à partir pour l'Italie.

— Partir? Je pars pour assister à une répétition. L'argent manque!

Rapport du médecin à Ferdinand-Philippe, lettre de Ferdinand-Philippe : flatté que l'écrivain se fût occupé naguère de sa santé, il pensait que c'était chacun son tour; Dumas devait faire sa valise sans délai pour l'Italie. Et le duc joignait à sa lettre le passeport qui faisait défaut, c'est-à-dire dix billets de mille francs. Renvoi du passeport. Alors, une voiture armoriée était venue chercher Dumas. Scène du jeune homme, qui feignit de confondre ordonnance avec ordre : « Je croyais que nous étions amis; sans quoi, vous aurais-je autorisé à me donner un ordre? » Les billets étaient sur le bureau. Dumas en prit trois : « Je pars demain [5]. »

---

1. Ch. Glinel, *A. Dumas.*
2. Dumas, *Les Morts vont vite.*
3. *Ibid.*
4. Dumas. *Deux Causeries*, Lille, 1866.
5. Henry Lecomte, *A. Dumas, sa vie intime, son œuvre*, Paris, 1903.

Il lui devait sa croix refusée par Louis-Philippe. Il lui devait le bronze de Barye que le duc et sa femme lui avaient offert le soir de *Caligula*. Il lui devait des souvenirs. Quand Ferdinand-Philippe avait dû se marier, il avait invité Dumas au camp de Compiègne. L'écrivain, invoquant son travail, obtint de ne pas loger au château, mais aux environs, à Sainte-Corneille, chez la veuve d'un garde. Il allait au château deux fois par semaine. Autorisé à se promener dans la forêt voisine avec son fusil et son chien, il était aussi invité à des chasses dans la forêt de Compiègne. L'une d'elles avait comporté un dîner sur l'herbe, « un vrai dîner sur l'herbe, où chacun se mettait à son aise, mangeait à sa faim, buvait à sa convenance, mettait enfin la main au plat lorsque cela lui convenait et sans l'assistance du majordome ou des laquais ».

— Monsieur Dumas, avait dit le prince en lui faisant passer un faisan, découpez donc cet animal.

— Monseigneur, quand il y a un chirurgien à table, il passe écuyer-tranchant de droit. Pasquier va se charger de l'opération.

Ferdinand-Philippe regardait faire avec mélancolie...

— A quoi je pense! Je pense que Pasquier m'arrangera un jour comme il arrange ce faisan.

Il avait toujours eu le pressentiment de sa mort. Pasquier, en effet, devait faire son autopsie.

A Paris, Dumas allait trouver la moitié de la serviette sur laquelle le malheureux était mort, tachée de sang [1]. Il y arriva le 3 août, entre trois et quatre heures du matin, et put assister à la cérémonie de Notre-Dame. Ensuite, il se rendit en poste, avec quelques personnages, à Dreux, où devait avoir lieu l'inhumation. A l'église, il vit le roi pleurer à sanglots et mordre son mouchoir.

« Il y avait juste quatre ans, remarque Ch. Glinel, jour pour jour, heure pour heure, que Dumas avait mené le deuil de sa mère. »

Quiconque suivra Alexandre Dumas à Rome et à Naples ne s'ennuiera pas plus qu'à Florence. Il serait curieux d'opposer les deux villes sous les figures respectives de saint Janvier, dont l'écrivain évoque le miracle à l'aide d'anecdotes très drôles mais assez impies, et du pape Grégoire XVI, à qui, ayant

---

1. *Les Morts vont vite.*

obtenu une audience, il s'efforça de faire croire qu'avec *Caligula* son œuvre deviendrait une chaire d'où pourrait descendre la parole de Dieu...

— Faites, mon fils.

— Et si j'ai le sort de vos missionnaires?

— Il est du devoir de l'Église, répondit en riant Sa Sainteté, de prier pour tous ses martyrs.

N'empêche que, malgré cette audience, de même qu'il avait été chassé de Gênes par le roi de Sardaigne, et obligé d'aborder par mer à Naples sous le nom de Guichard qui n'a d'ailleurs pas trompé un seul moment la police, des sbires pontificaux le rejoignirent à Civita-Castellana et lui firent passer la frontière de la Toscane; il avait été dénoncé comme auteur subversif et agent révolutionnaire, la dénonciation venait de Paris.

Deux carabiniers l'accompagnèrent donc jusqu'à Péronne; mais là, quelques bouteilles les disposèrent en sa faveur et un excellent repas à l'Hôtel de la Poste le mirent au mieux avec eux. L'hôtelier parla d'une soirée au théâtre.

— Eh, il y a ces deux-là?

L'hôtelier :

— C'est donc la première fois que Son Excellence est arrêtée depuis qu'elle voyage en Italie?

C'était la troisième; mais aux deux premières, on l'avait relâché immédiatement.

— Votre Excellence est certainement toute disposée à donner à son escorte une bonne main convenable?

— Deux ou trois écus romains.

— Oh! alors, elle peut aller où elle voudra. Elle paie comme un cardinal!

Et Dumas alla au théâtre, escorté avec respect. D'ailleurs, le surlendemain, à Florence, Sa Sainteté lui faisait exprimer ses regrets et l'invitait même à nouveau dans ses États.

On voit que, revenu de baiser la mule du pape, Dumas prenait des bains de lait, et il nous en fait prendre. Finalement, il n'apparaît pas le moins singulier des originaux dont les *Impressions de voyage* ont fait collection. Elles en présentent de fameux pourtant, ne serait-ce que le bandit visité à la citadelle de Civitta-Vecchia : ce Gasparone qui avait tué de sa main neuf cent soixante-dix personnes : il devait mourir avec le pieux regret de n'avoir pas atteint le nombre mille, comme il en avait fait le vœu à saint Antoine, et il redoutait d'être

damné pour cet échec... Ne serait-ce encore que le délicieux
enfant rencontré dans la campagne par Dumas et Jadin à
l'occasion d'un accident arrivé à leur voiture, vêtu de haillons
pour que ses sœurs eussent des jupes brodées et des corsages
à galons d'or. Ils lui demandèrent en italien une auberge, en
lui offrant une pièce de six carlins pour sa peine. « Je ne suis
pas un mendiant, répondit-il avec une hauteur incroyable. —
Comment! drôle, s'exclama Jadin, tu refuses cet argent? — Je
ne l'ai pas gagné. — Ce n'est pas une aumône, expliqua Dumas,
tu rendras service en nous menant à une hôtellerie. — Je ne
suis pas un guide... » Le gamin affichait un sang-froid si imper-
turbable que Jadin, rendu respectueux, questionna : « Quel
est donc l'état de Votre Seigneurie? — Mon état? C'est de
regarder les voitures qui passent et les voyageurs qui tombent.
— Magnifique! » Et Jadin déclara qu'il voulait croquer une tête si
fière. Mais le gosse crut que Jadin voulait la lui couper, et il s'enfuit. Ils le retrouvèrent d'ailleurs peu après et l'on fit la paix.

C'est par des contes de cette sorte qu'Alexandre Dumas fait
peu à peu se refléter la psychologie italienne dans l'esprit de
ses lecteurs. Mais il a eu beau prétendre, il franchissait aussi
les portes des musées. Ses *Impressions* témoignent d'une information esthétique qui à cette époque était encore peu fréquente. Il a des remarques sur la peinture d'une agréable
liberté d'esprit, et il ne méprise pas, on le pense bien, les
blagues d'atelier. Mais enfin il a marqué une préférence pour
les promenades dans les montagnes, où ses yeux collectionnèrent
ruines et brigands, qu'il devait avoir l'occasion d'utiliser.

Il a multiplié à plaisir les points de vue sur l'Italie. Qu'est-ce
que le *Corricolo?* Une voiture légère qui courait dans Naples
à la façon d'un fiacre transformé en autobus par la bonne
franquette du Napolitain. Qu'est-ce que le *Speronare?* Un
petit navire, capitaine Arena, loué huit ducats par jour, avec
lequel Dumas a visité la Sicile. Qu'est-ce que la *Villa Palmieri?* La villa dans laquelle Boccace écrivit son *Decameron* :
Dumas s'est emparé de ce nom en pensant qu'il lui porterait
bonheur, et il en a fait le titre du livre où il décrit les fêtes de
la Saint-Jean à Florence, les illuminations de la ville (« Florence est magnifique à voir la nuit »), et où il a eu l'ingénieuse
idée de composer, en partant de leurs demeures, les biographies d'Alfieri, de Benvenuto Cellini, d'Améric Vespuce, de
Galilée, de Machiavel, de Michel Ange, de Dante...

Entre deux descentes en Italie a pris place en 1838 le voyage rhénan, qu'Alexandre Dumas et Gérard de Nerval accomplirent ensemble; ils avaient rendez-vous l'un et l'autre à Francfort, Nerval par la Suisse, Dumas par la Belgique.

Décoré de l'ordre de Léopold depuis un an, Dumas arbora fièrement son ruban pour se promener dans les rues de Bruxelles. Tout Bruxelles sut que le roi l'avait reçu et invité au jubilé de Malines. A Liège, il maugréa contre le pain d'épice qui remplaçait à peu près le pain, se plaignit des draps de lit étroits comme des serviettes. Est-il vrai que les Liégeois aient mis longtemps à lui pardonner? On sait par Gérard de Nerval que Dumas s'avança lentement à la rencontre de son ami, vu qu'on lui faisait fête partout et que les rois le voulaient voir. Ceci dit, avec un rien d'affectueuse ironie [1].

Réunis à Francfort, les amitiés de toute la ville les entouraient, disons plutôt qu'elles les happaient. Un soir, le couple soupe chez l'envoyé de Russie; le lendemain, un directeur de journal les promène en calèche dans les environs. Le jour d'après, ils dînent avec le médecin de Mme de Rothschild, et c'est dans la loge des Rothschild que Nerval ensuite assiste au spectacle de *Griselidis*. Nerval écrivait à son père : « On nous donne des fêtes, des soupers, des promenades, de telle sorte qu'il est impossible de répondre au quart des invitations et que nous ne pouvons guère travailler que la nuit. »

Travail de nuit? Pour Nerval peut-être... Dumas n'avait pas toutes ses nuits libres. Le directeur de journal qui les promena en calèche était un M. Durand, Français comme son *Journal de Francfort*. Dumas s'aperçut incontinent que Mme Durand était fort appétissante. Trois heures après son arrivée, il commandait aux domestiques, s'attachait la femme et empaumait le mari, à qui il emprunta trois mille francs pour quinze jours. Elle, enivrée (on avait d'ailleurs bu du champagne), accourait vers le fidèle secrétaire, Alexandre Weill :

« — Je me meurs, je suis perdue! »... On disposa si bien un logement pour les voyageurs dans l'appartement des Durand qu'Alexandre rejoignait chaque nuit sa conquête, bien qu'il occupât une chambre d'hôtel avec Ida Ferrier, qui était du voyage avec tout son poids [2].

---

1. Lorely, *Sensations d'un voyageur enthousiaste*, Paris, 1852.
2. Alexandre Weill, dans son autobiographie, *Ma Jeunesse* (1888). Ce trio devait, grâce à Dumas, venir s'installer à Paris, où M. Durand devint rédacteur en chef du *Capitole*.

Ils avaient en effet, Nerval et lui, projeté de travailler à un drame, *Leo Burckart,* qui est de Nerval mais dont Dumas a renforcé la charpente, lié plus étroitement l'intrigue; il a dû mettre aussi un peu la main aux dialogues [1]. Le moins qu'ils eussent à faire en profitant de leur voyage fraternel était une provision de couleur locale dans le cadre réel de l'action. Il leur fallait pour cela délaisser Francfort, remonter le Rhin jusqu'à Mannheim. Là, ils étaient aux sources historiques de l'affaire. C'est à Mannheim que l'étudiant Karl Sand, fanatisé par les sociétés secrètes de la jeune Allemagne, avait tué en 1820 le ministre Kotzebue, et avait eu la tête tranchée. Après un quart de siècle, toute la ville en restait frissonnante. Quelle promenade en ces parages pouvait être autre chose qu'un pèlerinage? Aux deux dramaturges, l'acteur tragique Jerrmann parut désigné pour servir de guide, et il se montra ravi de connaître un auteur dont il avait traduit plusieurs ouvrages. Il leur fit visiter les vastes jardins royaux, la maison du ministre, les tombes. Mais c'est le directeur de la prison qui leur dit devant une grande prairie : — Ici était l'échafaud, là les troupes, là encore les étudiants d'Heidelberg arrivés en retard, qui n'avaient pu que tremper leur mouchoir dans le sang de celui qu'ils appelaient le martyr.

L'histoire de Karl Sand a passionné Dumas, il a poussé l'enquête plus loin que n'aurait fait son ami. Alors que Nerval a rêvé, voire médité, Dumas a surtout voulu tout connaître en « fidèle historien », écrit Nerval, non moins qu'en « fidèle voyageur ». Et puisque le fils du bourreau, bourreau à son tour, demeurait à Heidelberg, ils lui rendirent visite. Le bourreau, en ces années et dans ce pays, pouvait se vanter d'une sinécure, et son grade de docteur en théologie valait au jeune Windmann la considération de tous. Il apparut à ses visiteurs en savant et en lettré, tout tremblant à l'idée qu'il pût avoir à se servir un jour du sabre très spécial qu'il leur fit admirer. A la porte, où ils avaient frappé longtemps, on ne s'étonne pas que Gérard de Nerval se soit exclamé : « Quel épisode pour une de ces ogreries romantiques qu'on écrivait quand nous avions vingt ans! » A trente et trente-six ans, dans cette démarche qui leur aurait peut-être valu en France les pierres des gamins, qu'étaient-ils d'autre tous les deux que des reporters prêts à

---

1. Nerval le reconnaît dans son *Projet d'œuvres complètes*, éd. de la Pléiade.

tout pour rapporter un document? Un domestique les conduisit à travers champs pour voir la tonnelle sous laquelle les
patriotes venaient pieusement boire de la bière à la mémoire
du glorieux Karl Sand et qui avait été construite avec du bois
découpé dans l'échafaud. Mais ils virent deux tonnelles, laquelle
était la bonne? Le valet l'ignorait. « Avez-vous un couteau?
demanda-t-il? — Oui, pourquoi faire? — Une entaille dans le
bois, les échafauds sont en sapin [1]. »

Le souci du reportage, mêlé à tout un étalage historique, à
un rajeunissement de vieilles légendes, à des anecdotes toujours
vives, donne aux *Excursions sur les bords du Rhin*, malgré trop
d'étalage historique et des notations extravagantes, le caractère
déterminé d'un livre singulièrement moderne. Elles ont encore
un autre intérêt pour nous, et de qualité. Dumas, qui écrivit :
« J'ai fait avec Gérard de Nerval un charmant voyage en 1838 »,
a profité de ce souvenir pour peindre un portrait en pied
de son ami, il n'existe pas de Nerval portrait plus pénétrant,
plus subtil et plus raffiné que celui-là. L'homme capable de
comprendre à cette profondeur un poète aussi secrètement
génial que l'était alors le simple et bon enfant Gérard, pouvait
n'être pas poète dans ses vers ni dans sa prose, il portait certainement dans son être des réserves de poésie naturelle.

Il n'est pas temps encore de suivre Alexandre Dumas en
Espagne, c'est-à-dire de faire avec lui un voyage qui n'a eu
lieu qu'en 1846 dans des circonstances auxquelles la politique
devait se mêler. Mais puisqu'il est question pour le moment
de ses méthodes de pèlerin et de ce que la littérature du
conte, de la nouvelle et de l'historiette y a gagné, ouvrons *De
Paris à Cadix*, passons parmi les femmes « belles sous leurs
haillons », les hommes « fins sous leurs guenilles », les enfants
« drapés déjà dans les lambeaux tombés du manteau paternel »,
franchissons le Prado illuminé, contournons l'Escurial, échap-
pons aux courses de taureaux, aux combats des mules avec la
montagne, de la diligence avec la route, à toute l'Espagne
romantique évoquée, dessinée, croquée dans ce livre lumineux
et chaud, et isolons, découpons, extrayons, à titre de spécimens, un tableau vivant et une belle histoire. Il n'est pas sûr
que des récits dramatiques pourraient facilement essaimer des
Impressions de voyage pour former à part une colonie nouvelle

1. Nerval, *op. cit.*

de littérature conteuse. En général, les contes rapportés de
ses voyages par Dumas y restent attachés et incorporés, parce
qu'ils incarnent la psychologie d'un pays. *De Paris à Cadix*
est de tous les livres de Dumas voyageur celui qui offre le plus
d'incarnations de cette sorte, et il y en a deux qui s'imposent
au souvenir : un tableau de danses andalouses, une histoire de
brigands chevaleresques. Barrès, Montherlant, t'Serstevens les
ont-ils fait vieillir? Il ne semble pas. Je dois malheureusement
les résumer.

C'était au premier étage d'un café, dans une salle carrelée
de rouge et blanchie à la chaux, éclairée de quinquets, avec un
bohémien sa guitare sur les genoux et un bout de cigare à la
bouche. La salle était pleine, noire de jeunes gens à chapeau
rond. Les premiers spectateurs étaient assis, les autres debout,
étagés par rang de taille, les dernières têtes touchant le plafond. La soirée s'était donné trois reines, Anita, Pietra et
Carmen, danseuses, dans leur riche costume traditionnel,
accompagnées de leurs mères, de leurs frères, de leurs sœurs et
de leurs novios... Aux premiers accords, Carmen se leva et
dansa au milieu d'un cercle qui mesurait à peine huit pieds de
diamètre. La pauvre enfant, la plus jeune des trois, avait été
chargée du ballon d'essai. Quand Anita se leva à son tour,
toutes les voix crièrent : *L'Olé! L'Olé!* on réclamait ainsi une
danse interdite par la censure des théâtres.

... Ce qui fait le charme de cet exercice, c'est tout un ensemble de
mouvements fiers et voluptueux à la fois, provocants au-delà de
toute expression et auxquels il est cependant impossible de reprocher aucune liberté, c'est l'air sur lequel ces mouvements se font, le
chant accompagné de sifflements aigus qui les accompagne, c'est ce
parfum de danse nationale...

L'enthousiasme du public fit rouler cinquante chapeaux aux
pieds de la danseuse, « et celle-ci, avec une adresse charmante
comme la Mignon de Gœthe au milieu de ses œufs, bondissait
au milieu de toute cette chapellerie sans la froisser »... La danse
est en Espagne un plaisir pour la danseuse elle-même.

Aussi danse-t-elle avec tout le corps; les seins, les bras, les yeux,
la bouche, les reins, tout accompagne et complète le mouvement
des jambes; la danseuse piaffe, bat du pied, hennit comme une
cavale en amour. Elle s'approche de chaque homme, s'en éloigne,

s'en approche encore, le chargeant de ce fluide magnétique qui jaillit à flots de son corps échauffé par la passion. Alors vous comprenez ces hommes qui sentent s'approcher d'eux le vivant effluve de plaisir; ces hommes gagnent la fièvre de la danseuse, la partagent et rejettent à leur tour en bravos, en applaudissements, en cris, cette flamme qui les brûle.

Une figure particulièrement gracieuse était au centre de l'*Olé* :

Anita tenait un chapeau d'homme à la main, ce chapeau, c'est celui du premier venu; l'accepter n'a point d'importance... La danseuse commence par s'en coiffer de toutes les façons possibles : sur le côté, comme un petit-maître du Directoire; en arrière, comme un Anglais; sur le front, comme un académicien... Anita de temps en temps ôtait le chapeau de sa tête et s'avançait vers l'un de nous comme pour le mettre sur la sienne. Mais au premier mouvement que celui qui paraissait favorisé faisait au-devant de cette faveur, Anita tournait sur elle-même et d'un bond se trouvait de l'autre côté du cercle, faisant la même coquetterie à un autre, qui devait être trompé comme son devancier; et à chaque tromperie, c'étaient des rires, des cris, des applaudissements, des bravos à faire crouler la salle, ce qui était justice : car il faut le dire, jamais papillon, jamais abeille, jamais sphinx effleurant du bout de sa trompe les fleurs d'un parterre, n'a volé de l'une à l'autre avec plus d'agilité, de grâce, plus d'inattendu qu'Anita.

Comme Dumas était le roi de la fête, le chapeau vint se poser sur sa tête, à son grand embarras. Que faire, en effet, pour remercier une danseuse, dans un pays où il n'est même pas admis qu'on lui baise la main? Mais déjà Pietra était en mouvement, elle dansait le *vito*, et son succès égala celui de sa rivale. De tous les chapeaux jetés autour d'elle, celui de Dumas eut encore les honneurs, en vertu des lois de l'hospitalité. Mais cette fois la danseuse bondit dessus et le foula de ses deux petits pieds jusqu'à ce qu'il eût la forme d'un gibus aplati : « suprême galanterie de la danseuse espagnole, ce qu'elle peut faire de plus coquet en faveur d'un étranger ».

On apporta pour rafraîchissements des bouteilles de vin de Montilla.

J'avais bu mon verre comme les autres, tout en regardant Anita tremper ses lèvres dans le sien, quand je la vis mettre son verre effleuré aux mains de son voisin qui me l'apporta. « De la part d'Anita, me dit-il. — Buvez, buvez, me souffla Buisson [1], c'est une galanterie qu'Anita vous fait. »

Je saluai et bus sans me faire prier... Cinq minutes après, on m'apporta un autre verre de la part de Pietra, elle me faisait en même temps signe des yeux que c'était bien à moi qu'il était adressé. Les yeux de Pietra sont les plus beaux que j'aie jamais vus. Je me hâtai de faire ce que me commandaient ces beaux yeux, puis je me retournai vers Carmen.

La pauvre enfant était rouge comme une cerise; lorsqu'elle vit que mon regard la cherchait, elle se leva, effleura à son tour des lèvres son verre et, me l'apportant elle-même : « Faites-moi, me dit-elle, le même honneur que vous avez fait à Pietra et à Anita. » Je lui pris le verre de la main et un peu la main avec le verre. Je bus et le lui rendis. « Maintenant, dit-elle, je garderai ce verre toute ma vie. » Et elle alla reprendre sa place.

La veille, Dumas, après un impair auprès d'Anita (la main baisée), avait vu la petite main de Carmen s'avancer vers lui (elle, encore enfant, n'avait pas de novio) et entendu une voix tremblante lui dire en espagnol : « Pour l'honneur, Monsieur. » Il n'avait pas compris tout de suite. La petite main s'était avancée encore et la voix plus tremblante avait répété les mêmes paroles. Il avait pris alors la petite main et l'avait baisée les larmes aux yeux. « Merci, Carmencita. — Vous savez mon nom? — Vous savez le mien! — Oh! le vôtre, c'est si différent, je le connais depuis que je sais lire... »

Il y eut ensuite le souper, à trois tables, chacune présidée par une des danseuses. Puis chaque danseuse monta sur chaque table et y dansa le *vito;* et enfin Anita et Pietra exécutèrent le *fandango.*

Figurez-vous deux abeilles, deux papillons, deux colibris qui courent et volent l'un après l'autre, qui se croisent, se touchent du bout de l'aile, se croisent, bondissent; deux ondines qui, par une belle nuit de printemps, au bord du lac, vont se jouant à la cime des roseaux que leurs pieds diaphanes ne font point plier, puis qui, après mille tours, mille fuites, mille retours, s'approchent graduellement au point que leurs souffles se mêlent, que leurs cheveux se confondent, que leurs lèvres s'effleurent : le baiser est le point culminant de la danse, trois fois il se renouvelle avec une aspiration croissante; à la troisième fois, il a épuisé toutes les forces des deux

1. Un ami Sévillan des Français.

danseuses. Et la danse s'évanouit, comme s'évanouissent deux
ondines rentrant dans leur lac...

Quelque chose met le sceau à ces merveilles de la vie et du
mouvement : le respect général pour les jeunes danseuses, pas
un homme n'eût touché le bas de leur robe.

Au tour du conte, maintenant, il est drôlatique.

Le duc d'Osuna, qui possédait montagnes et forêts, avait
même des voleurs à lui. C'est-à-dire qu'une soixantaine de
brigands ayant échappé à la destruction du brigandage espagnol
s'étaient réfugiés dans une forêt appartenant à ce grand d'Espagne. Après des luttes interminables, ils avaient obtenu de
se voir tolérés, mais en retour s'étaient engagés à ne rien entre-
prendre contre tout voyageur connu pour parent du duc ou
porteur d'un laissez-passer de lui...

Un soir, ils arrêtèrent et dévalisèrent la marquise de Santa C.,
une des plus jolies femmes de Madrid, «et lorsqu'on dit une des plus
jolies femmes de Madrid, écrit galamment Dumas, on dit une des
plus belles femmes du monde»). Elle se trouva mal devant sept
escopettes. Avec des égards parfaits, la bande la laissa saine et sauve,
mais sans un réal, sans un bijou. Arrivée à Madrid, la marquise
dépouillée courut chez le duc d'Osuna, qui lui demanda : « Leur
avez-vous dit que j'avais l'honneur d'être votre cousin, Madame?
— Je n'ai rien pu leur dire, j'étais évanouie. — Très bien. — Comment, très bien? — Oui, je m'entends; rentrez chez vous, Marquise,
et attendez de mes nouvelles. »

Le neuvième jour, la dame reçut l'invitation de passer chez
son cousin. Il l'attendait avec un inconnu dans son cabinet.
Aussitôt arrivée, il la conduisit à une table sur laquelle elle vit
un sac d'argent et un sac de bijoux. « Combien aviez-vous dans
votre voiture? — Quatre mille réaux. — Comptez, ou plutôt je
vais compter moi-même; vous avez de trop jolies mains pour
les salir en touchant une si grossière monnaie. » Osuna s'assura
qu'il ne manquait pas un maravédi. La marquise, ayant passé
en revue bracelets, montres, châtelaines, bagues, broches,
colliers, constata qu'il ne manquait pas une épingle d'or.

— Mais qui donc vous a rendu tout cela?
— Monsieur, répondit le duc en lui montrant l'inconnu, est le
chef des bandits qui vous ont arrêtée. Je me suis plaint à lui. Je lui
ai dit que vous étiez ma cousine, et il est au désespoir que vous ne

le lui ayez pas dit vous-même, car sans cela, au lieu de vous arrêter, il vous eût au contraire donné une escorte si vous en eussiez eu besoin. Il vous offre donc, chère Marquise, ses bien sincères et bien respectueuses excuses.

Le bandit s'inclina.

— A tout péché miséricorde, continua Osuna; voyons, pardonnez-lui. — Oh! de grand cœur, mais à une condition. — Laquelle? Le bandit fixa sur la marquise son œil inquiet et intelligent. « C'est, dit-elle en choisissant parmi tous ses bijoux un simple anneau d'or, c'est qu'à l'exception de cette petite bague que je reprends parce qu'elle me vient de ma mère, Monsieur remportera tout ce qu'il a apporté. »

L'homme se débattit, elle resta inflexible. Il reprit donc tout, s'inclina et sortit. Mais la marquise, en arrivant à son hôtel, y trouva un paquet déposé à son adresse; elle l'ouvrit : c'était l'argent, c'étaient les bijoux.

Au terme de ce rapide aperçu des voyages d'Alexandre Dumas, ne voudra-t-on pas donner une pensée aux auberges et hôtelleries qui sont la Providence des voyageurs et qui ont été celle de l'écrivain? Ses conversations avec l' « hôte », ses discussions au pied des diligences ou à l'entrée des cuisines, l'air du pays respiré dans les alentours tiennent grande place dans ses récits de vagabondage ou de pérégrination, comme ils tiennent grande place dans ses romans. Hôtes et hôtesses de Dumas que Gabriel Brunet a célébrés un jour dans la revue *Quo Vadis*, nous réjouissent, plus bondissants encore et rebondis dans leurs propos que dans leurs personnes, fusants, étincelants d'attaques, de ripostes ou de gracieusetés; et nous savons bien que tant d'agilité verveuse, un verbe si haut, une semblable effervescence d'esprit sont prêtés et qu'ils appartiennent en propre au narrateur : il s'en sert pour mettre dans nos narines et faire remonter jusque dans nos cerveaux les meilleurs fumets d'une succulente littérature.

XIII

L'ÉMULE DE SHÉHÉRAZADE

ONTES et nouvelles réclament essentiellement le don de raconter; il y faut une souveraine aisance, l'émotion concentrée et rapide, de l'humour ou de l'esprit. Dans le conte et la nouvelle, Alexandre Dumas est prince. Raconter l'enchantait, il racontait comme dansent les ballerines espagnoles, il était la verve faite homme, il se montra toujours causeur aussi spirituel qu'abondant. Henri Heine lui en faisait compliment, le comparaît à Cervantes et à « Mme Scarriar, plus connue sous le nom de la sultane Shéhérazade ».

Bien entendu, des limites tranchées ne se conçoivent point; Dumas a écrit des nouvelles qui sont de petits romans et des contes qui se rapprochent de la nouvelle, des nouvelles et des contes autonomes et qui se présentent comme tels, d'autres insérés dans ses *Impressions de voyage*, ses *Souvenirs*, ses *Mémoires*, et que le lecteur de lui-même dégage.

Pour qui donnerait à sa littérature de contes et de nouvelles la forme d'une ellipse, elle aurait pour foyers la tragédie et la drôlerie. Autour de l'un comme de l'autre, quelquefois à égale distance des deux, Dumas a construit des chefs-d'œuvre.

Chefs-d'œuvre de comédie drolatique, « les brigands d'Osuna » à prendre dans *De Paris à Cadix*, ou « le père Hiraux, maître de musique » à prendre dans les *Mémoires*. Une longue nouvelle indépendante, un vrai petit roman, *le Capitaine Pamphile*, fait penser tantôt à Jules Verne, tantôt à Mac Orlan, tantôt encore au Sancho Pança de P.-J. Toulet dans son *Mariage de Don Quichotte*... Dumas s'y montre précurseur avec quelle maîtrise! Voler des cargaisons en haute mer, être jeté à l'eau et livré par le sort à des Hurons, perdre et reconquérir

un brick, acheter tout un territoire pour cent cinquante bouteilles d'eau-de-vie à un sauvage déluré, voilà sous un de ses
aspects l'existence du capitaine. La voici sous un autre : venu
en Angleterre, au titre de grand cacique des Mosquitos d'Amérique, s'étant fait précéder de ses deux « consuls » armés de
propagande et de publicité, il ramasse des millions de livres à
vendre des concessions dans son prétendu Eldorado, contracte
un immense emprunt, et cet emprunt l'oblige à rédiger une
constitution qui est d'une cocasserie sans nom dans sa gravité; puis il disparaît après avoir expédié dans son désert
seize mille émigrants : au point que Dumas le suppose installé
incognito à Paris et pas du tout « étranger à une grande partie des entreprises industrielles qui s'y font depuis quelque
temps »... Un précurseur de grande classe décidément, ce
capitaine Pamphile, dont son créateur mène l'histoire à bride
abattue, l'entremêlant à celle d'un singe, d'un ours et d'une
grenouille auxquels le héros s'est trouvé plus ou moins mêlé
et qui complètent cet exotisme non point à la noix de coco
comme tant d'autres, mais, si l'on peut dire, au curry et à
l' « eau de feu ».

La drôlerie quasi tragique ou la tragédie gonflée de drôlerie
jaillit le plus souvent en *contes vrais* dans les livres de souvenirs, à l'occasion de réalités imprévues comme « la ville de
Bouc » ou de curieux bonshommes qu'on dirait que Dumas a
inventés plutôt que rencontrés : un album à faire, en tête duquel
figurerait pour mon goût le colonel Morrisel, des *Mémoires*,
homme à lunettes, à parapluie, à habitudes strictes et étri-
quées, au langage choisi, malingre, frêle poupée de guignol
mais qui a tué vingt-deux hommes en duel et, près de se battre
une vingt-troisième fois, fait prendre les mesures de son adversaire pour commander aux Pompes funèbres un convoi de
première classe à ses frais; mais le lendemain il recevra des
excuses. Vieilli, malade, Morrissel était arrivé à ne plus uriner,
on prolongeait sa vie à force de transpiration. Un jour, saisissant mal ce que les médecins lui disaient, il demanda qu'on lui
procurât un cadavre mort du mal dont il allait mourir. Il fit
acheter le sujet dans un hôpital au prix ordinaire de six francs
ordonna de le coucher sur une table près de son lit et pria un
des docteurs d'en pratiquer l'autopsie devant lui en la lui
expliquant. Alors, satisfait d'avoir exactement compris, il
mourut avec une merveilleuse tranquillité.

Du côté franchement tragique, Dumas conteur ne paraît pas moins riche. Une contradiction essentielle est au cœur de toute époque. J'ai dit plus haut que la Restauration avait trop arbitrairement noirci la vie et je m'en dédis; peut-être aussi l'époque qui a suivi, souvent découragée, a-t-elle senti s'alourdir son poids de passé. La gaîté, les jeux, l'enjouement, quoique sincères, n'avaient pas débarrassé les contemporains d'Alexandre Dumas d'un héritage de mœurs militaires et guerrières ni des restes d'attitudes et de gestes inconsciemment gardés des terreurs, la rouge et la blanche; ils n'empêchaient point une énergie inemployée de bouillonner chez des hommes dont les pères avaient vécu les années napoléoniennes et qui, travaillés par un fanatisme de l'honneur, faisaient de l'armurier le plus prospère des marchands. On venait au monde avec des pistolets. Enfin, la mode... Qu'on ajoute à ces traits de la société les traits de la littérature, le goût du romanesque terrifiant, celui du romanesque sadique, tous deux d'origine révolutionnaire, sans oublier les étrangetés venues de l'occultisme : on aura le climat où Dumas conteur a fait s'ouvrir des fleurs de sang, parmi lesquelles *les Frères corses* et *Pauline de Meulien* ne sont assurément pas les moins rutilantes.

Il devrait paraître difficile de séparer *Colomba* des *Frères corses*. L'ouvrage de Dumas n'a pas la densité cuite et recuite de *Colomba,* ce carbone cristallisé; mais l'attrait de la narration, très fort, s'y fortifie encore d'un système de correspondances métapsychiques. Les deux frères séparés par les idées, devenues françaises chez Louis qui vit à Paris, restées corses chez Lucien qui vit à Sullacaro, sont profondément unis malgré tout, non seulement par un grand amour de cœur, mais par une télépathie constante, une communication à distance, une sympathie physique à travers terres et mers : élément surnaturel que Dumas fait admettre et dont l'histoire ne se trouve pas plus chargée d'énigmes que ne l'est, après tout, une *Vénus d'Ille...* Un arbitrage décidé à la prière de Louis met fin à la querelle séculaire qui coupait le village natal en deux; mais pendant ce temps, c'est la guerre à Paris, guerre d'amour, duel, mort du frère pacifique. L'autre, qui en a la révélation mystérieuse, accourt avec l'approbation de sa mère, provoque le rival heureux, se sent sûr de le tuer, le tue, puis éclate en sanglots pour la première fois de sa vie.

Mérimée avait connu en 1839 la véritable Colomba arrivée

16

à l'âge de soixante-quinze ans; Dumas a connu la situation e
les personnages qui ont inspiré ses *Frères corses* en 1842, au
cours de son excursion à l'île d'Elbe en compagnie du princ
Napoléon. Il a assisté à la disparition du banditisme dans un
contrée, mais il semble que les Franchi, longue réserve d'hon
neur, aient eu à payer de leur propre sang cette renonciation à
d'antiques coutumes. L'arrivée du narrateur au village e
l'amitié nouée avec le Franchi traditionnaliste et ensuite ave
le Franchi évolué, la suprême dignité de la mère, la politess
pittoresque du bandit Orlandi, font chœur aux merveilleuse
âmes fraternelles dans lesquelles des siècles de noblesse se son
accumulés. Ainsi, la signification de l'histoire et ses suggestion
puissantes prennent des figures qui, face à un Paris corromp
par la vie mondaine, se renvoient de l'une à l'autre et multi
plient la lumière très humaine d'une héroïque fierté.

Quelque chose encore est pur et noble dans la nouvelle inti
tulée *Pauline de Meulien :* un bel amour malheureux et déses
péré; mais la nouvelle incline vers la littérature de terreu
marquée par un jeu de forts contrastes : caractères de fe
opposés à des tendresses féminines, cœurs criminels dissimulé
sous la courtoisie extrême des manières; à la lumière du jou
ou à celle des soirées mondaines, la chasse, la promenade, la
danse, la musique; mais, dans la nuit de la campagne, de la
mer et des souterrains, le vol, la séquestration et le crime, l
déploiement d'un courage maudit, les épées, le pistolet, l
poison. Or, à la lumière et dans la nuit, ce sont les même
hommes à vie double... Histoire furieusement romantique, o
le voit, excessive et arbitraire, mais diablement menée, poi
gnante dans ses effets, pénétrée d'un profond sentiment d
tout ce qu'il y a de terriblement possible dans l'être humain

Restait à chercher et à trouver la terreur jusque dans l
fantastique, comme pour une offrande aux mânes de Nodier
offrande « expiatoire », écrit avec raison un critique érudit [1]
tant Dumas s'était écarté de cette voie! D'où les « noires nou
velles » réunies dans un recueil au « titre significatif », *le
Mille et un fantômes.* M. Schmidt poursuit : « Ces récits san
glants et frivoles... permettent d'apercevoir avec quelle sûret
perfide les massacres libertins de la Révolution français
avaient intoxiqué pour des générations l'imagination et l

1. Albert-Marie Schmidt, « Alexandre Dumas et ses fantômes », *Cahier
du Sud,* numéro consacré aux « Petits romantiques français », Marseille, 194(

ensibilité françaises; de même que les ombres de l'Érèbe se
ressent, comme un essaim de mouches avides, sur la fosse
acrificielle que creuse l'imprévoyant Ulysse, de même sur les
ssures vaguement ouvertes des charniers de la guillotine se
osent pendant plus d'un siècle des larves humeuses qu'en-
endrent parfois nos ténèbres intérieures. L'obsession du corps
éminin que l'on possède dans de froides délices, alors que sa
ête déjà tranchée n'est plus rattachée à son col que par une
lusion diabolique, fait pendant longtemps délirer les meilleurs
erveaux de notre littérature. »

L'auteur des *Mille et un fantômes* a donc réuni quelques
pécialistes de la physiologie occulte, et il arrache à chacun
'eux, au dessert d'un plantureux repas chez le maire de Fon-
enay-aux-Roses, une histoire macabre. Par exemple, un
avant chirurgien, amateur de recherches sur le comportement
es têtes guillotinées et tirées du sinistre panier, raconte
omment un soir lui arriva une tête qu'il reconnut pour celle
e sa bien-aimée. Voici le morceau :

Je criai trois fois : Solange! Solange! Solange! A la troisième fois,
s yeux s'ouvrirent, me regardèrent, laissèrent tomber leurs larmes
, jetant une flamme humide, comme si l'âme s'en échappait, se
fermèrent pour ne plus se rouvrir. Je me levai, fou, insensé,
rieux; je voulais fuir; mais en me relevant, j'accrochai la table
ec le pan de mon habit; la table tomba, entraînant la chandelle
ii s'éteignit, la tête qui roula m'entraînant moi-même éperdu.
lors il me sembla, couché à terre, voir cette tête glisser vers la
ienne sur la pente des dalles, ses lèvres touchèrent mes lèvres, un
sson de glace passa par tout mon corps; je jetai un gémissement
je m'évanouis.

Un autre conte rapporte les exploits d'un vampire dans l'ex-
ême est de l'Europe aux dépens d'une princesse qu'il aima
e son vivant. Il s'appelle Kostaki, elle s'appelle Hedwige.
ans la nuit, il est venu lui tirer du cou un morceau de chair
in de retrouver une vie factice et de pouvoir se venger de
n frère Gregoriska qui fut son rival et qui l'a tué. Mais le
ère vivant jouit d'un pouvoir occulte, il possède une épée consa-
ée avec laquelle Hedwige le voit ramener Kostaki au tombeau :

Kostaki poussa un cri comme si un glaive de flamme l'eût tou-
é, et portant la main gauche à sa poitrine, il fit un pas en arrière.

En même temps et d'un mouvement qui semblait être emboîté avec
le sien, Grégoriska fit un pas en avant; alors, les yeux sur les yeux
du mort, l'épée sur la poitrine de son frère, commença une marche
lente, terrible, solennelle, quelque chose de pareil au passage de
Don Juan et du Commandeur, le spectre reculant sous le glaive
sacré, sous la volonté irrésistible du champion de Dieu, celui-ci le
suivant pas à pas sans prononcer une parole, tous deux haletants,
tous deux livides, le vivant poussant le mort devant lui et le forçant
d'abandonner le château qui était sa demeure dans le passé, pour la
tombe qui était sa demeure dans l'avenir [tandis que sous les pied
d'Hedwige] le sol s'aplanissait, les torrents se desséchaient, les
arbres se reculaient, les rocs s'écartaient [et que] la lune et les étoiles
avaient disparu et [qu'elle ne voyait] dans la nuit briller que les
yeux de flamme du vampire.

Edwige soigne sa blessure à l'aide d'un peu de terre pétrie
avec le sang noir du vampire qui y baigne; mais le frère vengeur, lui, n'échappera pas à son terrible destin. « Dans un duel
pareil, dit-il à sa sœur, ce n'est pas la blessure qui tue, c'est la
lutte; j'ai lutté avec la mort, j'appartiens à la mort. »

Tel est le ton des *Mille et un fantômes*, et qui n'aperçoit les
ingrédients qui y produisent la terreur? Ils viennent tout droit
des littératures allemande et anglaise. Dans cette direction
Dumas est allé jusqu'au *Pasteur d'Ashbourn* dont « la Chambre
murée », « Pendant la nuit », « la Fièvre jaune » et leur peuple
de spectres relèvent du plus caractéristique « roman noir ».
Mais disons vite qu'il a eu la chance d'aboutir dans le genre à
une incomparable réussite, qui est *la Femme au collier de
velours*.

Est-ce de Nodier, est-ce de Paul Lacroix, est-ce de Dumas?
Il donne l'histoire pour lui avoir été racontée par Nodier
quelques jours avant sa mort; nous savons d'autre part que
Paul Lacroix en a fait le plan, mais c'est bien Dumas qui l'a
écrite. Elle rend, en tout cas, le son du conte idéal : l'irréel rendu
présent. Elle tire sa substance d'un mélange insaisissable de
réel et de l'irréel. Où est la vie, où est l'allégorie? Qu'a vu réellement le héros et qu'a-t-il inventé? Les deux plans se rencontrent,
se coupent, se réfléchissent comme dans un système compliqué
de miroirs. Voilà bien le jeune Hoffmann et son ami Werner
venus de Mannheim faire leurs frasques dans le Paris de la
Convention, voilà l'hôtel et la logeuse, l'obsession policière,
Danton au théâtre, les charrettes des condamnés, Mme du Barry

traînée à l'échafaud. Mais on perd pied en glissant dans le Paris nocturne, en descendant comme dans une crevasse ouverte entre les deux Paris de la nuit également vrais, également démentiels et hallucinants : d'une part, les théâtres pleins et les salles de jeu éblouissantes de lumière et d'or; d'autre part, la désolation des rues qui aboutissent à la place sanglante de la Révolution.

Une danseuse (pourquoi diable! l'appelle-t-il Arsène?) est double elle aussi; et Hoffmann, pris à son charme, ne sait plus dans quel monde elle l'entraîne. Quelle est la vraie? Laquelle existe? La maîtresse de Danton qui danse au théâtre pour un public de harengères et de goujats, la femme avide et qui obligera Hoffmann à aller jouer dans les tripots du Palais-Royal? ou bien l'artiste d'électrique beauté qui de la scène le regarde éperdument et dont la danse l'étourdit de tentation, le porte au comble de l'exaltation, surexcite ses sens en révolte, lui fait respirer du feu.

L'action elle-même se noue et se serre sous l'empire de cette sorcière ensorceleuse et pour prendre Hoffmann comme dans un étau :

— Assez, assez! disait-il... Mais la danse continuait et l'hallucination était telle que, confondant ses deux impressions les plus fortes de la journée, l'esprit d'Hoffmann mêlait à cette scène le souvenir de la place de la Révolution et que tantôt il croyait voir Mme du Barry, la tête tranchée, danser à la place d'Arsène, et tantôt Arsène arriver en dansant jusqu'au pied de la guillotine et jusqu'aux mains du bourreau.

Que n'a-t-il regardé de plus près et surpris les incompréhensibles échanges de rayons entre une agrafe que la danseuse porte au cou pour fermer son collier de velours, agrafe endiamantée en forme de guillotine, et la tabatière à tête de mort, endiamantée aussi, que tourne et retourne dans ses mains le singulier docteur avec qui le jeune homme s'est lié, qui le rejoint au théâtre, qui lui facilite les relations amoureuses et l'entraîne dans le vertige de la tentation? Hoffmann vient à perdre les traces de la tentatrice; puis il la retrouve brusquement, une nuit, au pied de l'infernale machine à couperet, évanouie, mais bientôt réveillée et ardente. Il l'entraîne dans un hôtel connu de la jeunesse riche et débauchée. La danse frénétique qui se déchaîne dans la chambre autour d'une table chargée d'or gagné au jeu est un des moments subjugants du récit, voluptueux et extatique... Et puis, au matin, Hoffmann rouvre les yeux au contact d'un corps glacé. A ce moment l'inquiétant et démoniaque docteur survient, il révèle à l'amant décomposé que l'amante a été guillotinée la veille. Il étend le bras, presse le petit ressort qui fermait le collier dont il attire le velours à lui, et la tête de la suppliciée, cessant d'être maintenue, roule à terre. Hoffmann pousse un cri terrible.

Et là-bas, à Mannheim, la fiancée Antonia, la fille du chef d'orchestre du théâtre, à qui Hoffmann avait prêté serment de fidélité et de résistance au démon du jeu, la pure et adorable Antonia, est morte le soir même où le misérable, dans une salle maudite du Palais-Royal, après tous ses thalers perdus, engageait le médaillon qu'elle lui avait donné en gage d'amour.

Il est encore un autre avatar de Dumas conteur, mais il suffit de le rappeler, c'est la série que pas un gamin de France n'ignore : *Histoire d'un casse-noisette, la Bouillie de la comtesse Berthe, le Père Gigogne*, et autres fantaisies écrites pour satisfaire Hetzel, en compagnie de Nodier, de Sand, de Karr, de Paul de Musset, à qui le charmant éditeur avait communiqué son amitié pour les enfants et son goût pour les fées.

XIV

UN GRAND TOURNANT DE VIE

Un accident s'est produit en 1832 dans la carrière d'Alexandre Dumas, mais un pareil homme n'attrape qu'une blessure là où d'autres se rompraient les os. L'accident a eu sa gravité dans l'immédiat; mais de ce mal momentané est sorti un bien durable. Il a provoqué un changement d'activité, il a fait prendre à l'écrivain le chemin d'une entreprise dans laquelle il allait trouver, et nous avec lui, des satisfactions inespérées ou plutôt d'étonnantes joies.

Dumas voyageait en Suisse lorsqu'il apprit par les journaux que son drame écrit avec Anicet, *le Fils de l'émigré*, venait de tomber le 28 août à la Porte Saint-Martin, malgré Mlle George qui s'était tant réjouie d'y tenir le rôle d'une femme du peuple... Il a dit un jour la tristesse des écrivains de théâtre au terme des représentations, dans l'isolement où les laissent le fleuve du public qui s'écoule et les lumières qui s'éteignent : « Combien de fois, après mes succès les plus beaux, les plus bruyants, les plus incontestés, suis-je revenu seul à pied, le cœur gonflé, l'œil humide, prêt à verser les plus amères de mes larmes [1]. » A plus forte raison si c'était le soir d'une chute!

Or, il s'agissait du « four » le plus complet au bord duquel se fût jamais penché Frédérick Lemaître; « le public sifflait, hurlait, jetait des petits bancs sur la scène [2] ». « Four » catastrophique : rentré en octobre à Paris, Dumas vit directeurs de journaux et critiques se détourner de lui.

Comment avait-il pu commettre cette erreur de traîner une classe sociale sur les planches et de la piétiner? Il ne blessa pas

---

1. Dumas, *Les Mariages du père Olifus.*
2. Propos de Lemaître rapportés par Henry Lecomte, *op. cit.*

moins le sentiment national que le sentiment d'humanité. Il a
prétendu déceler dans l'événement un retournement du public
lassé des plaisirs mêmes du théâtre; mais c'était lui plutôt,
Dumas en personne, qui s'était fatigué de ce genre d'inventions. Un besoin de renouvellement n'était-il pas d'ailleurs
dans sa riche nature? C'est un fait que lorsqu'il s'est repris
ensuite à travailler pour la scène, il ne faisait plus guère qu'arranger des pièces d'autrui : c'est un autre fait que sous le coup
de l'échec, il renonça momentanément à toute production
dramatique pour essayer ses pas dans un domaine nouveau.

Justement il avait à terminer un livre qu'il a probablement
traité tout d'abord en besogne de librairie, *Gaule et France*,
lequel ne se recommande plus à nous que par certaines de ses
conclusions, celles qui prédisaient à la France une république
autoritaire, avec un président pris dans le peuple et élu pour
cinq ans. Il le publia en 1833, obtint pour cette compilation
d'histoire les louanges de *la Revue de Paris* en même temps
qu'un éreintement mieux mérité à coup sûr du *Journal des
débats*. Est-ce par politesse qu'Augustin Thierry lui fit tenir
ses compliments?

Or, c'était le moment où la *Revue des Deux Mondes* faisait
son entrée dans la vie : pour elle, Dumas travailla comme il
eût fait pour un enfant, et il lui donna des récits taillés dans
une matière qu'il prenait à l'histoire.

« A cette époque, a-t-il écrit dans ses *Souvenirs*, il y avait un
genre de littérature qui tenait le milieu entre le roman et le
drame, qui avait quelque chose de l'intérêt de l'un, beaucoup
du saisissant de l'autre, où le dialogue alternait avec le récit.
On appelait ce genre de littérature : scènes historiques. » En
effet, Vitet n'avait-il pas déjà publié sa *Mort de Guise* et sa
Mort d'Henri III, Mérimée les scènes féodales de *la Jacquerie?*
Ce type d'écrits était dans l'air. Dumas ajoute : « Avec mon
aptitude déjà bien décidée au théâtre, je me mis à découper, à
raconter et à dialoguer des scènes historiques tirées de l'histoire des ducs de Bourgogne », plus précisément de l'époque
de Charles VI, d'Isabeau de Bavière, de l'Ile-Adam et de son
épée, du sire de Giac et de son cheval, de bien d'autres... Il est
évident qu'*Isabel de Bavière* a vulgarisé purement et simplement l'*Histoire des ducs de Bourgogne*[1].

1. Louis Maigron, *Le Roman historique à l'époque romantique*, Paris, 1898.

Voilà donc Dumas prenant du goût, à travers un mélange de drame et de roman, pour l'histoire de France, dont il ne savait pas encore le premier mot en 1831. Il commença par se procurer l'*Histoire de France par demandes et réponses* de l'abbé Gauthier, corrigée par M. de Moyencourt.

> En l'an quatre cent vingt, Pharamond, premier roi,
> Est connu seulement par la salique loi.
> Clodion, second roi, nommé le Chevelu,
> Au fier Aétius cède, deux fois vaincu.
>
> . . . .
> Francs, Bourguignons et Goths triomphent d'Attila,
> Chilpéric fut chassé mais on le rappela.
>
> . . . .
> Childebert, en cinq cents, eut Paris en partage,
> Les Bourguignons, les Goths éprouvent son courage.
>
> . . . .

Ainsi jusqu'à Louis-Philippe :

> Philippe d'Orléans, tiré de son palais,
> Succède à Charles X par le choix des Français.

Passé de cette litanie à *la Conquête de l'Angleterre par les Normands*, aux *Récits des temps mérovingiens*, il en resta anéanti d'admiration. Un monde se découvrait à lui par-delà douze siècles. « Je vis avec étonnement, a-t-il dit, le merveilleux parti qu'il y avait à tirer de ces changements de dynasties, de ces changements de mœurs, de ces changements de costumes. Je fis connaissance avec les hommes qui résumaient un siècle, avec ceux enfin qui résumaient une période [1]... »

Célébrons un bienfait. N'avoir pas ânonné de pauvres notions d'histoire avec tous les gosses d'une école primaire, avoir passé son enfance et la plus grande partie de sa jeunesse à respirer l'air pur des forêts ou à s'exciter l'imagination dans les théâtres, puis arriver soudain à trente ans devant l'humanité rassemblée et rangée comme on arrive devant la femme de sa vie, sortir de la multitude des mortels et s'isoler tout à coup en compagnie de personnages privilégiés dans le bien, éclatants dans le mal, voir surgir aux lumières de l'esprit pour la première fois comme une récompense inespérée et imprévue,

1. Dumas, *Souvenirs*.

l'immense passé organisé en un drame aux cent actes, voilà la merveilleuse chance d'Alexandre Dumas, une véritable aventure dans laquelle il y a du hasard passionnel, de la surprise amoureuse, du coup de foudre, les éléments d'un mariage d'amour. Ce mariage, Dumas l'a contracté en prenant la figure du roman-drame telle qu'elle émergeait de ses scènes historiques.

Le grand nom de Walter Scott, qui venait de mourir en pleine gloire, invita Dumas à réfléchir sur les chances de telles scènes étendues à toute notre histoire nationale. Il crut voir que si Walter Scott était « admirable dans la peinture des mœurs, des costumes et des caractères », il était resté « inhabile à peindre les passions ». Alors, pourquoi ne pas essayer de reprendre la conception de Scott en l'adaptant à l'histoire de France et en poussant au maximum les éléments fournis par le roman-théâtre? Ces éléments, les voici : un récit naturel et mouvementé, des passions plus réelles, un dialogue plus vif [1]. Quelques curieuses lignes sont à relever dans l'*Histoire de mes bêtes*. Dumas y remarque que Walter Scott commençait ses récits par l'ennui, en décrivant longuement ses personnages. Ce qu'il faut au contraire, dit-il, c'est « commencer par l'action, au lieu de commencer par la préparation; parler des personnages après les avoir fait paraître, au lieu de les faire paraître après avoir parlé d'eux ». Or, dialogues, mouvement dramatique, passions, Dumas n'en a-t-il pas à revendre dans cette caverne d'Ali-Baba qu'est son imagination? En somme, il arrivait au roman historique avec le don de mettre en scène — en les dramatisant (pour le tragique ou pour le comique) — événements, aventures, anecdotes qui attendent les curieux dans les chroniques, les mémoires, les pamphlets conservés par les érudits.

Une telle méthode conduit nécessairement à entrer dans le négligé de l'histoire, dans les détails que cette souveraine sacrifie aux ensembles, dans la vie des hommes et non plus dans celle des nations, dans les passions privées plutôt que dans les publiques. Elle crée une sorte d'histoire de seconde zone, une sous-histoire pleine de vie à notre niveau. Mais, par contre, on peut dire qu'elle vise et qu'à certains moments elle atteint une véritable sur-histoire qu'un génie shakespearien saurait porter à l'épopée.

1. Dumas, *Mes Mémoires*, CCLIII.

— A quoi dois-je l'immense succès de l'*Histoire des Giron-dins?* demandait un jour Lamartine à Dumas.

— A ce que vous avez élevé l'histoire à la hauteur du roman [1].

Graves paroles... Une force d'imagination dramatique et romanesque, en propulsant de la vérité historique à travers une foule de grands, de soldats, de moines, de populaire revivi-fiés par son souffle, a-t-elle le pouvoir, a-t-elle même le droit de survoler l'histoire proprement dite, de planer sur elle comme une sorte de légende des siècles? C'est à voir. Tels sont en tout cas les deux aspects de la gigantesque expérience tentée par Alexandre Dumas à partir de ses années quarante; et qui contestera que sous les deux, il ait sauvé, pour un énorme public sans cesse accru, notre passé historique de l'ossuaire?

Il a dû s'efforcer quelque temps avant de réussir. Dans la période de *Caligula* et de *Don Juan,* ces échecs, quand Rachel prenait la place de Marie Dorval au Théâtre-Français, quand il lisait dans la presse des articles qui semblaient traduire une désaffection du public, sa situation paraissait assez compromise; ni les comédies Régence ni les *Impressions de voyage* ne par-venaient à la rétablir. *Ascagno* ne passionna point les foules, des nouvelles historiques inspirées de Froissart laissèrent froids les abonnés du *Siècle.* Dumas cependant réussit à amor-cer une clientèle avec *le Chevalier d'Harmental.* Puis ce fut 1844 et le fabuleux succès des *Trois Mousquetaires.* Dumas retrou-vait enfin sa popularité, qui allait s'étendre au monde entier. Le long train des romans historiques se mettait en marche.

1. Dumas, *Causeries.*

XV

DUMAS ET L'HISTOIRE

L'auteur des *Trois Mousquetaires* a commencé par coller à l'histoire, sans se signaler par aucune originalité, avec *Isabel de Bavière*, marqueterie dont les pièces viennent de Froissart, de Juvénal des Ursins et de Barante. Ce moyen âge de chevalerie et de peuple, d'amour, de guerre et de misère, échoua dans la conquête du public, comme allait échouer trois ans plus tard en 1835, la reconstitution de la Grèce et de Rome antiques, *Acte*, pour laquelle avaient servi Tacite, Suétone et saint Paul. Dumas, à l'autre bout de sa carrière, devenu vieillard, devait mettre plus de vie, avec une fantaisie plus personnelle, dans les *Mémoires d'Horace*, qu'il feindra d'avoir tirés d'un manuscrit trouvé à la Bibliothèque du Vatican.

La série des romans historiques proprement dits, la série heureuse, comprend les romans établis sur les trois siècles d'histoire qui vont des guerres de religion à la Révolution de 1830 et qui reflètent plus particulièrement les époques suivantes : la domination de Catherine de Médicis et sa lutte contre Henri de Navarre, le tumulte de la guerre de religion (*la Reine Margot*, 1845), le règne si difficile d'Henri III (*la Dame de Monsoreau*, 1846, et *les Quarante-cinq*, 1848), Louis XIII et Richelieu (*les Trois Mousquetaires*, 1844), Mazarin et la Fronde (*Vingt ans après*, 1845), la jeune royauté de Louis XIV (*le Vicomte de Bragelonne*, 1848-1850), la Régence (*le Chevalier d'Harmental*, 1843), la France de Louis XV (*Olympe de Clèves*, 1852), les prodromes de la Révolution (*Joseph Balsamo*, 1846-1848, *le Collier de la Reine*, 1849-1850), la Révolution (*Ange Pitou*, 1853, *la Comtesse de Charny*, 1853-1855, *le Chevalier de Maison-Rouge*, 1846, *les Blancs et les bleus*, 1867-1868), les lendemains du 9 Thermidor (*les Compagnons de Jéhu*, 1857), l'aventure de la duchesse de Berry (*les Louves de Machecoul*, 1859), la Restauration et les menées révolutionnaires (*les Mohicans de Paris*, 1854-1855)...

Le premier publié de ces romans, *le Chevalier d'Harmental*, bâti sur les événements de la conspiration de Cellamare, a fait d'un coup d'essai un coup de maître. L'histoire y est satisfaite, puisqu'en effet Albéroni, pour faire échouer l'alliance anglaise et ramener la France à l'alliance espagnole, peut-être même avec le but certain de mettre sur le trône de France le monarque espagnol, réussit à susciter la connivence active de nos grands féodaux mécontents du Régent qui gouvernait contre eux. Au surplus, le chevalier d'Harmental a existé, ainsi que Buvat, lequel a laissé un journal intéressant. Mais elle est satisfaite à travers le plus romanesque des récits. C'est un amour, un amour jeune et frais, qui compromet tout d'abord le héros, puis finalement le sauve. En effet, le chevalier entraîné dans l'intrigue que la duchesse du Maine, son entourage et l'ambassade d'Espagne ont fomentée pour enlever le Régent et l'emmener au-delà des monts, mais d'autre part amoureux d'une jeune orpheline sa voisine, veut à tout prix l'approcher et à cette fin charge son tuteur, le bonhomme Buvat, de recopier les plans du complot : Buvat, homme de devoir, révèle tout au cardinal Dubois. Arrêté, c'est à l'intervention de Bathilde, amoureuse, décidée à mourir si le chevalier meurt, que le jeune homme devra de vivre et, gracié, d'épouser la jeune fille dont le père sauva jadis le Régent. S'il y a une poésie de l'amour, on la trouve dans ce livre, où sourit un sentiment exquis de l'amour naissant. Entremêlés à ce romanesque, la conspiration nouée et dénouée, le Régent et l'abbé Dubois, le duc et la duchesse, la cour de Sceaux, ses politiques et ses poètes, revivent avec relief. Entre les deux aspects, histoire générale et histoire particulière, un éventail de divertissements, des éclairs de duels, des accords de clavecin et des chants, la pittoresque figure du capitaine Roquefinette et tout un Paris de jour et de nuit achèvent de séduire et d'ensorceler. Jamais Dumas n'a dépassé cette réussite d'interprétation historique et d'équilibre entre l'histoire et le roman.

Il a beaucoup puisé dans l'histoire et s'est mis le plus souvent en accord avec elle, avec l'histoire telle que son temps la connaissait : lui reprochera-t-on de n'avoir pas lu nos chartistes? Il connaissait bien l'histoire de Mézeray, peut-être même avait-il sous la main les Varias et les Palma Cayet du XVIᵉ siècle, qui ont loyalement cherché l'objectivité. Plus que les historiens, il a fréquenté les chroniqueurs et les mémorialistes assurément, mais pourquoi s'en serait-il privé? Les chroniques françaises révélées par Buchon, les collections de mémoires dues à Joseph Michaud, à Poujoulat, à Petitot, Froissart et son continuateur Monstrelet édités par Buchon, le *Journal* de Pierre de L'Estoile publié par Guizot et Petitot, tout ce qu'a réimprimé *le Panthéon littéraire*, autre fondation de Buchon, et Brantôme sorti de l'ombre en 1822 par Monmerqué, ce Brantôme qui offre un si intéressant et relativement exact panorama des mœurs et des sentiments du XVIᵉ siècle, et encore Montluc et le très sérieux de Thou : quel arsenal! Bien sûr, il n'a pas fui les pamphlétaires, ni d'Aubigné et sa *Confession catholique du sieur de Sancy*, dure satire du temps d'Henri III et d'Henri IV, ni *l'Ile des Hermaphrodites*, diatribe anonyme où il est plaisant de surprendre le roi à sa toilette ou les galants en rendez-vous dans les églises. Bien sûr encore, Pierre de L'Estoile est assez concierge, sans compter qu'une furieuse haine de la Ligue le poussait à la partialité, mais n'était-il pas permis d'accepter son information quand elle avait des garants et qu'elle semblait mériter les confirmations qui lui sont venues depuis? Il y avait en tout cas intérêt et plaisir à cueillir dans ses annales des traits de mœurs, des croquis d'événements, comme dans les écrits de Mᵐᵉ de La Fayette pour une époque postérieure, dans les *Mémoires* de Pierre de La Porte, dans ceux d'Hamilton pour ses peintures de cour, dans les romans réalistes de Charles Sorel, de Furetière et de Scarron; et Dumas ignora-t-il, de Sorel, l'*Histoire de France depuis Pharamond?* Elle a paru en 1836. Au bas d'une page de sa *Reine Margot*, il cite lui-même une de ses sources : Tallement des Réaux, *Histoire de Marguerite de Valois*... Véritable mer montante de documents sur l'ancienne France! Elle apportait d'indiscrètes et piquantes révélations sur d'illustres personnes. A un tableau général et abstrait comme en brossa longtemps la grande histoire, elle substituait le passé dans sa particularité individuelle, dans son intimité vivante, dans ses images qui parlent. C'est toute une réalité humaine imprévue qu'avait découverte le XIXᵉ siècle dans son premier tiers et en face de laquelle Dumas nous apparaît plus d'une fois donnant la main à Michelet.

Il a souvent parcouru le terrain en cueillant, disons même en picorant; prenant ici et là, il a assemblé, appareillé, plaqué des éléments dispersés et il les a fait entrer dans une unité qui les dépasse infiniment. Autrement dit, il a beaucoup inventé.

Mais une fois, et pour le livre qui a fondé sa gloire, il a disposé d'une sorte de canevas déjà assez ouvragé; il a véritablement tiré *les Trois Mousquetaires* des soi-disant *Mémoires de Charles de Batz-Castelmore, Comte d'Artagnan*, rédigés et en partie imaginés par Gatien de Courtilz de Sandras. Comment s'y est-il pris? Qu'a-t-il gardé, qu'a-t-il transformé, qu'a-t-il ajouté? C'est ce qu'on ne peut se dispenser de regarder d'un peu près.

Courtilz, à cheval sur le xviie et le xviiie siècle, fut lui-même un petit d'Artagnan, mais surtout un nouvelliste, et même un gibier de Bastille. Il a prétendu avoir eu en mains des mémoires authentiques laissés par le mousquetaire et qu'il n'aurait fait qu'arranger. Du moins a-t-il recueilli une masse de souvenirs dans le régiment auquel il a appartenu comme l'illustre Gascon. La vérité historique ne lui fait pas défaut, il a parlé sans mensonge d'Anne d'Autriche, de Louis XIII, des ministres; il rend compte des mœurs, on pense à un Abraham Bosse du mémorialisme. Dumas lui a pris son personnage avec les batailles, les dévouements, les galanteries, les scènes principales de sa tragi-comédie à forme de roman.

Roturier, le véritable d'Artagnan, né à Lupiac (Gascogne) en 1623 (Dumas le rajeunit), tenait ce nom domanial d'une branche cadette de la maison de Montesquiou à laquelle appartenait sa mère. Il l'avait adopté parce que son aîné (il ne manquait ni de sœurs ni surtout de frères) lui avait donné quelque éclat sous la casaque bleue à croix d'argent des mousquetaires à chevaux gris. Mousquetaire à son tour en 1640, il devint capitaine, fut aussi capitaine des oiseaux de la volière royale ainsi que des petits chiens courant le chevreuil, et gouverneur militaire de Lille. Chargé de mission auprès de Cromwell, puis désigné pour arrêter Fouquet, il allait recevoir son bâton de maréchal de France, quand il fut tué en 1673 au siège de Maestricht.

Les « trois » autres ont existé eux aussi, quoi qu'ait prétendu Dumas de bonne foi [1], et sans doute Courtilz a-t-il connu

1. « Le Pays natal », dans le *Journal littéraire de la Semaine*, 25 juillet 1864.

quelques-unes de leurs aventures. Athos? En réalité, Armand
de Sillègue, seigneur d'Athos, près de Sauveterre de Béarn,
d'origine bourgeoise (en revanche, le comte de La Fère ni ses
Mémoires n'ont existé), tué en duel avant l'entrée de d'Artagnan dans le corps des mousquetaires. Porthos? Isaac de Por-
tau, né à Pau, de famille à demi noble, mousquetaire en 1643,
qui a dû mourir prématurément. Aramis? Henri d'Aramitz,
écuyer, abbé laïque d'Aramitz en la sénéchaussée d'Oloron,
entré en 1640 aux mousquetaires, que commandait son oncle,
mort retiré dans ses terres, marié, père de quatre enfants. Ils
étaient cousins, Courtilz en a fait des frères. Leur chef, M. de
Tréville, a été identifié avec J.-A. de Peyrer, seigneur de
Troisvilles en Béarn, cornette des mousquetaires en 1625,
gentilhomme ordinaire de la chambre du roi, gouverneur de la
province de Foix, mort en 1672 lieutenant général des armées [1]...

Du récit de Courtilz à celui de Dumas, bien des choses ont
passé. Dans l'un et dans l'autre, d'Artagnan, cadet sans fortune, a quitté sa famille sur un maigre bidet et s'est fait dépouiller au cours d'une querelle sur la route. L'arrivée à Paris, la
rencontre dans l'antichambre de M. de Tréville avec Porthos,
puis avec Athos et Aramis, le quadruple duel de ces braves
avec les mousquetaires du cardinal, l'épisode de Milady et de sa
soubrette, les aventures de d'Artagnan en Angleterre, l'arrestation de Fouquet, la rivalité des mousquetaires du roi avec les mousquetaires du cardinal, la colère de Richelieu, tout cela qu'a raconté
Courtilz, se retrouve dans le roman des *Trois Mousquetaires*.

Mais Dumas ne s'est pas contenté de ces emprunts, il a fait
des combinaisons, prenant des épisodes ailleurs que dans les
Mémoires de d'Artagnan et les amalgamant avec ceux de Courtilz en un ensemble, pour le plus grand profit de son roman.
Dès le début de l'histoire, pour la première affaire de son héros,
il a remplacé Saint-Dié par Meung et M. de Rosnay par M. de
Rochefort, en utilisant un autre ouvrage de Courtilz, *les
Mémoires du comte de Rochefort* : or ce Rochefort, étant une
création de Richelieu, compliquera plus tard l'existence du
Gascon. Aux mêmes *Mémoires* Dumas a emprunté l'idée d'une
première épouse marquée à l'épaule de l'infamante fleur de

1. Cf. *Dictionnaire de Jal.* — *Mémoires de d'Artagnan*, avec préface et
notes de Gérard-Gailly, Paris, 1928. — J. de Jourgain, *Troisvilles, d'Artagnan et les Trois Mousquetaires*, Paris, 1910. — Charles Samaran, *D'Artagnan, capitaine de mousquetaires du roi*, Paris, 1912.

lis; en infligeant la marque à Milady, première femme d'Athos, il introduit dans son roman un élément supplémentaire de pathétique. Pareillement, une *Vie* de Pierre de Montesquiou, maréchal d'Artagnan depuis Malplaquet, mais qui fut aussi mousquetaire, lui a donné l'idée d'allonger l'existence de son d'Artagnan, afin de pouvoir l'élever au maréchalat.

Dumas a aussi transformé et amplifié certaines des données de Courtilz. La première amante du jeune Gascon à Paris, cabaretière anonyme dans les *Mémoires*, devient dans *les Trois Mousquetaires* la charmante Mme Bonacieux; elle fournit avec son mari des péripéties intéressantes et dont on a l'impression qu'on ne pourrait plus se passer. C'est encore plus évident et de beaucoup plus d'importance pour Milady, la terrible Milady qui, jouée par d'Artagnan, va jusqu'à lui susciter des assassins : étonnant épisode qu'Hugo admirait et songeait à reprendre à son compte [1]. Mais, comme l'a fait remarquer M. Gérard-Gailly, « l'histoire de Milady, chez Courtilz, est bornée au thème amoureux, de même que l'histoire précédente de la cabaretière, qui n'a d'ailleurs avec l'autre aucun lien, tandis que Dumas amplifie l'une et l'autre, les soude et les verse dans son grand sujet politique ».

L'intérêt de la plupart des *Mémoires* pour qui sait les lire, c'est d'offrir un choix de traits de mœurs : rien de plus avantageux pour un romancier, et c'est de quoi Dumas pouvait être reconnaissant à Courtilz, car de Courtilz encore vient l'amusante histoire du baudrier qui a le devant conforme aux règles (avec broderies d'or) mais le dos tout uni, pour raison d'économie : ce qui oblige le fanfaron à porter constamment un manteau et l'expose par là à des farces, grosses de duels; et Courtilz, comme tant d'autres d'ailleurs, a fait état des riches cadeaux offerts par les amoureuses, privilèges que les mœurs du temps assuraient à tout jeune et aimable porteur d'épée : d'où une assez bonne part des drôleries du rôle de Porthos.

On voit à peu près tout ce que Dumas doit à Courtilz de Cendras. M. Gérard-Gailly caractérise le lot fort justement : « Un tremplin pour ses bonds démesurés. »

D'autres tremplins ne sont pas à négliger. Pierre de La Porte, qui fut portemanteau d'Anne d'Autriche, ministre

---

1. *Journal des Goncourt*, V.

affidé des correspondances secrètes de la reine avec plusieurs
princes alors ennemis de l'État, et dans la suite premier valet
de chambre de Louis XIV, a raconté dans ses *Mémoires* l'en-
lèvement du valet de chambre d'Anne d'Autriche et la persé-
cution de Mme de Fargis, dame d'atours, par Richelieu et
Louis XIII, et engendré ainsi par transposition les malheurs
tombés sur le ménage Bonacieux, ce touchant ménage qui
entraînait André Bellessort à rêver de la vie bourgeoise en
France au xviie siècle. D'une autre haute source, *Intrigues
politiques et galantes de la cour de France sous Charles IX,
Louis XIII, Louis XIV, le Régent et Louis XV, Mises en
comédies* par Ant.-Marie Rœderer, ancien préfet de Louis-
Philippe, a coulé pour Dumas le récit plus ou moins historique
d'un des épisodes les plus marquants des *Trois Mousquetaires* :
les ferrets de diamants offerts en gage d'amour par Anne d'Autriche au duc de Buckingham et repris par d'Artagnan afin
de sauver la reine du piège tendu par Richelieu... Soyons
d'ailleurs persuadés que des sources ne cesseront d'apparaître
au fur et à mesure que l'érudition pénétrera dans l'œuvre
romanesque de Dumas. Dès maintenant, les *Mémoires* de
Mme de Motteville s'imposent. N'est-ce pas elle qui a raconté
la rencontre amoureusement agencée d'Anne d'Autriche et
de Buckingham dans les jardins d'Amiens, dont le souvenir
plane sur tout le roman? La reine se laissait entraîner sur la
voie des amusements frivoles par Mme de Chevreuse, grande
amoureuse elle-même, dont l'Athos de Dumas a eu un fils,
dont l'Aramis des *Trois Mousquetaires* a été l'amant. Cette
reine est bien celle de Mme de Motteville. Mais Dumas a traité
avec beaucoup de noblesse et de respect ses courtoises et chevaleresques amours avec le favori des rois anglais.

Il n'est question ici pour le moment que de l'aspect historique du roman de Dumas, et l'on vient de voir que l'auteur des
Trois Mousquetaires, truquant çà et là l'histoire, vieillissant
par exemple ses héros pour les accorder à des événements
auxquels ils n'avaient pu prendre part dans la réalité, les sur-
chargeant à plaisir de certaines activités inventées ou les
délestant de certaines activités réelles, n'a pas moins gardé sa
fantaisie accordée comme par miracle avec l'histoire, en gros,
bien entendu, et sur l'essentiel. En outre, le roman donne
une impression exacte de la cour sous Louis XIII, des bals
officiels du temps, des duels du Pré-aux-Clercs, de l'armée

devant La Rochelle, de la vie de Paris et de toute l'ambiance
d'une époque.

Voilà ce qu'il en est pour un roman bâti sur des constructions antérieures que Dumas a eu surtout à fortifier, à agrandir,
à peupler. Soumettre au même examen un roman d'origine
toute différente, plus inventé, historique moins par les faits
que par l'esprit, et fait de matériaux dispersés et disparates,
achèvera de familiariser le lecteur avec la création d'Alexandre
Dumas. *Mémoires d'un médecin, Joseph Balsamo*, publié en
1846, s'y prête parfaitement.

Balsamo, qui s'est fait appeler comte de Cagliostro entre
autres noms assez nombreux, chassé de Palerme, sa patrie,
sur une accusation d'escroquerie, avait parcouru l'Europe. A
Strasbourg en 1780, à Paris en 1781, il brilla quelque temps;
mais impliqué dans l'affaire du collier, exilé en 1786, il passa
en Angleterre, se fit arrêter à Rome comme franc-maçon et
mourut à cinquante ans en prison... A Paris comme à Strasbourg, comme à Lyon et à Bordeaux, quelques secrets théra-
peutiques, des poudres et des élixirs, son alchimie, ses tours de
magie lui faisaient une réputation. Sa femme Lorenza passait
pour très belle, se laissait peu voir et pour cette raison était
tenue pour grande dame. Lui, parlait un mélange de français
et d'italien, avec des grains d'arabe; il s'accoutrait bizarre-
ment. Mais sa maison de la rue Saint-Claude, demeure seigneuriale à vastes salons, à grand escalier de pierre et à escaliers
dérobés, intriguait; on savait qu'un laboratoire y était installé
pour la transmutation des métaux, qu'un globe de verre d'eau
pure y servait de miroir magique pour la divination.

Les francs-maçons ont beaucoup appuyé et servi Balsamo,
comme ils avaient fait pour Mesmer. La loge d'Isis, nouvellement fondée, devint sa loge avec sa femme pour grande prê-
tresse, quoiqu'elle comptât pour membres marquises et com-
tesses, et pour grand maître le prince de Montmorency. Au
reste, un surnaturel de mauvais aloi hantait les cervelles de
l'époque. Balsamo n'a pas eu de peine à faire triompher son
hypnotisme, à persuader qu'il faisait de l'or, qu'il disposait
de l'élixir de longue vie qu'avaient cherché les Rose-Croix,
qu'il avait vécu plusieurs existences à la manière du comte de
Saint-Germain, qu'il évoquait les esprits à l'égal de Sweden-
borg. Des verges de bois creuses, chargées de limaille d'or et
bouchées avec de la cire destinée à fondre dans le creuset

bouillonnant, du charbon plein de poudre d'or [1], un système
de suggestion hypnotique, des mélanges de soufre, de mer-
cure, de nitre et de pierres précieuses pulvérisées, des boissons
épicées, des plantes rafraîchissantes, entre autres matières et
autres procédés, suffisaient à tourner la tête à une société qui
avait mal résisté à Mesmer et qui était prête à tout croire de
ce qui échappait à la raison; ne lui fallait-il pas un ersatz de
religion et un envers de science? La haute classe ne se montrait pas la moins crédule, et un cardinal de Rohan incarne
merveilleusement cette niaiserie ardente. Passionné d'alchimie, obsédé de pierre philosophale, le prince était pour Balsamo une proie toute préparée, que d'ailleurs la belle Lorenza
contribua d'autant mieux à traquer jusqu'à l'hallali, que ce
grand seigneur aimait s'entourer de maîtresses. C'est Cagliostro le premier qui, tout innocent qu'il ait été reconnu dans
l'affaire du collier, avait conseillé au prince d'offrir un cadeau
à la reine. La coupable, Mme de La Motte, était bien une
intrigante à l'enseigne de ce temps où les familles éprouvaient
du bonheur à livrer leurs filles au roi, comme il arrive dans
Joseph Balsamo.

Le romancier aurait pu se donner pour tâche d'évoquer ce
monde de pré-révolution en réaliste, entremêlant sa bassesse
dorée avec une évolution générale des esprits et les aspirations
d'âmes nobles exceptionnelles. Il l'a fait, mais en partie seulement; certes, la famille de la Du Barry, les intrigues de M. de
Taverney le père, du duc de Richelieu et de bien d'autres, la
fureur de l'avidité et celle de l'érotisme, le roman de Dumas
n'écarte pas ces laideurs. De même, il présente un clair tableau de
la métamorphose des classes sous l'impulsion de Rousseau; il
a peint de Rousseau, du philosophe et du huron, de l'homme de
la nature et de l'orgueilleux, du prisonnier de Thérèse, de
l'ami du genre humain et du misanthrope un admirable portrait. Il ne lui restait qu'à installer au centre de cette décom-
position, sous le nom de Joseph Balsamo, un charlatan, un
imposteur, un fossoyeur, un vampire... Tout au contraire,
faisant sa part à l'ombre tragique et noire, à une sorte de nécro-
mancie des mœurs, il s'est tourné vers la lumière, même dou-
teuse et illusoire, il a accepté la légende que Cagliostro avait

---

1. D'après certains témoignages, Balsamo repliait son pouce dans le
creux de sa main, y cachait une petite boule d'or qu'il coulait dans le creuset chimique (*Réponse de Mme de La Motte au Mémoire de Cagliostro*, 1786).

lui-même créée, il a modelé Joseph Balsamo en personnage supérieur qui remplit une mission et se donne pour un bras de Dieu; le muant en personnage symbolique, il l'a chargé d'incarner le développement du progrès humain.

Or, l'histoire, tout en ignorant ou niant cette métamorphose de pure imagination, en a fourni certains éléments : Dumas n'eut qu'à les magnifier.

Victime de l'affaire du collier, réfugié à Londres, Cagliostro, pour riposter à l'arrêt de bannissement que la Cour de Paris avait rendu contre lui, écrivit une *Lettre ouverte au peuple français*, dans laquelle il vilipendait notre régime et prédisait une révolution prochaine. En quoi, du reste, il s'était laissé devancer par la « prophétie turgotine » de 1778 :

> On verra tous les États
> Entre eux se confondre;
>
> . . . .
> Des biens l'on fera des lots
> Qui rendront les gens égaux.
>
> . . . .
> Adieu Parlement et Lois,
> Et ducs, et princes et roix *(sic)*
>
> . . . .
> J'enverrai tout paître,
> O gué,
> J'enverrai tout paître.

Plus tard, en 1790, traduit devant le Saint-Office, Cagliostro fit de prétendues révélations dans l'espoir que ses juges, s'en pourléchant, lui laisseraient la vie par gratitude. Elles se trouvent consignées dans un livre italien paru en traduction française dès 1791, *Vie de Joseph Balsamo connu sous le nom de Cagliostro*. L'imposteur racontait entre autres choses qu'à Francfort des Illuminés l'avaient conduit hors de la ville dans une cave de maison de campagne pour lui montrer un manuscrit sur lequel il avait lu, inscrite en lettres de sang, la formule d'un serment condamnant à mort tous les despotes et signée de douze noms, dont le sien : après quoi, il avait reçu six cents louis d'or pour son activité en faveur de l'œuvre, avec un cachet portant L. P. D. *(Lilia Pedibus Destrue)*. Ainsi essayat-il de faire glisser l'accusation sur la franc-maçonnerie : c'est elle qui aurait fomenté la Révolution. Dumas a certainement connu cette thèse propagée par l'abbé Barruel, ancien jésuite rédacteur du *Journal ecclésiastique* depuis 1787, émigré en 1792, apologiste de Condorcet. Barruel, dans ses *Helviennes* de 1781, affirme que Mirabeau avait affilié Philippe d'Orléans, grand maître du Grand Orient de France, à l'ordre des Illuminés et que la maçonnerie obéissait aux affidés d'Adam Weishampt parmi lesquels a figuré Robespierre. Les historiens doutent de ces conjonctions. Mais elles faisaient les affaires de Dumas, puisqu'il était décidé à présenter son Balsamo-Cagliostro comme un agent de ce progrès politique et social dont l'histoire n'interdit pas absolument d'imputer la conception à la franc-maçonnerie.

Peu importe dès lors que le romancier ait commis quelques bévues, faisant recevoir maçon M. de Voltaire à une époque où il était hostile à la maçonnerie ou bien soumettant Rousseau à un interrogatoire de Marat encore en Angleterre... Ce qui importe bien davantage, c'est que dans *Joseph Balsamo* comme dans *la Comtesse de Charny*, la « Loge de la rue de la Plâtrière » remplisse son office, unisse Louis-Philippe-Joseph, duc d'Orléans, à Saint-Just et offre à Cagliostro l'occasion de définir éloquemment devant elle le triangle Liberté, Égalité, Fraternité, et de condamner à mort la Monarchie, les pouvoirs religieux, les castes aristocratiques, au-delà desquels il voyait luire le progrès définitif. Le Cagliostro de Dumas use de ses pouvoirs pour servir le bien, par amour des hommes. Il a la pensée haute, la pitié noble, le sens de la hiérarchie morale, la volonté de faire reconnaître les supériorités de l'esprit et du cœur. En somme, voilà le charlatan élevé au rang de Prométhée. Le livre y perd par moments sa crédibilité. Il y gagne, dans l'ensemble, une extraordinaire force romanesque, Balsamo devient véritablement un héros. Mais enfin, l'histoire se voit mise sens dessus dessous.

L'étonnant, c'est que Dumas ait pu amalgamer tant de féerie magique et d'irréel humanisé avec des situations et des personnages authentiquement, historiquement réels, venus de sources classiques auxquelles j'en adjoindrai trois qui sont d'ordinaire négligées : les *Mémoires* du jésuite J.-François Georgel, familier du cardinal de Rohan et observateur de la société du xviiie siècle finissant, publiés en 1818, *la Vie privée du maréchal de Richelieu*, pleine d'intrigues et d'amours, attribuée à Soulavie, mais qui doit être de l'auteur dramatique Faur; et des *Mémoires* encore, ceux mis au compte du duc de

Richelieu par Giraud de Soulavie, compilateur, mystificateur, fabricant de souvenirs apocryphes, mais qui eut en mains les papiers du duc et qui personnellement connut très bien le Versailles du XVIIIe siècle. L'abbé de Soulavie, qui avait adhéré à la Révolution, la représenta quelque temps à Genève comme résident général. N'est-ce pas rencontre curieuse qu'une lettre officielle de lui signale en décembre 1793, parmi les notabilités d'un dîner, le général Dumas [1]?

A considérer attentivement la somme des romans de Dumas, l'injustice est flagrante de faire trop grand état de ses erreurs, bévues et déformations historiques, comme on y a pris tant de facile plaisir. Certes, elles sont de taille; mais pourquoi déborderaient-elles sur l'œuvre entière? ne vaut-il pas mieux les enfermer dans leurs limites et sauver le reste? Elles ont obéi à deux mobiles. Tout d'abord Dumas, romancier, n'a pas toujours résisté au besoin de « faire plus pathétique » ou « plus drôle ». Et puis, ou en même temps, il n'a pas toujours résisté non plus à un autre instinct, l'instinct populaire qui déforme les personnages dont la grandeur jadis coûta cher. Il a certes terriblement besoin d'excuses pour certaines inventions irritantes de *la Reine Margot* ou des *Trois Mousquetaires*, du *Vicomte de Bragelonne* ou d'*Ange Pitou*. Il a choqué ou fait rire même ses contemporains en donnant de Catherine de Médicis l'idée d'une haute putain d'importation étrangère et d'une empoisonneuse couronnée, en faisant du cabinet qui touche à la chambre de Marguerite de Valois l'élément d'une mise en scène pour quelque *Boubouroche* royal et en y réunissant pour une nuit La Môle blessé et le roi de Navarre, l'un au pied du lit de l'autre et « causant politique ». Il n'est évidemment pas croyable que d'Artagnan, malgré son courage et son astuce, ait bravé Cromwell, mené Mazarin et parlé à Louis XIV d'égal à égal jusqu'à l'inconvenance, ni que Louis XVI, si bon qu'il fût et si curieux d'expériences, ait admis le bon plaisir d'un médecin magnétiseur à l'égard d'une fille d'honneur en son auguste présence... Après de telles énormités, on ne peut que trouver amusants les numéros que Dumas distribue aux maisons de Paris sous Louis XIII ou les parapluies qu'il fait arborer à des personnages d'il y a quatre siècles.

1. Boislille, introduction aux *Mémoires* authentiques du maréchal de Richelieu, Société de l'histoire de France, Paris, 1918. — C'est Pierre Gaxotte qui nous a fait penser à Giraud de Soulavie, nous l'en remercions.

Mais ce ne sont là que particularités, tandis que la Saint-Barthélemy, les tumultes de la Ligue et ceux de la Fronde, l'action des grands ministres, les relations de la France avec l'Angleterre et avec l'Espagne, les phases de la monarchie, le drame du dernier roi absolu, les métamorphoses du xviiie et du xixe siècle, les conspirations, les révolutions et les guerres offrent de vastes étendues d'histoire sur lesquelles aucune découverte d'historien ou d'érudit n'a jusqu'ici contredit gravement le romancier. Dumas, malgré certaines tendances personnelles et en dépit de son « feuilletonisme » populaire, n'aspire ni ne se laisse aller à calomnier le passé de la France, la passion politique ne l'entraîne pas, comme elle a entraîné Hugo. Il ne heurte pas l'histoire, dit fort justement Hippolyte Parigot, qui l'a bien étudié. Un royaliste notoire, Henry de Bruchard, lui a rendu un hommage qui compte [1]. On ne lui conteste plus le droit de se rendre ce témoignage : « Nous faisons à chacun sa part dans le bien comme dans le mal [2]. » On en donnerait pour preuve son Charles IX, bien doué pour l'esprit et audacieux, mais dont le milieu du Louvre a poussé la méchanceté native à trop de finesse cauteleuse; son Henri III, hautain à la française, perfide à l'italienne, comédien, débauché, quoique profondément religieux, mais gardant le prestige de ses victoires et passionné autant qu'habile défenseur du royaume, pris entre les catholiques et les protestants, entre les Espagnols et les Germains, tel enfin que l'ont retrouvé après Dumas les historiens actuels [3]; son Richelieu, son Mazarin, et beaucoup d'autres... « Il méprisait fort, a écrit très justement Bruchard, les contempteurs de nos grands hommes qui ne veulent retenir de leur vie que ce qui importe le moins à l'historien et au politique, les défauts de la vie privée. Le luxe, le bon cœur, le charme de Fouquet, sont-ils trop appréciés, eu égard à ses gabegies? La Fontaine, Pélisson, les poètes amis du surintendant, Mme de Sévigné et les favoris de Vaux, n'estimèrent-ils pas que c'était être innocent que d'être malheureux? Une telle infortune pouvait émouvoir. Colbert qui en fut l'artisan, Louis XIV qui la consacra, sont-ils bafoués, noircis? Au contraire, Dumas explique les nécessités de *la Raison d'État*.

1. « Il faut lire A. Dumas père », Revue critique des Idées et des Livres, 25 janvier 1914.
2. *Les Compagnons de Jéhu*, 1857.
3. Pierre Champion, Pierre Lafue.

Il ne commet pas cette sottise de déclamer contre elle. Et qui la comprend mieux que son héros préféré, d'Artagnan? Il faut encore noter que l'amour professé par Dumas pour les héros de notre histoire lui fait dédaigner certaines de leurs faiblesses, pour lesquelles l'histoire est justement sévère. Le grand Condé, par exemple, est à peine effleuré dans les aventures et les tractations de la Fronde. Le romancier manque-t-il d'atténuer autant qu'il le peut — en abrégeant et en glissant — les intrigues qui, au temps de la Ligue, donnèrent lieu à des marchandages où l'étranger — l'Espagnol et l'Anglais — joua son rôle? Dans la *Chronique du règne de Charles IX*, Mérimée a moins ménagé les huguenots; et les admirateurs de l'amiral trouveraient plus de mécomptes à lire les savoureux romans de Maurice Maindron, — si drus et d'une lecture passionnante, mais sans pitié pour les sectateurs de la vache à Colas... »

Seulement, quand les romans de Dumas exposent le réel de l'histoire vraie, c'est en narrations romanesques, en récits de romancier hardi, en évocations qui font revivre le vécu de jadis. Il a cherché lui aussi la résurrection. Qu'on ouvre le roman de *la Dame de Monsoreau*. L'ambition des Guise, leur prétention intéressée à descendre de Charlemagne, soutenue par la papauté, cela est commun au roman et à l'histoire, mais le roman le présente dans une scène telle qu'il y en a eu sans nombre à l'époque : conspirateurs assemblés dans la nuit, sous les voûtes de l'abbaye Sainte-Geneviève, en présence tragique des Guise et du chœur de soldats portant la robe et le capuchon de bure, pour couronner symboliquement le duc d'Anjou en attendant de déposer Henri III, — grandiose odieux que le romancier marie à la drôlerie navrante de la duchesse de Montpensier déguisée en moinillon...

A la place d'une scène unique, Dumas parfois multiplie les scènes dans lesquelles apparaît, disparaît, réapparaît un être incarnant toute une classe d'hommes. Se doutant bien que les moines et curés guisards n'étaient pas tous animés du fanatisme cruel d'un Jean Boucher, d'un Lincestre, il a rassemblé les traits de leur médiocrité brutale dans la figure de son Gorenflot, horreur et beauté de *la Dame de Monsoreau*, amas de conformismes tour à tour ahuris et réjouis, mélange d'éloquence sacrée et de maximes bachiques, sac à vin qui n'est pas de messe, outre de sensualité, non point mouton mais porc de Panurge, gras et visqueux instrument de parti... Sau-

tons les siècles. Après Louis XIII, Louis XIV, le Régent et
Louis XV, voici le roi Louis XVI. Il est bon, assez intelligent,
sait penser et parler noblement, conscient de sa situation et
regrettant que la reine le sépare des ministres qui lui vaudraient
l'amitié de la nation, mais l'esprit étouffé par de l'épaisse
matière comme le corps par de la graisse. Nous le voyons dans
Ange Pitou, à l'un des moments graves de son règne, qui pré-
side un conseil de cabinet, timide, n'osant regarder ses partenaires que furtivement et, pour se donner une contenance tout
en restant très attentif, dessinant, faisant des bonshommes et
des chevaux quand il est de bonne humeur, traçant des hachures
quand l'humeur est à la tempête.

Soudain il redresse la tête à l'exposé de Calonne sur les
dépenses publiques; puis d'un ton brusque, il critique le système qui consiste à toujours emprunter sans savoir comment
on rendra. Et comme le ministre a inscrit une grosse somme
pour le compte de la reine, le roi la refuse. « Et la reine me
remerciera, ajoute-t-il. Comment! Quand il y a tant de pauvres
à souffrir! La reine est bonne... » Mais ensuite, chez la reine
qui tient un véritable conseil de guerre avec ses courtisans, il
entre, si seul et si souriant que Marie-Antoinette s'élance à sa
rencontre tout animée des émotions qu'elle vient de soulever.
Silence général. On attend un mot du maître, on frémit. Or, le
roi dit simplement : « Madame, au milieu de tous ces événements, on a oublié de me servir mon souper... » Héroïsme
caché sous le calme, peut-être? La reine veut le croire... Non,
dit Dumas, le roi a faim, voilà tout! Les historiens prennent
acte de la décadence du pouvoir comme les infirmières font
d'un état fiévreux sur la feuille de température; un médecin
artiste et qui en aurait le temps pourrait illustrer le graphique.
Mais Dumas, lui, fait jouer une scène. Celles de *Joseph Balsamo*
entre Louis XV, Mme Du Barry, Choiseul et le duc de Richelieu, n'ont pas le moindre rendement historique. Pour le dire en
passant, sa Mme Du Barry va contre la légende partisane et
rejoint l'histoire par certains de ses traits. Cette fille déplo-
rablement frivole et qui servit d'instrument à un parti contre
l'autre n'était pas du tout ordurière, parlait beaucoup plus
purement que Mme de Pompadour, se montrait à son aise à la
cour, avait l'art de conter. N'est-ce pas ainsi que la montre
Dumas?

Tout au long de ses romans d'histoire, il s'agissait surtout de faire sentir l'époque, respirer l'air du temps, et pour cela, d'entrer dans le secret personnel, psychologique, moral, pittoresque des gens et des choses. Dumas avait à évoquer le goût des Valois et de beaucoup de Français de leur temps pour l'imitation de la Renaissance : il décrit donc le banquet organisé par la cour à Chenonceaux, en 1577, où le service fut fait par des femmes nues. Les mémorialistes et pamphlétaires du XVIᵉ siècle, Pierre de L'Estoile par exemple, accablaient le roi Henri III et ses seigneurs; Dumas reconnaît chez eux des habitudes de tendresse à la mode, suspectes sans aucun doute, mais dont il n'est nullement prouvé qu'elles allèrent jusqu'à l'homosexualité; il écrit donc, au sujet d'Anne de Joyeuse, dans *les Quarante-Cinq* : « Joyeuse avait suivi la trace et adopté la tradition des Quelus, des Schomberg, des Maugiron et des Saint-Mégrin : il aimait le roi et se faisait insouciamment aimer par lui; seulement tous les bruits étranges qui avaient couru sur la merveilleuse amitié que le roi portait aux prédécesseurs de Joyeuse étaient morts avec cette amitié; aucune tache infâme ne souillait cette affection presque paternelle de Henri pour Joyeuse... » Et la « merveilleuse amitié », le romancier nous y a mêlés en maintes scènes dans les conseils, dans la chambre du roi, aux heures des réjouissances, mais aussi dans les conflits et les veillées d'armes. A la courtoisie la plus raffinée, aux souveraines règles d'honneur qui recouvraient alors comme un manteau la plus dure férocité, Dumas donne des visages, des bras et des jambes, des flambeaux et des épées. Ses romans déploient tout le prodigieux luxe des Valois dans leurs fêtes, la joie molle et brillante des bals, des carrousels, des tournois, des mascarades, des divertissements de poésie et de musique.

Pour ressusciter le XVIIIᵉ siècle, lui faut-il par exemple nous introduire auprès de Jean-Jacques Rousseau? C'est aux secrets d'une existence qu'il nous initie en nous les faisant voir et, pour ainsi dire, toucher, mais choisis parmi les suggestions irrésistibles de la réalité historique. Surprenant son homme en train de lire un morceau des *Rêveries*, Thérèse pose le lait chaud sur le livre même et dit : « Bon! voilà mon orgueilleux qui se mire dans sa glace. Monsieur lit ses livres, il s'admire... » Sur un murmure de Rousseau, elle insiste : « Vous rêvez à vos femmes idéales et vous écrirez des livres que les jeunes filles n'oseront pas lire, ou bien des profanations qui seront brûlées par la main du bourreau! » Ainsi Thérèse fait frissonner son martyr. Et dans la suite, quelle défaite du philosophe! Rousseau, invité à diriger la représentation de son opéra à Versailles, voudrait bien se faire beau, mais redoutant les sarcasmes de la mégère, il part avec sa barbe de huit jours et ses vieux habits. A Versailles, lui qui a préparé des phrases de citoyen conscient à débiter au roi, il perd la tête aux compliments ironiques de la Du Barry, aux critiques d'un petit-fils du roi qui lui signale des contresens dans sa traduction de Tacite, au rayonnement des beautés féminines... N'est-ce pas délicieux? C'est profondément vrai, sinon exact, et toutes les chroniques du temps le laissent transparaître.

La vie de Paris pendant la Terreur anime de façon remarquable le début du *Chevalier de Maison-Rouge*. Au reste, les romans de la Révolution sont peut-être ceux qui supportent le plus gaillardement d'être confrontés avec l'histoire, malgré ce que Dumas a emprunté aux souvenirs de Nodier pour *les Blancs et les bleus* et à ceux de sa propre vie pour *Ange Pitou*. On sait que ce roman est à mettre à part. Pressé par le journal auquel il était promis, sans documentation sous la main, Dumas n'hésite pas, et sans se soucier de l'Ange Pitou qui fut chansonnier royaliste au nez de la police de la Révolution [1], il *invente* [2] complètement un garçon à qui il prête ses propres aventures de jeunesse, et qu'il transforme en sans-culotte pour lui faire prendre la Bastille! Mais cela dit, on respire la Révolution dans ce livre, comme on respire de la poudre et du sang et avec la plus pénétrante impression de quotidien et d'immédiat.

Cette sorte d'histoire particularisée et vivante au niveau de l'homme, au fil des jours, glisse forcément à la petite histoire avec laquelle elle arrive à se confondre. Le roman se comporte alors par moments en album d'images, mais vraies, au point d'être indiscrètes. Toutes les portes s'ouvrent à vous, on traverse les murs, on perce les toits, on s'accroche aux carrosses en voyage. Comment Henri III faisait sa toilette du soir, prenait soin d'entretenir son visage, portait pour la nuit un masque à graisse parfumée et des gants oints à l'intérieur

---

1. Fernand Engerand, *Ange Pitou, agent royaliste et chanteur des rues,* Paris, 1899.
2. Le mot est de M. René Groos dans un article précurseur de *Tout l'édition,* 21 décembre 1935.

d'huile odorante, n'y a-t-il pas là un régal pour notre curiosité, et fallait-il laisser cela se dessécher dans les *Mémoires*, dans les *Chroniques?* Chroniqueurs et mémorialistes risquaient de garder pour eux qu'Henri de Navarre ronflait très fort en dormant — une vraie forge — ou que Louis XV avait reçu de son père un moyen de mettre le dauphin en état de grâce pour sa nuit de noces. N'eût-ce pas été dommage? Les romans de Dumas les forcent à tout nous livrer, et nullement par perversité, mais pour tout arracher au passé, pour rendre tout présent. C'est pourquoi Dumas, chaque fois qu'il a pu, a voulu connaître le lieu des événements. Son enquête minutieuse de juillet 1856 à Varennes et dans les environs pour y revivre la fuite du roi est connue : il chercha et trouva des témoins, fit parler ces vieillards, multiplia les interrogatoires dans la population paysanne. A ce propos, il note dans ses *Causeries* avoir reconnu « que pas un historien n'avait été historique », « que c'était M. Thiers qui avait été le moins historique de tous les historiens » et que seul Hugo s'était montré exact, dans *le Rhin :* « Il est vrai que Victor Hugo est un poète... » Hélas, ironie du sort, Dumas s'est vu condamné en justice à corriger le passage qui prêtait à M. de Préfontaine une attitude désobligeante pour ce gentilhomme et qu'on l'accusa... d'avoir inventée!

A la fin de sa vie, envisageant d'écrire quelque chose sur le vice-amiral de Villeneuve (il n'en a pas eu le temps), Dumas a voulu absolument se rendre à Rennes où le vaincu de Trafalgar s'était donné la mort. On l'avait assuré qu'un notable de la ville pourrait le renseigner, M. Adolphe Orain; il l'invita à déjeuner avec le secrétaire qu'il avait amené et un architecte chargé de faire un croquis des lieux; il obtint de lui l'acte de décès, le rapport du commissaire de police, le procès-verbal de l'autopsie et le réquisitoire du magistrat ayant informé sur l'événement. Pendant la quête de ces documents, il eut la chance que l'avocat général à la cour, M. Nadaud de Buffon, le conduisît rue aux Foulons, à l'Hôtel du Commerce, dans la chambre où Villeneuve, soixante-trois ans plus tôt, s'était frappé de six coups de couteau au cœur[1]. Voilà comme le romancier-historien se documentait. Mais il ne s'y décidait pas toujours, il avait ses fantaisies. Comme il était occupé à écrire l'aventure du marquis de Rougeville qui avait réussi à péné-

---

1. Adolphe Orain, *Le Séjour en Bretagne de célébrités littéraires*, Vannes, 1912.

trer dans le cachot de Marie-Antoinette au Temple et à lui
parler *(le Chevalier de Maison-Rouge)*, le fils du conspirateur se
brûla la cervelle par désespoir d'amour; or, il laissait une masse
de papiers de famille et ses exécuteurs testamentaires, Jules
Sandeau et Auguste Bussières, les apportèrent au romancier...
qui n'ouvrit pas le paquet! Pour *le Chevalier de Maison-Rouge*,
comme plus tard pour la Terreur blanche évoquée dans les
Compagnons de Jéhu[1], ce sont surtout des sources orales
qui ont coulé dans l'information de Dumas, en plus de la
source écrite de Nodier et de ses *Souvenirs de la Révolution*, et
davantage encore pour l'aventure de la duchesse de Berry que
racontent les trois volumes des *Louves de Machecoul* : aux
mémoires ont succédé récits de survivants, récits de témoins,
chroniques de journaux.

Alexandre Dumas s'est encore rapproché de l'histoire en
imprégnant son œuvre d'un grand sentiment : celui du temps
qui fuit... A ce point de vue, le passage des *Trois Mousquetaires*
à *Vingt ans après*, puis au *Vicomte de Bragelonne* est émouvant, presque déchirant. L'époque de Mazarin remplace celle
de Richelieu, les héros évoluent et les événements les divisent.
Puis les tristesses, les regrets, les deuils s'accumulent. Porthos,
Athos, Raoul, d'Artagnan meurent; Aramis, rebelle pardonné,
vieillit ambassadeur en Espagne, Fouquet étouffe prisonnier à
Pignerol, le pouvoir absolu s'installe, l'ancienne France n'est
plus. C'en est fini de la chevalerie, du romanesque, de la tragi-
comédie et de Corneille. La mélancolie dans laquelle s'achève
le Vicomte de Bragelonne est donc une mélancolie historique,
la mélancolie de Proust, celle même d'Héraclite. Par là, encore
les romans d'Alexandre Dumas, s'ils participent au sentiment
romantique des ruines, déploient d'autre part un panorama
immense d'invention humaine et témoignent qu'ils sont incontestablement lourds d'histoire.

1. « Jéhu était un roi d'Isaïe sacré par Élysée pour l'extermination de la
maison d'Achab; Élysée c'était Louis XVIII, Jéhu c'était Cadoudal, la
maison d'Achab c'était la Révolution » (Dumas, *Causeries*).

XVI

BEAUTÉS LITTÉRAIRES
DES ROMANS HISTORIQUES

O<small>N</small> a souvent contesté au roman historique sa valeur de genre littéraire. Où cette absurdité éclate le plus fort, c'est lorsque roman et histoire s'accordent pour nous offrir de l'incroyable qu'il faut croire. Là, en effet, ils se multiplient vraiment l'un par l'autre. L'étrangeté du réel dans le passé, la surprise de l'extraordinairement vrai, n'est-ce pas ce qui fait un des attraits de l'histoire bien faite? Or, à cet étonnement que l'histoire provoque, Dumas ajoute une narration suggestive, c'est-à-dire qu'il fait basculer le passé le plus extraordinaire dans le tangible, dans le tout près de nous. Alors la surprise historique s'impose, on la touche et l'on se sent au sens le plus fort du mot, enchanté.

Le miracle se produit pour des scènes et des situations : deux princesses au temps de Ronsard et de du Bellay, achetant au bourreau les têtes de leurs amants décapités pour les faire embaumer *(la Reine Margot)*; Bussy se battant seul contre quinze ou seize hommes [1] et arrivant à les vaincre *(la Dame de Monsoreau)*; M. de Saint-Luc, faisant entendre à Henri III, la nuit, d'une chambre voisine, la voix simulée d'un ange qui lui reproche ses fautes et le terrifie [2]. — Autant d'anecdotes que le pouvoir persuasif du roman n'est pas de trop pour « faire passer ».

Le miracle se produit aussi pour des caractères. Pour aucun avec plus d'évidence que pour Chicot, le fou du roi Henri III

---

1. Douze, d'après le *Journal* de Pierre de L'Estoile.
2. Anecdote consignée par l'*Histoire universelle* d'Agrippa d'Aubigné.

dans *la Dame de Monsoreau*, surprenant et presque « impossible » de courage physique, de loyalisme intelligent et de sérieux politique sous les apparences de sa verve bouffonne. Or, cet être singulier et mythique a existé, a vécu [1]. Il s'est appelé Antoine Anglarez et dut à ses dons de railleur le surnom de Chicot (synonyme de fol et d'harlequin dans l'ancienne langue). Il était de Villeneuve-d'Agen. Courrier d'Honorat de Savoie, Catherine de Médicis et Charles IX l'apprécièrent, car il aimait chevaucher, se battre et blaguer. Henri III se l'attacha, il avait la faveur du peuple; il fut de ceux qui conseillèrent la messe à Henri de Navarre, les chansonniers le connaissaient :

> La reine-mère conduit tout,
> Le duc d'Épernon pille tout,
> La Ligue veut faire tout,
> Le guisard s'oppose à tout,
> Le Cardinal est bon à tout,
> Le roy d'Espagne entend à tout,
> Chicot tout seul se rit de tout.

Brantôme dans *les Dames galantes* donne des spécimens de ses étonnantes libertés de langage, Pierre de L'Estoile assure qu'Henri IV « ne trouvait rien de mauvais à tout ce qu'il disait », les libellistes mirent sous son nom les pamphlets les plus mordants. Dumas a tout rassemblé et fait à Chicot un sort si magnifique qu'on le dirait taillé en pleine imagination... Reconnaissons que le romancier s'est plu à grossir son importance, telle qu'il la lui fait définir lui-même devant un jeu d'échecs, avec la plus jolie impertinence :

— Oui, c'est mon roi qui m'inquiète; vous saurez, Monsieur Aurilly, qu'aux échecs le roi est un personnage très niais, très insignifiant, qui n'a pas de volonté, qui ne peut faire qu'un pas à droite, un pas à gauche, un pas en avant, un pas en arrière, tandis qu'il est entouré d'ennemis très alertes, de cavaliers qui sautent trois cases d'un coup, et d'une foule de pions qui l'entourent, qui le pressent, qui le harcèlent, de sorte que s'il est mal conseillé, ah dame! en peu de temps, c'est un monarque perdu. Il est vrai qu'il a son fou qui va, qui vient, qui trotte d'un bout de l'échiquier à l'autre, qui a le droit de se mettre devant lui, derrière lui et à côté de lui; mais il n'en est pas moins certain que plus le fou est dévoué à son roi, plus il s'aventure lui-même, Monsieur Aurilly; et, dans ce moment, je

1. J. Mathorez, *Histoire de Chicot*, Paris, 1914.

vous avouerai que mon roi et son fou sont dans une situation des plus périlleuses.

On aperçoit par là comment histoire et roman en s'unissant ont pu engendrer l'intérêt nouveau et original qui est propre au roman historique. Mais, chez Dumas, il diffère de celui qu'offre Hugo dans *Notre-Dame de Paris*, puisque Dumas appelle à son premier plan les plus grands personnages. Il diffère bien davantage du *Cinq-Mars* de Vigny, si ennuyeux, et de la *Chronique* de Mérimée : compare-t-on à un enfant unique, solitaire et d'ailleurs maigrelet, une si nombreuse et puissante famille?

Il est bien entendu qu'il y a chez Dumas un incontestable déchet de roman-feuilleton. C'est l'envers de l'œuvre. Mais elle a un endroit.

La solidité littéraire des romans historiques d'Alexandre Dumas leur vient des destinées et des croisements de destinées qui font de la vie regardée à travers les récits du romancier un théâtre merveilleux. Dumas a réalisé son œuvre grâce à un génie de l'assemblage et de la construction. Et pourtant, quel monde dispersé de matériaux! Ces révolutions de palais et ces rassemblements de peuples, ces trônes menacés, sauvés ou perdus, ces conspirations et ces révolutions, ces intrigues et ces dénouements, ces croisades et ces catastrophes, tant d'avatars d'amour, de coups d'épée... Dumas a rassemblé, placé, joint, embrevé toutes ces pièces en maître Jacques prodigieux du bâtiment, c'est-à-dire architecte et entrepreneur tour à tour, voire charpentier, menuisier et maçon. Il a notamment su amalgamer toutes les petites et moyennes intrigues de la cour et de la ville, de la paix et de la guerre.

Il ne faut que tenir sous le regard un roman de Dumas choisi au hasard pour se rendre compte de sa merveilleuse intrigue : *la Dame de Monsoreau*, par exemple. Henri III et son frère le duc d'Anjou vivent en rivalité, ce qui dresse les uns contre les autres les mignons du roi et les favoris du duc, dont Bussy d'Amboise est le chef. Assailli un soir dans Paris par ses adversaires, Bussy blessé a trouvé asile dans une maison où vit secrètement Diane de Méridor, qui l'éblouit de sa beauté. Recueilli, soigné, puis porté de nuit dans la rue pendant un évanouissement, il n'aura plus ensuite qu'une pensée : retrouver la maison mystérieuse, la belle apparition. Or, si Diane vit cachée, c'est par les soins du comte de Monsoreau, le grand veneur. Dans une fête donnée en Anjou, Diane avait eu le malheur de plaire au duc, elle était dès lors menacée et son père l'avait fait fuir : mais les hommes du duc l'enlevèrent. Monsoreau, l'ayant délivrée avec l'appui du père, la pressait de l'épouser, seul moyen, prétendait-il, d'échapper au puissant prince amoureux. Sur ces entrefaites, le prince a revu Diane à l'église et, en la suivant, a découvert sa demeure; il a acheté la suivante de la jeune fille, il tient d'elle une clef qu'il vient de confier à Bussy pour aller en reconnaissance et se préparer à le débarrasser du jaloux. Bussy pénètre dans la maison sans la reconnaître, mais reconnaît la jeune femme tant cherchée. Il se nomme : qui ne l'admire de réputation? Il fait alliance de cœur avec elle... Hélas! elle est depuis la veille Mme de Monsoreau! Il faudrait suivre maintenant dans les dédales du récit les agissements de Monsoreau, homme du duc d'Anjou, agent principal des princes lorrains, conspirateur contre les Valois et, par lui, toute la longue intrigue qui nous mettrait en contact avec la Ligue et avec Henri III, avec le fou Chicot et le moine Gorenflot, avec la duchesse de Montpensier et les moines ligueurs...

A l'intérieur de constructions de cette envergure, si amples qu'elles deviennent des monuments, mais si précises qu'elles font penser à un mouvement d'horlogerie, chaque épisode, chaque moment d'épisode a la résistance d'une pierre bien placée et la finesse d'un engrenage de montre. Pas de sketches plus rigoureusement minutés... Dans le même roman, *la Dame de Monsoreau*, suivez l'excellent Aurilly, factotum du duc d'Anjou, qui cherche dans le Louvre son maître arrêté sur l'ordre du roi et gardé par les mignons. Certainement, lui dit-on, Son Altesse est là. Mais il a à traverser antichambre et chambres. Chicot feint d'étudier un coup aux échecs et l'arrête par ses plaisanteries; ensuite il tombe sur Quelus, qui joue au bilboquet, puis sur Schomberg qui s'amuse avec une sarbacane, et tous deux le retardent par leurs aimables propos. Enfin il parvient à la pièce où deux autres favoris du roi le flattent, l'embarrassent, le raillent, jusqu'à ce que le duc s'écrie : « Tu ne vois donc pas que je suis prisonnier? » Les jeunes gens se le sont passé comme par un mécanisme, mais vivant, en chair et en os. C'est un rythme. Et c'est de l'esprit. Tout cela admirablement prêt pour le cinéma.

Dumas est le contraire d'un analyste. Il peint, il évoque par es gestes, par les paroles, par les dialogues. Dans cette littéra-ure de grand illustrateur, tout est mouvement, tout est images n action, avec le moins possible de commentaires : ils arrête-aient la marche. Ainsi le romancier entretient par son flot de urée le miracle incessant de la vie.

Un autre moteur fondamental des fictions de Dumas à base 'histoire est dans sa prodigieuse imagination, qui invente ant d'imprévu et de surprenant. Les nigauds qui le dénigrent e voient-ils donc pas son pouvoir de démiurge? Il crée sans rrêt, il multiplie les péripéties les plus inattendues; sur le lan de la fable romanesque, il déborde d'idées. Qu'on se rap-elle la chasse au sanglier dans *la Reine Margot*, cette scène ù Henri de Navarre sauve le roi que son frère laissait tuer : uelle pièce de feu d'artifice, avec son éclat dramatique, sa olitesse narquoise, ses mots à double sens! Autre roman, autre enre d'épisodes : dans *le Chevalier d'Harmental*, l'engagement u capitaine Roquefinette au service de la conspiration. La 1ansarde louée où le chevalier habite, dissimulant sa qualité t ses plans, aura senti passer le capitaine comme un violent ourant d'air. Les deux hommes ont commencé par boire un in de si riche cru sous ce pauvre toit que Roquefinette a tout e suite deviné et compris de quoi il retournait. D'ailleurs les léments de la situation, courage, richesse, pauvreté, fine ueule, sympathie des épées, se sont brassés ·à merveille et affaire a été enlevée. Mais il ne paraît pas inutile au bretteur 'éprouver la force d'âme de son nouvel ami, de son inquié-ant tentateur. Alors, il trouve moyen de lui raconter l'exécu-ion affreuse d'un autre chevalier, d'un autre conspirateur, .ouis de Rohan, décapité sous Louis XIV par un bourreau nalhabile. Bien entendu, le capitaine n'a pas eu l'air d'établir : moindre rapport entre les deux aventures, et d'Harmental 'a pas bronché, mais il pensera à la sinistre évocation : voilà onc l'issue possible! se dit-il. Le romancier a troussé la scène n soldat.

Quelquefois ce n'est rien que de charmant, mais vif comme ne provocation de coquette. Qu'on prenne une page presque u coup de dés. Voici *le Collier de la reine*, ouvrez à la scène où 1arie-Antoinette, grisée à l'idée de patiner sur la pièce d'eau es Suisses au milieu de la plus brillante jeunesse, elle-même eune et belle, offre une tasse de chocolat à sa demoiselle

d'honneur et au frère de la demoiselle, qui arrive de la guerr
d'Amérique. Elle a hâte de se trouver libre, ils se brûlent l
palais. Versant une seconde tasse : « Allons, allons, dit-elle e
riant, vous êtes un soldat et comme tel accoutumé au feu
brûlez-vous glorieusement, je n'ai pas le temps d'attendre.
Mais elle surveillait le jeune homme, ne le perdait pas de vu
et son rire redouble. « Vous avez un parfait caractère », conclut
elle.

Encore sont-ce là idées de conteur certes excellentes, ma
qui n'ont rien d'extraordinaire. L'imagination de Dumas peu
aller bien plus loin, jusqu'à la trouvaille-surprise, jusqu'à l
péripétie-miracle. Je ne fais pas allusion, on le pense bien, à de
incidents de roman-feuilleton, si heureux soient-ils, tel le mu
qui cède derrière Bussy traqué par cinq épées et qui est un
porte entrebâillée par laquelle il leur échappera, ou le gran
veneur jaillissant d'une trappe aux yeux des guisards qu
conspirent dans la chapelle Sainte-Geneviève : sortie et entré
magiques. Les inventions par lesquelles Dumas donne l'idé
d'un véritable génie viennent de plus profond, ou plutôt on
l'air de tomber du ciel. C'est donné, comme un beau vers. O
en voit un exemple insigne au chapitre troisième du *Chevalie
de Maison-Rouge*. Maurice Lindey, lieutenant de la gard
nationale, a rencontré dans la nuit du Paris révolutionnair
une inconnue qui n'a pas sa carte de civisme. Il lui est venu e
aide, lui a épargné des arrestations, l'a accompagnée jusqu'
son quartier. Elle est très belle, il voudrait la revoir. « Jamais!
a-t-elle protesté. Elle le regardait cependant avec une expres
sion indéfinissable; elle-même n'avait pas échappé tout à fai
au sentiment qu'elle inspirait. Elle lui fait jurer sur l'honneu
de tenir ses yeux fermés à partir du moment qu'elle dira jus
qu'à celui où il aura compté soixante secondes. « Mais là... su
l'honneur? — Et qu'arrivera-t-il si je jure? — Il arrivera qu
je vous prouverai ma reconnaissance comme je ne l'ai fait
personne... » Lindey jure, mais demande à la jeune femme d
se laisser voir une seconde fois. Elle relève son capuchon. « Ol
vous êtes belle, bien belle, trop belle! — Fermez les yeux...
Quand il eut obéi, elle lui prit les deux mains dans les sienne
le tourna dans la direction qu'elle voulait. Soudain, il senti
comme une chaleur parfumée s'approcher de son visage, pui
une bouche ouvrit sa bouche, lui laissant entre les deux lèvre
la bague qu'il avait refusée un moment auparavant. Ce fut un

sensation rapide comme la pensée, brûlante comme une flamme. Il ressentit une commotion qui ressemblait presque à la douleur, tant elle était inattendue et profonde, tant elle avait fait frémir ses fibres secrètes. Il respecta son serment et, ses yeux rouverts, ne vit plus personne, mais entendit une porte se fermer... La suite, c'est le déroulement du complot tramé pour faire évader les prisonniers du Temple; l'inconnue revenait d'un rendez-vous politique qui lui avait permis de faire rentrer Maison-Rouge dans Paris, et Maurice Lindey est un ami de la Révolution : cet épisode ouvre l'étrange chemin qui l'en détournera, qui le retournera contre les révolutionnaires. Dumas n'a-t-il pas trouvé là, dans ce baiser, dans cette bague mouillée par des lèvres désirées, un ardent et féerique début de roman?

Tout a été dit sur les dialogues d'Alexandre Dumas. Ils bondissent comme sur les planches d'un théâtre. Tantôt ils mènent un combat individuel d'homme à homme jusqu'à son extrême limite avec la convenance sociale; tantôt ils s'ébattent en allusions, en danses autour du pot, en battements d'ailes. Le plus souvent, entre deux ou plusieurs dialogueurs, il y en a un qui mène le jeu ou la dispute, qui a le monopole de la verve, tel Chicot. Il est inouï. Quel abattage, quelle patte! Il tourne et retourne l'adversaire sur le gril, même quand c'est le roi; et, quand c'est un autre que le roi, il le pique et le soulève, le rejette, le reprend, l'étale avec autant d'inspiration brusque que de présence d'esprit. Il y a là une drôlerie qui mijote, bout, verse. Plus rarement la verve est partagée, égale des deux côtés et, dans une situation dramatique, dans une rencontre tragique, elle blesse tout à coup et donne l'impression de faire saigner.

Non pas que verve et dialogue soient toujours pointe d'épée ou arme à feu. Ils savent aussi glisser doucement au simple esprit de conversation. Dumas trouve pour les entretiens de ses héros des mouches de fleuret et souvent, entre hommes et femmes, des battements d'éventail. Tous ses romans en palpitent. Le coup de filet des relectures ramènerait cent témoignages. En voici un. Comment ne pas sourire avec ravissement aux propos qu'échangent, dans *le Collier de la reine*, le cardinal de Rohan et la comtesse de La Motte, un soir où le cardinal, tout amoureux qu'il est de la reine, mais si vif amateur de femmes, s'est laissé tomber aux pieds de Jeanne :

— Vous demandez l'aumône, dit-elle.

— Et j'attends que vous me la fassiez.

— Jour de largesse, répondit Jeanne, la constance des Valois a pris rang, elle est une femme de la Cour; avant peu elle comptera parmi les femmes les plus fières de Versailles [allusion à sa prétention de descendre des Valois et à la faveur qu'elle vient d'obtenir d'être présentée à la Cour]. Elle peut donc ouvrir sa main et la tendre à qui bon lui semble.

— Fût-ce à un prince? dit M. de Rohan.

— Fût-ce à un cardinal, répondit Jeanne.

Le cardinal appuya un long et brûlant baiser sur cette jolie main mutine, puis ayant consulté des yeux le regard et le sourire de la comtesse, il se leva. Et, passant dans l'antichambre, il dit deux mots à son coureur.

Deux minutes après, on entendit le bruit de la voiture qui s'éloignait. La comtesse releva la tête.

— Ma foi! Comtesse, dit le cardinal, j'ai brûlé mes vaisseaux.

— Et il n'y a pas grand mérite à cela, répondit la comtesse, puisque vous êtes au port.

On devine après cela le peintre de mœurs. Quand Mme de Chevreuse, dans *Vingt ans après*, apprend du comte de la Fère que Raoul, le vicomte de Bragelonne, est son fils, quelle grâce noble dans la scène! Quel charme de vérité humaine, aiguisée par tous les affinements de la société! Dans le même roman, la réunion chez Scarron, où se trame sous la couverture littéraire et libertine un complot contre Mazarin, fait se mouvoir, danser, étinceler d'esprit, un salon du temps. Il y a l'équivalent dans *le vicomte de Bragelonne* : Fouquet se divertissant avec ses poètes amis.

A. de Pontmartin et Sainte-Beuve avaient raison. « Quelle verve dans le dialogue! dit le premier, les personnages sont sur leurs pieds, on les voit agir, on les écoute parler [1]. » Et le second : « De tous les feuilletonistes romanciers, c'est encore Alexandre Dumas qui l'emporte avec sa verve intarissable et son entrain [2]. » Mais là-dessus, qu'on ne leur parle pas de connaissance du cœur chez cet amuseur, comme si la vivacité, la justesse, l'esprit de dialogue pouvaient se passer de psychologie! Il y a des mots révélateurs. Lorsque à Ketty, la soubrette de Milady, d'Artagnan demande de l'aider auprès de sa maîtresse à sup-

---

1. *Nouveaux Samedis*, Paris, 1875.
2. *Revue suisse*, octobre 1844.

planter son rival et que la jeune fille, amoureuse, enhardie par un baiser et par un regard, refuse en répondant : « C'est qu'en amour, chacun pour soi », est-ce que cet aveu naïf et effronté tout ensemble n'a pas une force subtile d'exacte psychologie? Si Bussy affrontant une attaque dangereuse de ses ennemis entraîne le romancier à observer : « Il y a pour le cœur vraiment brave, à l'approche du péril qu'il devine, une exaltation qui pousse à sa plus haute perfection l'acuité des sens et de la pensée », cette remarque n'est qu'une des centaines qui se pourraient citer. Il y a chez Dumas une psychologie de la bravoure, il y en a une de l'amour, une autre de l'amitié.

Il y a même une psychologie de la drôlerie humaine, du comique que la nature de l'homme porte en elle, dans ses faiblesses innées, et qui fuse ou explose dès que les circonstances s'y prêtent. La scène du conseiller Broussel mué en faux héros par les intérêts de la Ligue, dans *Vingt ans après*, est une illustration digne d'accompagner une page fameuse des *Mémoires* de Retz. Parfois ces comédies deviennent comédies de caractères, je n'en veux pour témoignage que la fin de Mazarin dans le *Vicomte de Bragelonne*, sa confession moliéresque au théâtin, sa donation au roi...

Les personnages de Dumas auraient-ils tant de vie si nous ne nous retrouvions pas en eux, fût-ce par contraste? Jacques Laurent l'a noté : « C'est le génie de Dumas de permettre à des caractères vrais de s'accorder avec l'aventure. » Certes, des caractères vrais à la manière du genre, c'est-à-dire avec le coup de pouce qui les fera un peu plus grands que nature, qui montrera l'endroit à plein et cachera furtivement l'envers, en sorte que Bussy sera un héros parfait, Diane une femme idéale... Pas toujours pourtant. Parmi ses rois, ses princesses, ses marquis et ses comtes, Dumas fait abonder les retors, les versatiles, les pervers, les cruels. Mais avec le plus admiré de tous, le plus chéri, d'Artagnan, le Dumas psychologue se manifestera mieux encore. Or, ce d'Artagnan, loin d'avoir été taillé tout d'une pièce, apparaît assoupli de toute une complexité. Brave, non téméraire, il montre au besoin du calcul, il a de l'ambition et de l'orgueil, il n'est pas un scrupuleux sans reproche, il est indélicat avec Milady. Rayonnant de courage et de dévouement, il n'hésite pas à s'abaisser pour confondre un insulteur, M. de Vardes; il s'accuse en confession publique devant une petite assemblée de vaillants. Il a eu à se faire une éducation, de la tenue à apprendre et même certaines notions d'honneur à acquérir. Il a vieilli et s'est assagi; bavard, il a fini par se taire; frondeur, il a renoncé à juger.

Aux quatre *Mousquetaires* correspondent, pour rayonner à travers plusieurs livres, de prodigieux éclairs d'armes. Il y a une beauté du coup d'épée bien porté, de la riposte foudroyante et heureuse, une beauté du risque assumé, du danger volontairement affronté, une beauté du salut arraché d'assaut aux situations les plus désespérées à force de courage, d'intelligence, de promptitude, d'audace, et cette beauté-là, Dumas en a fait le privilège de ses quatre héros. Il leur a donné par surcroît l'attrait de sympathie.

Et ne sont-ce pas encore des caractères très individualisés, les « trois » autres? Athos, comte de La Fère, qui se tient le plus souvent dans l'ombre, mais avec des gestes de grandeur dans la lumière, triste et pessimiste, près du sarcasme, mais trop bon pour y tomber, qui n'émeut-il pas, lorsqu'un soir, pour consoler d'Artagnan de ses amours malheureuses, il lui fait la révélation terrible de son propre malheur? Et c'est pour combattre sa tristesse qu'il boit. Mais jamais ivre, toujours de sang-froid, il a la bravoure lucide. Il met un sérieux paternel dans ses amitiés; il est père, il aime tendrement son fils Raoul, ce fils que la trahison de Mlle de La Vallière a désespéré et qui s'embarquera un jour à Toulon pour prendre part à l'expédition d'Afrique et y trouver la mort.

Pour leur dernier soir, le père conduit le fils sur un rocher d'où l'on embrasse le plus large horizon marin. La nuit est belle, éclairée par la lune; dans la rade, les navires manœuvrent ou se chargent de bagages, on entend les marins chanter. Mais toute cette vie sent la mort, père et fils sont tristes; autour de leurs têtes passent et repassent de grandes chauves-souris. Alors s'engage le beau dialogue. Athos s'excuse d'avoir été triste et sévère, de n'avoir pas fait de Raoul un homme expansif. Raoul lui répond qu'il n'a rien à reprocher à la vie que son père lui a faite. « Je vous bénis, lui dit-il, je vous aime ardemment. » Le père, peu après, exprime l'espoir que Raoul reviendra bientôt; ils se traiteront alors en amis. Mais il ne faut pas que Raoul s'expose : du courage, mais pas de témérité et pas de mort inutile! Attention au climat aussi : de la sobriété. Et le père réclame des nouvelles tous les quinze jours... « Vous ne m'oublierez sans doute pas? — Non, Monsieur, dit Raoul d'une

voix étranglée (les fils, en ces temps, donnaient du monsieur
à leur père). — Promettez-moi que s'il vous arrivait malheur
en quelque occasion, vous penseriez à moi tout d'abord. —
Tout d'abord, oh! oui. — Et que vous m'appelleriez. — Oh!
sur-le-champ... — Vous rêvez à moi quelquefois, Raoul? —
Toutes les nuits, Monsieur, pendant ma première jeunesse, je
vous voyais en songe, calme et doux, une main étendue sur ma
tête et voilà pourquoi j'ai toujours si bien dormi... *autrefois*
[autrefois : avant son amour malheureux]. — Nous nous
aimons trop, dit le comte, pour que nous n'échangions pas,
même de loin, nos tristesses et nos joies. — Je ne passerai pas
une heure sans penser à vous », promet Raoul. Athos ne peut se
contenir plus longtemps, il entoure du bras le cou de son fils
et le tient embrassé de toutes les forces de son cœur... Déjà
l'aube montait. Athos jeta son manteau sur les épaules du
jeune homme et ils entrèrent dans la ville. Quelques heures
après, c'était l'embarquement et les adieux... Cette scène poignante, qui se trouve vers la fin du roman *le Vicomte de Bragelonne*, laisse-t-elle vide de psychologie sa poésie de sentiment?

Si Porthos présente une simplicité de monolithe vivant, et
s'il a ses creux d'ombre lui aussi, cette grosse bête porte sa
générosité au sublime. Pauvre, sans famille, soldat vivant
dans les auberges, Porthos se conforme aux mœurs du temps,
il tire quelques subsides de sa maîtresse, une procureuse,
c'est-à-dire la femme de ce que nous appelons un avoué. Le
chapitre des *Trois Mousquetaires* où Porthos subit un dîner
chez le procureur auprès de qui la coquine l'a fait passer pour
cousin « par les femmes » — comme le lui dit méchamment le
vieux mari conscient de son cocuage —, l'avarice du repas,
la faim déçue des clercs, la crasse morale de ce milieu, voilà des
pages balzaciennes, où la psychologie pénètre les choses mêmes.
Mais, d'autre part, Porthos est le dévouement fait homme et il
mourra pour ses amis, pour la cause de l'amitié.

Quant à Aramis, ce mousquetaire qui tourne à l'abbé, cet
abbé qui tourne au mousquetaire, ce frondeur, cet amant des
duchesses, qui fait de la théologie entre deux coups d'épée, il
deviendra évêque, général des jésuites, il aura espéré devenir
pape : voilà qui est sans doute excessif et trop conforme à un
idéal de roman d'aventures. Mais comment ne pas admirer la
nature sans pareille d'Aramis, secret, mystérieux, au « visage
hiéroglyphique », comme dit Dumas, sa culture de poète et de

prélat unie à un courage de spadassin, son ambition entretenue et aiguisée comme une fine lame cachée sous la casaque ou la robe, sa dissimulation machiavélique au fond de laquelle malgré tout brûle le feu d'une loyauté? Avoir conçu ce caractère, l'avoir fait vivre dans toutes ses phases successives, dans toutes ses oppositions emmêlées sous le couvert de la gentilhommerie la plus raffinée, rien ne pouvait faire plus d'honneur au romancier. L'Aramis de Dumas aurait ému le sein de Mme de Chevreuse ou de Mme de Longueville, comme à rencontrer son Fouquet Mme de Sévigné se serait pâmée d'aise.

Belles têtes intelligentes, grands cœurs fous, splendides diables! Ces lurons ne sont jamais plus imposants que lorsque séparés par les luttes civiles de l'époque, une cause soudainement surgie les regroupe, par exemple pour sauver Charles Ier d'Angleterre ou pour se réconcilier. Le rendez-vous de la place Royale est un des chapitres dominants de *Vingt ans après*. Trois hommes s'arrachent à leur colère, domptent en eux une passion partisane, vont en eux-mêmes à la rencontre de tous leurs souvenirs d'amitié et, cet effort fait, s'abandonnent avec un large débordement de joie : tout cela grâce à leur générosité naturelle, mais aussi à l'influence du quatrième, Athos, qui même l'épée à la main est un saint et qui donne en cette occasion la plus belle, la plus émouvante preuve de sa grandeur morale.

Mais Dumas savait jouer sur tous les tons.

En effet, Dumas a inventé la « vamp », tout comme il a créé un véritable Lautréamont, dans *le Trou de l'enfer*, roman de la « résistance » à l'Empire : ce personnage de Samuel, intellectuel prométhéen, qui se dit disciple du marquis de Sade et qui est si habile à « défaire » les âmes... La vamp de Dumas, démone des *Trois Mousquetaires*, s'appelle Charlotte Backson, comtesse de La Fère, Milady de Winter. Criminelle et grande dame, responsable dès sa jeunesse de la forfaiture et du suicide de son premier amant, elle porte son atroce passé marqué sur l'épaule, et néanmoins jouit d'un présent fort brillant en France et en Angleterre; Richelieu l'utilise pour se débarrasser du duc de Buckingham. Ce n'est jusqu'ici que drame abominable et pourtant banal. Mais voici la nouveauté romanesque.

D'Artagnan a mené une intrigue avec Milady. Or, quand déjà il avait pour elle « une estime fort mince », il sentait malgré cela qu'une passion insensée le brûlait pour cette femme;

« passion ivre de mépris, mais passion ou soif, comme on voudra ». Dans la rencontre chez elle au milieu de la nuit et toutes lumières éteintes, même dans le moment où croyant avoir affaire à M. de Wardes, elle ne cachait pas ses projets de vengeance sur le mousquetaire, « cette femme exerçait sur lui une incroyable puissance, il la haïssait et l'adorait à la fois »; ces deux sentiments contraires en se réunissant dans un même cœur formaient « un amour étrange et en quelque sorte diabolique ». Alerté par une bague que d'Artagnan a reçue d'elle en reconnaissance de volupté, Athos a senti un souvenir se lever dans sa mémoire : ne s'agissait-il pas de la femme qu'il avait jadis épousée comme une pure jeune fille, puis qu'il avait découverte flétrie par le bourreau? Il a donc conseillé à son ami de rompre : « Une espèce d'intuition me dit que c'est une créature perdue et qu'il y a quelque chose de fatal en elle... » D'Artagnan n'en est pas moins allé retrouver la Circé qui l'a déjà enveloppé de ses enchantements, et l'amour qu'il espérait éteint a repris. Milady qui s'imaginait s'être donnée à M. de Wardes et à qui d'Artagnan avait fait croire par une lettre inventée que M. de Wardes l'offensait, s'est promise à lui, moyennant un pacte qui condamne M. de Wardes à la mort. Le soir même, à onze heures, le mousquetaire entre à l'hôtel, Milady lui ouvre la porte de sa chambre, il s'élance, obéissant à une attraction magnétique, et trouve une maîtresse ardente qui semble éprouver de l'amour vrai. Il pense n'être auprès d'elle que depuis fort peu d'heures lorsque le jour paraît aux fentes des jalousies; ce matin-là, il lui avoue avoir passé avec elle les deux nuits et, dans la lutte furieuse qui s'ensuit, il découvre la flétrissure.

Prisonnière de son beau-frère que les quatre ont averti, car ils la savent chargée par Richelieu de tuer Buckingham, gardée à vue dans une chambre de château aux environs de Londres, en est-ce fait d'elle? Non, elle se livre sur l'officier responsable, Felton, à une extraordinaire séduction, séduction double : par sa beauté, et en même temps, car elle a flairé le puritain, par ses plaintes de victime qui souffre pour avoir voulu défendre son honneur. Elle dresse ainsi le fanatique habilement, intelligemment, sataniquement, contre Buckingham. Résultat : il la fait évader et il va poignarder le duc. Ces cinq journées de captivité révèlent en Milady, à travers le récit de Dumas, une comédienne quasi géniale. Le romancier écrit :

« Elle eût fait éclater les murs de sa prison, si son corps eût pu prendre un seul instant les proportions de son esprit... » Une fois retrouvées ses traces et les quatre à sa poursuite, le roman prend l'allure d'une course au dénouement, qui est célèbre : la petite maison isolée, la femme solitaire et surprise, le jugement, le bourreau imprévu, la mort. Mais, au dernier moment, le regard de Milady a encore tenté de séduire les deux laquais, ses geôliers, et elle a vu faiblir d'Artagnan, au point qu'Athos a dû tirer son épée et se mettre en travers du chemin : « Si vous faites un pas de plus, d'Artagnan, nous croiserons le fer ensemble. »

Pouvoir de séduction, amants ensorcelés et poussés au crime, d'Artagnan lui-même glissant à des procédés honteux... oui, décidément, Milady serait bien une Circé (et de la vamp, après tout, Homère n'est-il pas le véritable inventeur?) si elle ne gardait la faiblesse d'une mortelle, d'une déçue, d'une vaincue finalement. Dumas, a-t-il eu tort ou raison de lui orchestrer une fin singulièrement théâtrale?

Deux années après *les Trois Mousquetaires*, dans *Joseph Balsamo*, une curieuse fille, à son tour, se prépare à une carrière de femme fatale et de magicienne-sorcière : Nicole, la jolie chambrière. Cent démons grouillent dans cette tête pourtant rustique. Nicole naquit rouée. Non encore corrompue, on la voit assez fanfaronne pour devenir dangereuse. Elle a l'imagination déréglée, l'esprit perverti par des lectures, les sens excités, le cœur insensible. Une tendance irrésistible au vice l'oppose comme une perversité vivante au pur diamant qui brille en Andrée de Taverney, sa maîtresse, laquelle, appelée à la cour, l'emmène à Paris, lieu désigné pour le torrent certain de ses ravages.

Alexandre Dumas a dû peupler ses romans historiques d'une nombreuse diversité de femmes, puisqu'elle peuple l'histoire et la vie : pureté de la dame de Monsoreau, de la comtesse de Charny, de Geneviève Dixmer; nature dure et tyrannique de Catherine de Médicis; faible et assez tourmentée d'Anne d'Autriche; sensuelle, intelligente, politique, de Marguerite de Valois; amie du plaisir, incapable de politique, noble et soumise au malheur, de Marie-Antoinette; hardie et émancipée de tant de princesses, audacieuse de tant de belles intrigantes, délicieuse et fine, tendre et courageuse de tant de jeunes filles. Que manque-t-il à l'innombrable descendance d'Ève? Aussi alliances et ruptures d'amour abondent-elles; des couples touchants, enviables, torturés, tragiques, s'enchaînent et rompent. Naturellement le souvenir s'attache aux rencontres les plus émouvantes ou les plus gracieuses : la toute jeune Mme de Saint-Luc courant, si l'on peut dire, après sa nuit de noces si gentiment, et l'attrapant à l'improviste avec l'aide de Bussy; le rendez-vous de Diane et de Bussy au printemps, dans le jardin de la rue de la Jussienne, « ce bienheureux petit jardin tout plein de parfums, de chants et d'amour », où la jeune femme avoue au jeune homme qu'elle n'est pas la femme de son mari; le jeu malheureux du vicomte de Bragelonne avec Mlle de La Vallière, le jeu passionné et ravissant de Mlle de La Vallière avec Louis XIV, le jeu mélancolique de Louis XIV avec Madame, etc. La fantasmagorie de *Joseph Balsamo* s'humanise amoureusement, non sans quelque complaisance licencieuse, dans les chapitres où Lorenza tour à tour subit et menace la volonté souveraine de son mari, qui se sert d'elle pour ses visions d'extra-lucide, mais a besoin qu'elle demeure vierge : « Vierge, tu es voyante, ma Lorenza; femme, tu ne serais plus que matière. » Seulement, si Lorenza éveillée hait Balsamo, supplie Dieu de la délivrer de ce démon et veut se tuer sur les barreaux de la chambre où il la tient prisonnière, Lorenza endormie aime son bourreau qui l'aime, elle le désire, elle le provoque si voluptueusement que le magicien risque de ne pouvoir lui résister.

Néanmoins, dans le cocktail de la passion amoureuse, Dumas n'a pas forcé la dose de l'alcool voluptueux; il s'est plu davantage au grand amour, à l'amour total et exaltant; mais non point aux duos d'opéra! Au contraire, c'est dans ses scènes d'amour qu'il s'abandonne le plus volontiers à une certaine vue triste et attristante des choses, à une amertume. Son œuvre en offre de bien significatives à ce point de vue : nulle, je crois, plus frappante que celle du *Vicomte de Bragelonne* où Madame et le comte de Guiche s'expliquent dans le parc de Fontainebleau.

Guiche, qui aime Madame et qui a été jaloux successivement de Buckingham et du roi, — sans parler du mari — a bien l'impression qu'entré au service de cet amour, il s'y fera tuer, comme il le dit à son ami, le vicomte de Bragelonne, tous deux adossés à un chêne. Or, cachée à trois pas d'eux, derrière un buisson, Madame précisément les écoute, au moment où

M. de Guiche confesse aimer une frivole, une coquette sans mémoire et sans foi qui lui fait souffrir l'enfer. « Un jour, s'écrie-t-il, j'irai chercher la mort, et je mourrai en haïssant cette femme. » Alors, Madame se montre aux deux jeunes gens qui poussent un cri. S'excusant auprès de Bragelonne, elle entraîne doucement M. de Guiche dans une clairière où personne ne les entendra. « Monsieur de Guiche, lui dit-elle, vous connaissant ainsi que je vous connais, je ne veux point vous exposer à mourir; je change avec vous de conduite et de caractère. Je serai, non pas franche, je le suis toujours, mais vraie. Je vous supplie donc, Monsieur le comte, de ne plus m'aimer et d'oublier tout à fait que je vous aie jamais adressé une parole ou un regard... » M. de Guiche se retourne, couvrant Madame d'un regard passionné : « Vous! dit-il, vous vous excusez; vous me suppliez, vous! — Oui, répond-elle, pour réparer le mal, pour me faire pardonner, pour pardonner moi-même votre jugement sévère, enfin pour que vive un cavalier que tout le monde estime et que beaucoup chérissent. »

Et Madame prononce ce dernier mot avec un tel accent de franchise et même de tendresse que le jeune homme craint que son cœur n'éclate. « Madame, Madame, balbutie-t-il. — Écoutez encore, dit-elle, quand vous aurez renoncé à moi, par nécessité d'abord, puis pour vous rendre à ma prière, alors vous me jugerez mieux et nous pourrons être amis... » Le comte, la sueur au front, le frisson dans les veines, se mord les lèvres, frappe du pied, dévore ses douleurs... « Madame, ce que vous m'offrez là est impossible et je n'accepte point un pareil marché. — Eh quoi, dit Madame, vous refusez mon amitié! — Non, non! Pas d'amitié, Madame, j'aime mieux mourir d'amour que vivre d'amitié. — Monsieur le Comte! — Oh! Madame, j'en suis arrivé à ce point suprême... Chassez-moi, maudissez-moi, vous serez juste; je me suis plaint de vous, mais je ne m'en suis plaint si amèrement que parce que je vous aime; je vous ai dit que je mourrai, je mourrai. Vivant, vous m'oublierez; mort, vous ne m'oublierez point, j'en suis sûr. »

Et cependant elle, qui se tient debout et toute rêveuse, aussi agitée que lui, détourne un moment la tête, comme un moment auparavant lui-même vient de la détourner. Puis, après un silence : « Vous m'aimez donc bien? demanda-t-elle. — Au point d'en mourir, comme vous le disiez. Au point d'en mourir, soit que vous me chassiez soit que vous m'écoutiez encore. — Alors, c'est un mal sans espoir, dit-elle d'un air enjoué, un mal qu'il convient de traiter par des adoucissements. Ça, donnez-moi votre main... Elle est glacée! » Guiche s'agenouille, couvre de baisers les deux mains de la princesse... « Allons, aimez-moi donc, dit-elle, puisqu'il n'en saurait être autrement... » Elle lui serre les doigts presque imperceptiblement, le relevant ainsi, moitié comme eût fait une reine, et moitié comme ferait une amante. Guiche frissonne par tout le corps, et Madame sent courir ce frisson. Elle comprend qu'elle est aimée véritablement... « Votre bras, Comte, et rentrons. — Madame, dit-il chancelant, ébloui, un nuage de flamme sur les yeux. Ah! vous avez trouvé un troisième moyen de me tuer. — Heureusement que c'est le plus long, n'est-ce pas? »

Alexandre Dumas n'a pas eu de touches moins délicates et moins fortes pour peindre l'amitié : celle qui unit les quatre mousquetaires est devenue à juste titre proverbiale. Elle ne s'exprime pas en commentaires, elle se prouve par l'action, une action qui la fait rayonner en dévouement mutuel, en attachement, en cohésion par le cœur. On dirait que les fibres des quatre hommes se sont rassemblées dans un réseau commun. Que ces quatre êtres si différents les uns des autres arrivent à n'en faire qu'un, n'est-ce pas l'impossible réalisé? L'étrangeté n'en apparaît jamais si magnifique que lorsque les circonstances les séparent et même les opposent, à l'époque où deux servent la Fronde et deux Mazarin. Alors leur prodigieuse diversité éclate presque scandaleusement, mais ensuite la réunion de la Place Royale n'en fait que mieux entendre un paroxysme de l'accord. Aussi lorsque d'Artagnan sera devenu capitaine et maréchal de camp, qu'Aramis aura gravi la hiérarchie ecclésiastique, qu'Athos se sera enfoncé dans sa solitude et que Porthos sera mort, il se lèvera de cette trilogie de romans une nostalgie inexprimable. On éprouve quelque chose de moins fort, mais de singulièrement prenant encore, devant l'amitié de Guiche et de Bragelonne, de Bussy et du chirurgien Rémy, de Lindey et de Lorin. Ou bien l'on s'émeut de la sympathie qui s'échange entre d'Artagnan et Fouquet dans la tristesse et dans le malheur.

Le charme des *Trois Mousquetaires* et du long prolongement en deux volumes, vaste étendue romanesque nécessaire au développement des destinées, vient essentiellement de ces harmonies du cœur. Il est bien entendu qu'aucun des romans

de Dumas n'en manque. Mais ce livre-là, c'est la jeunesse
d'une œuvre, c'est son éternelle adolescence.

De quoi vient-il encore, ce charme des romans historiques
de Dumas? De leur mouvement, bien sûr, de l'alacrité du récit,
de tant d'allegros alternant avec les andantes et les largos,
mais aussi de leur source même; un sens vif et profond de la
vie, une sensibilité frémissante à la succulence des choses, un
contact presque charnel avec les chaudes réalités : exactement
ce qu'éprouve Chicot lorsqu'envoyé en ambassade par Henri III
à Henri de Navarre il arrive en Béarn et découvre, après avoir
traversé une France desséchée par la misère, ce pays heureux
où la chaleur se prolonge jusqu'à la fin de l'automne dans une
douce immobilité de l'air, où les gens montrent des visages
ouverts, où se respire une joie de vivre. Dumas a su évoquer
l'attrait sensuel et voluptueux des campagnes, des demeures,
de tout ce qui excite et satisfait l'appétit sur les tables, et aussi
des rues du vieux Paris, des jardins qui s'ouvrent entre ces
rues, des fenêtres qui se font vis-à-vis, de sorte qu'un soir à
l'heure des lumières, le jeune docteur Gilbert de *Joseph Balsamo* a pu voir Andrée qui commençait de se dévêtir, les bras
arrondis au-dessus de sa tête pour détacher les épingles de ses
cheveux.

C'est l'imagination de Dumas mise en train par des sens
puissants qui fait raconter par ses héros de bonnes histoires.
N'y goûterons-nous pas? Il nous les sert comme l'hôte cordial,
dans ses auberges, sert poulets et pâtés qui font venir l'eau à
la bouche. S'il fallait en choisir une, la préférence pourrait
aller à la gasconnade de Mousqueton, valet de Porthos, lorsqu'il décrit l'industrie qu'exerçait son père, « un homme fort
intelligent ».

Comme c'était au temps des catholiques et des huguenots et qu'il
voyait les catholiques exterminer les huguenots, et les huguenots
exterminer les catholiques, le tout au nom de la religion, il s'était
fait une croyance mixte...

Qui ne se rappelle son ingénieuse alternance de zèle catholique
et de zèle protestant selon le solitaire rencontré en promenade,
les bourses auxquelles son escopette faisait un sort, jusqu'au jour
où deux victimes du bonhomme, quoique de confessions opposées, se réunirent pour le pendre à un arbre. Mais ayant raconté
leur exploit au cabaret où ses deux fils étaient à boire, ils eurent

le tort de prendre en sortant des routes opposées. Deux heures après, tout était fini, et Mousqueton admirait avec son frère la prévoyance de leur pauvre père « qui avait pris la précaution de les élever chacun dans une religion différente »...

Il faut bien le dire, l'artifice joue un rôle dans le « charme » de Dumas. Si des situations apparaissent invraisemblables, arbitraires, impossibles, et par la suite fort gênantes, lorsqu'elles relèvent d'un surnaturel de magie, comme il s'en présente dans la carrière parisienne de Balsamo, d'autres également invraisemblables, arbitraires, très forcées, mais maintenues dans des limites humaines, évoluent dans un sens favorable à l'intérêt romanesque grâce à l'invention narrative et au dialogue. Balsamo parlant dans une réunion d'hommes d'intelligence moyenne (à la loge de la rue de la Plâtrière) et racontant avec l'autorité d'un être surhumain qu'il est éternel et qu'il a assisté à deux cents révolutions, aurait dû faire honte à Dumas. Mais en est-il de même pour Balsamo dans le cabinet du préfet de police? M. de Sartine, à qui les papiers de Balsamo trahi ont été livrés dans leur coffret, est en train de les dépouiller et lit précisément cette phrase : « Se défaire à Paris du nom de Balsamo, qui commence à être trop connu, pour prendre celui du comte de Fé... » quand la sonnette retentit à l'extérieur et qu'un valet entre, annonçant : « M. le comte de Fénix! » Le préfet s'exclame et le lecteur est tout prêt d'en faire autant. Et d'un... Le préfet est sûr de lui, le suspect crâne, et soudain, toutes précautions prises par lui, le suspect braque son pistolet sur le préfet : et de deux... Puis l'audacieux, alors qu'on ne doute pas de son arrestation à tout prix, prend barre sur son adversaire en lui déroulant tout au long l'histoire de l'accaparement des grains qu'il menace de livrer à l'opinion par le canal des « philosophes ». Et de trois... Enfin, grâce au temps ainsi gagné, Mme Du Barry arrive, auparavant prévenue et qui, en remerciement d'un service, avait promis à Balsamo de lui accorder le premier qu'il lui demanderait : c'est un jeu pour elle de réclamer le coffret et de repartir avec Balsamo la main dans la main. Et de quatre... Certes, l'ingrédient d'histoire (les grains) injecté au récit le renforce, lui procure une force de réel et de vrai. Suffit-il à le rendre croyable? Oui et non. Le coup d'audace est saisissant, ses préparatifs admirables. Il fallait qu'il fût déclenché, il l'a été, il est porté, l'imagination l'a reçu et l'accuse. A partir de là, les audaces

s'enchaînent : deux, trois, et la chance les récompense : quatre...
Sur le plan romanesque, par la précision du mouvement, à
laquelle s'ajoute l'habileté des propos, l'invraisemblable a pris
corps, mais ce n'était pas l'impossible... Où nous situent ces
rythmes violents, syncopés, imprévus? Exactement dans le
roman policier, et c'est à mettre au compte de Dumas précurseur. J'ai choisi le cas type. D'autres cas nous ramèneraient
à un genre plus traditionnel et d'ailleurs supérieur, le pur
roman d'aventures, par exemple un épisode des *Trois Mousquetaires :* les quatre, flanqués de leurs valets, faisant front
contre Richelieu devant La Rochelle assiégée.

Enfin les chefs-d'œuvre de Dumas plus d'une fois, dans leurs
situations et leurs personnages, rencontrent de la grandeur, et
il ne devrait pas y avoir que les jeunes imaginations et les jeunes
cœurs à y être sensibles. Ils présentent des situations et des
personnages « hors de l'ordre commun ». N'hésitons pas devant
cette formule qui est de Corneille, quoiqu'elle sente le romantisme. Pourquoi pas? Si pour une part le romantisme n'est
qu'un culte absurde et dangereux de l'illusion, il entre pour
une autre part dans une tradition gauloise et française, qui
s'est appelée tour à tour épopée chevaleresque, roman courtois,
psychologie cornélienne, et dont le panache ondoie encore chez
Hugo, et de Hugo à Péguy.

Je suis d'ailleurs frappé de ce que ce sens de la grandeur a
d'intelligent et de délicat, et il me semble qu'on ne s'en rend
compte nulle part mieux que dans une scène du *Vicomte de
Bragelonne* où d'Artagnan et Colbert se rencontrent devant
Louis XIV. Les deux hommes ont chacun des amitiés et des
sympathies qui les opposent l'un à l'autre et le capitaine de
mousquetaires a toujours méprisé le commis, encore subalterne
à ce moment-là, qu'il appelle un cuistre. Mais le roi, que la
droiture et le dévouement de d'Artagnan viennent d'émouvoir,
fait rappeler Colbert qui s'était retiré et met sa main dans celle
du fier gascon en lui disant : « Vous ne connaissez pas l'homme
que voici, faites connaissance, ce sera un grand homme si je
l'élève au premier rang... » Alors, en face d'un Colbert aussitôt
transformé, tout à coup serein et doux, soudain illuminé de
pensée, d'Artagnan, connaisseur en physionomies, se sent remué,
son jugement sur cet homme vacille, sa raideur hautaine tombe.
Colbert, le devinant, n'hésite à lui découvrir le besoin caché
qu'il a de se voir estimé et son espoir profond d'être admiré

par les « hommes honnêtes ». Ils sortent ensemble. Colbert en profite pour révéler le but passionné de son apparente avarice dans la gestion des finances de l'État :

— Avec tout l'or que je sauverai, je bâtirai des greniers, des édifices, des villes, je creuserai des ports, j'équiperai des navires, je créerai des bibliothèques, des académies, je ferai de la France le premier pays du monde...

La vertu de l'ambitieux encore obscur, la valeur morale du serviteur qui a pour maître le pays autant que le monarque sont apparues tout entières aux yeux du mousquetaire; et la révélation répand une étonnante lumière sur cette belle scène complexe et toute effervescente du problème Fouquet, estimé et aimé du capitaine, qui vient pourtant de l'arrêter par ordre et par devoir, mais sur qui Colbert est fixé au point de vue des intérêts du royaume. Le futur contrôleur général met fin à la rencontre avec une politesse du cœur, car le mérite de d'Artagnan lui est connu et il sait le lui dire.

A la tradition de grandeur Dumas se rattache avec un caractère qui, tout en lui étant propre, le rapproche de façon inattendue de Stendhal, par un culte intermittent de l'énergie dont Stendhal alla chercher les figures et les gestes en Italie, et que Dumas trouva plus simplement dans la France du xvie siècle aristocratique et du xviiie révolutionnaire. La devise en pourrait être « Action et Amour ». Bien entendu, elle se lie chez Stendhal à une psychologie serrée en même temps qu'à une lucidité pessimiste, tandis que Dumas oppose (dans l'ensemble) beaucoup d'optimisme naturel à une tristesse d'expérience et qu'en outre sa psychologie ne se défend pas assez des relâchements de roman-feuilleton. Il n'en est pas moins vrai qu'elle impose à ses romans une vision de la vie qui exhorte l'homme à se dépasser, et qui entraîne le romancier à situer son invention sur les cimes du romanesque. Mais en restant dans les limites strictement terrestres. Vertu, honneur, devoir, dévouement, pitié, soit! mais peu de charité, peu de pureté chaste, presque rien de chrétien. Le travail, le risque couru, le courage, demandent au contraire l'accompagnement de la saine jouissance et la poursuite de la joie. La religion n'apparaît guère que sous les espèces de la superstition, ou celles du fanatisme. N'avons-nous pas déjà reconnu en Alexandre Dumas un païen?

D'autre part, Dumas, au lieu de célébrer les aspirations et

élévations de l'homme sous une forme surtout lyrique, comme ses émules contemporains, a su leur donner plus souvent qu'eux — Hugo à part — des visages, des gestes, des paroles de la vie courante. C'est une grandeur vivante et charnelle qu'il a créée. Il a mis au monde des caractères, des types; nous avons vu son d'Artagnan, son Athos, sa Milady, nous verrons son Dantès aussi. Il est très remarquable que Delacroix un jour, vers la fin de sa vie, ait écrit à Dumas : « ... Vous vous plaignez avec raison de la tendance des arts. Nous visions en haut autrefois; heureux qui pouvait y atteindre. Je crains que la taille des lutteurs d'aujourd'hui ne leur permette pas même d'en avoir la pensée. Leur petite vérité étroite n'est pas celle des maîtres, ils la cherchent à terre avec un microscope. Adieu la grande brosse, adieu les grands effets des passions... »

Comment la critique n'a-t-elle jamais songé à les isoler, dans un beau cadre de commentaires (Sainte-Beuve a vraiment dans ce cas manqué à tous ses devoirs), ces scènes où Dumas s'est servi de la « grande brosse » et n'a point reculé devant les « grands effets des passions », ajoutons « et des vertus », car il est de ceux qui prouvent qu'on peut faire de la bonne littérature avec de beaux sentiments?

Les pages qui précèdent n'en ont-elles pas déjà évoqué quelques-unes? La grandeur humaine dans le courage : les mousquetaires en fournissent le modèle; dans la politique : d'Artagnan découvrant l'avenir de Colbert; dans la passion amoureuse : tout *le Vicomte de Bragelonne;* dans l'amour entre père et fils : les adieux d'Athos et de Raoul à Toulon; dans l'amitié : séparations et retrouvailles des Quatre...

Une autre grandeur encore, qui ne se réfère plus à Corneille mais à l'éternel génie homérique, est celle des fresques, des larges narrations, des grands épisodes. Les trouve-t-on au xixe siècle ailleurs que chez Hugo, Michelet et Dumas? L'affaire du bastion de Saint-Gervais devant La Rochelle assiégée, la catastrophe du feu d'artifice sur la place Louis XV, la prise de la Bastille, et de moins célèbres comme la représentation des *Brigands* de Schiller dans la forêt par des étudiants conspirateurs *(le Trou de l'enfer)*, bien d'autres encore offrent ce vaste déploiement de puissance humaine et naturelle que la littérature s'efforce moins souvent d'égaler que la grande peinture ou la grande musique, sans doute parce que la guettent la pompe et ses procédés solennels. La chance de Dumas, c'est que sa simplicité fondamentale lui ait fait couler ces grandeurs dans le cours naturel du récit en leur gardant le ton du conte. Puisqu'il sied de désigner un spécimen du genre, extrayons-le, sauvons-le d'un roman où il risque de rester un peu noyé, *les Quarante-Cinq.*

L'épisode se passe au temps où Henri III faisait assiéger Anvers par l'armée de son frère, le duc d'Anjou, avec le concours de la flotte commandée par Joyeuse. Diane de Méridor, la dame de Monsoreau, décidée à gagner le camp français pour y tuer le duc, courait à sa vengeance à travers la plaine belge en habit d'homme, à cheval, avec son dévoué serviteur Rémy. Le hasard a voulu qu'Henri de Bouchage, frère de Joyeuse, allât dans la même direction guerrière mais cherchant la mort pour lui-même, précisément parce qu'il aimait la dame et qu'elle l'avait repoussé par fidélité à Bussy. En chemin, il reconnut le couple, le suivit, le surveilla et, devenu furieux à l'idée que Diane se rendait à un rendez-vous d'amour heureux, il avança à découvert, se laissant reconnaître, réglant insolemment le pas de son cheval sur le pas de leurs chevaux. Rémy, gardien zélé et courageux, ne s'inquiétait pas trop de cette poursuite dont il s'était vite aperçu. Autre chose occupait son esprit. En effet, à la dernière auberge, on avait appris qu'un immense exode de population se dirigeait vers Bruxelles, et plus rien ne se voyait dans la campagne, ni gens ni bêtes, ni troupeaux ni bergers. Plus une voix, plus une silhouette, hormis celles de Rémy, de Diane et, à cent pas, d'Henri.

La nuit descendit sombre et froide, le vent du nord-ouest siffla dans l'air et emplit les solitudes de son bruit plus menaçant que le silence. Rémy arrêta sa compagne en posant la main sur les rênes de son cheval :

— Madame, lui dit-il, vous savez que je suis inaccessible à la crainte, vous savez si je ferais un pas en arrière pour sauver ma vie; eh bien, ce soir, quelque chose d'étrange se passe en moi, une torpeur inconnue enchaîne mes facultés, une paralysie me défend d'aller plus loin. Madame, appelez cela terreur, timidité, panique même, Madame, je vous confesse : pour la première fois de ma vie, j'ai peur.

La dame se retourna; peut-être tous ces présages menaçants lui avaient-ils échappé, peut-être n'avait-elle rien vu.

— Il est toujours là? demanda-t-elle.

— Oh! ce n'est plus de lui qu'il est question, répondit Rémy; ne songez plus à lui, je vous prie; il est seul et je vaux un homme seul.

Non, le danger que je crains ou plutôt que je sens, que je devine, avec un sentiment d'instinct bien plutôt qu'à l'aide de ma raison, ce danger qui s'approche, qui nous menace, qui nous enveloppe peut-être, ce danger est autre; il est inconnu, et voilà pourquoi je l'appelle un danger.

La dame secoua la tête.

— Tenez, Madame, dit Rémy, voyez-vous là-bas des saules qui courbent leurs cimes noires?

— Oui.

— A côté de ces arbres j'aperçois une petite maison; par grâce, allons-y; si elle est habitée, raison de plus pour que nous y demandions l'hospitalité; si elle ne l'est pas, emparons-nous-en; Madame, ne faites pas d'objection, je vous en supplie.

L'émotion de Rémy, sa voix tremblante, l'incisive persuasion de ses discours décidèrent sa compagne à céder.

La maison, le jardin, tout était vide, solitaire, désolé. La porte forcée, Rémy installa sa suzeraine dans l'unique chambre du premier et descendit au rez-de-chaussée prendre son poste d'observation, tandis qu'Henri, couché sous les saules, prêtait l'oreille à de lointaines détonations. Bientôt s'engagea un double dialogue, un double combat, d'une part entre les deux hommes et leurs pensées — celui-là était muet —, d'autre part entre Henri et l'espace. Car son cheval a henni, a dressé la tête, a voulu fuir. Que se passait-il donc? Un long murmure arrivait des différents points d'un demi-cercle arqué du nord au sud, avec des bouffées de vent chargées de gouttes d'eau, et bientôt un fracas de marée montante se fit entendre. Une armée en marche? Non, aucun bruit de pas, de cris, d'armes. Un incendie? Non, le ciel noircissait avec la nuit... Enfin, poussant son cheval sur une éminence où il se cabra, le jeune homme vit une large épaisseur mouvante avancer, tandis que la prairie se mouillait.

— L'eau! C'est l'eau, s'écria-t-il. Les Flamands ont rompu leurs digues!

Alors il ne s'agit plus pour Henri que de pénétrer dans la maison, de convaincre Rémy, d'enlever Diane. Après une lutte où la mort effleura les deux hommes, il parvint à traîner le loyal serviteur près de la fenêtre, qu'il enfonça d'un coup de poing. « Eh bien! Vois-tu maintenant? » Il lui montrait la nappe immense qui blanchissait à l'horizon et qui grondait en marchant.

— L'eau! murmura l'un, et l'autre s'écria : « Oui, l'eau! l'eau! »

Les oiseaux fuyaient dans un vol sinistre. Un craquement terrible annonça que l'inondation venait d'emporter la digue d'un village voisin; les flots apportèrent les bois des maisons écroulées avec les arbres déracinés, la campagne frissonnait sinistrement : des cris lointains et des hennissements arrivèrent dans un concert si étrange et si lugubre que l'effroi unit les trois êtres. Ils s'enfuirent, trois sur deux chevaux. Il fallut la suprême chance d'une barque pour assurer leur salut...

L'épisode n'est-il pas simple et grand? Les caractères s'affrontent, le combat des humains ne cesse que devant le surgissement de l'espace déchaîné. Une telle marche à l'inconnu ne serait-elle pas illustre si Hugo l'avait signée?

La mort de Porthos dans la grotte de Locmaria lui fait un digne pendant. Au temps que Dumas achevait *le Vicomte de Bragelonne*, son fils un jour vit qu'il avait pleuré.

— Qu'as-tu?

— Un gros chagrin, Porthos est mort.

Le chagrin est passé en bien des mémoires; elles conservent le géant tel que le romancier l'a fixé dans sa dernière image, écrasé sous un monolithe, serré dans son encadrement de granit, comme entre la rébellion des amis de Fouquet et la volonté royale, victime de l'ambition des hommes et cependant vaincu non par eux, mais par la puissance de la nature. Porthos, seigneur de Pierrefonds, avait droit pour sa mort à un décor qui fût à la mesure de sa force et de son courage, il l'a eu. Il avait droit également à ce que tout se passât dans une suprême solitude entre lui et le destin. Il a fini sa vie plus encore qu'il ne l'avait menée, en personnage homérique.

Devant ces beautés partagées entre le génie littéraire et la réalité historique, il n'est pas possible d'échapper à une interrogation : où donc en est la vérité? La vérité des romans historiques de Dumas est de même nature que celle des « mots historiques », lesquels généralement n'ont pas été prononcés, mais sont pourtant vrais. Ils font image, ils font estampe, ils renferment avec densité une sorte de sur-vérité synthétique pour le plus large public possible, mais n'offensent que rarement le délicat lui-même, qui n'a qu'à pimenter sa satisfaction d'un grain d'amusement sceptique. Le « que l'on soit sage maintenant » de Richelieu à d'Artagnan « mérite davantage d'être retenu pour la psychologie du grand homme [ajoutons : et du mousquetaire] que telles formules que ne discutent plus nos manuels [1] ».

En somme, Dumas romancier historique fait entendre une protestation contre la toute-puissance de la science; le vrai lui est apparu du côté de la poésie au moins autant que du côté de l'histoire. Or, la priorité scientifique de l'histoire n'a-t-elle pas été exagérée par la fin de l'autre siècle et ne le reste-t-elle point par le nôtre? Elle amasse un péril d'immobilité. Il est donc bon que reprennent le dessus avec Dumas le mouvement, la marche spontanée, l'élan créateur.

1. Henry de Bruchard, *loc. cit.*

« LE COMTE DE MONTE-CRISTO »
ET AUTRES ROMANS DE MŒURS

ALEXANDRE DUMAS, chaque fois qu'il descendait dans un hôtel de Marseille, tenait à montrer son savoir-faire aux Marseillais. Vêtu de blanc sous un chapeau de paille, il sortait, se rendait aux quais, achetait des poissons et des coquillages, rentrait avec sa charge, gagnait la cuisine, se mettait en manches de chemise et confectionnait la plus somptueuse des bouillabaisses.

Une fois, il entendit un Marseillais lui demander :

— C'est-y vrai, monsieur Dumas, que Dantès savait lui aussi faire la bouillabaisse?

— Té! puisque c'est lui qui me l'a appris!

Lorsqu'il eut à mettre en scène le roman d'Edmond Dantès pour le Théâtre Historique, il écrivit à Marseille pour avoir un dessin du château d'If et le donner au décorateur. Le peintre à qui il s'était adressé lui envoya le dessin demandé, mais il avait écrit au-dessous : « Vue du château d'If, à l'endroit où Dantès fut précipité. » Ne nous étonnons pas qu'on ait longtemps montré à Marseille les cachots de Dantès et de Faria, ainsi d'ailleurs que la maison Morrel sur le cours et celle de Mercédès aux Catalans [1].

Après tant de personnages historiques métamorphosés en personnages légendaires, des personnages légendaires pouvaient bien devenir historiques.

Nous avons noté que pour composer ses fictions, le romancier aimait à flairer de près le réel. « Il y a une chose, a-t-il dit, que je ne sais pas faire, ç'est un livre ou un drame sur des localités

1. Dumas, *Causeries*.

que je n'ai pas vues. Pour faire *Christine*, j'ai été à Fontaine-bleau; pour faire *Henri III*, j'ai été à Blois; pour faire *les Mousquetaires*, j'ai été à Boulogne et à Béthune; pour faire *Monte-Cristo*, je suis retourné aux Catalans et au chateau d'If [1]. »

Il avait fait beaucoup mieux, avant même de penser à ce nouveau roman. Cela date de son excursion avec le prince Napoléon au printemps de 1842, à partir de Livourne. Quand après un orage et plusieurs heures de danger, ils eurent abordé à l'île d'Elbe et l'eurent parcourue en tout sens, une partie de chasse dans l'île Pianoza les tenta. De là, ils aperçurent un rocher en pain de sucre qui s'élevait à deux ou trois cents mètres au-dessus du niveau de la mer.

— Oh! excellences, dit un brave homme qui leur avait prêté son chien, si vous alliez là-bas, que vous feriez une belle chasse! — Qu'y a-t-il donc là-bas? — Des chèvres sauvages par bandes. — Et comment s'appelle cette île bienheureuse? — Elle s'appelle l'île de Monte-Cristo.

Mais l'île était en quarantaine, ils se contentèrent donc de la contourner. « A quoi cela nous servira-t-il? demanda le compagnon de Dumas. — A donner, en souvenir de ce voyage que j'ai l'honneur d'accomplir avec vous, le titre de l'*Ile de Monte-Cristo* à quelque roman que j'écrirai plus tard. — Faisons le tour de l'île et envoyez-moi le premier exemplaire de votre roman [2]! »

L'année suivante, rentré en France, Dumas traita avec un éditeur pour huit volumes d'*Impressions de voyage dans Paris* (barrière du Trône, barrière d'Italie, barrière du Maine, barrière de l'Étoile). Il avait commencé de les rédiger lorsque l'éditeur lui fit savoir qu'il souhaitait autre chose qu'une promenade d'histoire et d'archéologie; il souhaitait un roman, où les « impressions » passeraient dans le détail de l'ouvrage. « Voilà ce qui pouvait pousser, remarque Dumas, dans une tête montée par le succès d'Eugène Sue! » S'étant donc mis à la recherche d'une intrigue, il se souvint d'avoir fait une corne dans les *Mémoires* de J. Peuchet, *tirés des archives de la police de Paris, depuis Louis XIV jusqu'à nos jours*, six volumes publiés par Bourmancé en 1838 [3]. A travers un énorme fatras,

1. Dumas, *Causeries.*
2. *Ibid.*
3. Peuchet était archiviste de la police. Son livre a probablement été écrit par le baron de Lamotte-Longon et, pour la plus grande partie, par le journaliste Émile Bouchery.

XVII

l s'était laissé arrêter par une anecdote, « Le diamant et la
vengeance », et avait deviné « au fond de cette huître une
perle [1] ». Il s'y reporta et fit le lapidaire.

En réalité, Peuchet a fourni plus de matière que ne l'a dit
Dumas; voici, en effet, l'histoire qu'il raconte et qui débute
en 1807. Un ouvrier cordonnier de Paris, François Picaud, sur
e point d'épouser une jolie fille dont il était très amoureux,
alla voir un de ses amis, cabaretier, du nom de Mathieu Loupian et Nîmois comme lui. Il le trouva en compagnie de trois
voisins, tous gens du Gard. Loupian, nature jalouse, ulcéré
par la joie avec laquelle le jeune homme leur avait annoncé ses
projets, fit le pari, aussitôt seul avec ses trois compagnons, que
la noce serait retardée.

— Le commissaire va venir, leur dit-il, je feindrai de soupçonner en Picaud un agent de l'Angleterre. Interrogé, il prendra peur, ce sera au moins un recul de huit jours...

Le rapport du commissaire alla au duc de Rovigo, l'affaire
parut se rattacher à l'effervescence vendéenne, et la police
enleva secrètement le pauvre garçon dénoncé, qui devait passer sept années en prison. Lorsqu'il en sortit, vieilli par la
douleur, sous le nom de Joseph Lucher, il se loua comme
domestique chez un ecclésiastique milanais qui avait été prisonnier lui aussi pour raisons politiques. Celui-ci vint à le traiter
en véritable fils, le désigna pour son unique héritier. Noble,
possesseur d'une grosse fortune, il lui laissa à sa mort, non seulement plusieurs millions, mais le secret d'un trésor de diamants et de pièces de monnaie de tous les pays. Voilà l'ancien
pauvre riche à onze ou douze millions or. En outre, le bon
ecclésiastique n'avait pas manqué de le former et de l'instruire.
Lucher alla à Rome, ensuite en Hollande et en Angleterre, afin
de recueillir sa fortune; arrivé à Paris, il explora le quartier
de son dénonciateur — quartier de la place Sainte-Opportune
—, rassembla une information. Apprenant qu'un des compères
du cabaretier habitait Nîmes, il s'y rendit, se déguisa en abbé
(abbé Baldini) et par l'offre d'un diamant fit avouer à l'homme,
Antoine Allut, le nom de ceux qui avaient fait le malheur du
cordonnier Picaud. Peu après, la série des exécutions commençait : Chaubard poignardé sur le pont des Arts, le poignard
portant écrit sur son manche *Numéro un,* Loupian ruiné et tué

1. Dumas, *Causeries.*

à son tour, obligé de donner sa fille en mariage à un galérien. Mais une fois le troisième complice liquidé, Allut trahit le justicier, s'empara de lui, le séquestra, l'affama, lui fit acheter de sa fortune du pain et de l'eau, finit par l'assassiner...

A quel moment Dumas fit-il main basse sur cette extraordinaire histoire dans les *Mémoires* de Peuchet? Il raconte dans ses *Causeries* qu'il aurait arrêté tout d'abord le plan de l'intrigue suivante : « Un seigneur très riche, habitant Rome et se nommant le comte de Monte-Cristo, rendrait un très grand service à un jeune voyageur français et, en échange, le prierait de lui servir de guide quand à son tour il viendrait visiter Paris. Sa visite de Paris aurait pour apparence la curiosité, pour réalité la vengeance, car des ennemis cachés l'avaient fait condamner dans sa jeunesse à un injuste emprisonnement de dix ans. Sa fortune devait fournir à l'entreprise d'immenses moyens. D'où un volume qui racontait les aventures d'Albert de Mortcerf et de Franz d'Épinay à Rome, jusqu'à l'arrivée du comte à Paris. » Mais parvenu à ce point, Dumas aurait parlé de l'ouvrage à son collaborateur et ami Auguste Maquet, et Maquet lui aurait dit :

— Je crois que vous passez par-dessus la période la plus intéressante de votre héros, c'est-à-dire par-dessus ses amours, par-dessus la trahison de ses amis et par-dessus ses dix années de prison.

Dîner, causerie des deux écrivains, plan de cinq volumes : exposition, prison, évasion, récompense de la famille Morrel, et le reste « à peu près débrouillé ». Et voilà, conclut Dumas, « comment *le Comte de Monte-Cristo*, commencé par moi en impressions de voyage, tourna peu à peu en roman et se trouva fini en collaboration par Maquet et par moi ».

Cet « état civil du *Comte de Monte-Cristo* [1] » n'est pas des plus clairs. Est-ce que tout ne le deviendra pas, si l'on imagine Dumas enlisé dans des impressions de voyage, sauvé par Maquet, ce rat de bibliothèque qui certainement s'était jeté en 1838 sur les *Mémoires* de Peuchet et connaissait donc l'anecdote de police, n'ayant plus alors qu'à inventer la maison Morrel, à « pousser » les chapitres des amours, de la trahison, de la prison (en s'inspirant des *Prisons* de Silvio Pellico), de l'évasion, etc.?

1. *Causeries*, t. I.

Les dumasiens se sont fort peu occupés de l'abbé Faria, et pourtant un abbé Faria a existé qui présente assez de parenté avec celui de Dumas pour qu'on puisse se demander si Dumas n'en a pas eu connaissance. Un Portugais de ce nom, né à Goa, et qui fit à Lisbonne une carrière d'ecclésiastique et de théologien, est venu en France à trente-deux ans, pour prendre une part active, une part armée, à la chute de la Convention. Ce curieux prêtre, chrétien et savant, se mit à étudier le magnétisme dans un Paris qui n'avait pas oublié Mesmer et que passionnaient des cas de somnambulisme. En même temps, il allait dans le monde. Chateaubriand, qui l'a rencontré à un dîner chez Mme de Custine, parle de lui dans les *Mémoires d'outre-tombe* comme d'un phénomène connu. Professeur de philosophie au lycée de Marseille pendant un an, puis à celui de Nîmes, revenu à Paris en 1813, Faria ouvrit un cours libre dans un centre de conférences de la rue de Clichy, sur le « sommeil lucide ». Il s'y révélait l'initiateur de la doctrine de la suggestion, vrai père de l'École de Nancy : Brown-Séquart, Gilles de la Tourette, Pîtres, lui ont rendu justice. Mais jusqu'à sa mort en 1819, on se moqua de lui, les caricaturistes s'emparèrent de sa personne; Étienne de Jouy, l'Hermite de la Chaussée d'Antin, l'accabla; une pièce, *la Magnétismomanie*, le déchira sous les rires. Il devint pour quelque temps le souffre-douleur de la presse [1].

Se peut-il que Dumas, qui s'est intéressé de près au somnambulisme, qui a organisé des séances d'expériences hypnotiques dans sa villa de Monte-Cristo [2], ait ignoré cet original dont les avatars avaient laissé des échos de leur bruit dans la littérature, cet ancien étudiant romain, ce membre de la Société médicale de Marseille, ce possesseur d'un trésor doctrinal, ce chrétien passionné de sciences, ce vieillard mort d'apoplexie? Le docteur Dalgado voit entre cette vie et celle du héros dumasien quelques concordances troublantes.

Les excursions aux sources ont beau avoir de l'intérêt, que les chercheurs exagèrent, le plus important tout de même n'est-il pas de savoir pourquoi la publication du *Comte de Monte-Cristo* en 1844 a été un événement? Lorsque le roman paraissait en

1. Dr D. G. Dalgado, de l'Académie royale des Sciences de Lisbonne, *Mémoire sur la vie de l'abbé Faria*, Paris, 1906.
2. J. A. Gentil, *Initiation aux mystères de la théorie et de la pratique du magnétisme animal, suivi d'expériences faites à Monte-Cristo chez Alexandre Dumas*, Paris, 1849.

feuilleton dans le *Journal des Débats*, on écrivait de provinc
à la rédaction pour connaître d'avance le dénouement [1]. Jule
Verne a dédié *Mathias Sandorf* à Dumas fils en souvenir d
père et parce qu'il avait ambitionné de faire de son héros u
nouveau comte de Monte-Cristo; dans d'innombrables généra
tions bourgeoises, le livre a fait une carrière égale à celle de
Misérables; sa reproduction assez récente dans l'*Humanité*
soulevé l'enthousiasme des cellules communistes : qu'ont
voir l'étendue et la durée de ce triomphe avec quelque
racines de roman obscurément enfoncées dans le terrain d
réel, du mortel, de l'éphémère? Entre des idées de situation
et les situations réalisées dans le roman, entre des idées d
personnages et les personnages que le roman fait agir, qu'o
entend parler, autour desquels l'air circule, est-ce que n
s'ouvre pas un abîme?

Autant vaut chercher dans le roman les demi-secrets qu
l'auteur lui a confiés ou qu'il s'est laissé malgré lui dérober. L
comte de Monte-Cristo, n'est-ce pas un peu Dumas tel qu'il s
voulait et même par moments tel qu'il était sans le vouloir
La richesse, il y aspirait. Tout savoir, posséder toutes le
sciences, comme il l'a rêvé! Fort, généreux, fastueux, il l'a ét
consciemment; ostentatoire. au point de manquer de goût, i
l'a été naïvement, comme est tout près de l'être le comte dan
ses réceptions, dans ses cadeaux.

Mais le personnage de Dantès, marin obscur, pauvre e
trahi, devenu le riche, brillant, triomphant comte de Monte
Cristo a sa force d'objectivité, il existe, il mène sa destiné
dans le temps et dans l'espace. On est d'abord tenté de ne l
voir que sous les apparences d'un nouveau Simbad le Marin
Grand cosmopolite, milliardaire, il possède un yacht en Médi
terranée, une corvette sur la Manche, un bateau à vapeur su
un canal de Châlons, des relais de dix lieues en dix lieues su
la route du Nord et sur la route du Midi; il a mangé du « car
rick » dans l'Inde et des nids d'hirondelle en Chine, il a été
chercher de l'opium à Canton pour être sûr de l'avoir pur et l
meilleur des hachischs entre le Tigre et l'Euphrate; à Paris, i
s'est installé en nabab, en Crésus, en marquis de Carabas, sa
vie parisienne est une réalisation des *Mille et une Nuits*. Mais
bientôt un autre aspect apparaît : une volonté de chef d

1. G. Claudin, *Mes Souvenirs*, Paris, 1884.

bande sous un masque d'homme du monde; sa vigueur et son audace ne reculent devant rien, se raidissent contre l'impossible. L'entreprise de justice exigeait une force d'âme et une force physique également indomptables pour la défense et pour l'attaque. C'est pourquoi Dantès avait commencé en prison, mais il achève, libre et grand seigneur, de se forger un corps de fer, de se tremper comme une épée; il habitue son cœur aux heurts les plus rudes, il devient l'impassibilité faite homme; il se ramasse, corps et âme, pour s'élancer et toucher le but. Ce n'est pas tout. Dumas ne se contente pas de nous affirmer que son modeste marin ignorant est devenu un homme supérieur; mais le loyal, le fier, l'intelligent et noble héros nous apparaît tel, nous le voyons vraiment exceptionnel, aussi bien au milieu des bandits romains que dans le monde parisien, où il soutient des conversations difficiles avec une aisance incroyable, aussi bien dans le loisir qu'au travail, et dans l'administration de sa fortune que dans sa mission, à laquelle d'ailleurs (car Dumas est réaliste à sa façon) il apporte des duretés voulues, les calculs cruels : tout cela était nécessaire... S'il est bon, il fait le bien en organisateur impeccable, et non pas en niais philanthrope. Il n'a point conçu la vie comme une idylle, plus d'une fois son machiavélisme étonne.

Homme d'extraordinaire et fulminante décision, il prévoit, il suppute, il exécute. Il survient toujours à la minute convenue avec lui-même ou avec autrui. Son organisation des châtiments fut telle que les catastrophes s'abattent sur ses ennemis parfois directement, parfois aussi déclenchées en engrenage les unes par les autres. A la fin, quand il a presque achevé de remplir son programme et que ses bourreaux sont en train de payer ou ont déjà payé leur crime presque tous, le comte s'inquiète, il craint soudain d'en faire trop et de devenir injuste à force de justice, alors il se dépasse en surmontant ses haines les plus justifiées, il les contrôle, il recommence son enquête, il refait les stations de son calvaire, et s'il se voit obligé de conclure que sa cause reste incontestablement bonne, il décide pourtant de se retirer du monde parisien qu'il lui a fallu posséder...

En repassant devant l'ancienne demeure de Mercédès, il s'est détourné et a murmuré un nom de femme; le lecteur pense à celle qui a trahi, mais il bute sur ces lignes : « La victoire était complète; le comte avait deux fois terrassé le

doute. Ce nom qu'il prononçait avec une expression de tendresse qui était presque de l'amour, c'était le nom d'Haydée »,
— Haydée, la douce et soumise fille d'Orient avec qui Dantès connaîtra le bonheur de n'être plus que pacifiquement humain.

Voilà une grandeur dominante de l'ouvrage. Une autre a surgi dès les années de malheur, au château d'If, dans la prison : la rencontre de l'abbé Faria, suivie de l'éducation de Dantès. Le Catalan désespérait, abîmé dans son accablement d'homme ligoté, dans la douleur de son amour brisé. Mais l'occupant du cachot voisin, un prisonnier d'État, creusant une galerie pour l'évasion, s'est trompé et a abouti au cachot de Dantès; ils se prennent d'affection l'un pour l'autre, Faria se met à aimer le jeune homme en père et, obligé de renoncer à tout espoir de liberté à cause du mal qui le terrassera, il entreprend de passer le flambeau à son ami et, pour cela, il l'instruit, il le forme, il l'arme pour la mission à laquelle il l'encourage. Faria allie dès lors la conception d'une entreprise exaltante de justice à la création d'un homme supérieur. C'est lui qui, par calcul de logicien, intuition de psychologue et information de politique, explique à Dantès la conjuration dont il a été victime. Et d'autre part, ce travailleur indomptable, qui sait les mathématiques, l'histoire, la médecine, la philosophie, et qui a continué à travailler en prison grâce à des ingéniosités inouïes, réussit à faire de Dantès, en un an, un autre homme, lui apprenant même les bonnes manières, les manières aristocratiques du temps. Des deux trésors que Dantès aura dus à son malheureux et génial bienfaiteur, le second, l'amas des richesses jadis cachées dans l'île de Monte-Cristo par la famille d'un cardinal romain, n'est pas plus somptueux que le premier, cette éducation réfléchie, méthodique, complète, cette transformation totale, fortifiante et ennoblissante d'un illettré heureusement doué, par le savoir généreux d'un compagnon de misère. Il y a là, exposé avec un soin non pareil dans le détail, un spectacle d'une hardie et rare nouveauté.

On peut bien objecter, on objecte avec raison, que ce roman tourne facilement au conte de fées. L'évasion de Dantès après la mort de Faria, le trop heureux saut en sac dans la mer [1], les murailles percées et les portes secrètes, les déguisements, le

---

1. Cependant Stevenson ne dit-il pas quelque part dans ses *Mémoire et Portraits* que cet épisode lui a donné conscience de sa vocation de romancier?

histoires de brigands, tant de talents naturels et acquis réunis
en un seul homme, le sauvetage de l'armateur Morrel, le rôle
entier de la jeune fille de Villefort, depuis l'apparition mira-
culeuse de Monte-Cristo dans sa chambre jusqu'à sa résurrection dans l'île mystérieuse, tout cela est-il soutenable? Alfred
Nettement a publié dès 1845, dans ses *Études critiques sur le
roman-feuilleton* [1], un réquisitoire complet contre *le Comte de
Monte-Cristo* : qu'on s'y reporte, on approuvera, on fera cette
part du feu, le feu du genre, le feu de la récréation violente,
le feu qui a ouvert dans la littérature la brèche d'on ne sait
quels *circenses*. Mais les beautés signalées ci-dessus ont résisté,
auxquelles il est juste d'associer maintes peintures de mœurs
et maints tableaux d'époque (la Chambre des pairs, la banque,
la magistrature, les artistes, le monde, les femmes — les bonnes
et les mauvaises —), enfin des analyses exactes, celles de la
justice notamment, la justice de la Restauration et la justice
de toujours. Villefort, le substitut du procureur du roi, complice
intéressé des ennemis de Dantès, est un personnage balzacien,
pour user de cette expression commode. Beaucoup de pages du
Comte de Monte-Cristo ont l'accent magnifique de celle où Villefort, analysant sa fonction, parle du risque qu'il court en
requérant la peine de mort contre des ennemis politiques (en
l'espèce, les anciens soldats de Napoléon) dans un temps de
fanatisme :

D'ailleurs, dit-il, il faut cela, voyez-vous, sans quoi notre métier
n'aurait point d'excuse. Moi-même, quand je vois luire dans l'œil
de l'accusé l'éclair lumineux de la rage, je me sens tout encouragé,
je m'exalte : ce n'est plus un procès, c'est un combat; je lutte contre
lui, il riposte, je redouble, et le combat finit, comme tous les combats,
par une victoire ou une défaite. Voilà ce que c'est que de plaider!
C'est le danger qui fait l'éloquence. Un accusé qui me sourirait après
la réplique me ferait croire que j'ai parlé mal, que ce j'ai dit est
pâle, sans vigueur, insuffisant. Songez donc à la sensation d'orgueil
qu'éprouve un procureur du roi, convaincu de la culpabilité de
l'accusé, lorsqu'il voit blêmir et s'incliner son coupable sous le poids
des preuves et sous les foudres de son éloquence! Cette tête se baisse,
elle tombera.

On peut dire qu'un grand roman populaire et progressiste
comme *le Comte de Monte-Cristo* assure deux fonctions. La

1. Paris, 1845.

première regarde son époque, car il joue un rôle d'immense distraction pour le plus grand public, à la manière des sports, en même temps qu'un rôle de forte soupape, à la manière des mouvements révolutionnaires. Ce public-là a besoin que prennent corps, un corps romanesque et théâtral, les thèmes qui obsèdent son imagination comme des besoins élémentaires : c'étaient, à cette époque, la victime sociale à plaindre, à secourir, à venger, l'appel à la justice immanente, l'attente de l'homme-Providence, du vengeur, du redresseur d'injustice. Ce public-là veut aussi qu'on lui apporte une explication de son sort médiocre, de son état de sacrifié ou plutôt qu'on lui désigne le bouc émissaire à haïr, à abattre : Dumas, d'accord avec Balzac, a désigné l'argent. De toutes les puissances qui s'acharnent sur l'homme dans *le Comte de Monte-Cristo*, et qui sont l'ambition arriviste, la jalousie passionnelle, les tyrannies sociales, c'est le pouvoir de l'argent qui domine. Dumas a donné satisfaction à ses lecteurs populaires, il a fait luire à leurs yeux une espérance de féerie, en leur montrant ce pouvoir retourné pour une fois, grâce au génie de Faria et au zèle enflammé de Dantès, contre lui-même. La foule applaudit au prodige, comme les gens des faubourgs au théâtre et au cinéma huent les traîtres et acclament les chevaliers sans peur et sans reproche.

L'autre fonction intéresse tous les temps, c'est une fonction d'encouragement et d'exhortation à l'homme, qu'il persuade de la souveraineté de l'esprit, du caractère, de l'âme. Dumas croit au progrès, non à la fatalité, à une lente amélioration de la condition humaine, non au déterminisme marxiste. A travers le monde des renversements de destinées, l'énergie héroïque du vieux Noirtier, l'indomptable conspirateur, le paralytique qui défend sa petite-fille contre toute la criminelle famille de Villefort, répond à l'effort de Dantès. Entre eux deux, les amateurs de changement et de pittoresque, de surprises et de coups de théâtre, de paradis et d'enfer, ont de quoi se régaler.

Qu'on ajoute à de si forts attraits l'ensorcellement d'un labyrinthe de roman policier dans lequel le héros a pour fil d'Ariane la fidélité au grand souvenir de Faria, qu'on ajoute encore les pâles lumières de la tendresse dans la nuit de l'angoisse et du crime, et les sorts des femmes qui appellent la pitié. Enfin la plantureuse diversité de cette longue et passionnante histoire ne manque même pas de beaux **décors**: certains

intérieurs parisiens, les campagnes italiennes, les paysages de
Méditerranée. En certains chapitres, des mouvements de voiles
sur la mer et des balancements de barques prolongent leurs
reflets dans le livre.

Combien de romans d'Alexandre Dumas y aurait-il à tirer
de l'ombre dans laquelle les tiennent ensommeillés les œuvres
du même auteur que leur réputation a fait monter comme de
hautes tours! Il faut en lire ou relire quelques-uns étonnamment différents entre eux : *Amaury* (1844), ces amours traversées par la tuberculose [1]; *le Capitaine Paul* (1838), inspiré des
mémoires apocryphes de Paul Jones, mouvementé, touchant,
ravigotant, quoique déparé par une ignorance des choses de
la marine qu'avouait Dumas et dont Alphonse Karr s'est
diverti dans ses *Guêpes* [2]; *Pauline*, premier tome de *la Salle
d'armes* (1838), avec son comte Horace dont Dumas avait
connu le type; *Fernande, Cécile, Sylvandire* (1844-1845), aux
héroïnes romantiques; *l'Ingénue* (1854) dont ont sûrement
tressailli les mânes de Rétif de La Bretonne, au point que les
descendants de ce « Jean-Jacques du ruisseau » en arrêtèrent
par un procès la publication dans *le Siècle; la San Felice* (1864-
1865), évocation épique de l'occupation française et révolutionnaire de Naples à l'époque napoléonienne...

C'est donc l'impression de diversité qui s'impose lorsqu'on
embrasse d'un regard d'ensemble les romans d'Alexandre
Dumas. Même les suites ne la détruisent pas, ni les *Vingt ans
après*, réplique des *Trois Mousquetaires*, ni cette réplique au
Comte de Monte-Cristo qu'est la fresque des *Mohicans de Paris*
(1854-1855) : bizarre nom, qui est celui d'un groupement de
carbonari parisiens sous la Restauration.

Il est bien dommage que la censure du Second Empire ait
brisé net, en 1853, l'entreprise d'un roman-épopée dont le
premier volume, *Isaac Laquedem*, reste l'unique et qui devait
retracer en vingt-cinq autres l'histoire du Juif errant. *Isaac
Laquedem* prétend raconter la vie de Jésus, et c'était assurément
une entreprise risquée de paraphraser l'Évangile et de le mettre
en dialogues. Le livre ne se fait guère accepter que dans l'épi-

1. Dumas avait suivi avec le carabin Thibaud la maladie de son cousin
Félix Deviolaine et il a utilisé ses observations pour écrire ce roman dont la
publication dans *la Presse* fut interrompue à la prière de M. de Noailles (qui
avait une fille atteinte du même mal) jusqu'après la mort de la malade.
2. *Les Guêpes*, décembre 1840.

sode de Ponce-Pilate, mais cet épisode est tout près de sauver
le roman.

Blaze de Bury tenait de Dumas fils certains documents d'où
il ressort que le Juif se serait métamorphosé successivement
en une série de personnages historiques tels que Simon de
Montfort, Torquemada, Philippe II, Charles IX, Jacques Clé-
ment, c'est-à-dire la grande famille des fanatiques. Le romantisme à la Hugo, on le voit, eût coulé à pleins bords. D'autre
part, Dumas a lui-même exposé son immense conception dans
une lettre du 26 mars 1852 à l'éditeur anglais Sinnett, que voici :

Un drame religieux, social, philosophique, amusant surtout,
comme tout ce que je fais, — chrétien et évangélique. Du Byron
sans le doute, de la consolation toujours. Des anges mêlés à la vie
humaine. Personnages principaux : le Christ, Marie-Madeleine,
Pilate, Tibère, le Juif errant, Cléopâtre, Prométhée, Octavie, Charlemagne, Vitekind, Velléda, Merlin, la fée Mélusine, Renaud, les
trois fées, Thor, Odin, les Walkyries, le loup Fleuris, la Mort, le
pape Grégoire VII, Charles IX, le cardinal de Lorraine, Catherine
de Médicis; des personnages d'invention au milieu de tout cela —
Napoléon, Talleyrand, les douze maréchaux, tous les rois contemporains, Marie-Louise, Hudson Lowe, l'ombre du roi de Rome,
l'avenir, le monde tel qu'il sera dans mille ans — Siloé, le second fils
de Dieu — le dernier jour de la Terre, le premier jour de la planète
qui doit lui succéder.

Tout ceci vous paraît insensé, mais tout ceci fait une épopée universelle, qui n'est autre chose que l'histoire du monde depuis le
titan Prométhée jusqu'à l'ange du jugement dernier [1].

Admirable pancarte, à accrocher à la porte d'un cinéma
d'exclusivité! Quel rassemblement de vedettes! Et ce film à
épisodes aurait certainement été éducateur; pour l'occasion,
Dumas s'est fait chrétien et évangélique... Cosmique aussi :
« Le premier jour de la planète qui doit lui succéder » est la
trouvaille suprême de ce morceau! Ainsi, non contente de sa
forêt d'étrangetés, l'imagination d'un Dumas hypertrophique
l'enveloppait d'une atmosphère où toutes les excentricités
lui auraient été permises. Mais sur tout cela, à travers tout
cela, il aurait fait voler, n'en doutons pas, des oiseaux de belle
envergure.

1. Publié par Ch. Glinel, *Revue hebdomadaire* du 19 juillet 1902.

XVIII

DUMAS FASTUEUX

L E faste est « une magnificence qui se déploie et s'étale, une affectation de paraître avec luxe et éclat, une ostentation dans les actes et dans les paroles » : ces définitions de Littré ne conviennent pas mal à la personne et à l'existence d'Alexandre Dumas, spécialement après ses quarante ans. Tête haute et bras ouverts, il accueillait, hospitalisait, protégeait. Magnifique, important, grand seigneur et nabab, il déplaçait tout l'air autour de lui.

Il avait grossi et s'était empâté de visage, alourdi de paupières. Double menton et bajoues avaient besoin de cols largement échancrés et paraissaient avoir à les écarter encore pour se loger à l'aise. Cela augmentait sa surface. Une redingote à brandebourgs l'étoffait avec abondance; en le serrant, elle faisait ressortir sa corpulence et le boudinait comme pour le préparer à faire la roue.

Au Café de Paris, au Café Riche, au Tortoni, partout où il se rencontrait avec un Véron ou un Palmerston, des gilets éblouissants, des chaînes d'or, la chamarrure de la poitrine faisaient valoir ses entrées. Il savait les usages et pouvait frayer avec qui que ce fût, il restait toujours capable de retrouver sa distinction de manières; mais, le plus souvent, les contraintes n'étaient pas faites pour lui [1]. Demeuré néanmoins bon enfant, conteur avide de plaire, amuseur infatigable, il faisait de cette bonhomie un étalage prospère, généreux, alléchant, béant à toutes les sympathies : enfin, un homme de cocagne.

Il collectionnait les croix et ne détestait pas porter sa collec-

1. Comtesse Dash.

310   *ALEXANDRE DUMAS*

tion sur lui. Ordre de Léopold, ordre d'Isabelle la Catholique,
ordre de Gustave Wasa, ordre de saint Jean de Jérusalem...
Pour son activité d'écrivain? Pas toujours : la reine d'Espagne
le remercie moins d'un livre envoyé en hommage que d'un service rendu à son peintre Madrazo, le roi de Suède se souvient
du général Dumas, le Mont-Carmel témoigne de sa gratitude
pour l'argent que Dumas a fait tomber dans sa caisse [1]...
C'était, bien entendu, un sujet d'échos : M. Dumas est arrivé
de Florence, annonçaient *les Guêpes* d'octobre 1841, « d'où, à la
surprise générale, il n'a rapporté aucune nouvelle décoration... ».
A son tableau de décorations a figuré naturellement la Légion
d'honneur, due à l'amitié du duc d'Orléans qui avait vaincu
l'inimitié de Louis-Philippe. Rien ne permet d'écouter les mauvaises langues à la Mirecourt, d'après qui Dumas, à la prière du
jeune prince, se serait un jour prosterné sur le passage du roi
dans une galerie de Versailles; Sa Majesté le relevant aussitôt et
lui prenant le bout de l'oreille, aurait dit, paternelle : « Grand
collégien!... » Dumas, dès quarante ans, n'en était plus à subir ce
genre d'affront. Personnage, il était devenu considérable.

En 1847, au temps du Carnaval, le jour du bœuf gras, il
plut à torrents : quel dommage! le bœuf s'appelait cette année-là
le Monte-Cristo en l'honneur d'Alexandre Dumas et de ses procès dont parlait tout Paris. En cette même année, aux obsèques
de Mlle Mars, le 26 mars, Hugo, entouré de quelques poètes et
voyant venir à lui Dumas avec son fils, remarqua que la foule
le reconnaissait à sa tête chevelue et le nommait. Notant cette
observation dans *Choses vues*, Hugo ajoute : « Il faut à ce
peuple de la gloire. Quand il n'a pas de Marengo ni d'Austerlitz,
il veut et il aime les Dumas et les Lamartine. Cela est lumineux
et les yeux y courent... » N'y a-t-il pas dans ces lignes une
secrète envie qui se trahit? La réputation d'Alexandre Dumas
à l'époque avait de quoi éclabousser. Ah! les Cotteréziens pouvaient être fiers! Ils l'étaient. En septembre 1842, comme il
rentrait d'Italie, ils lui offrirent un banquet délirant [2].

Voilà pour le quai populaire. A l'autre bout du pont de
gloire, sur le quai de l'Institut, Dumas rencontrait en revanche

1. « Il conte qu'un article de lui sur le Mont-Carmel a rapporté aux religieux 700.000 francs » (*Journal* des Goncourt, 1er février 1865). Sans doute
s'agissait-il de la monographie écrite en collaboration avec Adolphe Dumas
en 1844, *Temple et hospice du Mont-Carmel en Palestine* : vingt pages in-8o.
2. La relation en est donnée dans une brochure, no 6405 du catalogue de
la bibliothèque Périn léguée à la ville de Soissons.

peu d'empressement. De quel œil pourtant il a lorgné un fauteuil à l'académie! La fièvre verte, il l'a eue et pendant quelque temps ne s'en est point caché. On a publié des lettres de lui à Hugo, à Nodier, à Buloz, à Vacquerie, les poussant à forcer pour lui la lourde porte. Et d'ailleurs le monde des Lettres le nommait parmi les académisables. Magnin, dans la *Revue des Deux Mondes* du 5 décembre 1840, l'avait inscrit avec Hugo, Vigny, Mérimée, Sainte-Beuve. Hugo, élu en janvier 1841 et déclarant que le tour de la nouvelle génération était venu, n'en écartait point Dumas. Ballanche, doyen de cette génération, donnait comme futurs élus Vigny après Hugo; ensuite Ampère et Sainte-Beuve; « puis la porte s'ouvrirait à une autre série qui commencerait à Alexandre Dumas [1] ». Lui, il avait dit carrément : « Les trois candidats sérieux devraient être Hugo, moi et de Vigny. » Impatient, Alexandre soufflait au vieil ami Nodier : « Si vous voyiez que la chose prît quelque consistance, montez à la tribune académique et dites, en mon nom, à vos honorables confrères quel serait mon désir de siéger parmi eux; faites valoir mon absence toutes les fois que j'ai pensé que ma présence était un embarras; enfin, dites de moi tout le bien que vous en pensez et même celui que vous n'en pensez pas [2]. » A la suite d'un de ses échecs, et à la veille de son nouveau départ pour Florence, *les Guêpes* lui prêtaient ce mot :

— Je demande à être le quarantième, mais il paraît qu'on veut me faire faire quarantaine.

Il ne prévoyait pas alors que la quarantaine imposée était sans fin et qu'on ne voulait pas de lui plus que de Balzac. Mme de Girardin en a proposé une raison plausible : « MM. de Balzac et Alexandre Dumas, a-t-elle expliqué, écrivent quinze à dix-huit volumes par an, on ne peut pas leur pardonner ça. — Mais ces romans sont excellents. — Ce n'est pas une excuse, ils sont trop nombreux. — Mais ils ont un succès fou. — C'est un tort de plus : qu'ils en écrivent un seul tout petit, médiocre, que personne ne le lise, et on verra. Un trop fort bagage est un empêchement; à l'académie, la consigne est la même qu'au jardin des Tuileries; on ne laisse point passer ceux qui ont de trop gros paquets [3]. »

---

1. Édouard Herriot, *Madame Récamier et ses amis*, Paris, 1904.
2. Henry Lecomte, *op. cit.*, et Bonnerot, *Correspondance de Sainte-Beuve*, t. IV.
3. *Lettres parisiennes*, 5 mai 1845.

Les académiciens n'ont jamais autant manqué de curiosité. Car enfin de tous les discours de réception sous la Coupole, qui doute que celui d'Alexandre Dumas eût été un faisceau unique d'histoire littéraire et d'imagination visionnaire, de petite patrie et d'Europe napoléonienne, d'amitiés fraternelles et de générations en guerre, un luxuriant bouquet d'illusions et de prédictions, un baril de poudre aux yeux, un éclatant et monstrueux tapis volant... De quelle récréation ces messieurs se sont et nous ont privés!

Nullement rancunier de nature, Dumas semble l'avoir été à l'égard des immortels. A soixante ans passés, lors de l'échec de Janin (encaissé par la victime avec bonne humeur), il lui télégraphiera : « Triple félicitation. Tu n'es pas le collègue de Doucet, tu restes mon confrère, et tu as fait un article charmant [1]... » On préfère la manière dont, plus jeune, il prenait les choses, dans un des repliements de fausse modestie humoristique dont son faste était coutumier; c'est une anecdote : le chien d'une vénérable marquise sauvé d'un bouledogue qui lui avait accroché l'arrière-train, rue Sainte-Anne. Dumas savait comment faire lâcher prise à ces monstres de la mâchoire : leur mordre la queue. Il se fit apporter à son cabriolet les deux bêtes emmêlées, enveloppa la queue du boule avec son mouchoir et mordit un coup sec... C'était fini. Il échappa au chien retourné vers lui la gueule ouverte et rappela tout haut au cocher le but de sa course, qui se trouvait être l'Institut... « Ah bien, dit une vieille femme, ce n'est point miracle qu'il soit si savant ce monsieur, il est académicien [2]. »

Installé dans un luxe instable depuis l'avènement d'Ida Ferrier, il avait table abondante et, si parfois les chaises manquaient, le linge en revanche, l'argenterie, la vaisselle et le cristal étaient toujours irréprochables [3]. Personnellement, ses préférences allaient au bœuf bouilli de la veille et réchauffé sur le gril. Mais il voulait impressionner les gens. Un témoin ami l'a vu, lors d'un court séjour dans la banlieue de Marseille, manquant d'un citron pour une sauce qu'il confectionnait, envoyer un domestique à la ville avec une voiture. Quelqu'un lui ayant suggéré : « Oh! un filet de vinaigre... », il se fâcha et exigea son citron [4]. Il déployait de grands airs culinaires. Nous

1. Ch. Glinel, *op. cit.*
2. *De Paris à Cadix*, 1848.
3. W. A. Solohub, *loc. cit.*
4. G. de Cherville, *Le Temps* du 19 avril 1887.

y avons déjà fait allusion. Dumas disposait là d'un moyen de publicité, assurément excellent si l'on en juge par les anecdotes qui se multipliaient sur le grand écrivain cuisinier. On peut dire qu'il n'abandonna jamais la queue de la poêle. A cinquante-huit ans encore, les journaux du Nord l'ont montré lors d'un séjour à Valenciennes, Hôtel des Princes, allant et venant de la salle à manger à la cuisine, puis assaisonnant lui-même la salade de la table d'hôte : l'hôtel augmenta le prix de ses dîners, car il y avait foule pour voir le grand Alexandre. Comment le cabotinage se pourrait-il nier dans ces attitudes qu'il affectionnait? Convenons tout de même qu'il a pratiqué la cuisine par amour de l'art. Il était splendide à voir — combien l'ont dit! — en bras de chemise, la poitrine découverte, le visage aussi allumé que ses fourneaux, indifférent d'ailleurs au froid et au chaud, un vrai dieu mythologique!

Il est célèbre pour n'avoir jamais pris ni café ni alcool, très peu de vin, mais il posait au fin connaisseur en eau, et il affectait de se montrer plus gourmet que gourmand. N'aimant point fumer, il s'y mettait parfois en société, sans doute pour faire parade d'une chibouque à tuyau de cerisier et à bouquin d'ambre, qu'il ne daignait bourrer que de tabac du Sinaï râpé avec de l'aloès [1].

Le cercle des invités s'était élargi depuis les années où Ida Ferrier soignait surtout les relations de théâtre et de presse. Le comte Solohub a rencontré à la table de Dumas « des personnalités célèbres et dignes de respect et des gens douteux ». Ces derniers, « un boursier au passé trouble », des « chercheurs d'aventures », de vieilles actrices de province, ont pris la transparence de l'oubli jusqu'à devenir invisibles. Ceux que nous pouvons encore voir s'appelaient des noms les plus illustres, ou bien c'étaient des débutants, un Albert Wolff, un Henry Murger... Un certain jour, Dumas réunissait à sa table un phrénologue autrichien, un médecin hongrois, un réfugié italien et un négociant germano-anglo-indien : il faisait donc l'Europe et même mieux dans sa salle à manger. En général, il y avait également chez lui des femmes de talent ou des femmes du monde voulant se rendre compte « de quoi cela avait l'air ». On imagine donc les « réunions bariolées », avec des frottements d'où jaillissait de l'électricité : et la vie et l'art, écrit le

1. Lucas-Dubreton, *Vie de Dumas*, Paris, 1927.

comte russe dans *Mon ami Dumas*, s'en trouvaient éclairés.

Ida Ferrier disparue à l'horizon italien, les femmes qui entrèrent le plus dans l'intimité d'Alexandre Dumas venaient toujours du théâtre et commençaient à venir du demi-monde : des comédiennes et des lionnes. Mlle Parson est celle qui dans cette période a le plus occupé ses pensées. De Grenade, en 1846, il lui envoyait des fleurs et des vers. Elle allait être au Théâtre Historique l'Ophélie de l'*Hamlet* écrit en collaboration par Dumas et Meurice, ce qui lui valut des vers de Dumas :

> Doutez qu'au firmament l'étoile soit de flamme,
> Doutez que dans les cieux marche l'astre du jour;
> La sainte vérité, doutez-en dans votre âme,
> Doutez de tout enfin, mais non de mon amour.
>
> Mon cœur n'est point pour moi matière à poésie,
> Je ne mets point mes pleurs en vers de fantaisie;
> Mais laissez-moi vous dire humblement, simplement :
> Je vous aime d'amour, je vous aime ardemment;
> Et jusqu'à ce que l'âme à ce corps soit ravie,
> Cet Hamlet qui vous parle est à vous, chère vie.

Pareils vers [1] ont vraiment l'air de faire exprès d'être mauvais, comme s'ils n'avaient eu que ce curieux moyen de prouver leur sincérité. Lola Montès, elle, n'avait-elle droit qu'à la prose? Cette jeune danseuse sans talent, mais amazone et épéiste, était assurément plus belle. Dumas la rencontra à Rouen, au procès Beauvallon, le 28 mars 1846. Le journaliste Beauvallon, accusé d'avoir tué en duel dans des conditions suspectes, avec des pistolets déjà essayés, son confrère Dujarrier, comparaissait devant la Cour d'assises, et Dumas, ami de Dujarrier, et qui avait tenu à ses obsèques un des cordons du poêle avec Balzac, Méry et Girardin, était témoin. Il était arrivé en calèche découverte, afin de pouvoir saluer comme un souverain. La salle était pleine de journalistes et d'avocats venus de Paris. Bien des belles à la mode, les vedettes de la galanterie étaient là. Quand le président lui demanda sa profession, il répondit en se rengorgeant :

— Je dirais auteur dramatique, si je n'étais dans la patrie de Corneille.

---

1. Inédits de la collection Lovenjoul.

— Il y a des degrés, répondit finement le président.

Mais le véritable président, ce ne fut pas M. Le Tendre de Tourville, ce fut Dumas. Qui interrompait les témoins? Qui donnait des leçons? Qui menait les débats à coups d'anecdotes? Lui, lui, toujours lui! Il fit un discours sur l'art et la science du duel. « Comment! Vous ne connaissez pas le code de l'honneur, M. le Président? Mais il est signé du comte de Chateauvillard et de maintes célébrités de la littérature et de la noblesse. Il est imprimé, demandez-le à votre libraire... » On s'amusa follement, on était à la comédie.

Lola Montès avait été la maîtresse du malheureux Dujarrier. Témoin elle aussi, elle vint à la barre en toilette de grand deuil; « ses beaux yeux parurent aux juges encore plus noirs que ses dentelles »; admirablement faite, « il y avait dans sa personne un je ne sais quoi de provocant », elle avait « des yeux indomptés et sauvages [1] ». Personne, même pas elle, n'a jamais pu dire si elle naquit écossaise ou sévillanne. Après une série de liaisons, notamment avec Dumas et avec Liszt, elle alla en Bavière séduire le roi Louis.

La souveraine de l'année 1848 a été Mlle Scrivaneck, mi-Rouennaise, mi-Hollandaise, obscure comédienne, femme avide, geignarde, criarde, sale : comment s'est-elle fait supporter? Qui a avancé qu'elle fut belle? On cherche ses qualités... Les compagnes de Dumas posent décidément un problème, mais peu malaisé à résoudre. Victime d'un tempérament qui ne le laissait pas choisir, Dumas resta souvent prisonnier des audacieuses qui étaient montées à l'abordage ou des sans-gêne qui s'incrustaient ou encore de quelques-unes qu'il a cru aimer. Dans l'ensemble, toutes donnent rétrospectivement l'impression de femmes qu'il prenait tour à tour à son bras, sans leur attacher grande importance. Il les avait comme on a une garde-robe, elles faisaient partie de son train de maison. Le laisser aller d'une grosse jouissance n'est-il pas une manière de faste involontaire? Dumas apparaît sur ce plan puissamment naturel et d'une bonhomie invraisemblablement désinvolte... Écrivant à l'éditeur anglais Sinnett qui éprouvait certaines inquiétudes pour la traduction des *Mémoires*, il disait notamment : « Non, il n'y a pas de danger; j'ai eu soin de me faire donner par toutes mes femmes des lettres d'autorisation; la plupart

1. Gustave Claudin, *op. cit.*

sont enchantées de trouver leur nom dans mes *Mémoires* [1]... »
« Toutes mes femmes! » c'est énorme. A quel Turc d'ancien
régime avons-nous affaire? ou à quel négrier qui se vendrait à
lui-même la partie féminine de sa traite? Non, tout simplement à un original dont la fatuité est inexprimable, tant elle
amalgame d'éléments : orgueil, vanité, munificence, bonne
diablerie, épanouissement...

Ce serait très mal le comprendre que de réduire Alexandre
Dumas à cette enflure dans son style de vie. Il y a de tout dans
un tel homme. Combien de fois laisse-t-il voir tout simplement
un grand cœur généreux! On ne le sait pas assez : « Il passait
des nuits au chevet des malades, les veillait, les soignait, les
portait, les changeait, travaillait auprès d'eux, et il n'était pas
rare qu'il passât quarante-huit heures sans dormir [2]. » Il y a
de lui une lettre à Jules Janin, écrite en mai 1849 (il avait quarante-sept ans), au sujet d'une jeune morte du théâtre, et que
quiconque entreprend de parler de Dumas devrait apprendre
par cœur :

> Mon cher Janin,
>
> Vous savez la mort de la pauvre petite Maillet; nous l'avons
> rendue à la terre ce matin.
> Elle laisse une vieille mère et un tout petit enfant.
> La mère a quatre-vingt-sept ans. Aidez-moi de tout votre pou-
> voir — souscription, représentation à bénéfice, etc., pour la faire
> entrer à l'hospice des vieillards.
> Quant à l'enfant, si son père ne le réclame pas, je m'en charge.
> Il n'a que trois ans, il ne mange pas encore beaucoup. Je travaille-
> rai une heure de plus par jour et tout sera dit.
>
> A vous.
>
> Je rouvre ma lettre pour vous dire que Dorval vient de mourir.
> Sa famille m'appelle, j'y cours [3].

Marie Dorval était morte le 18 mai. Cela tombait à un
moment où l'écrivain manquait de fonds, et la souscription
ouverte en apporta peu. « Dumas fit le possible et même l'im-

---

1. Ch. Glinel, *Revue hebdomadaire*, le 19 juillet 1902. La lettre est du
25 mars 1852.
2. Comtesse Dash.
3. J. Janin, *Dédicaces et lettres autographes*, Dijon, 1884.

possible pour se procurer la somme nécessaire aux funérailles et à l'achat d'un terrain provisoire de cinq ans. Il versa personnellement deux cents francs, obtint de M. Falloux cent francs, de Victor Hugo deux cents francs, et il mit en gage pour le surplus sa décoration du Nicham [1], laquelle était ornée de joyaux.

Autre trait de chevalerie. Son fils lui ayant fait savoir un jour, de Pologne, qu'il avait le moyen d'entrer en possession de lettres très intimes adressées par George Sand à Chopin, il en informa aussitôt l'écrivain qui s'inquiéta beaucoup du sort de cette correspondance compromettante. Sur quoi, nouvel avis à la dame, qui était à Nohant : « ... J'ai presque eu regret de vous avoir écrit. Mais que voulez-vous, il faut me prendre pour ce que je suis, c'est-à-dire pour un homme tout de première impression. J'ai reçu cette lettre d'Alexandre, j'en ai déchiré la première page, je vous l'ai envoyée comme j'aurais fait à un homme, à un camarade, à un ami [2]. » Et Dumas fils, alerté par son père, rapporta les lettres à George Sand; elle se hâta de les jeter au feu et c'est ainsi qu'elle fit la connaissance d'Alexandre II [3].

En comparaison de ces gestes, pour combien faire compter de petites coquetteries d'orgueil ou de satisfaction? Glinel a relevé sur un passeport délivré en 1849 : « âgé de quarante-quatre ans » (au lieu de quarante-sept) et « officier de la Légion d'honneur » (au lieu de chevalier [4]). Et que Dumas était heureux de rapporter dans ses *Causeries* ce que lui avait dit Marie Duplessis dans une baignoire de la Comédie-Française, un soir qu'on jouait *les Demoiselles de Saint-Cyr* : « Alexandre est Dumas fils, mais vous n'êtes pas Dumas père, vous ne le serez jamais. » Elle le flattait parce qu'elle attendait de lui une recommandation...

Mais il faut bien revenir à son tempérament débordant, à sa vanité native d'homme de couleur, à sa situation de vedette que le public même exhorte à s'étaler... Au salon ou à table, il se mettait volontiers en face d'une glace, il y suivait ses gestes... « Mon père est si vaniteux, passe pour avoir dit Dumas fils,

---

1. Ch. Glinel.
2. *Correspondance Sand-Dumas*, 30 mai 1850, copies, collection Lovenjoul.
3. « Journal de Maurice Lippmann », extraits (*Revue des Deux Mondes*, 1er août 1924).
4. *Revue hebdomadaire*, 19 juillet 1902.

qu'il monterait sur le siège de sa voiture pour faire croire qu'il a un nègre [1]. » Dumas père s'appela quelquefois « prince des lettres ». La fréquentation des princes de naissance le flattait, et des princesses, princesse de Metternich, princesse Mathilde; il dîna chez l'une et chez l'autre. C'est en sortant de chez la princesse Mathilde, chez qui il avait rencontré le prince Napoléon, qu'il déclarait fièrement : « J'aime mieux un prince qui me dit Monsieur, qu'un ouvrier qui m'appelle citoyen [2]. » Il a dû faire cette déclaration à voix basse.

Tout en effusions, a noté son secrétaire Pifteau, — mais effusions de protecteur : « Il étreignait dans ses bras des gens qu'il connaissait à peine, on aurait dit qu'il était le père de tous ceux qu'il voyait. » Aux critiques qui l'éreintaient, pas un mot de plainte ni de reproche, mais au contraire, une tape cordiale : « Hein! quel bel article je vous ai fourni [3]! » Dans la conversation, il ne parlait guère que de lui et c'est de lui seulement qu'il laissait parler les autres. Mais la bonhomie sauvait tout, et elle allait jusqu'à l'esprit. Un jour qu'il avait déjeuné chez un ministre, on lui demandait : « Comment s'est passé le déjeuner? — Bien, mais sans moi, je m'y serais cruellement ennuyé. » C'est lui-même qui rapporte ce mot, mais il est difficile de ne pas le croire. Son homonyme Adolphe Dumas, se rencontrant avec lui aux environs de 1840, dans une loge au théâtre, eut le malheur de lui dire un peu familièrement : « Il y aura les deux Dumas comme il y a eu les deux Corneille. » Le vrai Dumas tout d'abord trouva cela un peu leste; il sourit pourtant et causa, car il était la courtoisie faite homme. Mais il ne tarda pas à sortir de la loge en disant adieu, puis se ravisant, il rentra le buste et, frappant sur l'épaule de l'autre Dumas : « Adieu, Thomas! » jeta-t-il avec gaîté, et il s'enfuit [4].

Bien des anecdotes tournent autour de son imprévoyante et ineffable prodigalité. Qui aurait le cœur de les rejeter? Elles amusent et sa prodigalité, Alexandre Dumas l'avait vraiment dans la peau. Quant à son imprévoyance, faut-il la croire tout à fait innée? Une certaine prévoyance n'avait pas trop bien réussi au triomphateur d'*Henri III*, à qui l'idée précaution-

---

1. Princesse de Metternich, *Mémoires*.
2. *Ibidem*.
3. B. Pifteau, *A. Dumas en manches de chemise*, Paris, 1884.
4. Sainte-Beuve, *Revue suisse*, 1843. L'anecdote venait des *Guêpes* d'octobre 1842.

ιeuse était venue de verser au Café Desmares, son voisin,
ιix-huit cents francs pour la nourriture d'une année payée
l'avance... Patatras! Le Café, un mois après ce bel arrangement,
ermait! « C'était ma première spéculation », constate Dumas
ιans ses *Mémoires*. Les spéculations qui ont suivi celle-là ont
ιu des sorts variés. A tout prendre, son fils exagérait en le
ρrésentant à une amie en ces termes : « Monsieur mon père, un
ʳrand enfant que j'ai eu quand j'étais tout petit [1]... » Mais
ιnfin, on ne saurait contester qu'Alexandre Dumas a passé son
ιxistence à gaspiller l'argent, partie en grand enfant, partie
ιn prince fastueux. Il s'est continuellement imposé de lourdes
ʰharges. « Sa plume, dit la comtesse Dash qui l'a vu vivre,
ιourrissait une tribu, une smala tout entière. Les familles de
ιes maîtresses, si elles étaient pauvres, se faisaient de droit
ιntretenir par lui. Père, mère, sœurs, frères, y en eût-il une
ιemi-douzaine, tout cela était à ses frais. Les oncles, les tantes,
ιs cousins, arrivaient à la rescousse, et comme il ne se piquait
ρas de constance, ce petit exercice se répétait à perpétuité. »
ιa comtesse Dash signale une autre tribu tout aussi dispen-
ιieuse : « celle des attachés à sa maison, des préposés à ses
ffaires, des confidents de ses amours, des collaborateurs plus
ιu moins réels ». Elle ajoute les amis, en entendant par là
ιsolliciteurs, complaisants, parasites, quêteurs, empocheurs
ιe livres, de pièces de cent sous et de billets de spectacle,
ιommissionnaires, flatteurs, tripotiers, entremetteurs, espions...»

Un tapeur manquait de tout, avait un billet à payer, gei-
ʳnait...

— Je vous rendrai cela dans huit jours.

— Comme vous voudrez!

— C'est convenu.

Et ce dernier trait de sans gêne, en disparaissant :

— Je reviendrai pour dîner [2]...

A un moment de sa vie où il avait élu domicile aux environs
ιe Paris, Dumas avait chaque jour sa table garnie d'invités.
ιe dimanche surtout, c'était l'assaut de la maison par une
ιroupe errante d'affamés, jusqu'à des enfants, des bonnes et
ιes chiens. Alors, si dans la cohue qui encombrait son salon un
ιes « invités » l'importunait pour être présenté à un autre, il
ιouvait répondre avec une demi-bonne foi : « Impossible, je ne

1. Dumas, *Causeries.*
2. Comtesse Dash, *Mémoires des autres.*

lui suis pas présenté [1] ! » Heureux encore s'ils étaient venus
pied. Un certain lundi, plusieurs cochers vinrent réclamer l
prix d'une course. Justement, le maître était absent; le domes
tique s'étonna. Il fut reconnu qu'un des visiteurs du dimanch
avait pris une voiture à la gare pour parcourir les mille mètre
qui le séparaient de la villa, et qu'il avait eu aussitôt des imi
tateurs : vingt-cinq courses non réglées! On les régla [2].

« Le Plutarque qui racontera ma vie, note Dumas dan
l'*Histoire de mes bêtes*, ne manquera pas de dire en style modern
que j'étais un panier percé, en oubliant d'ajouter, bien entendu
que ce n'était pas toujours moi qui faisais les trous au panier.
Théodore de Banville raconte dans ses *Souvenirs* l'histoire d
beau jeune homme nommé Montjoye, à la fois peintre et auteu
dramatique, très bien doué, qui donnait les plus belles espé
rances, mais qui depuis... Un matin, Montjoye se réveilla san
argent. Habitant Saint-Germain et sachant Dumas son voisin
il alla lui demander à déjeuner sans façon.

Croyant avec raison leur maître occupé à écrire, tous les valet
étaient allés se promener; mais les acquisitions de victuailles avaien
été faites, et la cuisine ressemblait à un grand tableau de natur
morte. Touché par la démarche de son confrère, Dumas passa u
tablier, alluma le feu, mit les casseroles en branle et, avec sa verv
inépuisable, composa un festin de Gamache : il était cuisinie
comme il était tout et savait un coulis comme un scénario! No
seulement Montjoye dévora ces nourritures avec des dents féroces
mais il trouva le moyen de les louer d'une manière amusante e
originale; si bien que le cuisinier fut réjoui dans son grand cœur
A partir de ce jour-là ce fut une habitude prise; tous les matin
Montjoye venait déjeuner. Alexandre Dumas lui demandait se
ordres et les exécutait à ses propres frais, et il était l'homme le plu
heureux du monde quand son convive montrait une admiratio
enthousiaste. Ainsi le spirituel rapin menait une vie heureuse e
facile, servi par un grand homme et mangeant une cuisine qui n
revenait pas à moins de deux cents francs l'heure.

Et dans le même temps, Dumas souscrivait des billets à u
mois, à trois mois, que des usuriers escomptaient. Le factotur
qu'il chargea longtemps des renouvellements de billets n'a e
pour faire une fortune qu'à les garder, tellement ils montèren

1. Pifteau, *A. Dumas en manches de chemise*.
2. Gabriel Ferry (Gabriel de Bellemare), *Les Dernières Années d'Alexandr
Dumas*, Paris, 1883.

Cet ancien pauvre devait achever ses jours en vivant de ses rentes au sein de sa famille [1]. Dumas s'en serait amusé, s'il l'avait su, lui qui a fait une ou plutôt plusieurs fortunes, mais les a défaites à mesure, dans les grandes choses, dans les petites. Nous verrons les grandes. En voici une petite. Il donna un jour vingt francs à un garçon de restaurant pour aller acheter un tire-bouchon, qui coûtait alors un franc : le nigaud rapporta vingt tire-bouchons, et Dumas de rire [2]. Une autre encore... Il devait deux cent cinquante francs à son bottier, qui alla on ne sait combien de fois les lui réclamer en son château de Marly. Le châtelain le retenait à déjeuner, lui donnait à emporter fleurs et fruits pour sa famille, faisait atteler pour le porter à la gare, lui remettait un louis pour le chemin de fer. Du moins Villemessant raconte-t-il cette histoire [3], en prétendant que le bottier empocha bien cinquante louis avant de renoncer à faire payer sa note.

La prodigalité proverbiale de Dumas explique que malgré la masse colossale de ses gains il ait quelquefois manqué momentanément d'argent et qu'il ait eu alors recours à ses amis, d'ailleurs en toute simplicité. Ou bien, il arrivait de voyage sans un sou en poche; c'est à un de ces retours qu'il songea à faire appel au sculpteur Cain, en raison de son amitié plus que du gonflement de sa bourse. Cain était absent, mais Mme Cain le reçut. Hélas, son mari ne lui avait laissé qu'un louis pour le ménage, elle le donna pourtant, comme Dumas l'aurait donné lui-même.

En sortant, le romancier aperçut sur le buffet de la salle à manger un bocal de cornichons d'un vert admirable.

— Ah! les beaux cornichons, s'écrie-t-il.

— Et excellents. On les prépare à la maison, répond Mme Cain, flattée dans son amour-propre de bonne ménagère. Voulez-vous me permettre de vous en offrir un bocal?

— Avec grand plaisir.

Et déjà il étendait la main vers le bocal.

— Non, dit Mme Cain, vous n'allez pas vous donner cette peine. Vous avez une voiture en bas?

— Certainement.

— On va vous descendre le paquet.

1. Gabriel Ferry, *op. cit.*
2. Alexandre Michaux, *Souvenirs personnels sur A. Dumas*, Paris, 1885.
3. *Mémoires d'un journaliste*, Paris, 1867.

Dumas remercie et sort. Déjà Mme Cain, très inquiète, se demandait comment elle assurerait le repas de ce jour, quand sa cuisinière, qui était allée porter les cornichons dans la voiture, revient triomphalement, le fameux louis à la main. Dumas le lui avait donné comme pourboire [1].

Toutes ces jolies histoires sur le laisser-aller de Dumas, ses largesses inconsidérées, l'extravagance de sa profusion, que son fils n'a pas été le dernier à répandre [2], présentent souvent des variantes. Pour celle que rapporte Ernest d'Hauterive, par exemple, John Charpentier remplace Mme Cain par son aïeule Mme Charpentier et, au lieu de faire découvrir le bocal de cornichons par Dumas, le donne comme lui ayant été réservé, car Mme Charpentier le savait friand de ce condiment [3]. Mais ces variantes de détail, du moment qu'elles respectent le fond, n'en renforcent-elles pas l'authenticité plutôt qu'elles ne l'ébranlent? C'est comme l'histoire de la coupe de demi-louis ou de pièces de cinq francs (suivant la situation financière du maître) que Dumas laissait toujours en évidence dans son cabinet de travail et dans laquelle il invitait les tapeurs à puiser; elle n'est pas tout à fait aussi simple qu'on l'a généralement racontée. Déjà son secrétaire Pifteau, en notant que Dumas disait aux parasites : « Vous voyez toute ma fortune, je vais partager avec vous », abandonne un peu de la mèche; mais un écrivain belge, Ricault d'Héricourt, la vend tout à fait, en nous révélant le « truc » qu'il doit à Murger, lequel s'en enthousiasmait. Dumas tenait, pour ainsi dire, non pas une coupe, mais le coffre-fort à jour et l'aménageait après chaque visite de solliciteur. Au solliciteur suivant il disait :

— Vous avez besoin d'argent? Ça arrive. Je n'ai pas toujours gagné deux cent mille francs. Combien vous faut-il? Ou plutôt, faisons mieux, partageons. Voilà mon coffre-fort, la clef est sur la porte. Les amis y puisent librement. Voyez ce qu'ils ont laissé, prenez-en la moitié et laissez-moi le reste. C'est bien ça, hein? Nous partagerons en bons camarades.

Le camarade ouvrait le coffre-fort (qui n'était peut-être qu'un tiroir) et qu'y trouvait-il? Deux pièces de cent sous [4].

1. Ernest d'Hauterive, « Le centenaire d'Alexandre Dumas » (*Le Gaulois* du 6 juillet 1902).
2. Cf. Maurice Lippmann, *Revue des Deux Mondes* du 1er août 1924.
3. John Charpentier, *Alexandre Dumas*, Paris, 1947.
4. Charles de Ricault d'Héricourt, *Ceux que j'ai connus, ceux que j'ai aimés*, Paris, 1900.

Mais parlons sérieusement. Si Dumas se ruina au fur et à mesure qu'il s'enrichissait, c'est assurément moins par ses libéralités en faveur des amis et des parasites, de ses maîtresses et de leurs familles, si excessives qu'elles fussent, que par ses propres dépenses en train de maison, en voyages, en installations à Paris et à Florence, en vie de château, en folles constructions.

En 1843, tout en gardant son appartement à Paris — rue de Rivoli, puis rue de Richelieu, en attendant la Chaussée d'Antin et la rue Joubert en 1844 et 1845 — Dumas alla habiter à Saint-Germain-en-Laye, rue du Boulingrin, la villa Médicis, dont le loyer annuel coûtait deux mille francs. Il devait y demeurer jusqu'en 1846. Bien entendu, il avait constamment du monde qui s'invitait et, le dimanche, il invitait lui-même rarement moins de vingt personnes. C'est le maître d'hôtel du pavillon Henri IV, Collinet, qui préparait la chère... Le jeune Octave Feuillet, malade, a été l'hôte de Saint-Germain. De sa chambre, un soir d'août, il eut le spectacle d'un banquet sur la pelouse, il voyait une fête riante et somptueuse, il entendait les voix de « tant de beaux esprits »; au loin, la vallée de la Seine se pâmait sous le soleil couchant [1]...

Dumas ne s'en tint pas là, il acheta le théâtre de la ville et les meilleurs comédiens de Paris, qui venaient y donner des représentations, soupaient chez lui. Ils jouèrent assez souvent des pièces de lui au bénéfice des pauvres. En 1846, plus grand seigneur que jamais, il fit organiser un festival dramatique en l'honneur de « ses amis et partisans [2] » avec comme morceau de résistance une pièce de circonstance qu'il n'hésita pas à annoncer sous ce titre : *Shakespeare et Dumas*, en attendant le spectacle gratuit offert à la population de Saint-Germain, le 7 mars 1847, pour célébrer son retour d'Afrique.

Quel entrain donné à la ville! Depuis qu'il la révolutionnait, on ne trouvait plus une chambre au pavillon Henri IV ni un cheval chez le maître de poste, et le chemin de fer accusait vingt mille francs d'augmentation dans ses recettes [3]. Saint-Germain courait sa forêt à cheval, Saint-Germain allait au spectacle, Saint-Germain tirait sur la terrasse de la villa Médi-

1. Lettre d'Octave Feuillet, publiée dans *le Mousquetaire* du 21 décembre 1853.
2. Ch. Glinel, *op. cit.*
3. Dumas, *Souvenirs.*

cis des feux d'artifice qu'on voyait de Paris. Saint-Germain ressuscitait dans la fièvre, tandis que Versailles dormait à demi-mort. Or, Louis-Philippe venait de restaurer le palais de Louis XIV. Comme il se scandalisait de ce contraste devant son ministre Montalivet : « Eh bien, Sire, plaisanta Montalivet, sachez que Dumas a quinze jours de prison à faire comme garde national... Ordonnez qu'il les fasse à Versailles. » Le roi tourna le dos au ministre et le bouda tout un mois. Dumas *dixit*[1].

Que se passa-t-il lorsque le boute-en-train s'en retourna à Paris? Il a assuré modestement que Saint-Germain tomba alors dans le spleen et frisa tout simplement l'agonie...

Mais il y avait longtemps que Dumas voulait avoir « sa maison ». Une maison? Trop peu pour lui. Il finit par concevoir la monstrueuse folie d'un château qui ne fût pas en Espagne : d'où la construction ruineuse de Monte-Cristo, qui devait coûter 50.000 francs et qui finalement en coûta 300.000. « Il fallut pour la bâtisse détourner des sources qui inondaient le terrain, faire des fondations énormes pour soutenir les terres le long de la route [2]... » Ma parole! on croirait entendre parler du château de Versailles...

C'était en 1844. Dumas chassait sur les coteaux de Marly, par un beau matin de printemps quand il s'arrêta soudain devant un panorama magnifique : la Seine, les arbres, la forêt. En face, à l'horizon brumeux, les coteaux d'Argenteuil.

Sur-le-champ, il convoqua M. Durand, son architecte [3].

— Cher Monsieur, vous allez m'établir un château Renaissance et un château gothique avec deux pavillons d'entrée et un parc anglais.

— Mais, Monsieur, le sol est un fond de glaise, rien n'y tiendra!

— Vous creuserez jusqu'au tuf et vous ferez deux arcades de caves.

— Cela va vous coûter plus de deux cent mille francs.

— Je l'espère bien, allez toujours!

Et, le 24 juillet, Dumas pendait une crémaillère symbolique sur l'emplacement de son futur château, auquel les Melingue ont donné son nom de Monte-Cristo [4].

---

1. *Mes Mémoires.*
2. Note de Dumas fils publiée par Mme M.-L. Pailleron dans la *Revue de la Semaine* du 30 septembre 1921.
3. Cf. *Le Musée des Familles* d'août 1847.
4. Cf. *Histoire de mes bêtes*, 1868.

— Je vous donne rendez-vous dans trois ans, à la même date, dit-il à ses invités, mais alors nous ne dînerons pas sur l'herbe!

Le 27 juillet 1847, en effet, Dumas comme il l'avait promis, inaugurait son nouveau domaine.

Le châtelain était ravi : « J'ai là, déclara-t-il, une réduction du paradis terrestre. »

On entrait dans le parc en passant entre deux pavillons. De l'énorme grille d'entrée partait une large avenue conduisant à une vaste terrasse circulaire. Le château, quoique Renaissance, rassemblait tout un romantisme avec ses deux étages de tourelles, de balcons, de clochetons, de balustres, au haut d'une déclivité animée de ruisseaux à cascades, c'est-à-dire de petits bassins placés les uns sous les autres. Les fenêtres sur les ruelles étaient celles du château d'Anet. Au-dessus de chacune d'elles, des médaillons s'ornaient des armes qu'avait données François Ier à Villers-Cotterêts et portaient les noms d'illustres allant d'Homère à Victor Hugo... Les armes des La Pailleterie surmontaient la grande entrée pratiquée dans la façade intérieure, avec la devise « J'aime qui m'aime ». A l'intérieur, que de vitraux, de boiseries sculptées, d'ouvrages de toutes sortes! Du balcon principal se découvrait un paysage plus beau que celui dont on jouit de la terrasse de Saint-Germain... Plus haut dans le parc, une île portait un castel gothique relié au reste du domaine par un pont-levis que le maître commandait de l'intérieur, car il s'enfermait là pour travailler sous les étoiles qui brillaient au plafond entre des tentures bleues et des cartouches encadrant les titres fameux : *Antony, les Demoiselles de Saint-Cyr, Richard Darlington, les Trois Mousquetaires...* Une écurie, des remises, avec chevaux et voitures, complétaient le Fontainebleau de pacotille.

Dans la description amusante donnée à l'*Almanach comique* pour 1848, Léon Gozlan signalait autour de la frise du premier étage les bustes des grands dramaturges de toutes les époques, dus au ciseau de Préault et de Pradier. Dumas n'avait-il pas oublié le sien! Admirant ce trait de grandeur d'âme chez un écrivain, Gozlan lui dit :

— Mon cher Dumas, permettez-moi une seule observation.

— Laquelle?

— Je vois dans votre guirlande dramatique Dante et Virgile : il me semble que ni l'un ni l'autre n'ont écrit pour le théâtre. Ces deux poètes lyriques seraient aussi bien ailleurs, et ils n'usurperaient pas une place déjà bien limitée, puisque la littérature dramatique moderne est à grand-peine représentée là par le buste de Victor Hugo. Un seul écrivain dramatique contemporain!... A propos, et vous, mon bon ami, vous n'y êtes pas?

— Moi, je serai dedans.

A peine entrés dans le château, un Turc vint se jeter au cou de Dumas, et les deux hommes se tinrent embrassés pendant cinq minutes.

— Savez-vous ce que c'est que ce Turc?... Je l'ai ramené de Tunis, où il sculptait le tombeau du bey régnant. Je dis au bey qu'il avait assez de temps devant lui pour me permettre de disposer pendant quelques années de son artiste favori; et le bey me l'a prêté.

L'ouvrage du Turc était un plafond comme on n'en voit qu'à l'Alhambra : « Un enchaînement de traits en creux, dont l'ensemble produit l'effet et le mirage de la guipure, si jamais guipure de Bruxelles fut aussi légère que celle-là. »

— Voilà tout ce que l'or de votre Monte-Cristo n'aurait pas produit, dit Gozlan.

— Oui, mais il l'aurait acheté, répondit Dumas.

Voici peu d'années, une Anglaise visitait la villa de Port-Marly toujours intacte, et l'impression d'une femme est à considérer. Tout en trouvant la demeure extravagante, Edith Saunders la déclare fort habitable, et elle ajoute : « Elle était vide quand je la visitai et pourtant je n'y discernai point la désolation qui pèse sur les vieilles maisons désertes. Il y régnait une atmosphère chaude et accueillante comme si elle portait encore l'empreinte de l'homme qui l'avait créée selon ses goûts personnels. Heureusement, ses propriétaires successifs ne l'ont pas transformée au cours de son siècle d'existence et la fameuse chambre maure conçue par Dumas à son retour de Madrid, après les mariages royaux de 1846, demeure telle qu'il la laissa. Dans un coin du parc redevenu sauvage, se dresse encore le château d'If, la maison en miniature où il écrivait. Cette élégante bagatelle délaissée, ombragée par de grands arbres, se reflète dans un fossé aux eaux sombres et vitreuses. La rampe de fer forgé de son escalier en spirale, bâti à l'extérieur, conserve encore sa garniture de velours détériorée par un siècle d'intempéries. A l'intérieur, on retrouve, bien fanées à présent, les tentures choisies par Dumas. Les fontaines à l'installation compliquée fonctionnent encore pour ceux qui veulent bien les ouvrir. De l'autre côté du chemin, on aperçoit les ruines d'une ancienne abbaye que Dumas père utilisait comme écurie. Au-dessus des stalles branlantes, on peut lire les noms de ses trois chevaux : Porthos, Athos, Aramis [1]. »

Dumas avait ramené avec lui d'Afrique, avec le Turc, un autre ouvrier arabe. Ils travaillèrent deux ans. On voyait encore il y a quelques années la tombe d'un des deux musulmans disparaissant sous les ifs.

Sur ces transplantés, sur la cuisinière Mme Lamarque, sur le majordome Rusconi, Italien de Mantoue qui avait fait jusque-là tous les métiers, y compris celui de commissaire de police à l'île d'Elbe et de conspirateur bonapartiste sous la Restauration (le châtelain le tenait du général Dermoncourt, ex-aide de camp du général Dumas), ainsi que sur son adjoint Michel, paysan qui faisait office de jardinier, sur le nègre Alexis, sur plusieurs domestiques chargés l'un de la volière, l'autre du chenil, Alexandre Dumas régnait. Le train mené était affolant, du moins pour le brave Michel. Un matin, sans nouvelles de son maître parti pour Paris et absent depuis plusieurs jours, Michel lui envoya par exprès un message de Mme Lamarque : « Je dois dire à Monsieur que le vin d'office est épuisé; les gens de Monsieur n'ont plus rien à boire, il ne reste en cave que le champagne et le Johannisberg envoyé à Monsieur par le prince de Metternich. » L'exprès rapporta cette réponse : « Buvez le champagne et le Johannisberg, ça vous changera [2]. »

Bien qu'il subît l'invasion fréquente des visites, Dumas trouvait là parfois la solitude qui lui était nécessaire, et que Mlle Scrivanek n'a peut-être pas trop troublée, si stupide et criarde qu'elle fût. « J'aime la solitude du paradis terrestre », disait Dumas, plutôt que « la solitude seule »; il est difficile de tenir Mlle Scrivanek pour l'Ève de cet Adam, mais c'est « la solitude peuplée d'animaux » qu'il voulait désigner, et les animaux n'ont pas manqué à Monte-Cristo [3]. Il les a énumérés

---

1. *La Dame aux Camélias et les deux Dumas*, traduit par Lola Trạnec, Paris, 1954.
2. G. Lenôtre, *Revue des Deux Mondes* du 1er février 1919.
3. Déjà à Saint-Germain, il avait trois singes, dont une guenon. Il a nommé la guenon Mlle Maxime, un des singes Kératry et l'autre Pichot. Tous trois viennent à leur nom. Dumas, en me parlant d'eux, me disait : « Je crois que Pichot devient borgne; qu'il y prenne garde, s'il continue,

dans l'*Histoire de mes bêtes* : cinq chiens (successivement), un vautour (qui devait son nom de Diogène à ce qu'il vivait dans un tonneau), deux singes, une guenon, deux perroquets, un chat — du même nom que celui de la rue de l'Ouest, Mysouff — un faisan doré, un paon et sa paonne, deux pintades, une douzaine de poules, un coq (César) : car presque tous avaient leur nom; la guenon portait celui d'une actrice à succès, il nous est connu par Hugo. La destinée de ces bêtes s'est trouvée enchevêtrée avec celle d'autres bêtes qui peuplèrent la cour et le jardin de la rue d'Amsterdam, une chienne, un coq de combat, deux mouettes, un héron... Admirable imagination, celle d'un homme capable de magnifier en paradis terrestre une telle ménagerie!

Ménagerie ou jardin de délices, le destin de Dumas voulait qu'il n'en jouît pas longtemps et qu'il s'en vît expulsé pour ces fautes que juge le seul dieu des paiements. Les frais allaient sans cesse grossissant, on ne pouvait vivre indéfiniment sur le crédit ouvert par le pavillon Henri IV; dès 1849, une actrice, au foyer de son théâtre, osait se vanter devant Dumas d'un protecteur impatient de lui acheter Monte-Cristo.

— Votre ami est donc bien riche? demanda Dumas.

— Très riche, c'est un ange, parfois il me semble qu'il a des ailes.

— Des ailes de pigeon [1]!

N'empêche qu'on savait Dumas menacé de ce côté. Les huissiers faisaient sur l'immeuble 25.000 à 30.000 francs de frais par an; le propriétaire payait les frais et devait toujours la même somme. Dès 1849, le château était saisi, et deux ans plus tard Dumas traqué dut se réveiller définitivement de son rêve de pierres et de verdures : le château grevé de 232.500 francs, fut vendu aux enchères pour 30.100 francs à M. Fowler, dentiste américain, devenu homme riche et de loisir [2], sinon entreteneur de comédiennes.

---

je l'appelle Buloz » (*Journal* de Victor Hugo, publié par Guillemin, Paris, 1954). — Le comte de Kératry était un homme politique, Amédée Pichot un directeur de revue, ainsi que Buloz; Mlle Maxime, de son vrai nom Fortunée Gariot, était une comédienne de la Comédie-Française.

1. Villemessant, *Mémoires d'un journaliste*, 2e série, Paris, 1872.

2. Philibert Audebrand, *Alexandre Dumas à la Maison d'Or*, Paris, 1888. Mais, d'après la note de Dumas fils (cf. *Revue de la Semaine* du 30 septembre 1921), l'achat aurait été réalisé tout d'abord par « une fille entretenue » dont il avait oublié le nom.

Dumas aurait pu se dire à lui-même : « Du haut de Monte-Cristo, sept années te contemplent... » Quelles années! De l'été 1844 à celui de 1851, il a publié ses plus grands et plus glorieux romans, il en a écrasé la production littéraire du moment. Mais en même temps, le gentilhomme de Saint-Germain devenu seigneur de Monts-Ferrand, accomplissait sur les côtes d'Afrique une mission sensationnelle dont les suites devaient soulever en tempête le monde ministériel, le monde parlementaire, le monde de la presse. Enfin, entre la construction de Monte-Cristo et sa vente forcée, une autre aventure, celle du Théâtre Historique, après avoir frappé Paris d'un éblouissement, allait jeter le titan de la scène, si souvent ébranlé, cette fois foudroyé, dans la catastrophe.

Un jour de septembre 1846, une lettre de M. de Salvandy, ministre de l'Instruction publique, invita Dumas à dîner, quoique les deux hommes se connussent à peine. Après le dîner : « J'ai à vous demander un service, dit le ministre. — A moi, homme de lettres? — Précisément. Cet hiver, n'auriez-vous pas envie d'aller voir l'Algérie? »

Il lui expliqua qu'un ouvrage sur notre conquête s'imposait, et dans l'intérêt de la colonie et dans celui de la métropole. Dumas, dans ses trois millions de lecteurs, ne pouvait-il compter cinquante ou soixante mille colons? Ils aimeraient qu'on parlât d'eux. Et la France, n'importait-il pas de lui faire connaître, comprendre, aimer son nouveau domaine? Pour cela, on ne disposerait jamais de trop de talent littéraire. L'écrivain, flatté, accepta. Il lui fut alloué dix mille francs, avec la promesse d'un bâtiment de l'État pour les commodités de la mission [1].

Le lendemain, il dînait à Vincennes avec le duc de Montpensier, son ami depuis la mort du frère aîné. Il était très libre avec lui. Un jour, le duc lui demanda : « On m'a conté

---

1. Gabriel Ferry. Hugo fournit d'autres chiffres. « On vient d'envoyer Alexandre Dumas en Espagne comme historiographe du mariage de M. de Montpensier. Voici comment ont été faits les fonds pour ce voyage : le ministre de l'Instruction publique a donné quinze cents francs pris sur les *encouragements et secours aux gens de lettres;* plus quinze cents francs pris sur les *Missions littéraires;* le ministère de l'Intérieur a donné trois mille francs pris sur la caisse des fonds particuliers; M. de Montpensier a donné douze mille francs; total : dix-huit mille francs. En recevant la somme, Dumas a dit : « Bon! cela paiera toujours mes guides! » (*Journal* de Victor Hugo, octobre 1846.) — Dumas vendit pour ce voyage un paquet d'actions sur les chemins de fer.

un mot que vous auriez dit chez Victor Hugo : M. Ponsard
est la constipation; M. Latour Saint-Ybars est le contraire.
Est-ce vrai? — C'est vrai, Monseigneur. — En ce cas, vous
avez bien fait de ne pas venir hier chez moi; vous y auriez
trouvé M. Latour Saint-Ybars. — Je le savais, Monseigneur,
c'est pour cela que je ne suis pas venu. J'ai eu peur de marcher
dedans [1]. »

Mis au courant du projet Salvandy, le duc lui dit : « Passez
par l'Espagne. — Pourquoi donc? — Pour venir à ma noce. »
Il épousait en effet l'infante Marie-Louise-Ferdinande, et le
mariage devait avoir lieu le 11 ou le 12 octobre. « Que dira le
roi? Nous sommes en froid, Sa Majesté et moi. — Elle ne le
saura qu'après, c'est moi qui me marie, je vous invite [2]. »

Alexandre Dumas fit ses malles pour le 3 octobre. Mais le
voit-on partir seul? Il se donna un cortège. Son fils, le peintre
Louis Boulanger, Maquet l'accompagnaient, avec Paul le
valet de chambre, Abyssin de naissance, devenu cosmopolite
au service d'un Anglais, parlant cinq langues, bon à pied et à
cheval. A Bordeaux, on acheta une voiture pour traverser les
Landes, on prit la malle-poste à Bayonne. Reconnu à la douane,
Dumas eut la satisfaction qu'on ne touchât pas à ses bagages,
même pas à des caisses d'armes et de munitions pour la chasse.
Il voyageait en grand seigneur international. Un privilège
semblable l'attendait en Espagne même, à la porte de Cordoue,
où l'officier du corps de garde ayant jeté les yeux sur son passeport, devait lui dire : « Passez, Monsieur, nous vous attendions
depuis longtemps », et où le chef des douaniers, ayant demandé
à Paul si son maître était l'auteur du *Comte de Monte-Cristo*,
devait se faire un devoir de ne rien visiter.

A Madrid, où elle se gorgea de chocolat, la troupe s'augmenta de Giraud et de Desbarolles, deux peintres, le second
vaguement occultiste qui lui servirent de fourriers à travers le
pays. Des visites au duc de Montpensier, à l'ambassadeur de
France, au duc d'Osuna, à un membre des Cortès Roca de
Togores, poète et futur ministre, donnèrent à Dumas l'occasion de prendre ses grands airs. Un vieux diplomate arrivant
tard, un soir, dans un salon de la capitale : « Quel est ce personnage? » demanda-t-il en montrant de la tête les grands de
toutes les Espagnes rassemblés autour d'un homme en habit

1. *Journal* de V. Hugo, 1847.
2. Gabriel Ferry.

noir qu'ils écoutaient debout, bouche bée, complètement oublieux de la reine et des fiancés :

— Parbleu! lui dit quelqu'un, c'est Alexandre Dumas.

Dumas et ses amis, n'ayant pu trouver de places dans les hôtels, avaient été heureux qu'un libraire, mis à l'envers par le nom d'Alexandre Dumas, leur offrît à coucher. Quel campement! Le grand homme faisait la cuisine, aidé de son serviteur noir.

Les Français jouirent de fêtes éblouissantes, du Prado illuminé, de spectacles somptueux au Théâtre du Cirque, de courses de taureaux car la reine-mère mariait ses deux filles. Ils allèrent visiter l'Escurial, Tolède, Grenade, et Dumas moissonna une abondante richesse de scènes, d'anecdotes, de curiosités historiques, engrangée ensuite dans son livre si pittoresque, *De Paris à Cadix*, tout étourdissant de danses, tout traversé de chasses et qui nous amuse devant des étrangetés comme les lieux de plaisir cordouans curieusement appelés « maisons de Sénèque ». Les incidents de route, bien entendu, se sont multipliés, et ils miroitent de tragi-comédie, ainsi que de l'aventure galante qui faillit interrompre à Cordoue le voyage d'Alexandre II en le coupant de ses amis. Ils ne se retrouvèrent qu'à Gibraltar.

Le 18 novembre, on était à Cadix. Là, Dumas, achevant de se laisser élever au rang de représentant extraordinaire de la France, trouva tout naturel de franchir la passerelle d'une frégate royale française et de s'y voir reçu avec tous les honneurs. L'équipée, la folie, l'épopée héroï-comique du *Véloce* commençait. L'ambassade baladeuse passa en Afrique, fit escale dans les ports avec cérémonial, poussa des incursions à l'intérieur du continent et visita dans les conditions les plus brillantes Tanger, Tetouan, Melilla, Djemma, Oran, Alger, Bréda, le col de Mouzaia, Djidjelli, Philippeville, Constantine, Stora, Tunis. Ah! les futurs lecteurs du livre *le Véloce* allaient pouvoir se rassasier d'histoire, mais aussi s'enchanter l'imagination de « choses vues » alors fort nouvelles, telle la noce juive ou le service divin du marabout ou la chasse à l'aigle dans les gorges du Rummel aux environs de Constantine... Quand le navire salua Tunis de vingt et un coups de canon au nom de la France, Dumas dut penser que le vrai représentant de la France à cette heure, c'était lui.

Par surcroît a-t-il dit, une vraie Providence lui apprit que

douze prisonniers, seul reste des deux cents Français échappés
au massacre de Sidi-Brahim et retenus par Abd el-Kader depuis
deux ans, pouvaient sur son intervention avoir leur tête sauvée
du cimeterre. En accord avec le commandant du navire, il
procéda à leur embarquement sur les quais de Melilla où trois
mille personnes lui offrirent d'enthousiasme un banquet. Réta-
blissons les faits d'après l'enquête publiée par les journaux. La
vérité est que les prisonniers avaient été libérés avant l'arrivée
de Dumas et attendaient le *Véloce;* trouvant que le navire
tardait, ils avaient pris le large avec des moyens de fortune
et *le Véloce* eut à leur courir après. Enfin c'est à eux que le
banquet était offert.

Le paquebot *Orénoque* ramena les missionnaires en janvier
1847; ils débarquaient le 4 à Toulon. Le voyage coûtait cher à
l'écrivain, plus de trente mille francs dans lesquels s'étaient
noyés les fonds alloués par le ministre. Il lui coûtait surtout
un procès que lui firent deux journaux pour retard excessif
dans la copie promise. Lui coûta-t-il le scandale éclaté à la
Chambre? Un scandale de ce genre équivaut à une publicité,
c'est un gain. Tout compte fait, la séance parlementaire du
10 février 1847 venait s'ajouter au bruit du voyage, à celui des
grandes publications en cours, à tous les échos venus de Saint-
Germain et de Marly pour honorer un puissant, un prince, un
nabab, et hisser le grand pavois d'une renommée.

Une interpellation à fracas mit donc en cause trois ministres,
MM. de Salvandy, de Mackau et de Saint-Yon, c'est-à-dire
l'Instruction publique, la Marine et la Guerre. M. de Castellane,
se plaignit moins de la dépense imposée à la marine royale que
du ridicule infligé à la « chose publique » par « ce monsieur... »
— « un célèbre entrepreneur de feuilletons ».

— Ne m'est-il pas permis de le dire? laissa tomber de la
tribune le jeune député, le respect du pavillon, les sentiments
les plus délicats des marins, peut-être même ceux de la Chambre,
n'ont-ils pu être offensés dans une certaine mesure?

Les ministres ne brillèrent point. Aucun des trois ne fit la
moindre réponse un peu nette à M. Darblay qui demandait :
« Qui a donné l'ordre de mettre à la disposition d'un particulier un bâtiment de l'État? » A les entendre, le général Bugeaud
alerté aurait déclaré que *le Véloce* faisait tous les quinze jours,
comme courrier, le voyage de Tanger à Oran, qu'il avait touché à Cadix pour les besoins du service et là pris « la personne

dont a parlé M. de Castellane ». *(Hilarité.)* Puis le bâtiment, au lieu de se diriger directement sur Oran, était allé à Alger par erreur. *(Murmures.)* Nouvelle erreur à Alger : le commandant par intérim du port avait cru « la personne » chargée d'une mission particulière, elle le disait à tout le monde! *(Rires et murmures.)* De tout cela, visiblement, les deux ministres de la Guerre et de la Marine se lavaient les mains, et l'on savait le général Bugeaud si loin! Enfin, M. de Salvandy arrivant à l'Assemblée, on l'obligea à parler.

J'ai, dit-il, donné une mission, mais seulement pour l'Algérie, point pour Tunis ni pour l'Espagne!... Au reste, M. Alexandre Dumas avait reçu de gouvernements antérieurs des missions de même nature. *(Interruptions :* « C'est bon à savoir! ») Je ne crois pas qu'il soit arrivé qu'un homme de lettres ait désiré visiter notre vaste territoire d'Afrique et l'armée qui l'a si laborieusement conquis sans que j'aie essayé de lui en faciliter les moyens : ne faut-il pas créer le plus de liens possible entre la France et l'Afrique? Le ministre de l'Instruction publique n'y peut rien que par l'entremise des lettres, il croit devoir toujours les appeler à son aide [1].

L'affaire eut pour résultat pratique que le ministère de la Marine envoya d'urgence à tous les commandants de navires royaux une circulaire interdisant l'accès de leurs bâtiments à quiconque n'était pas muni d'un laissez-passer spécial. La victoire n'en restait que mieux à Dumas. D'abord, les députés Léon de Maleville et Castellane, qui avaient blessé son amour-propre et qui, selon les mœurs du temps, lui devaient réparation par les armes, la lui refusèrent en invoquant leur inviolabilité parlementaire, ce qui rangea le public de son côté. Et puis, il put se permettre de dénoncer le Parlement comme jaloux des « feuilletonistes » (Sue, Soulié, Balzac et lui-même) qui lui volaient l'attention des foules.

Quant à la troisième grande aventure d'Alexandre Dumas, celle du Théâtre Historique, elle n'a pas été dans sa vie un événement unique et d'exception. Encore une contradiction intime et profonde : cet imprévoyant, ce panier percé, cet aventurier a été possédé de la passion de posséder. Il a voulu avoir son palais à lui, plus tard son navire à lui, et, entre les

---

1. *Le Moniteur universel*, 10 février 1847. — Il est certain que Dumas avait reçu, sous le ministère Guizot, 5.000 francs, sous un prétexte de vague mission jamais remplie.

deux, son théâtre à lui. Est-ce bien exactement désir de possession? Disons plutôt — et nous retrouvons l'esprit de nabab,
de pacha, de seigneur — que Dumas s'est passionnément
dépensé afin de se voir « chez soi », à l'aise, indépendant de
tous, à la fois solitaire et entouré.

Dès février 1831, Dumas et Hugo avaient présenté à la
commission du Théâtre-Français un plan d'exploitation de ce
théâtre que la ruine menaçait. En 1836, indisposé par les mauvais procédés d'Harel à la Porte Saint-Martin, insatisfait de la
Comédie-Française, jugeant qu'elle ne faisait pas sa place au
drame romantique qui était pourtant « l'art contemporain »[1],
il s'était entretenu de la question avec le duc d'Orléans qui
en avait parlé à « M. Guizot », bientôt persuadé par Hugo.
De cette conjonction naquit le « Théâtre de la Renaissance »
installé dans la salle Ventadour et inauguré le 8 novembre
1838. Mais l'un des deux directeurs associés, Ferdinand de
Villeneuve — l'autre était Anténor Joly — fit très vite
verser le nouveau théâtre dans le répertoire lyrique. Hugo
n'y donna en tout et pour tout que *Ruy Blas*, Dumas *Bathilde* et *l'Alchimiste* : l'affaire était à l'eau au bout de trois
pénibles années. Une nouvelle occasion s'était présentée en 1845,
le 27 octobre, à la première du drame des *Trois Mousquetaires*.
Le duc de Montpensier y assistait, ils se virent, et Dumas exprimant une fois de plus son vieux rêve, le jeune prince offrit de s'en
mêler. La chose dépendait du ministre de l'Intérieur, Duchâtel.

— Je dois avouer à Votre Altesse que je ne crois pas qu'il
me porte dans son cœur.

— Au prochain bal de la cour, je danserai avec sa femme et
j'arrangerai cela en dansant[2].

Il tint parole et Dumas, avec l'aide financière du duc et du
propriétaire principal du passage Jouffroy, obtint le 14 mars un
privilège au nom d'Hippolyte Hostein, qui avait déjà dirigé
plusieurs théâtres : privilège de douze ans pour représenter des
drames, des comédies et, pendant deux mois chaque année,
des pièces lyriques avec chœurs, sous la gérance de Vedel,
ancien directeur de la Comédie-Française. La société, riche de
600.000 francs, acheta en avril deux immeubles, l'ancien hôtel

---

1. Accusation renouvelée en 1844 contre Buloz, nouvel administrateur :
d'où une interminable polémique entre les deux hommes, cela ne nous intéresse guère aujourd'hui, il a fallu tout le talent de Mᵐᵉ M. L. Pailleron pour
en tirer tout un chapitre de *la Vie littéraire sous Louis-Philippe*, Paris, 1919.
2. Dumas, *Histoire de mes bêtes*.

Foulon et l'estaminet mal famé de l'Épi-Scié, boulevard du Temple, près de l'angle que le boulevard fait avec le faubourg. Puis la construction de l'édifice fut entreprise pendant que Dumas voguait sur le *Véloce*. Il fallut augmenter d'un tiers le crédit initial. L'architecte Dédreux, disposant seulement de huit mètres pour la façade et obligé d'aménager l'entrée sur l'axe transversal de la salle, triompha de ces difficultés et de plusieurs autres.

Une salle de cinq étages et une scène immense firent du Théâtre Historique une préfiguration du Châtelet. C'est avec le drame de *la Reine Margot* que Dumas et ses associés l'inaugurèrent le 20 février 1847. Paris en avait la fièvre : on fit queue pendant vingt-quatre heures; ce février-là, heureusement était doux. A dix heures du premier soir, les porteurs de bouillon firent de bonnes affaires. A minuit, ce fut le tour des vendeurs de bottes de paille sur lesquelles maintes gens se couchèrent, mais ne dormirent point, car la foule chantait et improvisait des chœurs, à la lumière de centaines de lanternes et de lampions. Au petit jour se répandit l'odeur des gâteaux chauds proposés aux chalands avec le café au lait. On arrêta même des porteurs d'eau qui passaient et « quelques personnes de l'assistance firent en public des ablutions permises ». Après quoi, les charcuteries eurent du succès, et l'air sentit l'ail. Un chansonnier inventa sur-le-champ une chanson, courut la faire imprimer et revint vendre les feuilles tout humides[1]. La chanson était sur l'air *Veux-tu t'taire :*

> On dit qu'au Théâtre Dumas
> On pourra prendre ses ébats.
> Vive l'auteur des *Mousquetaires*!
> Veux-tu t'taire, veux-tu t'taire
>   Bavard, veux-tu t'taire!

> L'théâtre ouvert, aussitôt
> On y jouera *la Reine Margot*,
> Fureur bien sûr elle va faire.

> Celui que l'appétit prendra
> Table d'hôte trouvera,
> On mangera bon et pas cher.

> Veux-tu t'taire...

---

1. Hostein, *Historiettes et souvenirs d'un homme de théâtre*, Paris, 1878.

Le Théâtre Historique [1] avait dans son programme des décors exacts, une mise en scène réaliste, l'emploi animé et pittoresque des masses. Il réalisa un progrès technique inouï. Il a influencé toute la représentation dramatique moderne, même à la Comédie-Française et à l'Opéra.

A la première de *la Reine Margot*, le duc de Montpensier était présent dans son avant-scène meublée avec un luxe royal. Tous les journalistes de Paris, tous les auteurs, beaucoup de musiciens, beaucoup d'acteurs, composaient une assemblée suprêmement brillante. Gautier, Janin, Delacroix, Ingres, Auber, Halévy étaient là. Hugo a noté dans son *Journal :* « Ouverture du Théâtre Historique. J'en suis sorti à trois heures et demie du matin. » En effet, commencée à six heures et demie, la représentation s'acheva après minuit. A trois heures du matin, les rues avoisinantes bruissaient d'équipages sur tous leurs pavés. Les bourgeois ne dormirent guère [2].

C'était bien la scène qu'il fallait pour porter toute l'histoire de France. *La Jeunesse des Mousquetaires, le Chevalier d'Harmental, la Guerre des femmes*, et plusieurs autres pièces devaient en faire les beaux soirs. Balzac, qui assista au *Chevalier de Maison-Rouge* le dimanche 23 avril 1848, écrivit à Mme Hanska : « Cette pièce est splendide et d'une vérité révolutionnaire effrayante [3]. » Au dernier acte du *Chevalier de Maison-Rouge*, créé le 3 août 1847, le chant des Girondins avait retenti. C'était une composition de Dumas et de Maquet. Deux de ses strophes allaient bientôt servir d'hymne patriotique à la Seconde République :

> Par la voix du canon d'alarme
> La France appelle ses enfants.
> Allons! dit le soldat, aux armes!
> C'est ma mère, je la défends.
> > Mourir pour la patrie,
> C'est le sort le plus beau, le plus digne d'envie.
>
> Nous, amis, qui loin des batailles
> Succombons dans l'obscurité,
> Vouons du moins nos funérailles
> A la France, à sa liberté!
> > Mourir pour la ...

1. Cf. *Notice descriptive du « Théâtre Historique »*, avec dessins d'Edmond Renard et Henri Valentin. Un vol. gr. in-8°, 30 p., Paris, 1847.

2. Hostein.

3. *Revue de Paris*, octobre 1954.

On a chanté sur les barricades de 1848 les deux strophes et leur refrain, qui est de Rouget de l'Isle. Au cours d'une répétition, d'après Blaze de Bury, Dumas aurait dit au chef d'orchestre : « Et quand on pense, mon cher Varney, que la prochaine révolution se fera sur cet air-là! » Le 22 avril, Balzac écrivait à Mme Hanska : « On ne chante que cela dans les rues, et les musiques des régiments ne jouaient que cela hier. »

Le théâtre fit plus de sept cent mille francs de recette en 1847, moitié moins en 1848, et la révolution survint avant qu'il eût eu le temps de vraiment s'établir. Il n'a pas servi de grand-chose à Dumas de faire planter en avant de sa façade un arbre de la liberté, de faire relâche le soir de la révolution, et d'offrir à la foule un orchestre pour la faire danser toute la nuit. Le public faisait la grève perlée, les gens avaient peur, amassaient des provisions et restaient chez eux. Le Théâtre Historique, malgré une tournée à Londres, malgré une reprise applaudie de *la Tour de Nesles*, glissait sur une mauvaise pente. *Le comte Hermann* même, qui eut sa première le 22 novembre 1849, ne la remonta point : excellent drame cependant, inattendu frère ennemi d'*Antony*, passionné comme lui, mais de dévouement et de chaste tendresse... A partir du 1er décembre, plusieurs directeurs succédèrent à Hostein.

En avril 1850, Dumas nullement découragé conçut un projet nouveau et rédigea une note pour le ministre du Commerce. Elle est curieuse, surtout dans ses conclusions politiques. L'orchestration des forces d'opinion publique est évidemment de tous les temps! Dumas, en somme, ne fait rien de moins que de poser sa candidature au poste de directeur idéal et mythique de la propagande gouvernementale : ce que nous appelons l'Information.

La note s'intitule « Projet pour soutenir et régénérer des théâtres défaillants : Porte Saint-Martin, Ambigu ». Elle propose d'en adjoindre la direction à celle du Théâtre Historique, ce qui aurait fait de Dumas le directeur littéraire des trois théâtres, responsable vis-à-vis du gouvernement. Et voici son programme :

Côté moral. — Les pousser dans la même voie historique, morale et religieuse que le Théâtre Historique, qui n'a pas donné, depuis le jour où il s'est ouvert, un instant d'inquiétude au gouvernement.

« La censure deviendrait inutile pour ces trois théâtres. Plus de coup d'État à l'endroit des pièces. Plus de criailleries de la part de certains journaux... »

22

Côté économique. — Ces trois théâtres n'auraient plus besoin que d'un seul magasin de décoration; le Théâtre Historique et la Porte Saint-Martin ayant même ouverture, les décorations de l'un serviraient à l'autre. Économie dans la troupe, les sujets de l'un pouvant passer dans l'autre. En sorte qu'un magnifique ballet pourrait être créé et rivaliser avec celui d'Opéra en faisant pépinière de danseurs et de danseuses.

Côté littéraire. — Les auteurs pourraient choisir les acteurs dans les trois théâtres, donc être mieux joués.

Ces théâtres poussés dans la voie pittoresque où il (Dumas) a lancé le Théâtre Historique offriraient un magnifique débouché aux œuvres des peintres décorateurs.

Côté politique. — Supposons une guerre : trois pièces patriotiques lancées à la fois sur les trois théâtres amèneraient à l'instant même une fièvre nationale qui se traduirait par les enrôlements volontaires de 1792.

L'auteur de cette note est sincèrement républicain. Il croit que la loi providentielle est progressive, que la démocratie après avoir été depuis le jour où le mot COMMUNE a été créé pour la première fois sur la place publique de Cambrai, il croit que la démocratie après avoir été une source, un ruisseau, une rivière, un fleuve, un lac, est aujourd'hui un océan. Il ne lutterait donc pas contre la tendance providentielle, mais il essaierait de diriger l'esprit public, comme un bon pilote ferait d'un vaisseau. Il ne ferait certes pas tout ce qu'il y a à faire, mais il en ferait beaucoup [1].

Dumas n'avait figuré que comme auteur dans l'acte constitutif de société pour le Théâtre Historique; il était tout cependant, il gouvernait; et c'est bien lui, lui seul, qui en octobre 1850 s'entendit déclarer en faillite et se vit obligé de fermer le théâtre, de reconnaître 200.000 francs de dettes, de vendre Monte-Cristo avec tous ses meubles. Liquidation générale... L'immeuble devait être sacrifié en 1863 à une percée d'Haussmann.

Mais croira-t-on notre entrepreneur dramatique guéri? Il était incurable. A seize ans de là, en 1866, l'idée d'un nouveau Théâtre Historique aura poussé dans sa tête. Il s'adressera cette fois directement au peuple : « A mes bons amis des faubourgs. » ... Effarant prospectus! Une salle à bâtir avec 2 mil-

---

1. Bibliothèque de l'Arsenal, manuscrits, recueils et pièces 13.584.

lions, moitié salle ordinaire de théâtre et moitié piste de cirque; 3.000 places prévues et 7.000 francs de recettes quotidiennes; deux maisons de rapport attenantes, capables de produire 120.000 francs de loyers, à répartir entre les trois grandes corporations artistiques (Société des Auteurs, Société des Gens de Lettres, Société des Artistes, Comédiens et Tragédiens) auxquels l'immeuble appartiendrait en usufruit et nue-propriété. Les souscripteurs? Remboursés en six ans, sous forme de billets de spectacle : deux places pour le prix d'une, de 50 centimes à 5 francs : « Je paie en plaisir et je double le capital : quel est le fondateur de société anonyme ou en commandite qui peut en dire autant? » Les pièces? Drames de Dumas, de Shakespeare, de Schiller, de Gœthe, de Calderon, de Lope de Vega. Une école annexe, école du drame et de la comédie modernes, s'ouvrirait aux proscrits du Conservatoire officiel, avec cours professés par les artistes du théâtre rétribués à cet effet et conseils donnés par Dumas lui-même « gratis, bien entendu ». « Si je réussis, conclura le prospectus, j'aurai fait ce qu'aucun roi n'aura fait ni ne peut faire, j'aurai en mourant pauvre, légué cent vingt mille livres de rente à mes confrères [1]. »

Enfin, un an plus tard, en 1867 ou 1868, comme si la preuve restait à faire qu'aucun espoir n'est permis dans cet ordre, — car le peuple de Paris n'aura point répondu à l'appel — Dumas n'hésitera pas à sauter par-dessus toutes les hiérarchies de la société et, passant de la population des faubourgs à la tête de l'Empire, il adressera la lettre suivante à Napoléon III :

Sire,

Je désire d'abord que Votre Majesté soit bien convaincue que je ne lui écris jamais que dans un intérêt de nationalité ou d'art. Je lui avais parlé du livre que je suis sur le point de publier, et en s'abonnant au journal, Sa Majesté a donné la preuve qu'elle approuvait, je ne dirai pas l'œuvre, mais du moins l'esprit dans lequel elle était écrite.

Aujourd'hui, une députation que je viens de recevoir soulève une question plus grave, une question de vie ou de mort pour trois cents artistes.

Votre Majesté a accordé le titre de *Théâtre du Prince impérial* — je sais qu'elle le regrette — à un nouveau cirque : la salle a été mal faite, les pièces d'ouverture mal choisies, la troupe bimane sacrifiée

---

1. Gabriel Ferry, *op. cit.*

aux quadrumanes. Bref, le théâtre a fermé, mais il n'a pas fait faillite; l'honneur est sauf.

M. Augé en est resté propriétaire, il lui reste une trentaine de mille francs avec lesquels il peut faire disparaître les principales défectuosités de la salle, mais pas un sou pour monter une pièce!

— C'est lui qui m'a amené la députation chez moi.

Voulez-vous, Sire, prendre en pitié trois cents pauvres artistes, employés, musiciens, comparses et qui, sans Votre Majesté, mourront de faim; voulez-vous soutenir un théâtre spécial qui, au moment de l'Exposition, reproduira quelques-uns des beaux faits de notre histoire?

Sire, je me charge de faire et de monter, moyennant 30 ou 40.000 francs, une pièce à grande mise en scène (mise en scène dans laquelle les 30 ou 40.000 francs, bien entendu, seront dépensés), soit sur la République, soit sur l'Empire, et cela dans le sentiment national que j'ai eu l'honneur d'exprimer à Votre Majesté dans ma dernière lettre. Sa Majesté la viendra voir, et si elle est contente, elle fera accorder à cet Odéon du peuple une subvention de 100.000 francs.

Ce théâtre, Sire, c'est la littérature, je dirai plus, c'est *l'opinion* du peuple des faubourgs.

Sire, veuillez tenter ce dernier essai, pour rendre la vie à un trépassé dont la mort est fatale et la vie utile. Chargez-moi de lui dire au nom de César : *Lazare, lève-toi!* et il se lèvera digne de la France et de Vous.

Maintenant, Sire, que Votre Majesté apprécie; mais je puis répondre que ma science de la scène, mon patriotisme et ma bonne volonté, secondés des 30 ou 40.000 francs de Votre Majesté, feront merveille.

Je suis convaincu que si je vous les demandais pour moi, Sire, en récompense de la longue lutte littéraire que j'ai soutenue, vous me les accorderiez. Accordez-les au Théâtre qui porte le nom de Votre Fils, et cela leur portera bonheur à tous deux.

> J'ai l'honneur d'être avec respect,
> De l'auteur de *César*
> Le très humble confrère [1].

Taire pareilles extravagances serait renoncer à faire revivre Dumas ou à l'expliquer. Il y a là un mélange inouï de chimère et d'esprit constructeur qui fait comprendre la sympathie éprouvée par le romancier pour Prosper Enfantin, qu'il rencontrait chez les Girardin et qu'il se plut à avoir parfois chez

---

1. Jules Claretie, *L'Empire, les Bonaparte et la Cour*, 1871 (Ch. Glinel). Dumas, au début de sa lettre, parle de son journal *Le Dartagnan*.

lui à dîner [1]. Dans ces projets qui entassent des Pélion sur des Ossa un peu à la façon dont les géants de Rabelais font la guerre, tout, presque tout Dumas se retrouve : l'amour du drame et la passion du public à subjuguer, l'embrassement protecteur et l'entreprise rapace, le dévouement et l'orgueil, le respect des princes et le souci du peuple, l'ambition d'accomplir des actions mémorables.

1. « Mets l'adresse d'Enfantin sur cette lettre [lettre jointe], afin qu'on la lui porte. Je voudrais dîner avec lui chez toi ou chez moi d'ici à trois jours » (lettre à son fils, sans date, manuscrits de la Nationale, n. a. fr. 24.641). La lettre à Enfantin ne figure pas dans le dossier.

XIX

LE GRAND INDUSTRIEL

L A masse des romans d'Alexandre Dumas, à laquelle s'ajoutent pièces de théâtre, ouvrages divers et chroniques innombrables, pose évidemment un problème d'histoire littéraire.

Qu'on se rende compte! L'édition grand in-18 de ses œuvres compte 150 ouvrages en 300 volumes, sauf erreur, plus 25 volumes de théâtre : 57 drames, 3 tragédies, 23 comédies, 4 vaudevilles, 3 opéras-comiques (au recensement d'Henry Lecomte), sans parler d'une multitude d'articles dans les journaux et dans les revues, depuis *la Presse* et *le Siècle*, jusqu'au *Keepsake français*, au *Journal illustré* et au *Journal des Demoiselles*. Pour rassembler cette bibliothèque géante, Dumas n'a pas hésité à tirer des drames de ses principaux romans et des romans de quelques drames, à publier beaucoup de ce que nous appelons des travaux de librairie, — la série des *Crimes célèbres* (histoire des Borgia, des Cenci, de la Brinvilliers, de Jeanne de Naples, etc.), celle des *Grands Hommes en robe de chambre* (Henri IV, Louis XIII, Richelieu, etc.), celle des *Drames de la mer*, ou tel livre qui n'était pourtant guère dans ses cordes, *Filles, lorettes et courtisanes*. Il a collaboré à des parodies de ses pièces, drames et comédies. N'en vint-il pas à s'aboucher, pour la confection d'un drame qui a été joué, *la Tour Saint-Jacques-la-Boucherie*, avec Xavier de Montépin? Que n'aurait-il pas tenté et risqué pour ajouter un livre à un autre, pour édifier une pyramide de livres!

Pourquoi diable! Dumas a-t-il pris sur ses épaules pareille charge, lui que le voyage, la chasse, la bonne vie, l'amour sollicitaient? Nous nous le sommes déjà à plusieurs reprises demandé, il faut en venir enfin à une réponse circonstanciée, et tout

d'abord apercevoir que le phénomène individuel s'est ici conju-
gué avec une situation sociale.

« La grande nouvelle qui domine toutes les autres, a pu écrire
Sainte-Beuve en 1844, c'est la transformation du journal *la
Presse*... » *La Presse*, en effet, venait d'augmenter son format
et d'acheter l'élite des écrivains, « comme ces riches capitalistes
qui, pour être maîtres de la situation, achètent tout ce qu'il y
a d'huiles ou de blés et les accaparent [1] »... Or, il ne s'agissait
de rien de moins que d'une ère qui s'ouvrait. La *Revue des
Deux Mondes* pouvait bien s'en prendre aux « trafiquants littéraires [2] » et dénoncer une ambition mercantile sur laquelle les
lecteurs mettaient les noms d'Eugène Sue et de Dumas : elle
comprenait mal ce qui se passait. Elle ne voyait pas qu'une
époque naissait, où des écrivains de large envergure allaient
tirer de leur plume des fortunes avec l'aide de la presse organisée pour cette exploitation. Chateaubriand aussi bien que
Sue et Balzac, Lamartine et Hugo aussi bien que Dumas. Car
si *la Presse* affermait la production de Dumas pour 60.000 francs
par an, elle s'appropriait les *Mémoires d'outre-tombe* avec
80.000 comptant et 4.000 de rente viagère à l'auteur [3].

Une évolution parallèle s'accomplissait dans les habitudes
d'une génération qui regrettait le temps révolutionnaire et
napoléonien, où les coups d'audace, après de courtes années
de privations, avaient conquis des hôtels, des serviteurs, des
femmes, un somptueux train de maison. Les écrivains arrivés
prétendirent vivre en nouveaux généraux de l'Empire, fiers
d'en être les fils. Et naturellement les besoins augmentaient,
il fallut que marchât sans cesse plus fort et plus vite la machine
à produire.

Les grands journaux s'y sont employés, ils ont mis au service de l'entreprise leur force de publicité, cette publicité
outrageusement industrielle et commerciale que *la Presse* du
1er décembre 1844, par exemple, appelait son « programme
littéraire » et par laquelle elle travaillait à répandre le « produit » Chateaubriand, le « produit » Lamartine, le « produit »
Thiers et naturellement le « produit » Dumas... Ainsi la production voyait surgir des débouchés presque à l'infini, mais
elle avait en conséquence l'obligation de s'accroître. Pour s'en

1. Sainte-Beuve, *La Revue suisse*, 1844.
2. 1er décembre 1844.
3. D'après *le Globe* du 24 novembre 1844.

tenir à Dumas, voici comment le journal le présentait à sa parade devant un public massif :

Ce spirituel et émouvant auteur possède plus que personne l'animation du récit, la touche magistrale, la mise en scène, le trait qui plaît, qui intéresse sans violenter l'imagination. Causerie de bon ton soutenue par les ressources les plus savantes de l'art. C'est le Walter Scott français, plus vif, plus primesautier que son prédécesseur, aimant moins à circonscrire sa fantaisie, la poussant dans toutes les directions, s'emparant de toutes les époques, de toutes les contrées..., etc.

Et tout cela, sauf « les ressources les plus savantes de l'art », était vrai, après tout, mais bouleversait les perspectives de la vie littéraire. En somme, si les salons gardaient toujours leur fonction et leur pouvoir (la France est la France), et entre tous le salon des Quarante, ils donnaient maintenant sur la place publique et communiquaient avec elle... Un premier résultat, ce fut d'élever de plusieurs crans la condition sociale de l'écrivain, en faisant admettre l'esprit, comme l'a dit Edmond About, à la cote des valeurs mobilières. Malheureusement, un autre résultat, ce fut de multiplier l'une par l'autre production et consommation, de les étendre dans des proportions démesurées.

Pour faire face à une situation si nouvelle et terriblement exigeante, Alexandre Dumas s'est trouvé dans l'obligation de fournir un effort individuel de cyclope. Le prodigieux travailleur que nous connaissons a dû s'enfermer dans son travail comme entre de hauts murs et chaque fois qu'il décidait de s'offrir une distraction, il avait l'impression de pratiquer dans ces murs « une brèche par laquelle passer [1] ». Certes, la brèche devenait une large trouée lorsqu'il avait Monte-Cristo à construire ou la Méditerranée à explorer; mais Dumas fils n'en avait pas moins raison de soupirer : « Mon pauvre père qui continue à être condamné aux « travaux forcés [2]... ». »

Le procès intenté à Dumas en 1847 par Émile de Girardin, directeur de *la Presse*, et par le docteur Véron, directeur du *Constitutionnel*, est intéressant comme un monstrueux champignon poussé dans l'enceinte de ce bagne de luxe. L'accusa-

1. Lettre à George Sand du 5 août 1851 (copies de la collection Lovenjoul, à Chantilly).
2. Lettre de Dumas fils à la même, 20 août *(ibid.)*.

tion a révélé que Dumas s'était engagé par traité de 1
fournir annuellement neuf volumes de romans à chac
deux journaux, ce qui semblait leur assurer une collab
exclusive du forçat bénévole. Ah bien oui! L'accusé ré
le traité m'interdisait-il de remplir mes engagements a
vis-à-vis d'autres feuilles publiques, *le Siècle, l'Espr*
le Commerce, le Soleil, ainsi qu'à l'égard d'éditeurs
devais *Monte-Cristo, le Vicomte de Bragelonne, le C*
Maison-Rouge et la fin de plusieurs autres séries,
quelque chose comme plus de deux cent vingt mille
—«Mettez l'Académie en mesure d'en produire autant e
ans (et ils sont là quarante!), ce serait la mettre bien en pei
s'écriait le bon géant du haut de son double menton, écrasant
soudain l'assistance hébétée... Il insistait : « Trois chevaux,
trois domestiques et le chemin de fer suffisaient à peine pour
transporter ma copie et me rapporter mes épreuves » (car il
habitait alors Saint-Germain).

Mais enfin avait-il ou n'avait-il pas fourni à MM. de Girardin et Véron ce qu'il leur devait? Non, il le reconnaissait. C'est
qu'à bout de forces il avait éprouvé le besoin de voyager; les
voyages délassent l'âge mûr. Et puis d'ailleurs, n'était-ce pas
alors que le duc de Montpensier et M. de Salvandy avaient eu
besoin de lui, l'un par amitié, l'autre par patriotisme? Les
juges se montrèrent insensibles à l'évocation d'une si noble
cause, de si hautes relations et, le 19 février 1847, condamnèrent
l'écrivain [1]. Peut-être s'étaient-ils sentis sincèrement choqués,
non seulement de tant de superbe, mais d'entendre à propos de
littérature retentir les mots de *solde de compte* et de *protestation*
à l'échéance. « Le défendeur, proclama l'avocat du roi, ne vous
a-t-il pas dit que ses œuvres étaient une marchandise? » De
pareils mots, c'était comme un soufflet, que Dumas encaissa
gaillardement, heureux d'avoir fait rire la salle, et haussant les
épaules. Il se heurtait décidément au même aveuglement en
Justice qu'à la Chambre et à l'Académie. Que les corps et les
autorités constitués prennent donc les choses lourdement! Le
public libre montra plus d'esprit, car il se réjouit d'un livre
anonyme qui résumait le procès et toutes ses allusions sous ce
titre : *Alexandre Dumas dévoilé par le marquis de La Pailleterie,*
marchand de lignes pour la France et l'exportation, commission-

1. A fournir en huit mois la valeur de quatorze volumes aux deux journaux et à leur verser 6.000 francs de dommages-intérêts.

345

845 à
n des
oration
pondit :
térieurs
t public,
à qui je
hevalier de
c'est-à-dire
gnes?
n deux

en *Afrique, tueur de lions, protec-*
des sauvés, plaqué de l'ordre de
m, chevalier d'une Légion d'hon-
lloteries.

ivain devenu par la volonté ou
me public, s'aggravent de
capable de tout obtenir à
est pourquoi quantité de
pouvait pas tous diriger
s en moyenne se déversaient
ur sur sa table, et il répondait lui-même à tout cor-
dant de sa connaissance. Souvent il arrivait à trois
heures sans avoir déjeuné, à neuf heures sans avoir dîné, à
minuit sans avoir écrit le tiers ou le quart de ce qu'il s'était
imposé d'écrire; alors, travail de nuit, jusqu'à trois et quatre
heures! Des amis recevaient des mots de ce genre : « Tout est
fini cette nuit... Je voudrais bien vous voir demain, ou plutôt
aujourd'hui, car j'oublie qu'il est cinq heures du matin [1]. »
Rien ne se comprendrait ni même ne se pourrait croire de
telles galères si l'on ignorait que Dumas fut un prodigieux
rameur. Il disposait d'exceptionnels moyens cérébraux, il était
doué d'une facilité stupéfiante. Il écrivait à la course, sa
plume courait si vite qu'il devait recommander à ses secrétaires, lorsqu'ils corrigeaient les épreuves, de faire disparaître
les répétitions... Un jour, comme l'un d'eux, Pifteau, lui faisait
remarquer une de ses phrases qui était difficile à comprendre
à cause des incidentes : « Il n'y a que des tirets qui puissent
nous tirer de là », répondit-il en riant, et il distribua des tirets [2].
Au théâtre, à la répétition d'une pièce, s'il s'apercevait qu'une
scène cessait d'intéresser ou d'amuser le pompier de service,
il se précipitait dans le cabinet du directeur, se débarrassait
de sa redingote, de son gilet, de sa cravate et de ses bretelles,
ouvrait le col de sa chemise, demandait la copie de la scène et
la refaisait séance tenante [3]. Quelques jours avant la générale
du *Vampire*, à l'Ambigu Comique, comme la direction lui
demandait des changements à l'avant-dernier tableau : « Des
changements? dit-il. Il est exécrable, ce tableau, je vais le

1. Lettre à Maquet du 6 mars 1844 (*Bibl. Nat.* Manuscrits, n. a. fr.
11.917).
2. Benjamin Pifteau, *op. cit.*
3. Raconté par Dumas fils à Blaze de Bury.

écrire entièrement... » On était au samedi et la pièce passait le lundi suivant (30 décembre 1851). Dumas se fit donner de l'encre, du papier, s'enferma à une heure dans le bureau directorial. Du café d'en bas, on lui monta du pain, un saladier de bœuf en salade, avec une carafe d'eau fraîche. A cinq heures, tout était au point[1]. N'était-il pas capable d'écrire un acte comique en quatre heures, après une longue matinée de chasse, dans le vacarme d'une ferme de l'Oise? Ce fut le cas de *Romulus* (inspiré d'un roman d'Auguste Lafontaine) qu'il devait s'amuser à faire lire et recevoir au Théâtre-Français comme étant d'un jeune auteur inconnu.

Qu'on ne s'y trompe pas. Dumas avait besoin de laisser mûrir les idées qu'il portait dans sa tête : pendant cinq années, comme *Mademoiselle de Belle-Isle*[2], ou pendant deux heures au concert, bercé dans un demi-sommeil par du Beethoven ou du Weber, comme les scènes principales de *Don Juan*[3]. « J'ai un embryon de trois actes dans la tête, écrivait-il à une comédienne, je le mûrirai en route [de Florence à Paris] »; mais il ajoutait : « Vous savez ce qu'est l'exécution pour moi[4]. » Elle était d'une « incroyable rapidité », atteste Mme de Girardin, qui l'attribuait à une mémoire « effrayante », à l'habitude d'écrire pour la scène, à une intarissable gaîté d'esprit[5].

Oui, décidément, c'est une riche matière nerveuse que contenait ce cerveau. Tous ses secrétaires ont vu Dumas dans son bureau, devant d'assez grandes feuilles de papier écolier bleuâtre. Le maître les couvrait d'une écriture demi-ronde, de grosseur moyenne, presque sans ponctuation, mais aussi sans ratures ni surcharges, les majuscules se pavanant à tort et à travers. La tenue de travail était légère et choisie pour l'aise : bras de chemise généralement; pantalon à pieds de drap et chemise de toile, l'hiver; pantalon de basin et chemise de batiste, l'été. Dumas avait-il un visiteur, il causait, se faisait raconter des potins et les notait. Une feuille remplie, il la jetait par terre. Prenant une seconde feuille, il rédigeait la suite d'un drame et la jetait à son tour. Troisième feuille : « Ça, disait-il à

---

1. « Souvenirs de Frédéric Febvre », ex-doyen de la Comédie-Française, qui avait joué dans le *Vampire* (*Gaulois* du 4 juillet 1902).
2. Dumas, *Mes Mémoires*.
3. *Ibid.*
4. Lettre à la « Très chère voisine », sans date (*Bibl. Nat.* Manuscrits, n. a. fr. 24.641).
5. Dans un article de *la Presse* reproduit dans *Histoire de mes bêtes*.

l'interlocuteur, c'est mon roman », et la troisième feuille allait rejoindre les deux autres. Ensuite, pendant qu'il déjeunait, un secrétaire venait collectionner les feuilles, et elles partaient pour l'imprimerie [1].

Une caricature de Marcellin, dans le Petit Journal pour rire, représente Alexandre Dumas assis à sa table, des plumes entre tous les doigts (quatre plumes par main) et les faisant courir sur le papier, tandis qu'un garçon de restaurant lui donne la becquée... Ce n'était pas mauvaise information, cette bouffonnerie. Quel autre moyen que de produire par tous les pores, si l'on peut dire, pour entretenir maîtresses, domestiques, parasites et toutes les manifestations du faste, pour remplir les engagements de presse et de librairie, pour édifier la pyramide

Un tel moyen comportait des méthodes ou plutôt des procédés.

Le plus fréquent et le plus facile consistait à tirer à la ligne parce que les journaux payaient la copie à la ligne. (D'ailleurs écrire vite ne favorise pas la concision.) Lui-même s'en amusait il avouait avoir volontairement fait parler Grimaud, le valet d'Athos, par monosyllabes. Il a rédigé certains dialogues impayables à ce point de vue. Mais, faut-il le dire? Il arrive que l'art d'aller à la ligne, pratiqué avec la verve de Dumas devienne une sorte de badinage malicieux et charmant, quoique explicite et à la portée de tous. Dans les conversations de voyage, le procédé fait merveille, qu'on en juge sur cette page du Corricolo :

— Mon cher hôte, dis-je, je viens de décider dans ma sagesse que je visiterai Naples en corricolo.

— A merveille! dit M. Martin. Le corricolo est une voiture nationale qui remonte à la plus haute antiquité. C'est la biga des Romains et je vois avec plaisir que vous appréciez le corricolo.

— Au plus haut degré, mon cher hôte. Seulement je voudrai savoir ce qu'on loue un corricolo au mois.

— On ne loue pas un corricolo au mois, me répondit M. Martin

— Alors, à la semaine.

— On ne loue pas un corricolo à la semaine.

— Eh bien, au jour.

— On ne loue pas le corricolo au jour.

— Comment donc loue-t-on le corricolo?

— On monte dedans quand il passe et l'on dit : « Pour un carlin.

1. Marcel Luguet, *Petit Bleu*, juillet 1902.

En tête de cette liste auraient naturellement leur place les grands noms de la tradition littéraire, Gœthe, Schiller, Calderon, etc., chez qui le créateur du drame historique et du drame moderne ne s'est pas fait faute de puiser. Granier de Cassagnac, son détracteur de la première heure, après avoir dénombré les modèles et les inspirateurs de Dumas, concluait, s'adressant à lui : « J'ai cité ceux-là, parce que leurs noms sont illustres et que leurs ouvrages sont connus comme les grands chemins, mais est-ce que je sais s'il n'y a pas dans vos drames du turc, du chinois, du malabar ou du samoyède? » Ces gentillesses, et quelques autres, agrémentaient en 1833 plusieurs articles du *Journal des Débats*. Douze ans plus tard, une autre grande attaque était montée, cette fois d'intention si injurieuse et diffamatoire que quinze jours de prison en devaient punir l'auteur, Eugène de Mirecourt, libelliste méprisé; sa brochure, *Fabrique de romans, maison Alexandre Dumas et compagnie*, n'en eut pas moins dans le Paris d'alors, on le pense bien, un innombrable écho répercuté ensuite de génération en génération. C'est pour beaucoup de lettrés et de lecteurs, encore aujourd'hui comme jadis pour les dupes de Mirecourt, un dogme qu'Alexandre Dumas n'est pas l'auteur de son œuvre, mais un infâme planteur qui a su exploiter ses... nègres!

Cette affaire de février 1845 avait eu un prélude. Quelques meneurs de la Société des Gens de Lettres, poussés par Mirecourt, avaient adressé dès la fin de 1844 à leur Comité une plainte contre ce qu'ils appelaient « le mercantilisme de la plume » et le Comité s'était assemblé le 29 décembre pour en délibérer. La discussion était bruyante. Soudain on se tut, car Alexandre Dumas était annoncé. Il entra en ouragan et s'écria :

— Il paraît qu'on veut me pendre, me voilà, Messieurs.

Et comme il s'avançait vers le président Viennet, celui-ci se leva, lui prit la main et lui dit plaisamment en se rappelant le titre d'une comédie de l'époque : « Bonjour, *Moiroud* et Compagnie. » Dumas sourit un peu aigrement; puis avisant les paperasses qui couvraient le bureau et voyant étalé le réquisitoire de ses adversaires, il s'assit sans façon dans le fauteuil présidentiel et se mit à lire le document à haute voix, coupant sa lecture d'exclamations, d'injures, de démentis, et finalement, troublé par la raillerie d'un auditeur, noyé dans son propre flux de paroles, il reconnut avoir un collaborateur, un seul, Maquet. La séance s'acheva dans un mélange de rire et d'indignation, elle fut racontée au-dehors, Mirecourt sentit le moment favorable, et c'est alors qu'il lança son pamphlet.

De l'apostrophe railleuse du président et d'une demande formulée par Dumas de rétractation écrite, sortit un brouillamini que Dumas fit dégénérer en affaire d'honneur. « Une rencontre pour demain, vinrent proposer à Viennet, le 27 février, ses témoins Méry et Dauzats. — Non, répondit Viennet, c'est dans une heure que je serai à sa porte avec des témoins et des pistolets. » Dumas demeurait alors rue Joubert. Après que M. Charles Merru, vice-président des Gens de Lettres, et M. Altaroche, un des secrétaires, furent montés pour lui dire que Viennet l'attendait, plusieurs quarts d'heure s'écoulèrent. Là-haut, Dumas répondait par des bavardages, des colères, des subterfuges, aux invitations qu'on lui faisait de descendre; on lui parlait d'honneur et de nécessité, il montrait ses livres de comptes. Bref, rien ne put le déterminer à quitter son appartement, et le lendemain matin, ses deux témoins allèrent apporter à Viennet ses excuses. « Je lui pardonne, dit le président, mais qu'il n'y revienne plus.

— C'est un enfant, observa Dauzats.

— Eh bien, qu'on le fouette tous les matins [1]... »

Il ressort de l'histoire que si Dumas avait eu l'habileté de se faire une réputation de duelliste [2], la réalité du duel n'avait pour lui nul irrésistible attrait [3]. Lorsque Mirecourt sorti de prison reprit sa campagne dans *la Silhouette*, c'est Dumas fils qui alla au journal, y brisa tout, envoya un cartel au folliculaire. Vainement d'ailleurs. L'homme eut l'esprit de présenter aux témoins son jeune fils de sept ans et de le leur proposer comme défenseur de son honneur!

Dumas père, quand il était sur le terrain, s'y tenait bien,

1. Tout ce récit vraisemblable, appuyé sur les témoignages de Merru et Altaroche, vient des *Mémoires* encore inédits de J.-C. Viennet.
2. Gérard de Nerval, dans une lettre de 1852 à un destinataire inconnu, raconte au cours d'une plaisante anecdote comment l'adresse de Dumas au pistolet l'a terrifié.
3. Il est effarant, étant donné les mœurs du temps, que la polémique de Dumas avec Janin à propos des *Demoiselles de Saint-Cyr* en 1843 n'ait pas abouti à un duel positif. « On prétend aujourd'hui qu'ils vont se battre sérieusement; heureusement, les médecins ayant dénoncé comme dangereuse la pratique de déjeuner d'abord et de se battre ensuite, un usage plus hygiénique s'est établi ici; il n'y aura donc de sang versé que celui du poulet amical destiné à cimenter indéfiniment la haine des athlètes. » (Hector de Balabine, secrétaire de l'ambassade de Russie, *Journal* (1842-1847), Paris, 1914.)

mais pourquoi y aller lorsque c'était à la rigueur évitable?
L'était-ce vraiment cette fois? N'y a-t-il pas eu en la circonstance double dérobade? On ne sait trop que penser. Acceptons
la qualification avancée par Viennet : un Rodomont, puisque le
personnage du *Roland furieux* est brave, après tout. Dumas a fait
preuve de bravoure plus d'une fois, mais en paroles plus souvent
et davantage qu'en action. Le monde de vaillance, d'héroïsme, de
point d'honneur qu'il a créé au centre de son œuvre, décidément c'est son imagination surtout qui en a fait les frais.

Parallèlement à ces incidents pittoresques, l'affaire avait
suivi son cours administratif et judiciaire, qui va nous ramener
au fond du différend et de la dispute.

Dans une lettre du 17 février au Comité de la Société des
Gens de Lettres, Dumas posait à propos de Méricourt et de
sa brochure la question de convenance et de moralité littéraire.
Le Comité, après avoir procédé à un interrogatoire en règle du
pamphlétaire, dans sa séance du 25, délibéra, puis lui infligea
un blâme sévère pour avoir attaqué un écrivain « dans son
origine, dans sa personne, dans son caractère, dans sa vie
privée ». Il ne devait pas être fait usage de cette décision disci-
plinaire en justice, et cependant à l'audience, elle aida l'avocat
de Dumas à obtenir gain de cause. Ce dont Mirecourt alla se
plaindre le 21 avril au Comité de la Société, qui finit par
l'envoyer promener [1]. Or, Dumas, dans sa fameuse lettre du
17 demandait :

« N'ai-je pas le droit de produire en collaboration? » [2]... Oh,
l'hypocrite! que sa question modifiait habilement le problème!
Ce droit-là, personne ne pouvait le lui contester. Honnêtement,
il aurait dû demander : « Ai-je le droit (moral) de signer des
ouvrages qui ne sont pas de moi, ou de signer seul des ouvrages
« produits en association »? » En d'autres termes, le problème
véritable, non pour la Société des Gens de Lettres, mais
pour nous tous, consiste à savoir ce qui est de la plume de
Dumas dans l'œuvre qui porte son nom et ce qui est d'une
autre ou d'autres plumes.

Problème insoluble évidemment, si l'on prétend arriver à
dire : « Cette page, ce chapitre sont de Dumas, ceux-là sont de

1. Édouard Montagne, *Histoire de la Société des Gens de Lettres*, Paris,
1889.
2 Gustave Simon donne la lettre entière dans l'*Histoire d'une collaboration*, Paris, 1919.

Lacroix ou de Maquet »; mais soluble, si l'on ne veut qu'établir un partage général des origines et des biens.

Deux remarques s'imposent tout d'abord : 1º Dumas fut l'initiateur d'une manière, d'une allure, d'un ton qui se retrouvent même dans ce que l'on sait n'être manifestement pas de lui, jusque dans un roman tel que *les Deux Diane*, composé et écrit complètement par Paul Meurice : ce qui suppose entre les collaborateurs, préalablement à toute écriture, des rapports fréquents, des conversations, des échanges d'idées, par conséquent soit une direction de Dumas, soit une action rayonnante de sa puissante nature; 2º les ouvrages personnels publiés par les collaborateurs de Dumas ne dépassent jamais la médiocrité. Qu'on prenne le plus brillant des co-auteurs, Maquet, et qu'on choisisse les meilleurs des romans qu'il a publiés seul, *la Belle Gabrielle*, lequel comble un vide historique de la série dumasienne, entre *la Dame de Monsoreau* et *les Trois Mousquetaires*, ou *le Comte de Lavernie* qui s'insère entre *le Vicomte de Bragelonne* et *le Chevalier d'Harmental :* on errera dans le livre à la quête d'un entrain de récit, d'une vivacité de dialogue. Que seraient les collaborateurs de Dumas sans Dumas? Tandis que lui avait fait ses preuves et déjà était illustre lorsque les collaborations commencèrent.

« J'ai des collaborateurs, comme Napoléon avait des généraux. » Ce mot orgueilleux veut dire que quelque part que les généraux prissent à la bataille, Napoléon fut toujours le vainqueur d'Austerlitz et le vaincu de Waterloo. Les biographes d'Hetzel, qui ont rapporté le mot de Dumas et qui connaissent Dumas à travers Hetzel, ajoutent : « Qu'il apportât les idées ou qu'on les lui fournît, il lui fallait préparer le travail des compagnons, revoir, retoucher, compléter leur copie, donner à ce qui venait de divers un ton unique, rendre les récits vivants, en régler le mouvement. Cela demandait, outre un indéniable génie, des heures et des heures de tension d'esprit. » Blaze de Bury, dont la génération avait, jeune, connu Dumas et ses contemporains, a écrit : « Le plan se faisait en commun, le collaborateur écrivait le livre, l'apportait au maître qui remaniait le premier travail, récrivait tout et d'un volume mal bâti souvent tirait trois ou quatre volumes. » Au besoin, on déjeunait ensemble pour parler de l'ouvrage en train[1].

---

1. Blaze de Bury, *op. cit.*

Voilà les habitudes générales. Voici quelques exemples précis.

Dans la *Mademoiselle de Belle-Isle* de Brunswick, pièce en un acte, il n'y avait ni le personnage du chevalier, ni le pari, ni l'intrigue scabreuse. Aussi le directeur des Variétés l'avait-il refusée. Mais Dumas goûta la scène du sequin qu'on brise et dont les deux fragments se trouvent réunis par la rupture de la liaison; « il saisit d'un coup d'œil le parti qu'on en pouvait tirer et sur cette unique scène construisit sa pièce, un chef-d'œuvre [1] ». *Le Comte Hermann*, drame réussi, est sorti dans les mêmes conditions d'une comédie d'un certain Lefebvre, *Une Vieille Jeunesse*, qui avait fait un four au Vaudeville. Telle lettre de Dumas propose un arrangement, au sujet d'un projet de pièce apporté par un inconnu : quel document net et clair!

Sur son plan, dont je prends l'idée première et que je retourne à ma façon, que j'écrirais entièrement et dont il n'aurait plus à s'occuper le moins du monde, il aurait un tiers pendant les trente premières représentations. Sur l'autre plan que nous ferions ensemble, qu'il exécuterait à son tour et que je reverrais entièrement, si besoin était afin de le faire jouer plus vite grâce au peu d'influence que je puis avoir, j'aurais à mon tour le tiers pendant trente représentations, et lui mettrait son nom [2]...

Edmond About, un soir de 1858, éprouva bien de l'étonnement. C'était à Marseille. Il revenait du théâtre avec Dumas dans la nuit et, tous deux rentrés à l'hôtel, il dormait debout, tandis que son compagnon avait l'air de sortir du lit. Le géant l'emmena dans sa chambre, alluma deux bougies neuves sous un abat-jour, et lui dit : « Repose-toi, vieillard! (About avait trente ans.) Moi qui n'ai que cinquante-cinq ans, je vais écrire trois feuilletons qui partiront demain, c'est-à-dire aujourd'hui par le courrier. Si, par hasard, il me restait un peu de temps, je bâclerais pour Montigny un petit acte qui me trotte par la tête. » About crut à une plaisanterie; mais quelques heures après, réveillé, levé, voyant la chambre de Dumas ouverte, il le trouva chantant et se faisant la barbe; trois grands plis destinés à *la Patrie*, au *Journal pour tous* et à une troisième

1. *Ibid.*
2. Lettre à Maquet, 1842 (Bibl. Nat. Manuscrits, dossier n. a. fr. 11.917).

feuille parisienne, étaient sur la table, un rouleau de papier
à l'adresse de Montigny renfermait l'acte annoncé [1].

Pour les romans, de très peu d'entre eux Dumas a pu dire :
— Je l'ai signé, mais je ne l'ai pas lu!

Paul Lacroix (bibliophile Jacob), qui vécut et travailla dans
les lambris illustrés par Nodier, a écrit un jour (16 novembre
1881) à un ami de Maxime du Camp que les collaborateurs
d'Alexandre Dumas étaient des « fournisseurs de plans, d'idées,
de germes, etc. » et qu'il avait quant à lui fourni les plans détail-
lés de plus de cinquante volumes. Mais, ajoutait-il, « je ne m'en
suis jamais fait gloire, à peine l'ai-je dit quelquefois en passant »[2].
Dans une autre lettre à Maxime du Camp lui-même, où il déclare
avoir rassemblé des notes pour *Mille et un fantômes* et pour
les Mariages du père Olifus, on trouve cette précision précieuse :
« En 1849, dans un interrègne de Maquet, Dumas avait pu seul
développer et façonner, sur mes notes, deux ouvrages qu'il
rendit très intéressants, *les Mille et un fantômes* et *les Mariages
du père Olifus*. » Cependant Lacroix a gonflé sa part de collaboration dans une déclaration rapportée par Octave Uzanne [3],
d'après laquelle il ne se serait pas contenté d'établir les canevas
de certains romans, mais il les aurait composés en partie. « En
partie... » le diable est là! Enfin écoutons l'érudit : « Lors de
mes rapports avec Dumas, non seulement je lui établissais le
sujet de la plupart de ses romans d'aventures, mais encore
j'habillais ses personnages, je les promenais à travers le vieux
Paris ou dans les provinces françaises, à différentes époques.
Dumas était à chaque instant gêné pour donner un semblant
d'exactitude à des descriptions archéologiques; aussi m'en-
voyait-il ses secrétaires en toute hâte, tantôt me demandant
l'aspect minutieusement détaillé du Louvre et de ses approches
en 1600 et 1630, tantôt m'implorant pour une esquisse du Palais-
Royal en l'an VIII. J'ajoutais des béquets à ses manuscrits,
je révisais les épreuves, j'apportais partout un peu de lumière
historique; j'écrivais à nouveau des chapitres entiers. »

Voilà, pour le dire en passant, une garantie supplémentaire
à l'exactitude du pittoresque et des décors dans les romans
historiques d'Alexandre Dumas. Voilà aussi une différence de

1. Edmond About, Discours du 4 novembre 1883 pour l'inauguration de
la statue de la place Malesherbes.
2. La revue *Quo Vadis*, oct.-nov. 1953.
3. *Le Livre* du 10 novembre 1884.

ton et même d'assertion selon que les propos du bibliophile Jacob ont été tenus avant ou après la mort de l'illustre ami.

Plans de Paul Lacroix... la bibliothèque de l'Arsenal en conserve quelques-uns [1]. Ceux qui concernent *la Femme au collier de velours* sont les plus développés, ils occupent dix-sept pages de petit format, sous ce titre : *le Premier Conte fantastique d'Hoffmann*, et se divisent en neuf chapitres : le serment, l'opéra, l'estaminet, le portrait, la charrette de la Conciergerie, la roulotte, la place de la Concorde, nuit d'amour, le portrait. Toute la matière de l'histoire figure là, le canevas est complet, mais combien squelettique! On n'y sent pas le moindre fantastique; on n'y voit pas, comme dans le conte écrit, deux mondes glisser l'un sur l'autre. Lacroix dit : plan fourni... Ensuite, une fois le plan accepté, qui a rédigé le récit, conduit les dialogues, créé l'ambiance?

Les notes pour *les Mariages du père Olifus*, pour *Olympe de Clèves*, pour *les Mille et un fantômes* se réduisent à assez peu de chose [2]. Le plan général du *Juif errant* consiste en simples titres de parties et de chapitres : préliminaires de la Passion, Société judaïque chez les Romains, la Madeleine, la Passion, le Juif, Thessalie, Apollonius de Thyanne, les sorcières, la Descente au centre de la terre, les Parques, Alexandrie, Rome sous Néron, Charlemagne, Grégoire VII, etc., jusqu'à la Révolution française et à l'épilogue ainsi présenté : « Le nouveau messie Siloë, le monde arrivé à sa perfection et s'attaquant à Dieu, seconde Passion, fin du monde par le froid et les ténèbres, le Juif, dernier homme du vieux monde et premier du nouveau. »

Avouons-le, quand de la couverture des dossiers et de leurs titres (« Plans et notes pour Alexandre Dumas », « Plan des mémoires du Juif errant fourni à Alexandre Dumas »), on passe au contenu, la déception est grande. Est-ce que Paul Lacroix ne se serait pas un peu, beaucoup vanté?

Avec Maquet, tout change. Non pas qu'il ait écrit, oh! pas du tout, les grands romans de Dumas, et certainement il n'en aurait pas été capable; mais on peut se demander si Dumas les aurait écrits sans lui, et je crois qu'on a le droit de répondre : non.

---

1. Fonds Lacroix, dossier 13.426.
2. Je rappelle que ce sont des brouillons.

Traiter de ces dix années de travail en commun après Gustave Simon qui a écrit l'*Histoire d'une collaboration*, c'est une gageure bien téméraire. Mais il y a toujours à ajouter sur un sujet si complexe et plein de dessous cachés. N'y a-t-il pas toujours aussi à discuter? Gustave Simon, persuadé que Maquet avait souffert d'une injustice totale, s'est acharné très noblement à faire sonner pour sa mémoire l'heure tardive de la justice. Seulement, ses efforts l'ont entraîné à renverser la situation, au point de gonfler exagérément l'apport d'invention littéraire qui est à reconnaître à Maquet et de réduire à l'excès celui qui vient de Dumas.

Auguste Maquet avait une personnalité forte. Il était médiocre créateur en littérature; s'il écrivait pour le théâtre, on ne voulait pas de ses pièces; mais ce fils de riche industriel avait une connaissance réaliste de la vie, ce professeur suppléant d'histoire au collège Charlemagne avait la passion de l'histoire, et il lisait en fouilleur de livres. Dumas l'a dépeint comme un volontaire qui domptait ses mouvements instinctifs « par une sorte de stoïcisme », comme un caractère loyal qui allait jusqu'à la raideur morale, comme un homme « familier avec tous les exercices du corps et apte à toutes les choses pour lesquelles il est besoin de persévérance, de sang-froid et de courage [1] ». Est-ce que ce portrait ne nous met pas en compagnie de certains héros des romans historiques auxquels Maquet collabora? Quelque chose de sa nature semble avoir passé en eux.

Gérard de Nerval, ayant lu un de ses manuscrits, *Soir de carnaval*, le porta à Dumas qui en fit *Bathilde*. Trois ans plus tard, Maquet apportait au libraire Dumont le manuscrit d'un roman intitulé *le Bonhomme Buvat* qui lui plut, mais lui parut court. Le libraire le donna à lire à Dumas : « Ne pourrait-on le grossir jusqu'à deux ou trois volumes?› suggéra-t-il. Dumas, rendant après quelques jours le manuscrit, demanda : « Combien payez-vous cet ouvrage à l'auteur? — Trois ou quatre cents francs, si je l'achète. — Eh bien, l'auteur voudrait-il me le céder pour deux mille francs?... » Et c'est ainsi que Dumas fut amené à retravailler *le Bonhomme Buvat* pour en faire *le Chevalier d'Harmental* [2]... Et Dumas signa seul, par principe sans doute, mais aussi parce qu'Émile de Girardin disait : « Un

1. Dumas, *De Paris à Cadix*.
2. Paul Lacroix, Lettre de la collection de *Quo Vadis*.

roman signé Dumas vaut trois francs la ligne; signé Dumas et Maquet, il vaut trente sous. »

Si le premier succès de la collaboration a été remporté par *Le Chevalier d'Harmental*, le succès triomphal l'a été par *les Trois Mousquetaires*. « Trois écrivains de valeur très inégale, dit Henri d'Alméras, après avoir étudié minutieusement la genèse de l'ouvrage [1], ont collaboré au roman : Gatien de Courtilz pour le scénario et l'intrigue; Maquet, pour la rédaction *grossoyée*, le brouillon et en quelque sorte la maquette; Alexandre Dumas pour l'animation du récit et les dialogues, la couleur, le style, la vie. » Et le jugement est si juste qu'il a fallu de la part de Dumas beaucoup de générosité pour inscrire à la première page d'une édition originale du roman cette dédicace à Maquet : *Cui pars magna fuit*. Même la documentation ne lui était pas restée étrangère; il avait pris directement contact avec les sources, car n'emprunta-t-il pas à la bibliothèque de Marseille, en 1843, non seulement les *Mémoires de d'Artagnan*, mais le *Tableau de la vie de Richelieu, de Colbert et de Mazarin* [2]? D'autre part, un billet à Maquet lui mandait : « Je vous avais écrit ce matin pour que vous introduisiez le bourreau dans la scène, mais j'ai jeté la lettre au feu, pensant que je l'introduirai moi-même [3]. » Dumas proposait donc à Maquet des péripéties, lui faisait composer des scènes et en composait. Ainsi ont-ils toujours agi, comme on le voit à leur correspondance.

Leur collaboration donne l'idée d'une usine, tellement tous deux, quoique chacun de son côté, travaillaient. Maquet, invité par des amis, s'excusait : « Je nage en plein travail, à peine suffirai-je avec les jours et les nuits à remplir une tâche qui est de livrer le premier volume dans dix jours [4]. » Dumas écrivait vingt, trente lettres de suite à Maquet pour lui crier, sur des tons différents, toujours le même appel : « Je voudrais avoir fini demain, je ne pourrai. Passez la nuit, cher ami, s'il le faut, mais envoyez-moi tout ce que vous pourrez demain à 9 h. ... [5]. »

---

1. *Alexandre Dumas et les Trois Mousquetaires*, Paris, 1925.
2. Robert Reboul, *Cartons d'un ancien bibliothécaire de Marseille*, Draguignan, 1875.
3. Bibl. Nat. Manuscrits, n. a. fr. 11.917.
4. L'Arsenal, fonds Lacroix, n° 1120.
5. Billets, lettres et fragments de lettres, cités en ces pages viennent de la Bibl. Nat., cabinet des manuscrits, n. a. fr. 11.917.

Ils faisaient ensemble des plans. Lettre de Dumas : « ...je suis toute la journée demain à Monte-Cristo. Avez-vous deux heures pour que nous fassions le plan du *Vampire?* » Et ce billet : « J'étais venu pour faire du *(sic)* plan de *Bragelonne.* »

Ils se partageaient les scènes à traiter; plusieurs lettres de Dumas écrites à diverses époques, malheureusement jamais datées, annonçaient des nouvelles de ce genre : « J'ai fait les deux premiers tableaux de la seconde partie (du *Vicomte de Bragelonne*). » Parfois Dumas, en chargeant Maquet d'écrire un épisode, lui glissait une suggestion : « Vous pourriez en attendant chercher une fin à *Monte-Cristo*, quelque chose dans le genre du *Comte Hermann*, mais ce sera toujours bien difficile à faire. »

Au cours de la composition, il arrivait à Dumas de demander à Maquet des livres pour s'y documenter : « Pouvez-vous venir demain matin? Apportez Mlle *(sic) de La Fayette* et si vous avez une Histoire d'Angleterre, restauration de Charles II... » Ou bien il critiquait le travail fait et proposait une autre orientation, pendant qu'ils travaillaient, par exemple, à *la Dame de Monsoreau* : « Je ne crois pas que notre Gorenflot ait une importance suffisante; il faut, puisque nous le tirons du couvent, le tirer pour une chose plus grave; » ou pendant qu'ils travaillaient au *Chevalier de Maison-Rouge* : « Si nous ne tirons pas une grande chose de l'isolement et de l'ignorance où sont Dixmer et Maison-Rouge, réunissons-les. — Il sera bien difficile de les mettre agissant dans la même prison sans qu'ils se reconnaissent. » Le billet suivant a bien de l'intérêt, puisqu'il nous montre Maquet besognant sur la mort de Porthos, ce Porthos qu'il aurait peint d'après un aïeul, hercule bonhomme souvent décrit par ses parents : « Le feuilleton est arrivé trop tard. Je voudrais voir celui de demain. Avez-vous décrit l'intérieur de la grotte pour donner une idée du champ de bataille? Pourquoi attendent-ils au lieu de fuir? »

Je verse modestement ces extraits de correspondance au dossier considérable que Gustave Simon avait constitué et grâce auquel il a pu écrire de Dumas : « Parfois il ne sait où Maquet veut le conduire, il lui demande même de l'éclairer sur les péripéties de l'aventure engagée, de lui dire comment elle pourra se dénouer, de le renseigner sur l'intervention future de certains personnages, toutes questions d'ailleurs fort légitimes et fort naturelles entre collaborateurs. » Et Gustave

Simon ajoutait : « Car Dumas veut donner libre carrière à son imagination féconde, à sa verve galopante, pour introduire des aventures nouvelles; et il lui arrivera d'arrêter Maquet dans son travail parce qu'il a eu l'idée de quelque scène qui fera rebondir le roman. »

Malgré tout, Gustave Simon a-t-il assez pris garde, dans les lettres mêmes qu'il reproduit, à des phrases telles que celles-ci : « Si j'eusse eu du *Monte-Cristo*, j'eusse travaillé. » Dumas travaillait dur, en effet, soit en s'escrimant sur une première rédaction de Maquet, soit en rédigeant seul. Au sujet d'*Ange Pitou*, par exemple, il écrivait à Maquet : « ...De cette façon, mon ami, je finirais seul *Ange Pitou* qui, avec les réductions, ne nous présente pas le moindre avantage de travailler à deux. » Au reste, les assertions de Maquet sont à accepter avec parfois plus de précaution que n'en a montré Gustave Simon. Dans une lettre qu'on trouvera dans l'*Histoire d'une collaboration*, Maquet disait : « Nous avons fait ensemble *les Trois Mousquetaires* dont les premiers volumes furent écrits par moi, sans plan arrêté entre nous... » Mais Georges Montorgueil a publié la même lettre [1] avec ce passage rétabli : « On m'attribue à tort toute l'exécution des *Trois Mousquetaires*. J'avais, de concert avec Dumas, projeté de tirer un ouvrage important du premier volume des *Mémoires* de d'Artagnan. J'avais même, avec l'ardeur de la jeunesse, commencé les premiers volumes sans plan arrêté. Dumas intervint heureusement avec son expérience et son talent. Nous achevâmes ensemble... »

La lettre suivante, qui parle du *Vicomte de Bragelonne*, résume à peu près toutes les attitudes des deux collaborateurs; on perdrait trop à la fragmenter ou à la résumer, la voici tout entière :

Mon ami,

Il ne faut pas, je crois, que Colbert voie le Roi avant qu'il lui dénonce l'existence des 15 millions, son entrée de fouine y perdrait. Je vais faire la confession de Mazarin. Je vais faire toute la scène de l'argent. Je vois le testament.

Il me faudrait une bonne biographie de Mazarin — et puis, n'est-ce pas dans Brienne que toute cette histoire de testament est relatée?

Il faut peindre l'inquiétude de Mazarin pendant les trois jours que le testament reste chez le Roi.

Ne serait-ce pas bien que ce fût Fouquet qui lui donnât le conseil

1. *L'Amateur d'autographes*, 1897.

de refuser pour laisser le Roi sans ressource. Il est vrai que le conseil
ôterait de la grandeur au refus, mais ce serait un bon moyen de
dessiner Fouquet qui jusqu'ici est resté derrière le rideau.

Fouquet conseillerait de rendre, Anne d'Autriche de garder.
Louis XIV avec son libre-arbitre se déciderait pour le parti le plus
noble. Cela sauverait tout.

Ce qu'il y a de plus clair, c'est qu'il faut que nous nous voyions
pour jeter de la limpidité dans tout cela.

Mais je crois Mazarin avouant tous ses petits méfaits, toutes ses
petites roueries les unes après les autres, et ne parlant aucunement
de ses vols, un bon type, surtout quand le théatin aborderait la
question d'argent.

Comme il n'a pas de secrets pour Colbert, Colbert resterait dans
la ruelle pendant la confession.

Croyez-vous bien dessiner le théatin et voulez-vous faire la scène?
Si vous ne la sentez pas, je la ferai.

Mais je la crois bonne et importante.

Faites du Balsamo, mon ami, et venez me rejoindre au théâtre
sur le midi.

> A vous.

Importantes réflexions qui éclairent tout de la méthode de
collaboration dans les cas de gros travail partagé avec Maquet
et dont la lumière s'étend même jusqu'aux précautions prises
pour l'information historique, jusqu'au souci littéraire de la
grandeur.

Mais nous sommes loin encore d'en avoir fini avec Auguste
Maquet, car ses papiers réunis à la Bibliothèque Nationale,
cabinet des manuscrits (trois cent quatre-vingt-trois feuillets),
contiennent des plans d'ouvrages rédigés pour Dumas [1]. Certains, que Gustave Simon eut entre les mains, sont complets,
d'autres à l'état de fragments : *Joseph Balsamo*, moitié encre
et moitié crayon, *le Collier de la reine*, *les Quarante-Cinq*, *le
Vicomte de Bragelonne* (complets), *la Dame de Monsoreau*,
Ange Pitou, *Monte-Cristo*, *le Bâtard de Mauléon* (fragments).
Ces plans de Maquet sont plans sérieux, autrement intéressants que les esquisses de Paul Lacroix. A ceux qui sont complets,
si on les compare aux romans qu'ils ont servi à écrire, aucun
épisode, aucun détail d'intrigue ne manque. C'en est impressionnant! Mais n'oublions pas comment ils sont nés, ont grandi
et se sont achevés : *à deux*. Ce qui est plus impressionnant

1. Dossier n. a. fr. 11.917.

encore, c'est à quel point ces pages de canevas restent immobiles, sèches, mortes, pour quiconque pense aux romans qui ont pris sur elles leur essor. Entrain du récit, dialogues, surgissement de péripéties, où vous trouver dans ce cimetière? Il a fallu que la vie vînt d'ailleurs. Nous avons pu nous rendre compte qu'elle est venue de la bonne entente de deux écrivains associés. Mais est-ce que ce qu'on connaît de l'œuvre personnelle de Maquet d'une part, et ce que d'autre part on sait du dynamisme de Dumas, de tout ce qu'il a répandu de malignité, de brillant, d'abondance, dans ses *Mémoires* et dans ses *Impressions de voyage*, n'autorisent pas à conclure hardiment que le donneur de sang fut non le professeur, mais l'écrivain?

Si nos extraits de correspondance dont aucun n'est de trop, me semble-t-il, prouvent quel rôle actif et prépondérant Dumas a joué dans les préparations de romans, les plans suggèrent tout ce qu'il a dû ajouter à ce rôle pour l'accomplissement de l'œuvre.

Mais en retour marquons-le bien, Dumas, soit dans la préparation, soit dans la rédaction, a constamment eu besoin de Maquet, n'a cessé de faire appel à Maquet. Qu'on se le rappelle : est-ce que *le Comte de Monte-Cristo* n'est pas passé de l'état de chronique à celui de roman grâce à la charpente construite par Maquet? Il ne donnait pas la vie, mais il charpentait bien. En sorte qu'une évidence se dresse : les deux co-auteurs ne pouvaient se passer l'un de l'autre. Gustave Simon a tout à fait raison sur ce point : les deux hommes, remarque-t-il, s'identifiaient si complètement qu'ils pouvaient se remplacer... C'est ce qui justifie la confiance que Dumas avait en son collaborateur lorsqu'il le priait de remettre directement la copie aux journaux sans passer sous son contrôle; ce qui s'est produit, en effet, chaque fois qu'un directeur de journal s'impatientait pour le feuilleton promis.

Mais ce n'est tout de même pas une raison pour égaler Maquet à Dumas. Dumas reste l'inspirateur, Maquet un exécutant. Maquet a soutenu Dumas de son aptitude à construire des intrigues, à se façonner sur lui pour conduire les récits à la même allure que lui; les deux hommes se complètent, mais l'un domine l'autre; il n'est guère possible de considérer l'autre autrement que comme un brillant et solide second. Tous deux avaient conscience de ces positions respectives, si l'on s'en rapporte à une lettre caractéristique de Dumas suscitée par

la brochure calomnieuse de Mirecourt, dont Maquet s'était
indigné :

> Cher ami,
>
> Je n'ai point de vos nouvelles, qu'y a-t-il donc? La plainte est
> déposée, la brochure sera saisie ce soir. Soyez tranquille, nous aurons
> belle et bonne vengeance, et si un an de prison et 3.000 francs
> d'amende ne sont pas assez, eh bien, nous lui donnerons encore un
> coup d'épée.
>
> Allons, allons, seigneur Jules Romain, un peu de courage. Quand
> on fait avec Raphaël la transfiguration, et tout seul les batailles de
> Constantin, on se moque de ce que dit un misérable comme M. Jac-
> quot [1].

Et s'il est besoin d'une confirmation à ces vues sur la longue
entente des deux hommes dans le labeur, on la trouvera dans
la lettre de Paul Lacroix, écrite le 16 novembre 1881 à un
ami de Maxime du Camp pour lui recommander la candidature
de Maquet à l'Académie. On y lit notamment :

> Voici la part de Maquet dans les beaux, les plus beaux romans
> de Dumas, lesquels sont éternels, impérissables comme la langue, la
> bonne langue française. Ces romans ont été inventés, conçus, enfan-
> tés, mis au monde par deux auteurs : Dumas et Maquet. L'idée pre-
> mière trouvée par l'un ou l'autre était couvée en quelque sorte par
> tous les deux ensemble; on la discutait, on la développait, on la
> mettait sur le bureau; puis Maquet écrivait le premier tout le livre;
> Dumas reprenait le manuscrit et le *dumassait,* en le récrivant et
> souvent en le copiant presque textuellement. J'ai en mains les plus
> curieux spécimens de ce travail à deux, qui n'en faisait plus qu'un.
>
> Il y eut une *convention écrite* entre les deux collaborateurs et
> acceptée d'un commun accord. Il était dit que le nom seul de Dumas
> ayant sa notoriété acquise et sa garantie de succès, le nom de Maquet
> ne paraîtrait jamais sur les romans qu'il avait composés en associa-
> tion ou, si l'on peut parler ainsi, en assimilation, avec Dumas. Mais
> en revanche, toutes les pièces de théâtre tirées de ces romans devaient
> porter les deux noms : *Arcades ambo.*
>
> Dumas s'était tellement habitué à cette collaboration fortifiante
> et puissante qu'il se trouva dans l'impossibilité de composer, de
> travailler seul, quand les deux infatigables auteurs se séparèrent
> pour un temps, après avoir produit ensemble 180 volumes, les plus

---

1. Bibl. Nat. Manuscrits, dossier n. a. fr. 11.917. Jacquot, nom véritable d'E. de Mirecourt.

éclatants de l'œuvre de Dumas et qui reparaissaient en drames avec les mêmes applaudissements. Maquet était indispensable à Dumas et j'en citerai deux exemples bien remarquables et bien topiques.

Il avait entrepris avec A. Houssaye *Olympe de Clèves;* à la moitié du second volume, il me dit : « Je ne peux pas aller plus loin; portez cela à Maquet et faites pour moi, avec lui, l'arrangement que vous voudrez. » Un nouveau traité fut conclu entre eux par mes soins d'ami commun. Et Maquet écrivit les 8 derniers volumes d'*Olympe de Clèves,* que Dumas *redumassa.* Même chose arrivée pour *Ingénue.* J'avais donné le plan et Dumas était plein d'ardeur et de confiance, mais le 1er volume à peine achevé, il me dit encore : « Mon ami, allez me chercher Maquet », et les 7 volumes du roman furent faits à deux.

Dumas, le grand Dumas, ce génie exceptionnel, continua son œuvre immense, après avoir cessé de collaborer avec Maquet, mais s'il essaya beaucoup d'autres collaborateurs, il n'en trouva aucun qui fût digne de remplacer Maquet [1].

A coup sûr, si les forts dans le domaine littéraire ont des droits fondés sur l'efficacité créatrice et non sur la morale courante, rien, sur le plan des relations sociales, ne les excuse en revanche de se conduire inhumainement. Or, ç'a été la faute d'Alexandre Dumas de se comporter avec Maquet en ogre. Il a lentement dévoré son collaborateur.

Sa lettre ouverte à Béranger, écrite le 15 décembre 1845 après le jugement qui condamnait Mirecourt mais n'absolvait point Dumas, est une papelarderie de grand style qui dans son lourd paquet de phrases arrive à ne rien dire, si ce n'est ceci, qui est une vérité à restriction mentale : « Je suis seul, je ne dicte même pas, j'écris tout de ma main », mais ceci encore qui est une idée d'importance : « Le jour où je mettrais mon nom à une chose qui ne serait pas de moi, je serais à la merci de l'homme à qui j'aurais ainsi soustrait sa part de bénéfice et de gloire... » Or cet homme, n'est-ce pas Auguste Maquet? Pas tout à fait toutefois, car Maquet n'a jamais tenu Dumas à sa merci, à cause de la supériorité évidente et admise de Dumas (même d'un ennemi comme Balzac), mais il a tout de même fini par lui demander publiquement des comptes.

Secoué par le pamphlet de Mirecourt et comprenant qu'il avait des précautions à prendre, Dumas avait écrit l'étonnante lettre dont il a été fait état plus haut, adressée au Comité de

1. *Quo vadis* d'octobre-novembre 1953.

la Société des Gens de Lettres, et dans laquelle il déclare avoir
« fait » avec Maquet quarante-deux volumes de romans importants. Un mois plus tard, Maquet lui adressait (le 4 mars) la
lettre capitale dont l'imprudence compromettait tout son avenir : « Je déclare renoncer, à partir de ce jour, à tous droits de
propriété et de réimpression sur les ouvrages suivants, que nous
avons écrits ensemble (savoir huit grands romans), me tenant
une fois pour toutes très et dûment indemnisé par vous d'après
nos conventions verbales [1]... »

Pourquoi cette renonciation inattendue? En prévision d'actions possibles d'héritiers dans l'avenir. Et puis, non seulement
Maquet y trouvait un intérêt matériel immédiat, mais il espérait obtenir par ce geste la co-signature, sa grande ambition,
qu'il commença de croire bientôt réalisée, lorsque le 27 octobre, à
la première du drame tiré des *Trois Mousquetaires* et représenté à l'Ambigu-Comique, il eut la bouleversante surprise de
s'entendre nommer avec son collaborateur par l'acteur Mélingue.
Hélas! il devait espérer jusqu'à la mort. En attendant, une
convention écrite, le 10 février 1848, allait confirmer sa lettre
du 4 mars 1845 : il cédait son droit de co-propriété sur les
ouvrages écrits avec Dumas avant le 1er mars 1848, moyennant 145.200 francs payables en onze années par mensualités
de 1.100 francs. Somme fort enviable : imaginons en regard
quelle valeur colossale la propriété de deux cents volumes
représentait pour Dumas!

Malheureusement Dumas, ses affaires s'étant gâtées en 1848,
n'observa point les conventions. Du produit des ouvrages
communs, il ne laissa couler vers Maquet que de petites parts
et détourna les grosses à son profit; il avait à soutenir son
train de vie, à apaiser ses plus forts créanciers. Il contracta
ainsi à l'égard de son collaborateur une dette sans cesse accrue.
Si bien que Maquet, malgré toute son amicale patience, non
seulement se plaignit fermement à Dumas, mais fit intervenir auprès de lui Paul Lacroix, qu'il appelle « cher ambassadeur » dans une lettre-memorandum du 12 août 1850 [2] dont
quelques passages sont des plus vifs :

Dumas sait mieux que personne combien ses griefs sont inad-
missibles. Si je ne travaille plus régulièrement pour lui, c'est que

1. La copie de cette pièce est aux manuscrits de la Bibl. Nat., dossier
Maquet.
2. Inédit du fonds Lacroix à l'Arsenal.

depuis deux ans jamais il n'a payé mon travail exactement, c'est que la plupart du temps il ne l'a pas payé du tout. L'argent était retenu aux journaux par ses ayants cause ou par lui-même dans les cas de besoin urgent... Il me doit un arriéré considérable.

Examinons ma situation avec Dumas pour les romans.

Je lui demande pour mon travail le prix que partout on me paierait, moi, propriétaire de l'ouvrage et signataire, 2.400 francs par mille de nos pages faisant 225.000 lettres. Dumas ne m'offre que 1.200 francs comptant à prendre sur les cessions de ses créanciers. Où prendrai-je le reste, moi qui n'ai pas de propriété dans les ouvrages, lui ne me fournissant aucune garantie?

Il y avait chance de gloire et de fortune pour nous deux si Dumas, au lieu de m'étouffer continuellement... eût fait faire à Maquet des traités avec les journaux, aidant Maquet à exécuter les traités et partageant avec lui.

Pourquoi va-t-il répétant partout que mon travail ne lui sert à rien, qu'il peut se passer de moi, pourquoi me force-t-il de faire ce qu'il dit et de risquer pour sauver ma réputation de nuire considérablement à la sienne puisqu'un fait incontestable, c'est que me retirant de lui, je lui ôterai nécessairement tout ce que je lui apportais. Je m'amoindrirais sans doute ne l'ayant plus, mais je le diminuerai en m'écartant.

... J'ai pour lui malgré tout de l'amitié et je ne me refuserai jamais à le lui prouver. Qu'il établisse nos relations désormais d'une façon claire, positive, inaltérable, qu'il limite mes revenus, mais qu'il les apure. Qu'il n'oublie pas la part réelle de réputation. J'y tiens plus qu'à toute autre chose.

A cette lettre naïve, mais évidemment accablante pour Dumas, Lacroix a épinglé un projet de traité (abondamment raturé) en vertu duquel Maquet aurait « développé et rédigé sur les plans arrêtés de concert avec son collaborateur les romans destinés au feuilleton du *Siècle* », avec autorisation de livrer directement sa copie au journal, mais liberté pour Dumas « d'étendre et de modifier à sa guise la rédaction », enfin aurait touché deux mille cinq cents francs par volume, en abandonnant tout droit à la propriété de l'ouvrage.

Le traité proposé par Lacroix avait-il la moindre chance d'être jamais exécuté ni même accepté par un homme qui ne disposait plus de l'argent qu'il gagnait? La brouille devint inévitable; elle prit en 1858 et 1859 forme de procès que Maquet avait d'avance perdu : la justice pouvait-elle annuler la pitoyable renonciation de 1848? c'est-à-dire que Maquet voyait

24

son nom écarté à jamais de la couverture des romans dont il était le co-auteur. En 1922 encore, si un jugement a accordé aux héritiers Maquet une part des droits d'auteur indûment touchés par les héritiers Dumas, il leur a refusé la part d'honneur à laquelle Maquet avait tant aspiré.

Maquet et Dumas eurent souvent lieu de regretter le temps de leur association. Maquet a dit un jour à Chincholle : « Il y aurait quarante beaux drames de plus (ajoutons : et quarante romans) si la meilleure amitié, la plus solide, la plus productive qui ait jamais existé, n'eût pas été rompue par les cancans des faux amis [1]. » Bien que Dumas fût devenu pour Maquet en 1858 « l'éternel coquin [2] », et qu'en 1860 Dumas déclarât : « Maquet est pour moi un voleur [3] », les deux hommes n'ont jamais réellement cessé de s'aimer et de s'estimer. Seulement Dumas s'était enlisé dans le désastre de ses affaires. En d'autres circonstances, et bien que les deux signatures accolées eussent risqué de faire momentanément baisser la valeur marchande de l'œuvre, Dumas aurait-il irréductiblement dit non à son ami pour l'honneur comme pour l'intérêt? Tout compte fait, restons dans le doute. Alexandre Dumas a toujours montré en affaires une certaine rapacité. Ses projets d'arrangements avec directeurs de théâtres et directeurs de revues [4] sont draconiens; les lettres à son fils devenu un de ses hommes d'affaires pourraient toutes se résumer dans cette phrase de l'une d'elles : « Ne lâche rien sans argent. »

Les difficultés d'argent d'Alexandre Dumas avaient commencé d'assez bonne heure, elles ont leur départ dans le règlement de sa séparation de biens avec Mᵐᵉ Ferrier-Dumas. Une note rédigée par lui le 15 août 1844 [5] nous apprend qu'il eut à lui assurer 1.000 francs par mois, à lui payer une voiture, à lui verser 3.000 francs, puis 500 francs pendant les douze premiers mois, pour l'indemniser des meubles qu'elle laissait en partant pour l'Italie (Mᵐᵉ Dumas, en retour, se chargeait de l'éducation et de l'entretien de Marie Dumas). En 1845, il rachetait des objets du ménage et, pour cela, empruntait. Six ans plus tard, ce fut la faillite du Théâtre Historique, la vente de

---

1. Ch. Chincholle, *op. cit.*
2. D'après une lettre que Ch. Glinel possédait.
3. Lettre à son fils publiée par Marcel Thomas dans *la Table ronde*.
4. Conservés à la Bibl. Nat. Manuscrits, n. a. fr. 24.641.
5. *Ibid.*

Monte-Cristo, le blocus des créanciers. Le concordat établi en 1853 devait demander du temps pour son exécution et, en attendant, tenir Dumas prisonnier.

A prendre connaissance des papiers qui étendent leur lourde masse de la faillite au concordat et du concordat au testament[1], l'imagination s'étonne. Quel tourbillon de billets! Que d'or! et qui sortent des manches de combien d'hommes d'affaires, Porcher, Lefrançois, Charamy, Dulong, etc., sans compter les bénévoles et les magistrats! Les notaires n'ont pas manqué non plus... Un traité de 1856 avec Michel Lévy consentit à Dumas une avance immédiate de 40.000 francs sur droits d'auteur; un jugement de Cour du 27 juillet 1857, dans une affaire avec Michel Lévy et deux autres éditeurs, lui avait fixé des indemnités qui vont de 4.707 francs à 25.000, de 74.554 à 129.140. En revanche, son passif au 1er janvier 1862 s'élevait à 624.222 francs...

De telles avalanches de profits et de pertes (traduisez-les en monnaie Coty) font un curieux contraste avec des lettres d'homme traqué à Porcher, à Lacroix, surtout à son fils, dans lesquelles ce sont des billets de cent francs qui tourbillonnent. Dumas court après ou les agite du bout des doigts sous le nez des créanciers impatients : « Ce mois-ci, mois de terme, est rude, mais d'ici huit jours, je vous enverrai 100 francs[2]. » « Il me faut sans retard les 500 francs Anténor Joly... J'ai écrit à Houssaye par Brohan pour lui demander les 500 francs... Si tu peux faire 500 francs de ton côté par Dulong, envoie-les moi, je te les rendrai[3]... » Il est évident que Dumas s'était mis à vivre sous une carapace de dettes et finissait par ne plus gagner d'argent que pour ses créanciers. A sa mort, il y en avait encore un certain nombre qui n'avaient pas touché et sans doute n'avaient pas réclamé les parts que le concordat leur accordait : couturières, bijoutiers, artistes, collaborateurs (on y compte Mélingue et Maquet). Or Dumas fils, s'étant engagé à les régler, reçut pour cela, sur la succession du commissaire à l'exécution du concordat, mort dans l'intervalle, 6.194 francs, somme coquette pour ce reliquat, miette restée d'un gargantuesque festin!

1. Une partie s'en trouve à l'Arsenal, manuscrits 13.584, et à la Bibl. Nat. Manuscrits, n. a. fr. 24.641.
2. L'Arsenal, fonds Lacroix, n° 1120.
3. Bibl. Nat. Manuscrits, n. a. fr. 24.641.

Les malheurs de l'attelage Dumas-Maquet rejoignent donc, par l'intermédiaire du Théâtre Historique, l'effarante somptuosité d'une existence au cœur de laquelle le Théâtre Historique, en s'effondrant et en entraînant Monte-Cristo dans sa chute, ne pouvait qu'ouvrir un terrible ravin. Sur le bord de ce gouffre Alexandre Dumas avait pris penr. En décembre 1852, profitant du prétexte offert par le coup d'État, et pendant qu'un homme dévoué, un de ses secrétaires, Hirschler, s'efforçait de liquider la désastreuse situation, il avait pris le train pour Bruxelles.

XX

L'HOMME POLITIQUE
ET L'EXIL DE BRUXELLES

ALEXANDRE DUMAS, en quittant Paris, emportait avec des
malles d'inquiétudes matérielles une ou deux valises de
déceptions politiques. Car l'exilé volontaire, aventurier incor-
rigible, ne pouvait décidément voir flamber une révolution sans
se jeter dans les flammes... Ou plutôt, homme de théâtre, il
a vu le rideau se lever sur 1848 comme sur le troisième acte
d'une pièce dont 1830 avait été le second. Ayant joué un rôle
sans soulever d'applaudissements, il avait recours une fois de
plus à la consolation du voyage.

Revenons donc à quelques années en arrière pour surprendre
Dumas dans son attitude en face de la Seconde République
comme nous l'avons considéré dans son attitude en face de
la Monarchie. Nous l'avons quitté, à la fin de sa jeunesse
républicaine, fort modéré et libéral dans un climat de progrès;
nous allons le retrouver, après une année d'excitation dans le
climat révolutionnaire, en position nettement conservatrice au
cœur de son âge mûr.

Les temps de facile richesse s'étaient évanouis, Dumas le
savait mieux que personne, dans la crise économique de 1847.
La stagnation commerciale s'aggravait de brigandage boursier,
comme dit Proudhon, et le marasme se généralisant gagnait
la littérature et les arts; le public ne fréquentait plus guère
librairies ni théâtres, journaux et revues s'habituèrent à mal
payer; Lamartine entra dans sa longue misère laborieuse; Théophile Gautier, qui avait à faire vivre une famille, dut se défaire
de sa voiture et de ses poneys. Et Dumas vit se dresser l'épou-
vantail de la ruine, lui qui avait à entretenir une tribu et
plusieurs résidences. Ces états de trouble public réveillent les

instincts; Dumas redevint soudain le libertaire lyrique, le mulâtre ami des opprimés et le fils de son père. Il se jeta dans la campagne contre la Monarchie de Juillet et pour la réforme électorale par dessus tout, furieux qu'il était de ne pouvoir se faire élire député faute de payer la contribution foncière, et il s'inscrivit un des premiers au banquet réformiste du 27 novembre 1847 à Saint-Germain. Pour tout dire, la grippe le retint au lit ce jour-là.

Vint 48, puis février. Commandant à Saint-Germain la garde nationale, Dumas revêtit son uniforme, avec lequel il était allé défiler devant le trône sans manquer d'une décoration, le 1er mai 1847, entraîna plus ou moins ses gens à Paris, parada sur le Pont Royal, se montra à la Chambre parmi la foule qui réclamait la déchéance des Orléans par-dessus les têtes parlementaires. Certainement il avait l'impression de prendre sa revanche des querelles que ces messieurs lui avaient cherchées à l'occasion de son équipée méditerranéenne. Le 27, il adressa une proclamation au bataillon placé sous ses ordres, célébra la victoire de la révolution, assura qu'elle ne se laisserait pas étouffer comme celle de 1830, parce que les hommes du gouvernement provisoire unissaient l'intégrité du caractère au génie et à la science : « La révolution de 93 dressait les échafauds, celle de 48 les brise! C'est qu'entre ces deux grandes époques un demi-siècle de victoires, de malheurs, de progrès et de déceptions a passé. » Ne savait-il donc pas que les trains politiques de déceptions sont toujours pour le moins dédoublés?

Deux jours après, il écrivait à Émile de Girardin, au cours d'une longue lettre [1], pour *la Presse :* « A vous et au *Constitutionnel,* mes romans, mes livres, ma vie littéraire enfin, mais à la France ma parole, mes opinions, ma vie politique. A partir d'aujourd'hui, il y a deux hommes dans l'écrivain : le publiciste doit compléter le poète. » Ainsi ont pensé tant d'autres de son temps! mais aucun n'a donné sa personne à la patrie d'un geste plus rond.

Cependant un mois ne s'était pas écoulé que déjà il s'inquiétait, s'alarmait. Le 4, il rédigea une lettre, d'un ton tellement différent! pour le duc de Montpensier (la médita-t-il à l'ombre de cet arbre de la liberté qu'il avait fait planter devant son

---

1. Publiée tout entière dans les *Historiettes et Souvenirs* d'H. Hostein

Théâtre Historique?) « Ce titre d'ami, Monseigneur, quand vous habitiez les Tuileries, je m'en vantais, lui disait-il [1]. Aujourd'hui que vous avez quitté la France, je le réclame... Dieu me garde de ne point conserver dans toute sa pureté la religion de la tombe et le culte de l'exil. » Et *la Presse* du 27 insérait une autre lettre où il s'étonnait qu'un colonel de la garde nationale, nommé gouverneur du Louvre après février, eût donné l'ordre d'enlever la statue du duc d'Orléans érigée dans la cour du Louvre : « Pourquoi cela? demandait-il, d'où vient cette proscription qui fouille les tombeaux? » Et il évoquait le vainqueur du col de Mouzaïa, le bienfaiteur des pauvres, le dispensateur de grâces, le grand Français dont Lamartine, Hugo, Vigny, Michelet, Delacroix, Ingres, Barye avaient tenu à suivre le convoi.

Dispositions bien contradictoires pour un homme qui songeait à agir... En effet, Dumas décida qu'il avait le devoir d'entrer à la Chambre et il se présenta à la députation en Seine-et-Oise. L'appel qu'il adressa en mars aux électeurs, du moins aux électeurs du prolétariat, est si imprévu, singulier, bouffon, démocratiquement fastueux, que la citation s'en impose :

Aux travailleurs.

Je me porte candidat à la députation; je demande vos voix, voici mes titres.

Sans compter six ans d'éducation, quatre ans de notariat et sept années de bureaucratie, j'ai travaillé vingt ans à dix heures par jour, soit 7.300 heures. Pendant ces vingt ans, j'ai composé *400* volumes, et *35* drames.

Les *400* volumes tirés à 4.000 et vendus 5 fr. l'un : 11.853.600 fr. [2] | Les *35* drames joués 100 fois chacun, l'un dans l'autre : 6.360.000 fr.

---

1. Cf. Ch. Glinel.
2. Chiffres évidemment fantaisistes et bizarre multiplication.

ont produit

Aux composi-		Aux directeurs. .	1.400.000 fr.
teurs. . . .	264.000 fr.	Aux acteurs. . .	1.250.000 —
Aux pressiers. .	528.000 —	Aux décorateurs .	210.000 —
Aux papetiers. .	633.000 —	Aux couturiers. .	140.000 —
Aux brocheurs .	120.000 —	Aux propriétaires	
Aux libraires . .	2.400.000 —	des salles . . .	700.000 —
Aux courtiers. .	1.600.000 —	Aux comparses. .	330.000 —
Aux commission-		Aux gardes et	
naires	1.600.000 —	pompiers . . .	70.000 —
Aux messageries.	100.600 —	Aux tailleurs. . .	50.000 —
Aux cabinets lit-		Aux marchands	
téraires. . . .	4.580.000 —	d'huile	525.000 —
Aux dessina-		Aux cartonniers .	60.000 —
teurs.	28.000' —	Aux musiciens. .	292.000 —
	11.853.600 fr.	Aux pauvres	
		(droit des hos-	
		pices). . . .	630.000 —
		Aux afficheurs. .	80.000 —
		Aux balayeurs. .	10.000 —
		Aux assureurs . .	60.000 —
		Aux contrôleurs	
		et employés . .	140.000 —
		Aux machinistes .	180.000 —
		Aux coiffeurs et	
		coiffeuses . . .	93.000 —
			6.360.000 fr.

En fixant le salaire quotidien à 3 francs, comme il y a dans l'année 300 journées de travail, mes livres ont donné pendant vingt ans le salaire à 692 personnes.

	Personnes
Mes drames ont fait vivre à Paris, pendant dix ans.	347
En triplant le chiffre pour toute la province. . .	1.041
Ajoutez les ouvreuses, chefs de claque, fia-cres.	70
Total	1.458

Drames et livres en moyenne ont soldé le travail de 2.160 personnes.

Ne sont point compris là-dedans les contrefacteurs belges et les traducteurs étrangers.

ALEXANDRE DUMAS.

L'appel aux travailleurs déplut aux bourgeois de Seine-et-Oise, que le candidat scandalisait déjà par la liberté de ses mœurs. Battu, il se laissa entraîner dans l'Yonne, profitant de l'option de Louis-Napoléon pour Paris, et décidé à camoufler les désordres de sa vie privée par une déclaration de dévouement aux prêtres. Un journal, *le Représentant du Peuple* publia le 4 juin cette circulaire inattendue :

Monsieur le Curé,

Si parmi les écrivains modernes il est un homme qui a défendu le spiritualisme, proclamé l'âme immortelle, exalté la religion chrétienne, vous me rendrez la justice de dire que c'est moi.

Aujourd'hui, je viens me proposer comme candidat à l'Assemblée nationale. J'y demanderai le respect pour toutes les choses saintes : la religion a toujours été pour moi au premier rang.

Je crois la nourriture spirituelle aussi nécessaire à l'homme que la nourriture matérielle; je crois qu'un peuple qui saura allier la liberté et la religion sera le premier des peuples; je crois enfin que nous serons ce peuple-là.

C'est dans le désir de contribuer, autant qu'il sera en moi, à cette œuvre sociale, que je viens vous demander non seulement votre voix, mais encore les voix que la haute confiance inspirée par votre caractère peut mettre à votre disposition.

Je vous salue avec l'amour d'un frère et l'humilité d'un chrétien.

Si les curés de l'Yonne avaient lu les livres d'Alexandre Dumas, ils étaient fixés sur la vérité de cette profession de foi, je ne dis pas sa sincérité, car il est certain que l'auteur, en la rédigeant, s'était senti débordant d'ardeur chrétienne. Mais dans l'Yonne comme en Seine-et-Oise, ceux mêmes qui applaudissaient l'ennemi du socialisme, le défenseur de la famille et de la propriété, ne lui pardonnaient pas — et les curés moins que personne — ses aventures, ses procès, ses femmes, et ses adversaires le dénoncèrent comme un Cagliostro! Le *Tonnerrois*, qui soutenait sa candidature, riposta en ces termes : « Qu'était donc Mirabeau s'il avait été jugé capable de sauver la Monarchie, s'il ne fût pas mort? Il y a du Mirabeau dans Alexandre Dumas... » Sur quoi Dumas adressa au *Tonnerrois*, le 10 juin, une belle lettre qui n'était pas, comme on dit, piquée des vers.

Monsieur,

Je n'ai point la prétention d'être un Mirabeau, mais j'ai la prétention d'être un bon Français, animé de l'esprit national que j'ai
infiltré dans tout ce que j'ai écrit, prompt à l'attaque, âpre à la
défense, toujours prêt à défendre une chose noble, toujours prêt à
attaquer une chose honteuse.

Ce qui veut dire que si j'arrive à l'Assemblée nationale, le gouvernement me taillera une rude besogne.

Cette besogne, je la ferai en conscience, la lutte est un des besoins
de mon organisation. Je vis de la fièvre qui me brûle.

Or, s'il est des questions locales que j'ignore, et celles-là, vous
l'avez dit, je les étudierai en venant sur le terrain, une fois, deux
fois, dix fois; s'il est, dis-je, quelques questions locales que j'ignore,
je connais assez profondément toutes les questions sociales et toutes
les questions étrangères, c'est-à-dire la politique intérieure et extérieure.

Je ne me laisse pas facilement intimider à la tribune. Je n'ai pas
d'ambition politique, puisque tout emploi que j'exercerais me coû-
terait au lieu de me rapporter.

Non, j'ai seulement cette conviction intime que là où je vais je
porte avec moi une certaine lumière qui est en moi. En outre, je
suis homme d'initiative. J'oserai à la tribune ce que j'ai osé au
théâtre, ce que j'ai osé dans les livres, ce que personne n'avait osé
avant moi.

Je ne me laisserai jamais intimider par aucune position, attendu
qu'en mesurant toutes les positions à la mienne, j'ai l'orgueil de
croire que la mienne est l'égale de toutes.

Je ne reconnais de supériorité que celle de l'intelligence. Sous ce
point de vue, je m'incline devant deux hommes : Lamartine, Hugo.

Avec tous les autres, j'ai la prétention de marcher au moins de
pair.

Maintenant, merci de votre article, il m'a fait plaisir, et par sa
franchise, et par sa netteté, les deux qualités que je préfère à toutes,
puisqu'elles sont mes qualités suprêmes.

Soutenez-moi donc comme vous l'avez fait, Monsieur, et, je vous
en réponds, vous soutiendrez sur la route de l'Assemblée nationale
un homme qui, une fois entré à l'Assemblée nationale, ne fera point
tache dans la députation du département de l'Yonne.

Je vous serre bien fraternellement la main [1].

Comique, bouffonne, est-ce que tout de même une telle
lettre n'est pas noble autant que touchante? Du même ton,

1. Reproduit dans *le Temps* du 30 août 1912.

la réunion électorale donnée à Joigny [1]. Arrivé épanoui dans la salle du théâtre, une bordée d'injures accueillit Dumas et quelqu'un lui cria :

— Vous vous prétendez républicain, n'est-ce pas? Or, vous vous faites appeler marquis de La Pailleterie et vous avez été secrétaire du duc d'Orléans!

Alors Dumas revendiqua le droit de porter le nom de son grand-père, puis une fierté supérieure à tous les titres l'emporta : « J'en étais fier, s'écria-t-il, mais aujourd'hui je m'appelle Alexandre Dumas tout court et le monde entier me connaît, vous le premier, qui venez ici pour me voir et pour vous vanter demain de me connaître! Si telle était votre ambition, vous auriez pu la satisfaire sans manquer à tous les devoirs d'un homme comme il faut. » Tonnerre d'applaudissements... Secrétaire du duc d'Orléans, oui, il l'avait été et il gardait à la famille exilée reconnaissance de ses bienfaits. La mémoire du cœur ne lui manquait pas, à lui, il était honnête homme... Cela plut. Malheureusement, il déclencha un nouveau retournement de la salle en dénonçant le danger prussien.

Au sortir de la réunion, raconte le témoin, nous descendions par les quais quand, derrière nous, deux ou trois hommes du port se rapprochèrent, déblatérant à haute voix contre Alexandre Dumas. Nous causions, lui et moi; il se retourne, en saisit un, le plus grand, le porte, comme il eût fait d'une botte de paille, sur le parapet du pont, en lui criant :

— Demande grâce, ou je te flanque à l'eau!

Le citoyen terrifié s'excusa sans que les autres eussent osé venir à son aide, et Dumas le lâcha sur ces mots méprisants :

— J'ai tenu à te prouver que mes mains d'aristo valaient bien les tiennes. Et maintenant, allez au diable, toi et tes compagnons d'ivrognerie!

L'Alexandre Dumas de 1848 n'eut pas plus de chance en Bourgogne qu'en Ile-de-France. Il ne devait pas en avoir davantage à Pointe-à-Pitre, où le comité conservateur l'avait choisi pour candidat. Le corps électoral français n'a pas plus voulu de Dumas que de Balzac et de Vigny [2].

---

1. D'après M. du Chaffault, dans une lettre à Blaze de Bury, qui l'a publiée dans son livre sur Alexandre Dumas.

2. Il aurait dit à Alphonse Karr : « Si j'avais eu assez d'argent, je serais allé me faire élire à la Martinique. » Et montrant ses cheveux crépus : « Ceci eût été un brevet de représentant... Mais je leur en enverrai peut-être une mèche par la poste. »

Ambitieux d'action politique dans la presse, si ce n'était pas possible à la tribune, Dumas avait fondé à Paris un journal, *le Mois*, qu'il rédigea seul et qui parut du 1ᵉʳ mars 1848 au 1ᵉʳ février 1850. La politique du *Mois* ne marcha que peu de temps dans le sens de la révolution; elle s'arrêta très tôt et même rebroussa chemin, tout en flattant les travailleurs manuels, et elle passa l'éponge sur les émeutes de juin. En se proclamant en outre spiritualiste et ami respectueux de la religion chrétienne, Dumas persévérait publiquement dans le programme que les élections lui avaient fait préciser.

Mais le châtelain de Monte-Cristo voulait de l'ordre avant tout. Il multiplia les protestations contre la faiblesse du Gouvernement provisoire.

Le Gouvernement provisoire est-il donc sans force? demandait-il en tête du numéro de mai 1848. N'ose-t-il donc pas condamner ou réprimer la révolte? Quoi! le sang coule dans les départements, la garde nationale s'arme pour le maintien de l'ordre et la défense du pouvoir, et, en récompense de son zèle, on l'insulte, on la menace, et les directeurs de la France républicaine gardent le silence. Qu'est donc devenue votre énergie, monsieur Ledru-Rollin? Comment votre amour de l'ordre a-t-il disparu, monsieur de Lamartine?

Le Mois notait avec plaisir qu'à l'Assemblée un homme du peuple avait crié à Lamartine : « Assez de lyre comme cela! » Le 31 décembre, Dumas publiait ces lignes dans lesquelles bien des époques pourraient se reconnaître :

Un travail général de balayage a commencé dans tous les ministères. L'épuration sera longue à accomplir, si l'on veut en finir avec toutes les cohortes des incapables, des impurs et des indignes de février.

Au 1ᵉʳ mars 1849, nouvelle indignation, mais plus amère, sarcastique :

La manie d'insurrection est tellement ancrée dans nos mœurs que le peuple des villes est capable de se révolter contre des lois qu'il aurait faites lui-même, quinze jours après leur promulgation...

A propos de Blanqui et de Barbès, lors du procès de Bourges :

On a vu dans cette affaire les démagogues à nu.

Quand la Chambre menaça d'invalidation Louis-Napoléon élu représentant dans deux départements, *le Mois* fit ces réflexions qui sur le moment s'imposaient :

En lui ôtant la tribune, vous lui faites un piédestal; en lui déniant ses droits de citoyen, vous reconnaissez ses droits au trône.

A peine Louis-Napoléon avait-il accédé à la présidence de la République, que Dumas lui écrivit la curieuse lettre ouverte du 18 décembre dans laquelle il demandait la fin de l'exil pour le comte de Chambord, le rappel des princes d'Orléans, la restitution du gouvernement de l'Algérie au duc d'Aumale et de l'ancien grade d'officier général de la marine au prince de Joinville, la vice-présidence de la République pour Lamartine et le bâton de maréchal pour le général Cavaignac. Dumas ne prévoyait pas que Louis-Napoléon servirait de paravent et de soutien au système bourgeoisement réactionnaire et clérical dont la majorité des Français d'ailleurs se satisfaisait. Mais se souvenant de son *France et Gaule*, Dumas voyait se lever l'homme capable d'appliquer la formule donnée dans la conclusion de ce livre : le prince ne réalisait-il pas l'idéal d'une démocratie autoritaire? et s'il ne sortait pas du peuple, n'était-il pas l'auteur d'un traité « pour l'extinction du paupérisme »?

N'empêche que Dumas ne devait pas accepter l'Empire, mais se retourner contre lui, comme il s'était retourné contre la Monarchie de Juillet, non par versatilité, mais au contraire par fidélité à ses convictions. On a trop dit qu'il avait quitté Paris en 1852 pour des raisons toutes personnelles. Certes, il a pu saisir un prétexte politique pour se dégager d'embarras financiers, puisque sur le terrain politique rien ne le menaçait vraiment. Mais il n'aimait point le nouveau maître. « C'est un sacré Hollandais! » disait-il en lui attribuant pour père l'amiral Wœrhuel. Et puis, ne voyait-il pas ses meilleurs amis dans les rangs des proscrits?

Il les retrouva, qui étaient arrivés nombreux à Bruxelles en décembre 1851 et en janvier 1852 : Hugo, Étienne Arago, Charras, Bancel, Émile Deschanel, Hetzel, etc., d'autres s'étant réfugiés en Suisse, Eugène Sue en Savoie, alors province sarde. Ils mangeaient dans un restaurant de la rue des Éperonniers. Bruxelles, la ville du parfait accueil, les voyait aller et venir dans ses rues comme des écoliers en récréation. Elle possédait

alors cinq à sept cafés, trois théâtres, le promenoir des galeries
Saint-Hubert où l'on se rencontrait aisément. Ce cadre étroit
mit forcément les nouveaux débarqués en vedette, mais non
sans souligner la pauvreté de leur situation. Voilà ce que Dumas
était né pour bouleverser, pour renverser et relever. Il ne cherchait pas, lui, une retraite pour attendre, mais un pavois sonore
et bruyant pour faire du tapage; il ne se recroquevillait pas,
lui, dans la rancune, la haine ou le désespoir, il se déployait
tout en belle humeur, en bienveillance gonflée, en besoin de
protéger. Et il ne fut pas long à remplir sa fonction.

Descendu à l'Hôtel de l'Europe, il loua boulevard de Waterloo deux maisons contiguës, fit abattre dans l'une des cloisons
et, lui adjoignant l'autre, obtint un petit hôtel particulier à
deux étages, avec porte cochère et balcon, cour intérieure qui
devint serre, large antichambre, pièces lambrissées. Le grand
escalier reçut d'épais tapis, les salons furent tendus de châles
de Lyon et d'imitations de cachemire, les chambres à coucher
et le boudoir se revêtirent de soie rouge. Marie Dumas, venue
rejoindre son père, habita l'une des deux anciennes maisons,
au second, au-dessus du salon. Tout en haut, à la place des
greniers, Dumas eut son cabinet de travail. Il meubla ce petit
palais jour à jour, dispersant une fortune chez les antiquaires
de Bruxelles, d'Anvers, de Gand et de Malines.

C'est là, dans cette réplique, en plus modeste, de Monte-
Cristo, qu'il accueillit, appela, rassembla l'*intelligentsia* française exilée à Bruxelles, avec tous les passants connus du
monde des arts et quelques journalistes belges. Les exilés y
venaient dîner régulièrement deux fois par semaine, pour le
prix qu'ils payaient dans leurs petits restaurants : la somme
était arrondie à 1 fr. 50. Hugo prit ses repas pendant dix jours
chez Dumas à raison de 2 fr. 50 quotidiens. Mais comme il
avait déjeuné trois fois dehors, il ne déboursa que 23 fr. 50.
« Ma table me coûtait 40.000 francs par an! » s'écriait Dumas
en contant ces détails. Il ajoutait, il est vrai, qu'Hugo lui avait
donné 25 francs en laissant 30 sous pour le valet de chambre
qui avait servi [1]...

---

1. C'est ce qu'a rapporté un écrivain belge, Ch. de Ricault d'Héricault
(*Ceux que j'ai connus, ceux que j'ai aimés*, 1900). Autres références : Charles
Hugo, *Les Hommes de l'exil*, Paris, 1875; marquis de Cherville, trois articles sur Alexandre Dumas à Bruxelles dans *le Temps* des 12, 19 et
21 avril 1867.

On mangeait dans la serre éclatante de fleurs et étincelante du rayonnement de Dumas. Occupé cette année-là à écrire certains chapitres de ses *Mémoires*, il éblouissait les convives de ses souvenirs. Quelle personnalité de France ou d'Europe ne faisait-il pas défiler à leurs yeux? Nul ne saura jamais ce que tous dépensèrent là d'esprit pour le présent et d'imagination pour l'avenir. Souvent des visiteurs arrivaient, ou bien il y avait séance de magnétisme, avec pour sujet ordinaire une femme très belle que Dumas faisait mettre à côté de lui au dîner. Passive, sotte; mais « ses yeux de gazelle effarouchée, dit G. de Cherville, avaient grandement achalandé une boutique de pâtisserie » et grand bruit se faisait autour d'elle sous son sobriquet de « la belle pâtissière ». Nerval parle dans une lettre d'une « boulangère hystérique » et des « contorsions surprenantes » que lui faisait faire Dumas, et il ajoute : « Je la plains s'il ne la finit pas, mais on a lieu de croire qu'il la finit dans le particulier... [1] »

L'*Odor di femina* ne manqua pas au séjour de Bruxelles. Quand il s'était agi de loger la petite Marie, Dumas avait écrit à son fils : « C'est difficile, je reçois bien mauvaise compagnie. » Puis, plus loin dans la même lettre : « Maintenant, es-tu assez riche pour acheter et m'envoyer en l'essayant sur une belle tête brune de 20 à 25 ans que je crois à ta disposition un chapeau d'été de 50 à 70 francs. Ne te tiens pas, tu comprends bien, à 10 francs. J'ai couché avec une très belle fille qui ne veut rien recevoir autre chose qu'un chapeau d'été ou jaune paille très clair ou tout simplement blanc [2]. » On voit comment Dumas pratiquait la confiance paternelle. Et lui aussi se voyait chargé de singulières commissions. Mme Victor Hugo étant malade, il eut à lui expliquer de la part de son mari qu'une maîtresse s'imposait. La femme du poète aurait répondu : « Qu'elle prenne tout de lui, mais qu'elle me laisse son cœur. » Sur quoi Dumas : « Comme cette Juliette était bonne fille, elle le lui laissa entier [3]. »

Chaque fois qu'une personnalité était de passage, Dumas frêtait un grand break et on allait en compagnie nombreuse visiter le champ de bataille de Waterloo. Il ne manqua pas de donner des fêtes. A l'une d'elles, agrémentée d'une troupe de

1. Lettre du 12 mai 1852, *Correspondance*, Paris, 1911.
2. Manuscrits de la Bibl. Nat., n. a. fr. 24.641.
3. Mathilde Shaw, *Illustres et inconnus*, Paris, 1906.

danseuses espagnoles en représentation au théâtre du Vaudeville, il eut à sa table, qui ce soir-là occupait toute la serre et débordait dans la maison jusqu'à la porte d'entrée, des ministres, des bourgmestres, des échevins, un prince de la maison royale...

Bref, la vie fastueuse de Paris, de Saint-Germain et de Marly continuait à Bruxelles; et l'homme qui la menait — comment le croire? — était le même dont les affaires se réglaient alors en France difficilement. C'est qu'ayant rompu le siège des dettes par une sortie hasardeuse et tout en se distrayant et en distrayant les autres, Dumas travaillait. Le *bos suetus labori* n'avait pas rejeté le joug, son existence bruxelloise de féerie sembla même l'encourager et l'exciter à accumuler les écrits, à multiplier les débouchés d'édition, encore et toujours à faire suer l'argent à sa plume.

Il y avait, parmi les proscrits de Bruxelles, un littérateur et homme politique du nom de Noël Parfait. Dumas lui donna l'hospitalité chez lui, ainsi qu'à sa femme et à son fils, moyennant que Parfait, installé sous les combles, copiât, copiât, copiât; au besoin, il ponctuait, corrigeait, contrôlait, tandis qu'auprès de lui, Dumas en bras de chemise et sans cravate, écrivait en souriant. Et Parfait ne suffisant pas, la femme d'un autre proscrit, Camille Berru, venait elle aussi gratter du papier, levée avant l'aube [1]. Dumas disposait de trois lits toujours faits, deux au premier étage dans sa chambre tendue de perse et éclairée par une lampe en verre rose de Bohême, le troisième au grenier de travail. A n'importe quelle heure du jour et de la nuit, il quittait brusquement sa table et se jetait sur un de ces lits, sombrait dans le sommeil instantanément et en surgissait de même; ces sommeils précipités et réparateurs exigeaient le changement de lits. C'est grâce à cette organisation qu'une partie des *Mémoires* et bon nombre de livres prirent corps, bien que l'auteur ne se fût pas privé de faire la navette entre Bruxelles et Paris.

Parfait, qui a été l'associé (à parts égales) de l'éditeur Hetzel pour l'exploitation en Belgique des œuvres de Dumas, s'éleva dans la maison transformée en palais, du rang de secrétaire à celui de ministre des Finances. Chargé de veiller à tout, il devint, comme on l'a dit, « l'avarice de Dumas »; il regardait

---

1. Charles Hugo, préface à *Revers d'une médaille* de Camille Berru, Bruxelles, s. d.

de travers le domestique dressant la table des soupers fins ou Dumas lui-même rentrant en voiture avec de l'antiquaille dans les bras; il s'arrangeait pour que Dumas ne trouvât pas d'argent dans son tiroir. Le personnel l'appelait le « Jamais content »; mais Hugo, parlant de lui à Hetzel, disait : « Votre cher et parfait Parfait. » Il contribua par son économie à rétablir les affaires du maître.

Et les jours de la dispersion arrivèrent. Lorsque le gouvernement belge pria Hugo de quitter Bruxelles et que le poète alla prendre le bateau à Anvers pour l'Angleterre, Dumas marchait en tête des amis qui lui firent cortège. Le souvenir de la scène reste fixé dans *les Contemplations :*

> ... Je n'ai pas oublié le quai d'Anvers, ami,
> Ni le groupe vaillant, toujours plus raffermi,
> D'amis chers, de fronts purs, ni toi ni cette foule
> . . . .
> Toi debout sur le quai, moi debout sur le pont,
> Vibrant comme deux luths dont la voix se répond,
> Aussi longtemps qu'on put se voir, nous regardâmes
> L'un vers l'autre, faisant comme un échange d'âmes,
> Et le vaisseau fuyait, et la terre décrut.
> . . . .
> Tu rentras dans ton œuvre éclatante, innombrable,
> Multiple, éblouissante, heureuse, où le jour luit,
> Et moi dans l'unité sinistre de la nuit.

Et Dumas à son tour, en novembre 1853, décida de rentrer en France. Il donna à cette occasion un grand déjeuner d'adieu et voulut le préparer lui-même. Ce matin-là, Parfait qui depuis longtemps prétendait lui faire vérifier ses comptes dans le grand livre recouvert de basane verte que Dumas redoutait et fuyait, crut le tenir; le grand insouciant ne pouvait laisser ses sauces et ses rôtis : Parfait aurait enfin son quitus... Dumas parcourut les pages de chiffres, parut s'y intéresser, puis soudain, profitant d'une inattention du pauvre comptable, il lança le registre dans un de ses fourneaux.

— Tiens, le voilà, ton quitus!

Et, tout riant, il se remit à sa cuisine.

Alexandre Dumas ne laissa à Bruxelles que des amis, sauf en la personne de son propriétaire, M. de Meeüs, qui se plaignit des transformations apportées à ses deux maisons, les appela des

dommages et fit en 1855 (fin de bail) un procès à son munificent locataire. Mais les juges refusèrent de suivre leur compatriote égaré et le condamnèrent aux dépens. Dumas devait
revenir plusieurs fois dans cette seconde patrie; en 1859, ce fut
pour aller à Guernesey et passer deux jours à Hauteville-House,
car il ne perdit jamais le contact avec Victor Hugo. C'est justement dans les papiers de Noël Parfait qu'a été trouvée une
lettre de chaude sympathie écrite le 26 avril 1856 en remerciement du volume des *Contemplations*, un peu forcée bien sûr,
un peu boursouflée :

Je vous ai envoyé une lettre de Lamartine, ami. Je le vois souvent
et à chaque fois que je le vois, nous parlons de vous; il vous connaissait comme on connaît son rival, comme on connaît un guerrier
armé pour le combat; il me disait : « C'est un Encélade, c'est un Prométhée, c'est un Titan! »
Je lui ai dit, moi :
— C'est plus que tout cela, c'est un cœur!
Je vous connais mieux que personne, moi, ami, moi qui vous ai vu
pleurer, moi qui vous ai vu souffrir...

Une situation matérielle assainie attendait Dumas à Paris.
On en fait généralement honneur à Parfait, comme si Parfait
avait pu être à la fois bruxellois et parisien. Il y a d'ailleurs un
curieux billet de Dumas à son fils, malheureusement sans date,
à propos d'une négociation : « Ne fais point parler à Lévy par
Parfait, attendu que tout ce qu'il entreprend pour moi tourne
mal avec la meilleure volonté du monde. Il est jettator, j'en
ai peur [1]. » Dumas savait bien que l'économie de Parfait dans
l'exil de Bruxelles avait été une forme touchante du dévouement. Mais à Paris, si un magicien s'est manifesté dans le
règlement des affaires Dumas, ç'a été non pas Noël Parfait,
mais Hirschler, celui de ses secrétaires qui avait dirigé le
Théâtre Historique. Ce Sémite habile et qui admirait le maître
comme « un demi-dieu » (ainsi l'appelait-il) régla tous les
comptes avec les éditeurs et les directeurs de journaux, avec
les théâtres; et l'honorable concordat qui a mis un terme à la
faillite du Théâtre Historique, c'est lui qui l'a obtenu. En
face des créanciers, huissiers, juges, gens d'affaires qui, même
à distance, traquaient Dumas, il a été le soldat et le paladin.

1. Bibl. Nat. Manuscrits, n. a. fr. 24.641.

A peine rentré, l'écrivain mit debout un nouveau journal. Dans la série des biens qu'il voulait posséder à lui seul, le journal n'est pas à oublier. Avoir *son* journal! Il l'a eu. Après *le Mois*, ç'a été *le Mousquetaire;* puis des feuilles éphémères : *la France nouvelle* (durée : un mois), *le Monte-Cristo*, hebdomadaire (durée : trois semaines), *le Monte-Cristo*, « recueil des œuvres inédites d'Alexandre Dumas » (janvier-octobre 1862); un nouveau *Mousquetaire* a tenu cinq mois en 1866; *le Dartagnan* tri-hebdomadaire de 1868 n'a pas eu plus longue vie.

Le Mois, cet instrument d'une mémorable campagne anti-démagogique, est aussi à considérer du point de vue purement journalistique. Journal à format in-4º sur deux colonnes, il ne coûtait que quatre francs par an (aussi eut-il jusqu'à vingt mille abonnés), et il offrait un jeu complet de chroniques que Dumas rédigea tout seul. Parmi elles, deux étonnent et plaisent : organisation du travail et histoire du pays (par exemple, un article passait en revue les situations successives de la France depuis le traité d'Aix-la-Chapelle de 1748 jusqu'au 30 mars 1848). *Le Mois* garde encore aujourd'hui de l'intérêt; car de même que les *Mémoires* contiennent d'amples et vivants récits (même lorsqu'il démarque, Dumas démarque avec magnificence), pareillement *le Mois*, pour des faits d'actualité : abdication de Louis-Philippe, cérémonie de la Madeleine à la mémoire des « citoyens morts pour la liberté », séance parlementaire du 15 mai, journées de juin, dont il donna des images épiques, etc. Un recueil en pourrait être composé. Et comme tout journaliste-né, Dumas avait des antennes; il publia des prévisions remarquables : « Peut-être, disait *le Mois*, percera-t-on un jour l'isthme de Panama?... Peut-être ouvrira-t-on enfin l'isthme de Suez? » Ce journal si vivant donnait une place importante aux nouvelles de l'étranger, se livrait à une critique des idées (une campagne contre Proudhon est curieuse), s'ouvrait à la littérature dans les grandes occasions : quand mourut Chateaubriand, *le Mois* publia une louange ferme et de contours brillants, une médaille.

Le Mousquetaire, qui a vécu de novembre 1853 à février 1857, installé rue Laffitte dans la cour carrée de la Maison d'Or, face au célèbre restaurant, répondit à une tout autre conception. C'était un quotidien, il avait sa rédaction, il avait son administration. Celle-ci se composait de Michel, l'ancien jardinier de Monte-Cristo, Rusconi, l'homme à tout faire qui ne faisait rien, et heureusement Hirschler, qui sut trouver en deux mois quatre mille abonnés et faire vendre chaque jour six mille exemplaires dans Paris. *Le Mousquetaire* a tiré à plus de dix mille[1]. Dumas habitait au troisième étage un pauvre intérieur de trois pièces qui le changeait de Bruxelles; Marie Dumas vint presque journellement y jeter un coup d'œil. Une des trois pièces servait de cabinet à M. le Directeur. Quel cabinet étroit et nu! La salle de rédaction, au rez-de-chaussée, se remplissait de midi à six heures : artistes, écrivains, journalistes, acteurs, bohèmes, de toutes les races, de toutes les religions, faisaient là un potin infernal dont se plaignait le voisinage. Dumas, de son troisième, venait de temps à autre se pencher sur la rampe et criait : « Qu'est-ce qu'ils font? Est-ce qu'ils ne s'égorgent pas? »

Le premier numéro (12 novembre) s'ouvrit sur de l'authentique Dumas : un « dialogue entre moi et le premier venu »

— Vous allez faire un journal?
— Oui.
— Littéraire ou politique?
— Littéraire.
— Ah!
— Quoi?
— Vous avez tort.
— C'est ce qu'on m'a toujours dit quand j'ai commencé quelque chose.
— Ce qui ne vous a pas empêché de continuer?
— Parbleu!

Au « premier venu » lui reprochant d'avoir choisi un titre provocateur, Dumas répond :

— C'est un titre essentiellement français. C'est un titre rendu populaire par le succès mérité ou non d'un roman moderne. Enfin c'est le titre adopté...

Pourquoi ce journal?

— D'abord parce que je me lasse d'être bien attaqué par mes ennemis et mal défendu par mes amis dans les journaux des autres.

1. On a donné ce chiffre un peu partout; mais au début de 1855, Dumas avoue dans le journal... 2.500 abonnés.

ensuite, parce que j'ai encore quarante ou cinquante volumes de mes *Mémoires* à publier; que les quarante ou cinquante volumes deviennent de plus en plus compromettants au fur et à mesure qu'ils se rapprochent de notre époque, et que j'en désire prendre la responsabilité, non seulement comme auteur, mais comme publicateur.

De quoi le journal parlera-t-il?

Des injustices des critiques, des erreurs des artistes, des bévues des ministres dans leur encouragement à la littérature et à l'art : « Vous admettez bien qu'un ministre puisse se tromper, que diable! on commence à s'apercevoir que le pape lui-même n'est pas infaillible...

— Vous vous brouillerez avec tout le monde!
— Nous avons armes offensives et défensives, nous acceptons le combat... », etc.

Le Mousquetaire méritait bien son nom, encore qu'il n'ait pas maintenu intégralement son programme et que les polémiques n'y aient pas tant que cela retenti.

Des collaborateurs occasionnels, visiteurs plutôt : Nerval, qui a publié là deux nouvelles et le sonnet *El Desdichado;* Banville et Méry, dont le Journal donna des vers; Émile Deschamps, chroniqueur rare, étaient reçus par la compagnie ou par les secrétaires. *Le Mousquetaire* arbora des secrétaires pittoresques, notamment le comte de Goritz, prétendu exilé de Hongrie, et qui faisait passer sa femme pour une fille de Louis XVII, en réalité simple Mayer, et escroc, dont la vie était un roman que la police interrompit. *Le Mousquetaire* a eu sa folle, Clémence Bader, laide petite provinciale à qui la plus mauvaise littérature avait tourné la tête et qui fit pendant quelques mois la joie de tout le monde[1]. Dieu merci, la rédaction constante était plus sérieuse, avec Audebrand, Asseline, Henri Conscience, Aurélien Scholl, George Bell, Paul Bocage. Henri Rochefort en a fait partie quelques semaines sous le pseudonyme Saint-Henri de Luçay. La comtesse Dash tenait spirituellement la chronique du monde et du demi-monde. *Les Grands Hommes en robe de chambre* de Dumas et *les Mohicans de Paris* ont alterné au *Mousquetaire* avec des contes de Lermontov, de Poe, de Maine-Reid. Il y eut un « Courrier des femmes », une chro-

---

1. Elle a laissé, outre ses *Mémoires* (1886-1887), une vengeance écrite et assez comiquement démente, *le Soleil Alexandre Dumas,* Paris, 1855.

nique régulière des théâtres, même de province, des extraits
importants des livres dont Paris parlait, des comptes rendus de
bals masqués par le même M.-H. Revoil qui racontait les
grandes chasses. Il fut servi aussi aux lecteurs des tranches de
Souvenirs, cette suite des *Mémoires*.

Bizarre et sympathique journal! Quelle surprise, chaque
numéro! et quelles jolies façons! Le comique et le loufoque —
pas toujours volontaires — voisinaient avec le sérieux le plus
redondant. Personnellement Dumas a publié dans sa feuille de
grands articles sur Michelet, sur George Sand, sur Delacroix,
même des vues fort originales sur Gautier, sur Nerval, sur
Janin, sur Sainte-Beuve. Mais surtout il a causé avec les uns
et les autres pendant des pages. Il se faisait écrire des lettres
et il y répondait. Il publiait les déclarations de sympathie et
d'admiration qui lui arrivaient : « Vous avez bon cœur », « On
m'a dit que vous êtes bon », « Vous avez écrit des choses pleines
de ce bon sens spirituel... » Ah, il ne s'oubliait pas! Le 23 mars
1855, en tête du numéro :

> Chères lectrices,
>
> Vous me croyiez mort, n'est-ce pas? Plus de *causeries*, plus de
> *Mohicans*, etc.
> Que fait-il donc, le prétendu infatigable?
> Ceux qui ne me connaissent pas disent : « Il se repose. »
> Ceux qui ne savent pas mon âge disent : « Il aime. »
> Ceux qui vivent dans ma vie disent : « Il prépare. »
> Oui, des milliers de choses.

Suivent cinq colonnes, dans lesquelles il parle de son fils et
de lui-même... Pendant des jours et des jours, il a parlé des
amours de son fils et des œuvres qu'elles ont inspirées. Une fois,
l'audacieux *Mousquetaire* ne se mit-il pas à publier de l'Homère
dans des conditions effarantes? Le secrétaire de la rédaction,
Urbain Fages (sous le nom de Savigny), authentique helléniste,
avait loué et commenté des épisodes de *l'Iliade* devant
Dumas qui, n'ayant jamais lu l'épopée, s'ébaubit.

— Qu'est-ce que ce serait, lui dit Fages, si vous lisiez cela
dans le texte!

— Pourquoi pas?

Il ne savait pas le grec, mais le brillant secrétaire ne pouvait-il pas traduire ces beautés pour lui, sous ses yeux? Fages

s'exécuta et Dumas enthousiasmé exigea que la merveille fût mise noir sur blanc. Puis il s'apprêta à signer cette traduction nouvelle, il la signa et le poème homérique parut en feuilleton, avec une suite au prochain numéro. Scandale au Divan et sur le boulevard! Le feuilleton ne dépassa pas trois numéros, mais les lecteurs du *Mousquetaire* avaient eu leur chant d'Homère.

Dans l'ensemble, ils jouirent d'une information littéraire, artistique, mondaine assez bien menée pour que Hugo écrivît à Dumas : « Vous savez que je vis sans *Mousquetaire*. Est-ce vivre? [1] » Et une autre fois : « Vous nous rendez Voltaire. » Mais comme Hugo ajoutait : « Suprême consolation pour la France humiliée et meurtrie », Dumas n'osa publier la lettre : en ces années-là on supprimait les journaux par décret et Proudhon était en prison. Une lettre de Lamartine put paraître sans inconvénient, et elle faisait un beau compliment : « Mon cher Dumas, disait le poète, vous avez appris que je suis devenu votre abonné et vous me demandez mon avis sur le journal. J'en ai sur les choses humaines, je n'en ai pas sur les miracles. Vous êtes surhumain. Mon avis est un point d'exclamation! On avait cherché le mouvement perpétuel; vous avez fait mieux, vous avez trouvé l'étonnement perpétuel. Adieu, vivez, c'est-à-dire écrivez. Je suis là pour lire. »

Un journal de Dumas, hélas! ne pouvait durer. Il le tuait sous ses exigences d'exploitant. Un soir que l'administrateur lui refusait de l'argent en levant les bras au ciel et qu'étonné il s'écriait : « Comment! et l'abonnement? et la vente au numéro? l'administrateur, pourtant sa créature, lui rétorqua : — Voilà huit jours de suite que vous prenez chaque soir 500 francs dans la caisse. — Parbleu! s'exclama Dumas, je peux bien toucher 500 francs par jour, puisque je fournis 1.500 francs de copie [2]!... » Au reste, Dumas négligeait un peu trop d'ouvrir ou de faire ouvrir toutes les lettres qu'il recevait. Un témoin a prétendu s'être assuré que certaines des lettres non décachetées et jetées avec désinvolture dans la corbeille à papier contenaient des mandats d'abonnement [3]. Les collaborateurs, trop mal payés, ou pas du tout, envoyèrent un beau jour leur démission collective, bientôt reprise en grande partie... pas pour longtemps, hélas!

---

1. Publié par *le Figaro* du 25 janvier 1930.
2. « Adolphe Brisson », d'après les papiers de Noel Parfait (*Annales* du 18 septembre 1904).
3. Gustave Claudin, *Mes Souvenirs*.

Il n'est pas exagéré d'affirmer qu'Alexandre Dumas a créé le journalisme moderne, et jeté certaines bases de la grande presse. Un des principes de la presse moderne est qu'il importe avant tout de se faire lire et qu'il faut donc attirer, amuser, étonner. Sur ce point, *le Mousquetaire* donnait satisfaction, n'est-ce pas ce qu'a dit Lamartine? Mais Dumas découvrit également l'intérêt de l'interview indiscrète et celui du grand reportage.

Qu'on ouvre le *Journal* de Delacroix au 25 novembre 1853, on lira :

« ... Le soir, ce terrible Dumas qui ne lâche pas sa proie, est venu me relancer à minuit, son cahier de papier blanc à la main... »

Delacroix, proie de l'écrivain? Oui, parce que Dumas l'avait poursuivi pour obtenir des notes sur des choses de métier : comment il faisait sa palette, ses idées sur la couleur, etc.

« Dieu sait, continue Delacroix, ce qu'il va faire des détails que je lui ai donnés sottement! Je l'aime beaucoup, mais je ne suis pas formé des mêmes éléments et nous ne recherchons pas le même but. »

En effet, le bienheureux Delacroix ignorait la tentation du démon journalistique. Au contraire Dumas, ce jour-là, ce soir-là — à minuit! — le voilà journaliste cent pour cent et qui devançait son temps. *Le Mousquetaire* a peint George Sand couvrant ses feuillets sans ratures, roulant et fumant ses cigarettes. Il a publié des enquêtes pittoresques de Paul Bocage à travers Paris.

Quant à l'initiateur du grand reportage, nous l'avons déjà rencontré au cours de ses voyages. Me contenterai-je donc d'une simple allusion au voyage-éclair en Grande-Bretagne avec son fils, en 1857, pour assister au derby d'Epsom et visiter l'exposition de Manchester; au dernier voyage d'Allemagne, d'où il rapporta un roman historique, *la Terreur prussienne?* Ce roman très romantiquement feuilletonesque semble avoir été pour l'auteur un prétexte à renseigner les Français, car il contient maintes « choses vues » sur la figure et l'esprit de la Prusse au lendemain immédiat de Sadowa, et vues avec sérieux à l'époque où Paris s'amusait de *la Grande Duchesse de Gerolstein...* Mais il faut s'arrêter davantage à Auxerre, qui longtemps s'honora d'une fête locale, « la retraite illuminée » du 25 juillet. Dumas l'a évoquée dans une brochure publiée chez un libraire de la ville en 1858 et le texte s'en retrouve dans ses chroniques de *Bric-à-brac*. C'est vraiment une page d' « envoyé spécial ».

Procession étrange, inouïe, magique, dans l'obscurité totale de la ville! Douze tambours défilent avec leurs bonnets pointus, leurs caisses illuminées par transparence. Tout le défilé s'avance ainsi illuminé : clairons, cuirasses, boucliers. Illuminés, vingt chevaliers du temps de Charles VI, et illuminées leurs bannières. Puis apparaît la reine des crinolines, majestueuse créature de huit pieds de haut et de dix-huit pieds de tour, portant un chapeau de satin rose, un mantelet de dentelles noires, une robe de soie blanche à pois roses, cette souveraine et ses atours magnifiés de lumières intérieures qui transparaissent. Une Merveilleuse du Directoire l'accompagne, et son chapeau, son jabot sont comme de fines lampes, ainsi que les parasols des deux mandarins qui la suivent. Dans leur sillage, le char de l'empereur de Chine, pagode roulante, est une illumination qui roule. En contraste, voici le roi d'Yvetot sur son âne et flanqué de sa Jeanneton, car Béranger vient de mourir; autour de lui, les grands dignitaires de l'État. La comète de 1857 n'a pas été oubliée, elle a une queue de vingt-cinq pieds de long, portée par la grande et la petite ourse, et entourée de nébuleuses; ce ciel, qui rayonne d'un feu secret, entraîne dans son doux éclat le char du roi et de la reine de Lilliput, puis viennent un roi de l'Inde sur son éléphant, enfin le char du roi de Kadidan, roi arabe, roi d'un royaume découvert évidemment par quelque voyageur auxerrois, lequel en aurait rapporté le plant de la vigne qui donne le fameux vin de migraine : toutes ces Majestés illuminées comme le reste!... Ce qui faisait la merveille de cette retraite unique, ce dont Dumas a su donner l'idée vivante, c'est le long glissement de lumières que n'ont connu ni Harould-al-Raschid à Bagdad, ni Boabdil à Grenade, c'est cette ville qui marche embrasée aussi suavement que veilleuse de porcelaine. Extraordinaire spectacle! L'origine en remontait à la campagne de France. Un soir que les tambours de la ville battaient la retraite, un soldat facétieux avait pris une chandelle à un étalage et se l'était mise au shako; des camarades l'avaient imité. Or, le lendemain, un grand vent souffla toutes les chandelles. Alors les soldats s'étant confectionné des shakos de papier huilé, y introduisirent des chandelles et en firent de vraies lanternes. La tradition en a été longtemps maintenue, et on la perfectionnait chaque année. Dumas l'a vue à son apogée. N'était-ce pas là, pour un reporter de sa taille, un sujet en or?

Quel dommage qu'il n'ait pas donné suite à son projet d'aller chercher un nouveau et grand sujet aux États-Unis! Il en avait fait part, le 4 octobre 1864, au journaliste et diplomate John Bigelow, prié à déjeuner chez lui et qui, ainsi provoqué, l'invita formellement à une tournée de lectures et de conférences dans les principales villes du Nouveau Monde. « Votre visite, lui écrivait-il le lendemain, serait pour mes compatriotes un événement d'une importance nationale, et vous seriez certain de recevoir d'eux un accueil tel que jamais encore ils n'en ont accordé à aucun Français, sauf peut-être à La Fayette... » Si c'était Dumas lui-même qui nous racontât cela, combien de gens souriraient et douteraient; mais c'est un ancien ambassadeur américain à Paris, dans ses *Mémoires* [1].

Qu'est-ce qui s'opposa au voyage? Peut-être l'ignorance où Dumas était de la langue anglaise. Sans doute la peur de la négrophobie yankee... Mais comment ne pas le regretter? Dumas aurait rapporté de là-bas, outre quelque roman, une véritable enquête, et son génie de journaliste en serait consacré à tous les yeux.

1. John Bigelow, *Retrospections of a active life*, London, 1910.

XXI

DIX ANS DE VIE ENCORE CHAUDE

ALEXANDRE DUMAS a doublé le cap de la cinquantaine. Il paraît, à son retour de Bruxelles, fixé; mais ce n'est qu'apparence. Un tel homme! comment des aventures ne traverseraient-elles pas encore son existence, aventure de voyage, aventure politique, aventure d'amour?

En attendant, il travaille. *Le Mousquetaire* le prend beaucoup, ce qui ne l'empêche pas de publier en 1854 ses *Souvenirs*, *Une Vie d'artiste* (biographie de l'acteur Mélingue), *les Mohicans de Paris* écrits avec son aide par Paul Bocage. Cette année-là et dans les années qui suivent, tout en poursuivant la série des *Grands Hommes en robe de chambre*, il se sera remis à de grands romans conçus et exécutés en collaboration, *les Compagnons de Jéhu*, *les Louves de Machecoul*, à mettre au point des *Impressions de voyage*, à écrire ou à arranger des drames et des comédies. Bref, sa vie littéraire a repris ou plutôt elle continue.

A partir de 1854 et jusqu'en 1861, il habitera rue d'Amsterdam, n° 77, modestement installé. Peu de meubles, les huissiers sont passés par là. Une femme de chambre fait entrer les visiteurs dans un vestibule nu. L'un d'eux [1], allant le voir pour la première fois, s'entendit interpeller d'une voix forte et sonore du haut de l'escalier :

— Entrez, mon cher comte, on m'a dit tant de mal de vous que je vous aime déjà!

L'escalier était assez mal tenu. Dans l'appartement, au second étage, de gros clous plantés dans les murs et autour des fenêtres prouvaient qu'il y avait eu là des tableaux, des rideaux, des tentures. Le maître de maison arborait pour tout costume une

1. Le comte russe W. A. Sollohub; cf. « Mon ami Dumas » (*Revue des Deux Mondes* du 1er juin 1953).

chemise de grosse toile blanche au col largement échancré, des chaussettes et des pantoufles, mais ornées de perles... Il reçut son futur ami devant une table à écrire chargée de piles de paperasses.

Mais il restait puissant d'allure et d'entrain. A Delacroix, en 1855, il se plaignait des difficultés qui l'entravaient encore et de l'envie qu'il avait de repartir. Puis il ajoutait : « Je laisse à moitié faits deux romans et je verrai à mon retour s'il s'est rencontré un Alcide pour achever ces deux entreprises imparfaites. » Il était donc persuadé, note Delacroix, qu'il allait laisser comme Ulysse un arc que personne ne pourrait bander. « Il ne se trouve pas vieilli et agit, sous plusieurs rapports, comme un jeune homme [1]. »

Il allait souvent le soir se promener boulevard des Italiens, entrait au Café Cardinal ou au Divan Le Pelletier, fréquentait théâtres et coulisses, dînait volontiers à la Maison Dorée ou s'installait à la terrasse du Tortoni. En tous ces endroits à la mode littéraire, il rencontrait des confrères, ou Frédérick Lemaître le rejoignait. On le voyait au Café de Paris, célèbre pour son veau à la casserole; avec ce plat devant lequel Musset s'attablait trois fois par semaine, Dumas comme Balzac venaient se refaire lorsqu'ils s'étaient surmenés de travail [2]. Véron avait là sa table, ainsi que lords anglais et princes russes.

Dans le monde, Dumas avait pour centre de ralliement les dîners de la princesse Mathilde, qui lui pardonnait ses épigrammes sur « l'oncle » et sur « le neveu[3] » celle-ci, par exemple :

> Dans leurs fastes impériales
> L'oncle et le neveu sont égaux :
> L'oncle prenait des capitales,
> Le neveu prend nos capitaux.

Oubliait-il qu'il avait une famille? Invoquons encore Delacroix. L'écrivain lui avouait qu'avec ses deux enfants il était comme seul. « Ils vont l'un et l'autre à leurs affaires. » Et le peintre tenait d'une amie, Mme Cavé, la femme du surintendant aux Beaux-Arts, que la fille de Dumas « se plaignait de la société d'un père qui n'était jamais à la maison [4] ». Quant au

1. *Journal*, le 22 mai 1855.
2. G. Claudin, *Mes Souvenirs*.
3. Viel-Castel, *Mémoires*, Paris, 1883.
4. *Journal*, 22 mars 1855.

fils, déjà l'auteur de *la Dame aux camélias,* il observait à l'égard
de son père une attitude sévère; « il ne pouvait oublier ni les
millions acquis et perdus ni l'illégalité de sa naissance... Il
affectait des manières glaciales avec les flatteurs qui entouraient
son père et il raillait le train de vie de la maison paternelle.
Cela ne l'empêchait pas de s'y plaire, d'y passer des heures et
de noter sur un petit calepin qu'il avait toujours dans sa poche
les remarques intéressantes ou les répliques amusantes [1] ».

Dumas père assurément aimait beaucoup son fils. S'il le
taquinait, c'était en camarade. « Dumas fils, écrit Sollohub,
m'a conté lui-même qu'en sortant un jour avec son père il lui
avait rappelé le notaire chez qui tous deux avaient oublié de
passer pour affaire urgente.

« — C'est vrai, comme nous sommes bêtes! s'écria le père.

« — Parlez au singulier, remarqua le fils.

« Alors le père :

« — C'est vrai, comme tu es bête! »

Mais la situation morale d'Alexandre II en face d'Alexandre
Ier restait forcément pénible. George Sand, grande amie d'Alexandre II, lui écrivant au sujet d'Alexandre Ier, disait : « Que
voulez-vous! il a engendré vos grandes facultés et il se croit
quitte envers vous... C'est un peu dur et difficile d'être forcé
de devenir le père de son père [2]... » Aussi Dumas fils s'était-il
rapproché de plus en plus de sa mère qui l'avait même pris avec
elle après la faillite du Théâtre Historique (elle avait fait des
économies comme lingère dans une maison d'éducation); mais
la chance de *la Dame aux camélias* au théâtre, en 1852, lui
permit d'installer la pauvre femme dans un petit appartement
de la place Louvois, loué et meublé pour elle. C'est là que Catherine Lebay devait mourir dans les bras de son fils, après s'être
réconciliée avec le père. L'ambition littéraire d'Alexandre II
avait tout d'abord suscité de l'agacement chez Alexandre Ier.
Mais *la Dame aux camélias* avait triomphé dans son cœur
comme au théâtre. N'était-ce pas son sang? Il le reconnaissait! Désormais chacune des premières de son fils fut pour lui
une première d'*Hernani* : « revêtu d'une redingote, d'un gilet
de piqué blanc qui faisait ressortir l'ampleur de son ventre, il
paradait au balcon, dans la loge du milieu, un énorme bouquet
entouré de papier blanc posé devant lui; tout le long de la

1. Comte Sollohub, *loc. cit.*
2. George Sand, *Correspondance,* 1862.

pièce, il battait des mains, riait, rappelait les acteurs, criait bravo au milieu des tirades, faisait une vie de tous les diables; puis, quand on annonçait le nom de l'auteur, il se levait, son bouquet à la main, saluait à droite et à gauche, envoyait des baisers aux dames comme s'il disait : « Vous savez, c'est mon garçon qui a fait cette pièce-là [1]! »

Le jour où les amis des deux hommes décidèrent de fêter le triomphe de *la Dame aux camélias* par un souper, le jeune homme résistait.

— Tu ne peux pas te dispenser de venir, lui dit son père.

— Impossible, je suis invité depuis longtemps.

— Tu soupes avec des femmes?

— Non, avec une femme.

— Et qui... sans indiscrétion?

— Maman.

— Ah! fit le père devenu grave et baissant la tête, tu as peut-être raison [2].

C'est à partir de cette date que le père eut un peu peur du fils. A l'annonce du brave garçon, les femmes dans les placards! les usuriers au grenier! Le fils n'acceptait officiellement, si l'on peut dire, que les maîtresses en titre... par exemple, Isabelle... Blonde et pâle, très douce, Isabelle Constans avait vingt-deux ou vingt-trois ans; mais, disait Delacroix à son ami, « avec vos appétits d'adolescent, vous les tuerez toutes »... Le grand Alexandre avait rencontré cette jeunesse dans quelque théâtre en 1854, elle joua au Théâtre Historique, elle était encore sa maîtresse en 1857, bien qu'il l'appelât « sa chère fille » : ce qui n'empêche pas que revenant avec Delacroix d'un dîner chez Camille Doucet, il lui faisait confidence de ses amours « avec une *vierge*, veuve d'un premier mari et avec un second en exercice ». Et cela en 1856 [3], donc en pleine passion pour la petite Constans! Avertissement à son fils : « Pas un mot à Isabelle de mon voyage d'avant-hier, prie tes amis de ne pas en parler [4]. » Dumas en amour eut toujours plusieurs cordes à son arc. Il a néanmoins aimé Isabelle avec une tendresse dans laquelle il y avait des impulsions paternelles mêlées à celles

---

1. Lucas-Dubreton, *la Vie d'A. Dumas*, Paris, 1927.
2. Épisode raconté par Mme d'Hauterive, née Jeanine Dumas, et qui se lit maintenant partout.
3. Delacroix, *Journal*, 12 janvier 1856.
4. Manuscrits de la Bibl. Nat., n. a. fr. 24.641.

du faune. Il allait faire la cuisine chez elle, devenu homme de ménage avec un mélange de joie et de mélancolie. Il l'emmenait au théâtre et en ville. Augustine Brohan, invitant un ami à dîner avec Dumas, l'avertissait : « Dumas amène sa moitié, son Isabelle, mais bah! il n'y a plus de mœurs [1]. »

Deux lettres d'amour, dont l'une sans date, mais de la même encre que l'autre écrite de Russie en octobre 1858 et dans laquelle on lit : « Je t'aime depuis quatre ans [2] », s'adressent certainement à la jeune, à la trop jeune Isabelle.

> Mon cher amour,
>
> Puisque je ne puis te voir, je veux que tu saches au moins que je pense à toi et que je m'occupe de toi. Je te l'ai dit, tu me fais revivre les plus charmants jours de ma jeunesse, ne t'étonne donc pas que mon cœur étant revenu à 25 ans, ma plume soit du même âge.
>
> Je t'aime, mon ange chéri. Hélas, il n'y a que deux amours réels dans la vie — le premier qui meurt — le dernier dont on meurt. Je t'aime malheureusement de celui-là, ce qui fait que je t'aime sérieusement, profondément, seulement pense bien à ceci, mon ange — pour qu'aucun nuage sous forme de jeune femme pour moi, sous forme de jeune homme pour toi — ne passe entre notre amour, il faut nous voir le plus souvent possible et nous quitter le moins souvent que nous pourrons.
>
> Tu as bien voulu être jalouse de moi, mon cher enfant, jalouse de moi qui ai trois fois ton âge : juge un peu quelle sera ma jalousie à moi quand je serai toute une journée sans te voir comme aujourd'hui, à moitié fou, ne pouvant travailler, allant et venant sans raison et me demandant déjà comment je pourrai vivre ainsi.
>
> Non, mon cher ange, je ne sais pas aimer ainsi — je ne sais pas posséder à moitié — je ne parle pas de la possession du corps; ce qui fait le sentiment que j'éprouve pour toi, c'est qu'il est à la fois de l'amour de l'amant et de l'affection du père. Mais justement à cause de cela, je ne puis me passer de toi, il faut que je te couvre éternellement de caresses ou tes caresses me manquent comme l'air. Songes-y, je te le répète bien sérieusement, car tout notre avenir est là, en supposant que tu veuilles mêler un peu de ton avenir au mien, il me faut ta présence pour que je sois à toi, dusses-tu ne pas être à moi.
>
> Il y a une chose que tu ne saurais comprendre, mon ange, chaste et pure comme tu es, c'est qu'il est dans Paris cent femmes — jeunes,

---

1. Dans un billet que possédait Ch. Glinel.
2. Toutes deux conservées à la Bibl. Nat. Manuscrits, fonds n. a. fr. 24.641.

jolies, moins jolies que toi certainement mais qui par désir de position attendent — non pas que j'aille à elles — depuis vingt ans peut-être je n'ai été à personne qu'à toi — mais attendent que je leur permette de venir à moi — eh bien, mon ange, je me remets en tes mains, garde-moi, étends ton aile blanche sur ma tête, empêche par ta présence que dans un moment de dépit ou de douleur je fasse une de ces folies comme celles que j'ai faites plus d'une fois et qui empoisonnent la vie pour des années.

Maintenant si ce n'est point tout à fait par amour que tu fasses ce que je te demande, que ce soit par ambition. Tu aimes ton art — aime-le mieux que moi, c'est le seul rival que j'accepte. Eh bien, sous ce rapport, jamais ambition de reine n'aura été satisfaite comme la tienne. Jamais femme — même Mlle Mars — n'aura eu dans toute sa vie les rôles que je te donnerai, moi, en trois ans, mais pour que le progrès suive chez toi mon désir, il faut encore que chaque instant de ma vie soit un conseil pour toi, il faut qu'entre deux baisers, entre deux caresses, je puisse te ramener au théâtre — au simple, au vrai, au grand — à toutes ces perfections que la nature — qui a tant fait pour toi — n'a pas pu faire du premier coup, puisque la perfection est impossible; il faut que je puisse au besoin, s'il y a une grande actrice en Angleterre ou en Allemagne, te conduire en Allemagne ou en Angleterre; il faut en un mot que ma volonté te dirige en même temps que mon amour te guidera; il me faut enfin sur toi l'omnipotence de la tendresse — avec laquelle tu arriveras, toi à la réputation, moi au bonheur.

Écoute bien ceci, mon ange. Je veux une réponse, une réponse bien positive, bien sérieuse, une réponse en une ligne : *Je crois en toi, je m'en rapporte à toi, et je serai toujours avec toi contre ce qui voudra nous séparer*. Ceci n'est ni bien long ni bien difficile à écrire, et ceci me rendra fort contre tout. Je ne te dis pas que cela me rendra heureux, la chose va sans dire.

Ainsi donc, mon enfant, à toi tout ce que j'ai encore d'amour — à moi — je ne dirai pas de l'amour, mon Dieu : mais un peu de cette reconnaissance que grâce à mon besoin d'illusions, je prendrai pour de l'amour.

Et voici la lettre de Russie :

> Mon cher amour,
>
> Tu ne croiras pas une chose, mon cher amour, c'est qu'à part les jours où je t'aime depuis quatre ans — jours de joie bien rares dans ma vie — le seul bon temps que j'ai passé c'est dans cette solitude que je viens de me faire, soit dans ces grandes forêts de sapins sans limites où je chasse le coq de bruyère, soit sur ce Volga immense,

peuplé d'oiseaux comme une de ces mers où l'on n'a pas encore abordé. A part toi, nul ne m'aime au monde, nul ne pense à moi, nul ne s'inquiète de moi. Je suis bien seul et bien oublié de tout le monde, de sorte que je jouis ou à peu près du bonheur d'être mort sans avoir le désagrément d'être enterré. Je suis un revenant de jour au lieu d'être un spectre de nuit. Si notre vie ne s'arrange pas pour l'année prochaine, l'année prochaine je repars et je revis de la même *(un mot manque)*. Je suis rajeuni de dix ans comme force et je dirai presque comme visage. J'ai adopté une espèce de costume circassien qui me va très bien et qui est très commode... Tout le temps que je ne le porte pas, je suis dans ma chère robe de chambre de velours noir, avec des chemises de soie du Caucase rouges ou jaunes.

La bonne chose que cette liberté de faire ce que l'on veut, d'aller où l'on veut.

Au reste, dès que je rentre ici en pays civilisé, j'entre dans une espèce de triomphe perpétuel qui serait la joie et l'orgueil d'un autre et qui est mon supplice à moi; cependant, un grand plaisir m'attendait à Nijni, j'y ai retrouvé le héros et l'héroïne de mon roman du *Maître d'armes*, graciés par l'empereur Alexandre après vingt-deux ans de Sibérie! Juge comme ils m'ont reçu.

Je pars de Kazan le 1er octobre russe — 12 octobre chez nous — je descends le Volga, je viens de trouver un bateau, je m'arrête cinq ou six jours à Astrakan, je descends la mer Caspienne jusqu'à Bakou, où je vais voir les adorateurs du feu. De là je viens à Tiflis, de Tiflis je fais une expédition dans le Caucase avec le prince Bonatnisky. Puis je m'embarque sur la mer Noire, et je reviens par le Danube.

Je serai à Paris le 25 novembre, tu comprends que ma plus grande joie serait de te voir immédiatement. Je te préviendrai de mon arrivée, et s'il y a moyen je descendrai du chemin de fer de Strasbourg pour monter dans celui du Havre.

Au revoir, mon bien cher amour. Partout où j'ai été, j'y ai été en pensée avec toi, partout où je suis tu as un cœur qui t'aime...

Isabelle Constans a disparu de la vie d'Alexandre Dumas en 1859. Peut-être est-elle morte alors, c'était une tuberculeuse, elle en avait le tempérament et Delacroix n'avait-il pas averti l'avide amant? Le règne d'Isabelle n'a pas épargné à Dumas les jours de tristesse, il ne l'a pas empêché de se tourner vers le passé. Sur un exemplaire de son *Orestie*, drame imité de l'antique et joué le 5 janvier 1856, il a écrit de sa main : « A la mort et à l'exil, à Dreux et à Guernesey, au duc d'Orléans et à Victor Hugo, celui qui les a aimés, les aime et les aimera éternellement,

Alexandre Dumas dédie le succès d'*Orestie* [1]. » Il se rappelait
en écrivant ces lignes graves avoir vu mourir sa mère, Nodier,
Soulié, les deux Johannot, Gérard de Nerval, Marie Dorval...
Perdre les siens, voir disparaître ses amis, c'est pour la plupart
des hommes commencer d'entrer dans la mort. Pouvait-il en
être ainsi pour Alexandre Dumas? Ses accès de tristesse ou de
mélancolie ne duraient point. Ce n'est aucun d'eux qui l'entraîna dans un nouveau voyage, c'est au contraire la volonté
d'entretenir ses raisons de vivre. Le jour où il repartit, un ami
lui demanda :

— Vous ne voulez donc plus jamais rester parmi nous?

— Oh! le moins possible, répondit-il. Pour moi, la postérité
commence à la frontière.

En effet, sa réputation, même dans les moments où elle fai-
blissait en France, durait intacte à l'étranger et il aimait aller
puiser en elle du réconfort [2].

Il s'était lié pendant l'hiver de 1857-1858 avec le spirite
Daniel Home, qui était à la mode et qui lui fit connaître le
comte russe Kouchelef. Il fréquenta chez le comte, à l'Hôtel
des Trois Empereurs, place du Palais-Royal. Lorsque au printemps Home se fiança à la sœur de la comtesse, et comme ils
devaient aller se marier en Russie, on lui dit : « Ou nous refu-
sons notre sœur à M. Home, ou vous serez son garçon de noce... »
Et l'on partait dans cinq jours!... Il fut prêt. C'était en juin.

En voyage, sur le bateau pris à Stettin, il fit la connaissance
du prince Troubetskoï qui le reçut chez lui à Saint-Pétersbourg,
où il eut pour cicerone le romancier Gregorovitch. Au bout de
quelques semaines, les cérémonies du mariage achevées et la
ville explorée, il alla passer un mois à Moscou, où l'attendaient
un illustre seigneur russe, le comte Narychkine et sa compagne
Jenny Falcon, parisienne amie de Marie Dumas et sœur de la
grande cantatrice.

On le voit, dans les lettres qu'il écrivit ensuite de Paris [3],
très libre avec le couple, surtout avec la jeune femme qu'il
appelle « la fée gracieuse » et à qui il dit : « Je ne sais que vous
baiser la main en enviant celui qui baise tout ce que je ne baise

---

1. Cet exemplaire est signalé par Ch. Glinel comme ayant appartenu à
Jules Le Petit, auteur d'un *Art d'aimer les livres et de les connaître*, 1884.

2. G. Ferry, *Les Dernières Années d'Alexandre Dumas*. — J'aurais déjà
dû noter que le romancier Gabriel Ferry (Gabriel de Bellemare) a beaucoup
fréquenté Dumas entre 1864 et 1870.

3. Copies de la collection Lovenjoul.

pas. » Jenny avait des yeux de velours noir, des épaules émouvantes, de beaux bras... A un écrivain français, Henry Lapauze[1],
qui l'a vue là-bas, octogénaire, elle a montré un papier replié
sur des fleurs séchées, et sur lequel se lisait une galanterie de
Dumas. Lapauze a aussi copié deux quatrains médiocres,
mais passablement amoureux, en marge desquels l'indication
« Acte III, sc. 5 » semble vouloir leur éviter d'être compromettants. Enfin, comme Lapauze interrogeait la vieille dame,
il l'entendit mystérieusement répondre, moins à lui qu'à elle-
même :

— Laissons cela... Je ne vous répondrai pas... J'ai péché...
J'ai péché.

Après un mois de Moscou, Dumas partit en septembre pour
Nijni-Novogorod, avec un interprète de confiance fourni par
l'Université. Il vit Kasan, Astrakan, se promena dans le Caucase. Où ne fut-il pas accueilli par des princes? Où ne fut-il pas
honoré par des chasses, des festins, des députations, de mirobo-
lantes fantasias de cosaques, comme les centaines de chevaux
en course à travers le fleuve qu'il appelle *le* Volga? Il constata
qu'un peu partout on avait lu *le Comte de Monte-Cristo*. Il
accomplit une marche de vainqueur.

La surprise qui l'enthousiasma à Nijni-Novogorod est restée
la plus forte émotion de son voyage avec la rencontre de Jenny
Falcon. Invité à une soirée chez le gouverneur et à peine
arrivé, il entendit annoncer un couple, et le nom le fit tressaillir.
Le gouverneur, le prenant par la main, le conduisit aux nouveaux venus :

— Monsieur Alexandre Dumas.

Puis à Dumas :

— Monsieur le comte et Madame la comtesse Annenkov, le
héros et l'héroïne de votre *Maître d'armes*.

Un cri de surprise et tous trois ouvrirent leurs bras... Le
comte et la comtesse Annenkov? Héros vrais du roman qui
n'avait fait que changer les noms.

Les amours du jeune lieutenant de cavalerie de la garde
s'étaient entravées dans un drame politique; compromis dans
la conspiration des décembristes de 1825, Annenkov avait été
condamné aux travaux forcés en Sibérie. Sa maîtresse, devenue mère, voulut rejoindre le père de son enfant, elle affronta

1. Henry Lapauze, *Le Gaulois* du 5 juillet 1902.

en plein hiver la traversée d'immenses et terribles étendues. Or, c'était une petite modiste parisienne venue s'établir à Moscou; à Paris, elle fût restée une grisette, là-bas elle devint une héroïne. Ces deux êtres admirables trouvèrent dans le mariage leur récompense. Grisier, le maître escrimeur, auteur d'un grand livre, *les Armes et le duel*, préfacé par Dumas, avait raconté au romancier la pathétique aventure en revenant de Russie où sa science l'avait introduit dans la haute société russe et dans ses dépendances... C'est pourquoi *le Maître d'armes*, écrit bien avant que Dumas connût la Russie, montre cependant beaucoup de vie russe. L'écrivain était habile à ces tours de force : n'a-t-il pas fait resplendir de couleur locale les *Quinze jours au Sinaï* que Taylor, Dauzats et d'autres étaient allés vivre à sa place? Aussi son roman apporta-t-il des révélations aux Français, sur l'aristocratie, le peuple, les paysans, l'esclavage, l'assassinat impérial, les chasses à l'ours, les attaques de loups, les chœurs tziganes. Dumas avait devancé Custine et Marmier.

Dix-huit ans plus tard, en complétant cette information par ses impressions directes, il a fait de ces livres, *le Caucase, De Paris à Astrakan*, ajoutés au *Maître d'armes*, une véritable découverte de la Russie. Il y introduisait par surcroît de l'histoire, et très belle, à l'Augustin Thierry : quand il en est à la grande Catherine, quelle joie de narration! Il présentait des poètes et des écrivains : Pouchkine, Nekrassof, dont il donne des extraits traduits en vers, et il a révélé au grand public Lermontov. Dumas surprend parfois comme un voyant : ne fut-il pas le premier à préconiser l'alliance qui devait ne se réaliser que trente-cinq ans plus tard?

« *Vates*, disait-il de lui-même, nous savons aujourd'hui qu'il n'avait pas tout à fait tort [1]. »

Il annonça le 16 novembre 1858 à son fils que pour arriver à la mer Caspienne il avait traversé une partie du Daguestan, c'est-à-dire qu'il était passé sur le territoire de Shamyl. « Il y a eu du tirage, ajoutait-il. Avant-hier, nous avons laissé dans un fossé quinze cadavres de Circassiens qui nous ont tué trois Tatars et blessé huit... Tu ne peux te faire une idée de la facilité avec laquelle on se familiarise avec le danger. Décidément, il n'y a pas de mérite à être brave, ce n'est que de

1. Maurice Constantin-Weyer, *L'Aventure vécue de Dumas père*, Genève, 1944.

l'habitude. Nous partons demain pour Bakou où sont les adorateurs du feu, puis pour Tiflis... » Les voyageurs devaient
rentrer en Occident par le mont Ararat et Constantinople.

Le voyageur s'embarqua le 17 février 1859 à Poti et par un
vapeur gagna Trébizonde. Puis un paquebot français le ramena
à Marseille, flanqué du jeune circassien Vasili, qui devait devenir son factotum. Dumas et le peintre Moynet, qui avait été
son compagnon de voyage, se virent offrir par leurs amis un
dîner de quarante couverts, le 2 avril, au restaurant de France,
place de la Madeleine, où des vers de Méry furent lus à la gloire
d'Alexandre Dumas.

Et une année après, il repartait! Le souvenir de Byron et de
Lamartine l'empêchait de dormir : il prit dans leur sillage le
chemin de l'Orient, mais s'arrêta à Marseille pour y faire construire une goélette. Pendant qu'*Emma* grandissait sur son
chantier, il se rendit à Turin afin d'y voir Garibaldi, pour qui
l'avait pris un violent enthousiasme. Garibaldi logeait comme
le dernier des mortels dans une petite chambre de l'Hôtel de
l'Europe; c'est là que Dumas le trouva, entouré de trois ou
quatre amis. Son nom, prononcé par lui-même faute de domestique, fut salué de cris de joie. A cinquante-deux ans, le patriote
italien, assez grand, habillé d'un poncho comme l'homme des
pampas, montrait un front large, un visage coloré, un œil
superbe, une bouche sereine et souriante qu'encadrait le roux
grisonnant de la barbe. Ils prirent le café et, le surlendemain,
l'aventurier amateur rejoignait l'aventurier professionnel à
Milan, où le premier rassembla de quoi écrire les *Mémoires* du
second.

Après quelques semaines parisiennes, Dumas, accompagné
de Noël Parfait et d'Édouard Lockroy, qui devait les quitte
en cours de route, s'embarqua sur son *Emma* avec deux hommes
d'équipage. « La petite goélette est une merveille, écrivait-il
à son fils. Telle quelle, elle vaut cinquante mille francs... Tu
n'as pas idée comme on est bien à bord de mon petit bâtiment [1]. » Elle les débarqua à Gênes. On était au 16 mai 1861 :
Garibaldi était parti depuis dix jours! Les Italiens le savaient
marchant sur Palerme; Dumas, courant après lui, arriva le
11 juin dans la ville que son héros venait d'occuper. Il vécut
dans des palais. Puis ils traversèrent ensemble la Sicile. Mais

---

1. Manuscrits de la Nationale, n. a. fr. 24.641.

le Français avait offert son aide, on l'employa. Il reçut mission
de revenir en France et d'y acheter des armes. Six jours à
Marseille, et l'opération était faite; il avait échangé 91.000 francs
contre 1.000 fusils rayés et 550 carabines. Combien y mit-il de
sa poche? Les deux hommes se retrouvèrent en rade de Naples
en septembre et, le 7, ils pénétrèrent dans la ville que Dumas
eut très certainement la conviction d'avoir prise en vengeant
son père par surcroît. Il reçut sa récompense, une charge que
le vainqueur considéra peut-être comme un abcès de fixation,
car Dumas devait quelque peu l'encombrer, du fait qu'il
était plus garibaldien que Garibaldi. Toujours est-il que lui
échut la direction des fouilles et musées, ce qui le situait
tout à l'opposé de la guerre et de la diplomatie. Il eut sa
résidence au palais Chiatamonte. N'était-ce pas encore mieux
que Monte-Cristo? Le 6 juillet 1860, il envoyait orgueilleuse-
ment à son fils ce bulletin de victoire, évidemment griffonné à
la hâte :

> Mon bien cher enfant,
>
> Nous faisons des merveilles ici qui doivent te faire bien rire.
>
> Aussitôt installé dans le palais du roi de Naples, je t'écris de venir
> m'y trouver; les ordres sont déjà donnés de me renouveler à l'an-
> tique la maison du poète à Pompéia...
>
> Palerme, Caltanizalla et Girgente ont suivi l'exemple de Mar-
> salla et m'ont fait citoyen de leur ville. Je t'arrange un blason avec
> deux aigles soutenu par trois grâces avec le château d'If au chef.
> Es-tu content [1]?

Si Dumas avait connu de son cher Nerval d'autres sonnets
que l'*El Desdichado*, peut-être s'en serait-il souvenu pour réci-
ter les vers :

> Je pense à toi, Myrtho, divine enchanteresse,
> Au Pausilippe altier, de mille feux brillant...

On ignorait encore les *Chimères*, c'est à Pompéi qu'il pensa
et aux fouilles possibles. Mais, pendant quatre ans de séjour,
ses travaux d'écrivain et de journaliste suffirent à l'occuper.
Il rédigea et fit rédiger les *Mémoires de Garibaldi*, travailla
vaillamment à une *Histoire des Bourbons de Naples*, dont les

1. *Ibid.*

onze volumes ont conquis l'estime de Benedetto Croce, brocha des propos sur *l'Origine du brigandage, la cause de sa persistance et le moyen de le détruire* (par le recours aux biens domaniaux et ecclésiastiques), s'engouffra dans le grand roman de la *San Felice* dont il avait certainement l'impression de recommencer à vivre les multiples aventures, enfin fonda et rédigea un journal, *l'Indipendente*, direttore Alexandro Dumas, qui parut le 11 novembre 1860 — nous l'avions oublié sur la liste! — et dura [1]. Dumas noua mille liens avec des personnalités du Risorgimento. Ne voyait-il pas déjà Garibaldi président d'une république franco-italienne?

C'est en vue de la préparer sans doute qu'il faisait de temps en temps un saut à Paris. Une conversation le suggère qu'il eut au retour d'une de ces échappées avec le consul de France à Livourne, et dont le consul rendit compte à son ministre. Le document (non daté) vaut d'être reproduit en entier, malgré sa longueur [2]. Il est trop drôle!

Il y a quelques jours, M. Alexandre Dumas père est passé à Livourne et j'ai eu avec lui une conversation des plus curieuses. J'ai hésité à en rendre compte à Votre Excellence, parce que, pour lui conserver son intérêt, il faudrait la rapporter textuellement et que, quand il s'agit des paroles de M. Dumas, c'est presque une impossibilité.

Quoi qu'il en soit, comme je crois que cette conversation est intéressante à plus d'un titre, je prie Votre Excellence de me permettre de la lui faire connaître : tout en cherchant à lui conserver son caractère, je ne pourrai, sans blesser les convenances, rapporter les expressions mêmes, j'emploierai alors des synonymes ou j'indiquerai assez suffisamment la phrase pour qu'il soit possible de l'achever.

— D'où arrivez-vous?

— De Paris.

— Qu'est-ce que vous avez été faire là?

— Organiser pour les élections prochaines la candidature de Garibaldi dans le faubourg Saint-Antoine.

— Et vous avez réussi?

— Plus que je ne l'espérais.

— Où allez-vous maintenant?

---

1. Dumas écrivait à son fils en janvier 1863 : « ... J'y suis sans rien toucher à l'argent de Paris; j'abandonne tout ce que je gagne et tous mes droits, et je vis ici de ce que me donne le journal. »

2. D'après une communication de Georges Bourgin à l'Academia Nazionale dei Lincei (bulletin de janvier-février 1954).

— A Naples.

— Quoi faire?

— Chasser le roi Victor-Emmanuel. Ah dame! mon cher, j'ai bien ce droit-là, car enfin c'est moi qui ai pris Naples. Vous savez cela, n'est-ce pas!

— Parfaitement.

Mais comme si j'avais répondu tout le contraire, Alexandre Dumas, tirant un volumineux dossier de sa poche, s'écrie avec le geste d'un marchand d'eau de Cologne qui vante sa marchandise :

— Vous voyez bien cela?

— Oui, qu'est-ce que c'est?

— Ça, mon cher ami, c'est la preuve que c'est moi qui ai pris Naples. Tenez. Voilà sur ce papier aux armes du roi François II les rapports que m'adressait chaque jour son ministre de l'Intérieur, Liborio Romano. Ceci, c'est la proclamation que j'ai faite pour Spinelli, quand le roi a quitté Naples. Spinelli a voulu y changer quelque chose, je l'ai menacé de le lancer dans le Vésuve. Comprenez-vous, Dumas corrigé par Spinelli? etc.

. . . .

— Ah ça! mais puisque c'est vous qui avez pris Naples et chassé le roi François II, c'est vous aussi qui avez amené à Naples le roi Victor-Emmanuel.

— Sans doute.

— Eh bien, pourquoi voulez-vous maintenant le chasser à son tour?

— Dans un drame, quand on a tiré tout le parti possible d'un personnage, quand son rôle est épuisé, fini, on s'en débarrasse adroitement, on le supprime. C'est ce que nous allons faire. *(S'animant.)* Que diable voulez-vous que nous en fassions? Mais c'est un crétin, un âne... C'est une vieille serviette. Nous avons essuyé les ordures avec, nous la jetons. Voyez ce que c'est que cet homme. Lisez cela.

Ici Dumas tire de son sac de voyage une nouvelle liasse de papiers. Il cherche, en tire un et me le montre.

Sire,

J'engage Votre Majesté à recevoir avec la plus grande distinction Alexandre Dumas, mon ami dévoué et le sien.

GARIBALDI.

— Vous voyez cela. Eh bien, mon cher ami, le roi ne m'a pas reçu. Comprenez-vous qu'il n'y a qu'un crétin qui puisse agir ainsi?...

— Ainsi, c'est convenu, vous allez chasser les Piémontais, mais est-ce que vous êtes assez fort pour cela?

— Oui, grâce à eux. Ils ont merveilleusement travaillé pour nous. Il est impossible d'être plus maladroits, plus stupides. Par leur raideur, leur dureté, leur avarice, ils ont tellement exaspéré le peuple napolitain qu'aujourd'hui, si François II rentrait à Naples, il y serait reçu avec enthousiasme.

— Eh bien, pour montrer toute votre puissance, allez chercher le roi à Gaëte et ramenez-le à Naples.

— Eh, eh; non je ne veux pas, j'ai d'autres engagements.

— Soit. Mais les Piémontais chassés, que mettrez-vous à leur place?

— Nous, mon cher, nous.

— Qui ça, vous?

— Garibaldi.

— Roi de Naples?

— Pourquoi pas. Mais il ne s'agit pas de cela. Vous allez voir et sentir un tremblement de terre au printemps. L'Europe va trembler sur ses bases. Les vieux trônes vont craquer.

— La fin du monde?

— Non, la fin de la royauté.

— Mais que ferez-vous de l'Italie?

— Eh bien, mon cher, nous organiserons l'Italie en républiques fédératives.

— Ah ça; vous croyez que l'Europe, que l'empereur vous laisseront faire?

— L'empereur ne veut plus de pape à Rome, ni de Bourbon à Naples. Voilà ce qu'il veut, peu lui importe le reste.

— Même la candidature de Garibaldi dans le faubourg Saint-Antoine?

— Ah ça, c'est autre chose. Après l'Italie, la France, l'Europe entière. Tenez, mon cher, écoutez bien. Au printemps la Hongrie se soulève, les Principautés unies la soutiennent et s'en servent pour révolutionner les provinces chrétiennes de la Turquie. En même temps, comme nous avons reconnu que l'odeur de choucroute qui déshonore et empeste l'Acropole ne peut plus être tolérée [1], nous établissons une jolie petite République en Grèce, et la Macédoine nous sert de passage pour arriver au Danube.

— Alors, il faut en prendre son parti! Feu partout! La République partout! Mais voyons, parlez-moi franchement : qu'est-ce que Garibaldi? Une ganache de courage ou un esprit supérieur?

— Écoutez, mon cher, j'ai vu bien des choses et bien des hommes? Je sais ce que c'est que l'intelligence. Je suis une intelligence, moi. Eh bien, je vous déclare que je n'ai jamais rien vu de comparable à lui. C'est un homme sublime.

— Expliquez-moi donc comment il n'a fait que des sottises en fait d'administration.

— Ce n'est pas sa faute, il était accablé de travail. Il a rempli la

1. Allusions aux origines du roi de Grèce.

tâche de dix hommes, il a été mal compris, mal secondé. Il n'a qu'un homme avec lui, Crispi. Celui-là est à la hauteur de sa mission et attendez le printemps, et vous verrez.

— J'attendrai, mais je ne dois pas vous dissimuler que j'ai quelques scrupules. Garibaldi trahira donc le roi.

— Du tout. Pas le moins du monde. C'est le roi qui trahira Garibaldi.

Telle est en substance, monsieur le Ministre, cette conversation dont je n'ai cité à Votre Excellence que les parties les plus saillantes. Je puis vous affirmer que j'ai reproduit les paroles mêmes de mon interlocuteur, sans y rien changer.

En rendant compte à Votre Excellence de cet entretien, je n'ai pas cru trahir une confidence, ni divulguer un secret, car la conversation a eu lieu dans mon cabinet en présence d'une tierce personne dont M. Dumas ne m'a pas même demandé le nom.

Qu'est-ce qui donnerait mieux que cette scène de comédie une idée des folies qui pouvaient s'emparer du cerveau de Dumas? Chimères géantes! Visions de démiurge-matamore! Il ne faut, pour être entièrement au fait, qu'évoquer encore un autre déraillement dans l'utopie : la réaction de Dumas à la démarche d'un prince descendant de Scander-Beg, le héros national de l'Albanie, venu solliciter de lui une alliance, de puissance à puissance.

En effet, le 14 octobre 1862, lui arriva de Londres une lettre de la « Junte gréco-albanaise », laquelle se disait, « sous la présidence de son Altesse royale le prince Georges Castriota Scanderbeg »; elle s'adressait au « très illustre écrivain Alexandre Dumas ». Elle était pressante.

— Monsieur, disait-elle, la « Junte gréco-albanaise » croit que vous pouvez faire pour Athènes et Constantinople ce que vous avez accompli pour Palerme et Naples.

Sentinelle avancée des nationalités renaissantes, vous redoublerez vos forces le jour qu'on engagera la lutte finale du Christianisme contre le Coran.

De quoi s'agissait-il exactement? De rien de moins que d'arracher l'Albanie aux Turcs, de rendre Sainte-Sophie à la chrétienté et de libérer la Grèce.

— Monsieur, la réforme nationale qui n'a pas à sa tête un génie comme le vôtre pour conduire l'idée des masses, ressemble à une locomotive lancée sans conducteur.

On n'a malheureusement de Dumas qu'une lettre du 8 février 1863, banale, qui porte sur quelques points d'organisation. Des lettres de la junte et du prince, la seconde donnait à l'écrivain du « Noble et cher Dumas; » la troisième et la quatrième, du « Cher Marquis », qui se ramenait dans la cinquième et la sixième à un simple « Cher Dumas [1] ». On y apprend que Dumas mettait à la disposition de l'entreprise sa goélette et lui offrait de la recommander aux armuriers de Paris. Avec de l'argent comptant, il avait chance d'obtenir des rabais. Devait-il s'occuper de l'armement du bateau? C'était une affaire de seize mille francs par an, l'équipage nourri et payé... Il avait probablement à faire quelques avances d'argent, mais il recevait le grade de général (qu'il refusa) et la charge (qu'il accepta) de la surintendance des dépôts militaires de l'armée chrétienne d'Orient. En somme, il devenait le chef de la IXe croisade!

Aussi quelles lettres à Alexandre II resté à Paris! A l'automne de 1862 :

L'insurrection de l'Albanie, de la Thessalie, de l'Épire et de la Macédoine aura lieu fin mars. On chassera d'abord les Turcs des quatre provinces et ensuite on les poussera jusqu'à Constantinople et de Constantinople probablement dans le Bosphore.

Si la chose va comme je le crois, c'est à Constantinople que tu viendras me voir et non à Naples.

Puis, au terme d'une autre lettre qui est d'affaires, soudain :

Tu n'as pas envie de faire la campagne d'Albanie? J'ai le poste de *mon aide de camp* à t'offrir. Bien à toi.

P.-S. — Envoie-moi tout de suite sous bande par la poste l'histoire de Scander-Beg ou *Turcs et chrétiens au XVe siècle* par Camille Paganel chez Didier et Cie. Adresse la chose à Turin, poste restante [2].

Hélas! Dumas en pleine joie, convoqué par la police, s'effondra en apprenant que le Pierre l'Ermite de l'Albanie n'était qu'un repris de justice italien et un prestigieux escroc.

---

1. Les six lettres ont été publiées par Richard Carafa, duc d'Andria, dans la *Revue de Paris* du 1er décembre 1898.
2. Manuscrits de la Bibl. Nat., n.a. fr. 24.641.

Les « folies italiennes », ce serait le titre et c'est la matière d'un des meilleurs et plus gais romans d'Alexandre Dumas, d'autant plus gai que des accès d'inquiétude précautionneuse en complèteraient la bouffonnerie : « Si quelqu'un des Italiens qui font escale à Paris te portent de mes nouvelles, écrivait-il à son fils, essayent de t'emprunter de l'argent, boutonne ton gousset et ferme ton tiroir. »

En ce temps-là, exactement le 18 janvier 1861, Mme Sand écrivait de Nohant à son jeune ami qui voulait partir pour Naples, afin de l'avertir de ce qu'elle savait par expérience : les États à la veille et au lendemain des crises s'abandonnent à des émotions sans grandeur, et l'on contracte à la vue de tels spectacles la maladie du doute... « Votre père se moque de ça, remarquait-elle, lui qui aura toujours vingt ans. Il crie, il s'agite, il croit qu'il faut abîmer Cavour et ne voit pas que c'est assassiner Garibaldi. Heureusement, il ouvrira les yeux à temps, j'espère. » Et, le 23 août, elle parlait d'un enfant terrible et tabâtre, comme on disait dans le Berry : « C'est le père Dumas. Je lui écrirais bien, si j'osais! Mais je n'ose guère, il faudrait le sermonner, mais comment s'y prendre?... » Enfin, le 29 août 1862 : « J'ai reçu une lettre de votre père... Il croit que je le traite de vieux fini et, tout en étant fort aimable, il n'est pas bien content de moi... Il me dit qu'il ne quittera pas Naples sans y avoir déraciné la mauvaise herbe des Bourbons [1]. »

« Il est d'accord avec nous, disait George Sand dans la même lettre, que notre pauvre grand Garibaldi perd la boule et replante ce qu'il arrache... » Lorsque Dumas s'en était rendu compte, qu'il avait été malheureux! Mais lui-même... Croira-t-on qu'enfin revenu en France, rentré à Paris en avril 1864, il voulut presque aussitôt reprendre la route et qu'à ceux de ses amis qui s'efforçaient de le retenir, il répondait :

— Non, il faut que j'aille à Turin sans un quart d'heure de retard, car je pressens que mon ami Garibaldi va faire des sottises. Si je n'y vais pas, il est capable de s'en retourner à Caprera et de cette année nous ne prendrons pas Venise [2]!

Et pourtant, il s'était vu chassé de Naples par une émeute organisée contre lui, l'étranger! Il en avait sans doute trop

1. Copies de la collection Lovenjoul.
2. « Correspondance Blaze de Bury-Dumas fils » (M.-L. Pailleron, *Opinion* du 4 décembre 1920).

fait et surtout trop dit. Il avait été trop napolitain pour les Napolitains.

L'événement était arrivé dans une période où l'excellent homme n'avait plus en tête que ses fouilles; souvent, le plan de Pompéi sur sa table, il discutait avec Maxime du Camp, qui se trouvait faire partie de l'état-major garibaldien et qui nous raconte l'événement [1].

— Vous verrez, lui disait Dumas, à coup de pioche nous mettrons l'antiquité à découvert.

Il méditait toute une mobilisation, songeait à faire venir de Paris archéologues, savants, artistes, comptait sur une compagnie de sapeurs du génie fournie par le gouvernement italien. Il ne se doutait pas que le peuple de Naples murmurait : un étranger à Pompéi, et non rétribué, que cachait ce privilège?

— *Fuori straniero.*

Mais l'état-major était au courant de la situation, il savait même qu'une manifestation se préparait, il n'en ignorait ni le jour ni l'heure. Une compagnie hongroise prit position dans les environs du palais.

Quand Maxime du Camp, accompagné de deux officiers supérieurs, se rendit auprès d'Alexandre Dumas, il le trouva à table, entouré de bonnes fourchettes et qui racontait des histoires en riant très fort. Cependant une rumeur que les Italiens furent seuls à entendre tout d'abord, se rapprochait, grandissait. Ce furent bientôt des vociférations, il fallut bien que le bon Alexandre eût l'oreille frappée :

— Ils manifestent? Contre qui? Que veulent-ils encore? Ils n'ont pas leur *Italia una?*

A ce moment, il entendit distinctement :

— Dehors Dumas! Dumas à la mer!

On alla aux fenêtres, on vit une grosse caisse, un chapeau chinois, un drapeau italien suivis de trois cents braillards. Oh! ce n'était pas très méchant. Tandis que les soldats barraient la rue, on parla aux émeutiers, on les dispersa, l'affaire n'avait pas duré plus de cinq minutes... Mais Maxime du Camp, rentrant dans le palais, trouva son illustre confrère assis, la tête dans ses mains. Il lui frappa sur l'épaule, lui fit lever les yeux, les vit en larmes.

— J'étais accoutumé à l'ingratitude de la France, gémit

1. *Souvenirs littéraires*, Paris, 1892.

Dumas, je ne m'attendais pas à celle de l'Italie. Je lui ai donné mon temps, mon argent, mon activité...

Un des officiers lui dit :

— C'est toujours la même canaille que du temps de Masaniello!

Alors Dumas :

— Bah! tous les peuples sont ainsi. Nous sommes naïfs. Ah, ces espèces-là! Quand je calcule ce que l'unité de l'Italie m'a rapporté et me rapportera, — travail perdu, argent dépensé, — il faut avoir le caractère mal fait pour vouloir me mettre à la porte!

Afin de le consoler, Garibaldi et son état-major donnèrent un grand dîner en son honneur, organisèrent une excursion à Pompéi, et lui offrirent la permission de chasser dans le parc de Capo di Monte.

Dumas restait triste, nous le sommes aussi, à l'idée ou plutôt à l'évidence que cet homme d'imagination enthousiaste et de cœur chaud, qu'a admiré et loué Benedetto Croce, ait pu à certains moments faire figure de père Ubu.

Heureusement pour lui, il n'y avait pas de mère Ubu, mais au contraire une tendre nymphe, une gazelle apprivoisée. Après Isabelle, Émilie... Isabelle Constans avait été la contemporaine de la réinstallation à Paris et du voyage en Russie, Émilie Cordier a été la compagne du séjour d'Italie et de l'épopée héroï-comique. Dumas se lia en 1859 pour jusqu'en 1864 avec cette jeune actrice qui avait appartenu au Théâtre Historique et joué à la Porte Saint-Martin. Comme beaucoup d'hommes puissants, il se montrait sensible à l'attrait des femmes-enfants, des amoureuses pliantes et graciles. Émilie, qui voyagea sur le navire *Emma*, aimait se déguiser en marin, elle devenait alors l' « amiral Émile » et Dumas la présentait tantôt comme son fils et tantôt comme son neveu. Elle cessa son service, déposa sa casquette pour aller accoucher à Paris dans les derniers jours de 1860, et la petite Michaëlle-Clélie-Cécilia eut Garibaldi pour parrain. Au retour, un autre service consista à écrire côte à côte avec Dumas les *Mémoires* garibaldiens, c'est du moins lui qui l'affirme. Il lui fit cadeau d'une édition de la première *Légende des siècles*, édition de Leipzig (Hetzel et Durr), avec cet envoi autographe : « A mon cher petit bébé que Dieu préserve de tout malheur, son père », et la jeune femme a écrit en bas du titre ce second envoi : « Donné pour Micaella le 20 mai 1863 au palais Chiatamonte à Naples [1]. »

A la nouvelle de la naissance, Alexandre Dumas avait écrit à la mère, le 1er janvier 1861, cette lettre, banale dans l'ensemble, mais doublement intéressante par son amabilité pour la grand-mère et par ses sentiments à l'égard de sa propre fille, la fille de Bell Krebsamer, Marie :

Joie et bonheur sur toi, mon cher amour d'enfant qui, pour mon jour de l'an juste, m'as donné la bonne nouvelle que ma petite Micaella était venue au monde et que sa mère se portait bien.

Tu sais, mon cher bébé, que je préférais une fille. Je vais te dire pourquoi. J'aime mieux Alexandre que Marie, je ne vois pas Marie une fois par an et je puis voir Alexandre tant que je voudrais. Tout l'amour que je pouvais avoir pour Marie se reportera donc sur ma chère petite Micaella, que je vois couchée à côté de sa petite maman, à qui je défends de se lever et de sortir avant que j'arrive... Je vais tout arranger pour être à Paris vers le 12. Il me serait, malgré tout mon désir, impossible d'y être avant.

Et si je dis cela, mon cher amour, crois bien à la vérité de ce que je te dis. Depuis une heure mon cœur s'est agrandi pour faire place à mon nouvel amour.

Il faut ici que je laisse, comme tu le sais, un certain nombre d'articles avant de partir.

Nous avons fondé un comité pour les élections auquel je suis obligé d'assister deux fois par semaine, de deux heures à cinq heures. Je chargerai les deux ou trois principaux de mes collègues de soutenir le journal en mon absence...

Si pendant les premiers mois tu ne veux pas te séparer de notre enfant, nous louerons une petite maison à Ischia, dans le meilleur air et la plus jolie île de Naples et alors j'irai passer avec vous deux ou trois jours de la semaine pendant tout le printemps, enfin rapporte-t'en à moi d'aimer l'enfant et la mère.

Au revoir, mon petit chéri, embrasse bien doña Micaella qui n'est pas plus grosse que le pouce, me dit Mme de C..., à laquelle je répondrai par le premier courrier, ainsi qu'à ta mère que j'embrasse.

A toi et à l'enfant.

Autre lettre, celle-ci à l'enfant, écrite trois ans plus tard, le 24 décembre 1863 :

Mon cher bébé,

Comme ta bonne-maman, qu'il faut bien aimer, ainsi que ta petite mère, m'écrit que tu as besoin d'argent, je t'envoie 150 francs pour tes étrennes.

1. Catalogue n° 80, 1952, de Marc Loliée.

Je vais tâcher de t'envoyer aussi un petit panier de bonnes choses qui t'arrivera le 1er janvier.

Il n'y aura rien à payer que le commissionnaire qui l'apportera. Je t'embrasse bien tendrement,

Ton père qui t'aime [1].

Avec tout cela Dumas, persévérant dans l'être, n'en trompait pas moins sa favorite. Et pourtant la rupture semble s'être produite par sa faute à elle : une faiblesse qu'elle avoua. Henry Lecomte dit avoir lu des lettres de l'amant et, dans la dernière : « Je te pardonne, parce que tu n'avais pas l'intention de me peiner. » Il disait l'aimer toujours, mais comme « une chose perdue, une chose morte, une ombre ». Brouillée, entêtée dans sa brouille, Émilie Cordier devait aller jusqu'à refuser de laisser reconnaître sa fille [2]. Dumas, Barbe-Bleue d'Offenbach plutôt que de Perrault, trouva-t-il que sa maîtresse au bébé, presque bébé elle-même, lui manquait? Il n'a guère eu le temps de se le demander, semble-t-il, car quelques mois à peine après la Noël de 1863, au printemps, il remontait sur Paris avec dans ses bagages la signora Fanny, dite la Gordosa.

La Gordosa, mariée quelque part dans son pays, arrivait à Paris avec une belle voix et l'espoir d'un engagement au Théâtre-Italien. Le mari que cette appétissante brune de trente ans avait laissé là-bas lui faisait porter, avouait-elle, des serviettes mouillées autour des reins, ce qui la destinait manifestement à Dumas, s'il est vrai qu'il disait [3] : « C'est par humanité que j'ai des maîtresses; si je n'en avais qu'une, elle serait morte avant huit jours. » Dans ces conditions, qui doutera que Dumas ait libéré les reins de l'Italienne? Elle en profita pour encombrer de luths, de violons, d'une harpe, d'un trombone, de partitions, trois habitats successifs, à commencer par celui de la rue de Richelieu (qui donnait sur le boulevard). La superstition l'aida certainement à tenir son amant; un bizarre tableau de magie astrologique accompagnait ses instruments de musique... Elle se vit reine et eut sa cour. Elle était sotte, elle était comique, elle était désirable. Toute une jeunesse de poètes, de littérateurs, de musiciens l'encensaient, que Dumas chaque

1. Ch. Glinel donne ces deux lettres d'après Paul Ginisty, qui les avait publiées dans le *Gil Blas* du 5 avril 1881.
2. Henry Lecomte, *op. cit.*
3. Mathilde Shaw, *Illustres et inconnus*. Paris, 1906.

jeudi recevait à dîner, mêlée à ses vieux amis, Parfait, Charles Yriarte, Nestor Roqueplan, Roger de Beauvoir, le caricaturiste Cham, la comtesse Dash. Une jeune fille, qui devait devenir Mathilde Shaw, était parfois de ces réunions; Dumas, vieil ami de son père [1], l'appelait « ma petite bruyère ». Un soir, pendant le dîner, arriva Anna Deslions. « Celle-là, dit Dumas à sa jeune amie, elle est dompteuse. — Elle a une ménagerie? — Oui, de bêtes à deux pattes... des douzaines d'amants. » Mathilde aperçut aussi Micaella, laide et malingre enfant, mais une grande intelligence dans les yeux.

Dumas avait bien quelquefois conscience de se ridiculiser, lorsque sa maîtresse se produisait dans quelque soirée et qu'avec son secrétaire, Benjamin Pifteau, ils revenaient tous deux chargés de cahiers de musique.

— Nous avons tout à fait l'air de la troupe du *Roman comique*, dit-il un soir.

Le secrétaire connaissait l'esprit peu subtil de la dame, il lui souffla à l'oreille :

— Avec Shakespeare pour chef!

— Et Pifteau pour souffleur! riposta Dumas qui avait entendu [2].

A l'occasion, il utilisait la chanteuse. Par exemple, il l'associa à l'achat, à la tentative d'achat d'un canot de sauvetage dont il s'était mis dans la tête de faire cadeau à un petit port méditerranéen. Il alla pour cela tout exprès au Havre, organisa des représentations lyriques pour réaliser les sommes nécessaires et naturellement exposa la Gordosa à la peine et à l'honneur. Malgré des salles combles, les recettes ne suffirent point. Le grand sauveteur ne se découragea pas; il imagina d'illustrer de sa signature des carrés de papier et de les faire vendre deux sous dans les rues. Hélas! le prix d'un canot de sauvetage fut une des rares choses qui dépassèrent l'imagination de Dumas; il fallut repartir sans avoir fait affaire avec le père Mouët, à qui l'argent gagné au théâtre fut généreusement abandonné [3].

La Gordosa se trouva mêlée à la brève vie de château que Dumas a menée pendant l'été de 1864 à Saint-Gratien, près d'Enghien-les-Bains, avenue du lac, villa Catinat. Mais dans ses

1. Charles Schœbel, orientaliste français.
2. Benjamin Pifteau, *op. cit.*
3. Péricaut, ancien directeur de la scène à la Porte Saint-Martin (*Le Petit Bleu*, juillet 1902).

talents ne figuraient point ceux de maîtresse de maison. Elle distribuait des « huit jours » à tort et à travers, renvoyait deux domestiques sur trois le samedi soir. Un samedi, ce furent les trois à la fois. Or, le lendemain, par une belle journée, dès dix heures du matin, de nombreux Parisiens qui s'étaient invités eux-mêmes, débarquèrent. Tandis qu'ils se promenaient dans le jardin, Dumas, d'une fenêtre, les contemplait... Rien de prêt, aucune provision et les fourneaux s'éteignaient... Il fait signe à deux intimes et l'on descend à la cuisine, on ouvre les placards, on découvre du riz et du beurre. Plusieurs couples ont apporté leur part de contribution : jambon, saucisson, mortadelle, voire des tomates...

— Ravivez les fourneaux!

Et Dumas s'empare d'une énorme casserole, saisit un verre d'eau, prépare une sauce, y mêle du beurre, ça bout. Les trois ou quatre livres de riz s'engouffrent, il ajoute de l'eau, le reste de beurre, des condiments. Pendant ce temps Fanny, avec quelques aides improvisés, arrive tout de même à dresser le couvert. Le riz a gonflé; avec l'appoint de la charcuterie, il y aura de quoi rassasier vingt affamés. Le maître les appelle par la fenêtre... Joyeux succès [1]!

Il y avait bonne cave, à la villa Catinat, mais on buvait du Syracuse dans des verres dépareillés. Dumas murmurait avec un doux sourire :

— L'apothéose du désordre [2]!

Comme les inévitables pique-assiettes abondèrent cet été-là, ils rendirent certains jours la villégiature fort pesante. Dumas les oubliait de son mieux en voisinant avec la princesse Mathilde, avec Émile de Girardin; et, parmi ses hôtes, un Henry Monnier le ravissait. Il ne se refusait d'ailleurs pas d'agréables absences. Les Cotteréziens eurent l'orgueil de le voir accourir à leur comice agricole en compagnie de deux jeunes femmes. L'une était la belle Italienne. Qui était l'autre?

Quand la « maison » d'Alexandre Dumas reprit ses quartiers d'hiver à Paris, ce fut dans un appartement meublé de la rue Saint-Lazare, sur l'emplacement actuel de l'église de la Trinité. Dans ces aîtres moins larges, les exercices de chant et de musique firent plus de bruit, et Dumas les subit comme un martyre; la Gordosa l'assomma avec ses pianistes, ses chan-

1. G. Ferry, *op. cit.*
2. F. Febvre, *Gaulois* du 4 juillet 1902.

teurs et leurs leçons. Peut-être aussi se lassa-t-il de l'entendre crier dans l'antichambre : « Quoi lui voulez-vous à Doumas? » ou de la surprendre dans les audiences qu'elle accordait royalement aux gens sur un trône intime posé à même son lit... Enfin, il se défit d'elle après une scène violente : ne l'avait-elle pas pincé en flagrant délit amoureux? La vaisselle vola... Et comme le naufrage de son « Emma » louée à un explorateur venait de lui valoir une indemnité, il employa cette rentrée inattendue au cadeau d'usage.

Berlick, à soixante ans, restait toujours stupéfiant de vitalité, observant d'ailleurs une hygiène raisonnable. S'il mangeait beaucoup (il se faisait souvent des taches!), il continuait à s'abstenir de café et de tabac, il mettait de l'eau dans le meilleur vin. Il était, comme l'a dit Edmond de Goncourt, le sobre athlète des feuilletons et de la copie. Aussi gardait-il la tête libre et pouvait-il dans les dîners faire office de boute-en-train. Il « subjuguait ses invités [1] ». Sa voix pleine et bien timbrée et l'extrême vivacité de ses yeux faisaient valoir l'intarissable éruption de ce que Pifteau appelle son « volcan d'esprit », mais « le tout était adouci par un rayonnement d'ineffable bonté [2] ». Edmond About, l'invitant à dîner avec George Sand, avec les jeunes Taine et Gustave Doré, lui glissait cette flatterie : « Ma petite femme me demande depuis bientôt deux ans quand elle aura l'occasion de vous voir en face. Et j'ai promis de lui montrer combien de bonhomie, de santé, de gaîté et de cordialité la nature peut faire entrer dans la peau d'un simple grand homme [3]. » George Sand, écrivant au fils, lui disait : « J'ai vu votre père à l'Odéon. Bon Dieu, qu'il est étonnant [4]! »

A trois années de là, il avait un peu changé, si l'on s'en rapporte à Edmond de Goncourt qui le rencontra chez la princesse Mathilde à une tablée d'hommes de lettres. Quel homme vit-il, — sans complaisance évidemment —? « Une sorte de géant, aux cheveux d'un nègre devenu poivre et sel, au petit œil d'hippopotame, clair, finaud et qui veille même voilé, et, dans une face énorme, des traits ressemblant aux traits vaguement

---

1. Témoignage de l'architecte Théodore Charpentier (John Charpentier, *Alexandre Dumas*).
2. Benjamin Pifteau, *op. cit.*
3. Noté par Ch. Glinel dans un catalogue d'autographes publié par Charavay.
4. Copie de la collection Lovenjoul.

hémisphériques que les caricaturistes prêtent à leurs figurations humaines de la lune. Il y a je ne sais quoi chez lui d'un montreur de prodiges et d'un commis-voyageur des Mille et une nuits. » Mais Dumas était dans un de ses mauvais jours, Goncourt le trouva sans verve et la voix enrouée [1]. Un an plus tard, dans un salon, nouvelle rencontre, et cette fois le bon géant a retrouvé brillant et mordant. Goncourt enregistre :

Entre Dumas père, cravaté de blanc, gileté de blanc, énorme, suant, soufflant, largement hilare. Il arrive d'Autriche, de Hongrie, de Bohême, il parle de Pesth où on l'a joué en hongrois, de Vienne où l'empereur lui a prêté une salle de son palais pour faire une conférence; il parle de ses romans, de son théâtre, de ses pièces qu'on ne veut pas jouer à la Comédie-Française, de son *Chevalier de Maison-Rouge* qui est interdit, puis d'un privilège de théâtre qu'il ne peut pas obtenir, puis encore d'un restaurant qu'il veut fonder aux Champs-Élysées. Un moi énorme, un moi à l'instar de l'homme, mais débordant de bonne enfance, mais pétillant d'esprit... « Que voulez-vous, reprend-il, quand on ne fait plus d'argent au théâtre qu'avec des maillots... qui craquent... Oui, ç'a été la fortune d'Hostein... Il avait recommandé à ses danseuses de mettre des maillots qui craquassent... et toujours à la même place... Alors les lorgnettes étaient heureuses... Mais la censure a fini par intervenir... et les marchands de lorgnettes sont aujourd'hui dans le marasme [2]. »

Voilà le vrai Dumas. George Sand a parfaitement compris les besoins d'une telle nature, dont le fils se scandalisait. « Lui, remarque-t-elle, qui porte un monde d'événements, de héros, de traîtres, de magiciens, d'aventures, lui qui est le drame en personne, croyez-vous que les goûts innocents ne l'auraient pas éteint? Il lui a fallu des excès de vie pour renouveler sans cesse un énorme foyer de vie [3]. » Dix ans plus tôt, Michelet lui avait déclaré dans une lettre : « Vous êtes plus qu'un écrivain, vous êtes une des grandes forces de la nature; et j'ai pour vous les sympathies profondes que j'ai pour elle-même. » À lui tous les types de femmes! Foyer de vie [3], selon Sand; force de la nature, selon Michelet. Et selon lui-même, en vers adressés à Joséphin Soulary :

---

1. *Journal*, 1ᵉʳ février 1865.
2. *Journal*, 14 février 1866.
3. George Sand, *Correspondance*, 10 mars 1862.

Tu demandes comment je suis du temps vainqueur
Et quel est le secret par qui ma force dure?
Je puise chaque jour, par l'esprit et le cœur,
La vie aux deux tétons de la Mère Nature [1].

A cheval sur sa soixantaine, le père Dumas a bénéficié d'un regain de popularité. Peut-être la masse des lecteurs l'a-t-elle senti alors à elle plus que jamais. Car de 1860 à 1868, non seulement il a fait représenter deux drames très près du cœur des Parisiens, *les Prisonniers de la Bastille*, c'est-à-dire la fin des *Trois Mousquetaires*, et *les Mohicans de Paris;* non seulement il a publié ses *Causeries* et l'*Histoire de mes bêtes;* mais il a collaboré à des feuilles populaires, au *Journal illustré* et au *Petit Journal*, à qui il offrit son alléchant concours des *Bouts-rimés*. Ce fut aussi le temps de son dernier roman historique, *la San Felice*, où l'histoire est à peine romancée, juste ce qu'il faut pour en préciser le pathétique. Ce vaste roman épique, qui magnifie l'esprit carbonaro mêlé à des éclats d'héroïsme et d'amour, est une des œuvres les plus personnelles de Dumas et les plus injustement délaissées aujourd'hui. Luisa Molina, chevalière de San Felice, héroïne magiquement attachante, Nelson et lady Hamilton, le général Championnet et ses dix mille républicains, la République à Naples, le roi et la reine, la Restauration et ses remous sanglants, les foules tumultueuses de la guerre civile, les rendez-vous de conspirateurs et les coups de poignard, et les barques muettes dans la nuit, cette explosion du romanesque le plus haut en couleur égale celle des *Trois Mousquetaires* ou de *la Comtesse de Charny*. Jean Giono, qui a découvert *la San Felice* en 1939, prisonnier pour délit d'opinion au fort Saint-Nicolas, clamait son enchantement. Quelle fraîcheur! s'étonnait-il. Quelle grandeur aussi, dans des scènes comme celle de l'amiral Caracciolo pendu à la plus haute vergue de son navire et criant à ses marins : « Rangez-vous, mes amis, vous empêchez Nelson de voir! » Il savait en effet que Nelson, du tillac de son vaisseau, avait sa longue-vue braquée sur l'exécution... Si je parle de *la San Felice* à cette place, ce n'est point pour réparer un oubli, mais volontairement, afin de souligner qu'Alexandre Dumas a poursuivi son œuvre presque jusqu'au bout de sa vie.

A cette époque de son existence, il se vit obligé de faire

1. *Paris-Journal* du 17 mars 1869.

savoir par la voie de la presse qu'il ne recevrait plus que le soir dorénavant, sans quoi il n'eût plus eu le temps d'écrire ses mille lignes par jour : on se procurait trop facilement son adresse, le premier commissionnaire venu la donnait [1]. Un jour qu'il faisait avec son secrétaire une petite course à pied, « ce qui était un cas exceptionnel pour le grand voyageur qui aurait pris un fiacre pour aller chercher une cigarette [2] », vint à passer un omnibus des facteurs de la poste. Dumas cria au cocher d'arrêter :

— Nous sommes aussi des hommes de lettres, dit-il, nous avons bien le droit de monter dans votre voiture, n'est-ce pas?

Le cocher rit beaucoup en reconnaissant l'écrivain et, les deux hommes embarqués, fouetta ses chevaux [3].

En province, sa gloire faisait des ravages et causait de belles joies. Le Grand Théâtre Parisien ayant fermé, cet invraisemblable théâtre de la rue de Lyon, sous les arcades (le chemin de fer de Vincennes passait dessus!), Dumas devait cinq ou six cents francs à chacun des acteurs qui avaient joué le drame des *Gardes forestiers*. Il les réunit et leur dit : « La pièce est facile à représenter, elle comporte peu de mise en scène. Allez dans les villes du pourtour de Paris en annonçant sur l'affiche *Troupe de M. Alexandre Dumas*, télégraphiez-moi le matin quand vous jouerez et j'arriverai le soir. » La petite société se constitua et réussit. L'illustre auteur assistait à la représentation dans une loge bien en vue et l'on faisait salle comble. Un soir, à Laon, le premier acte fut donné sans lui, devant des spectateurs furieux, ils n'admettaient pas que l'horaire des trains ne fût pas à ses ordres. Le rideau allait se lever sur le second acte lorsqu'il se fit un grand bruit : Dumas entrait dans sa loge, salué par des acclamations. Mais le public unanime cria : « Le premier acte! Nous voulons le premier acte! » et il fallut lui obéir [4].

A Villers-Cotterêts qui avait réclamé une seconde soirée, la troupe se surpassa; à minuit, Dumas descendit embrasser les artistes.

— Mes enfants, leur dit-il, vous avez admirablement joué ce soir; aussi, demain matin, j'irai à votre hôtel et je vous ferai

1. Chincholle, *A. Dumas d'aujourd'hui*, Paris, 1869.
2. Non, il ne fumait pas!
3. Benjamin Pifteau, *op. cit.*
4. *Journal de l'Aisne*, 30 août 1865, et Gabriel Ferry, *op. cit.*

moi-même à déjeuner... Il tint parole, le bonnet du chef sur la tête, et ceint du rituel tablier. Comme la salle à manger donnait sur la rue, les habitants de la ville pendant deux heures défilèrent devant les fenêtres pour voir l'auteur bien-aimé servir lui-même en tablier blanc ceux et celles qui avaient... servi son drame [1]. Assurément, il ne leur devait plus un sou!... Curieux parti pris de se ruiner pour éviter de payer ce qu'on doit! Cette fantaisie peint Dumas, il se l'offrit vingt fois.

En 1868, il s'acquitta d'une tournée de conférences en Normandie. Au Havre, à Dieppe, à Rouen, à Caen, il raconta ses souvenirs de voyages. Dumas n'était pas un conférencier fameux, il lisait. Mais il lisait des choses attachantes et ses auditeurs l'écoutaient à travers leur admiration.

Sa situation proprement littéraire, sa situation d'écrivain-vedette, gardait sa solidité auprès même de ses pairs. On le constate à suivre Benjamin Pifteau chez Michelet, à qui le patron l'avait envoyé demander un renseignement, ou chez Lamartine qu'il venait inviter de sa part à Saint-Gratien. Dumas, se plaignant à Napoléon III des tracasseries ruineuses d'une censure qui avait été loin de se montrer aussi mesquine sous la Restauration, lui écrivit le 10 août 1864, mais aurait pu écrire aussi bien en 1867 ou en 1868 l'étonnante lettre qui commence ainsi : « Sire, il y avait en 1830 et il y a encore aujourd'hui trois hommes à la tête de la littérature française, ces trois hommes sont Victor Hugo, Lamartine et moi... » et dans laquelle il se juge si lucidement, avec une sorte de modeste orgueil : « J'ai écrit et publié douze cents volumes... traduits dans toutes les langues, ils ont été aussi loin que la vapeur ait pu les porter. Quoique je sois le moins digne des trois, ils m'ont fait, dans les cinq parties du monde, le plus populaire des trois, peut-être parce que l'un est un penseur, l'autre un rêveur et que je ne suis, moi, qu'un vulgarisateur. »

Lors d'un de ses tout derniers voyages qui l'avait amené à Pau, il rencontra à la porte d'un hôtel un jeune garçon au visage doré et aux yeux bleus. C'était François Coppée, tout nouveau dans les lettres.

— Embrasse-moi, homme de talent! lui dit-il, les bras ouverts.

Le poète eut à peine besoin d'inspiration pour lui répondre :

— Je n'ose pas, homme de génie [2]!

1. Gabriel Ferry.
2. *Cahiers de Barrès.*

XXII

BOHÈME FINALE

ALEXANDRE DUMAS depuis 1865 vivait boulevard Malesherbes, au nº 107, quatrième étage. Que de souvenirs dans l'appartement! Souvenirs de voyage (objets d'art), de famille (portraits), d'amitié (l'esquisse de Delacroix pour le bal de 1833, le coffret contenant la serviette ensanglantée par le duc d'Orléans...).

Le train de maison comporta quelque temps encore femme de chambre, valet de chambre, cuisinière, c'est-à-dire Armande, Thomaso, Mme Humbert. N'oublions pas Vasili. Le voyageur avait toujours eu la manie de ramener des indigènes de pays lointains : Turc et Arabe de Tunis, Vasili du Caucase, Thomaso de Florence.

Hélas, en 1866, changement à vue. C'est cette année-là que l'éditeur Michel Lévy réduisit de dix mille à quatre mille francs le crédit annuel ouvert à l'écrivain. Il était déjà vieux de deux ans, le traité signé avec *la Presse* pour *la San-Félice* : un centime la lettre. « C'est le traité de Mme Sand », s'enorgueillissait Dumas [1]. Lui payait-on encore ses articles vingt centimes la ligne? Jadis il faisait savoir à Harel que s'il voulait verser immédiatement vingt-cinq mille francs, *Antony* était à lui [2]. Aujourd'hui, en 1868, il se voyait réduit à conclure un traité avec la Société des Auteurs, pour ses pièces de théâtre, sur cette base : 2/3 à Maquet, 1/3 à Dumas. Encore ne devait-il guère en sortir que du papier timbré [1]!

De nouvelles dettes vinrent alourdir une situation que Dumas n'avait plus la force de tenir à bout de bras. En février

1. Manuscrits de la Bibl. Nat., n. a. fr. 24.641.
2. Lettre à Mélanie Waldor, *ibid.*

1867, loyer impayé, domestiques sans gages, fournisseurs non réglés. Le dernier secrétaire, Victor Leclerc, s'épuisait en démarches auprès des agents dramatiques et des directeurs de théâtre. Dumas usa du mont-de-piété. Sa fille, séparée de son mari, Olinde Petel, propriétaire à Châteauroux, était venue vivre avec son père; peintre, romancière, théosophe, Marie adressait à un sieur Bruslon (31, rue de Laval) des lettres de misère [1] et ne semble pas avoir été capable d'autre chose. Dumas ne parvenait plus à servir la pension que sa sœur, Mme Letellier, avait pris l'habitude de recevoir depuis son veuvage. Lui-même, son personnel réduit, vécut comme abandonné. Une fois qu'il devait se rendre à une réception de grand apparat, son amie dévouée, Mathilde Shaw, le trouva sans argent, devant une armoire vide de chemises de cérémonie. Il était huit heures du soir. A cette heure-là, plus de magasins ouverts. Sortie en toute hâte, elle découvrit une boutique dont l'enseigne ranima ses espoirs : « A la chemise d'Hercule », et elle rapporta un invraisemblable linge où sur un fond blanc des diables rouges enfourchaient des damnés au milieu de flammes jaunes. Elle n'avait rien trouvé d'autre... Dumas, qui gardait sa bonne humeur malgré tout, prétendit le lendemain avoir remporté un vrai succès : il avait failli créer une mode!

Il perdait tout de même de sa tenue. Il subissait l'influence de femmes vulgaires, il tombait dans un laisser-aller assez bas.

Affamé de féminité complaisante, il fallut toujours à Dumas quelque chose d'une femme, ne fût-ce qu'un baiser; il procédait souvent par surprise, c'était plus sûr... Quand il était allé louer à un restaurateur parisien sa villa d'Enghien, une fois versé l'argent du loyer, on lui avait offert de lui faire un reçu. « Mon reçu, le voilà! » et sans plus de façon il avait embrassé la femme du restaurateur éberlué [2]. Il montrait parfois plus d'esprit. Un jour, au théâtre marseillais de la Gaîté, qui répétait le drame des *Mohicans de Paris*, il causait galamment avec trois femmes et l'on peut penser que sur les trois il en avait au moins embrassé une. Le directeur survenant lui dit : « Tu n'as pas honte, à soixante ans passés! Tu n'es plus en âge de te marier! — Tu te trompes, mon cher, repartit Dumas, je n'ai pas soixante ans, j'ai vingt ans pour chacune de ces dames. »

« Je me suis rangé », écrivit-il à Mathilde, quand il se fut ins-

---

1. Ch. Glinel en a possédé dix-sept.
2. Benjamin Pifteau, *op. cit.*

tallé boulevard Malesherbes... Rangé!... Elle vint et le trouva affalé dans un grand fauteuil au milieu de sa chambre en désordre, vêtu sommairement, encerclé de trois femmes nues [1].

— Ne sois pas si bégueule! ricana-t-il comme elle claquait la porte.

— Il ne fallait pas être bégueule, je crois, pour vous voir rue Saint-Lazare! Mais pour vous voir à présent, je devrais être munie d'une carte de la préfecture!

Il donnait à la jeune femme d'étranges conseils. Comme elle envisageait de travailler : « Prends un amant », lui disait-il. Il lui en proposait. Il écrivit pour elle un poème qu'elle lut avec le rouge au visage. Il est incontestable que Dumas tombait dans un érotisme sénile. Déjà avant la Gordosa, à plus forte raison après, il a disposé d'un lot de femmes qui avaient Paris pour harem et dans lequel il faisait son choix. Elles appartenaient un peu au théâtre et beaucoup à la galanterie. Cécile Montaland et Blanche Pierson, qui venaient déjà rue d'Amsterdam, étaient du Gymnase. Des actrices encore : Mme Doche, Mlles Agar, Esther Guimont. Une romancière, Olympe Audouard, n'était pas farouche. Chez Asseline, le petit cousin d'Hugo, c'est Blanche d'Antigny, Marguerite Bellanger, Juliette Dean qui l'aguichaient. Le vieillard a fait la cour à Cora Pearl. Il fréquenta le Grand Seize, c'est-à-dire le salon nº 16 du Café Anglais, où les hautes hétaïres rencontraient tout ce que Paris comptait de princes, de ducs, de marquis, de comtes et de barons.

L'heure de la maîtresse finale avait sonné. Le rôle échut à une fille mi-irlandaise, mi-créole de la Nouvelle-Orléans, enfuie très jeune de chez son père pour suivre un cirque ambulant. Adah-Isaac Menken, danseuse, actrice, écuyère, poétesse, dramaturge, avait lassé quatre maris, puis fait à Londres les délices de Swinburne. Venue à Paris en 1867 pour l'Exposition, et jouant à la Gaîté dans un mélodrame à grand spectacle, les Pirates de la Savane, elle s'exhiba nue, ou presque, sur un cheval caracolant. Les formes étaient splendides, la physionomie expressive, Dumas s'empressa dans les coulisses, elle lui sauta au cou : n'avait-elle pas lu ses romans traduits en anglais? Elle avait même dit : « Quand j'irai en Europe, je serai l'amante de cet homme extraordinaire. » Dumas lui fit tenir parole. Ils

---

1. Mathilde Shaw, *Illustres et inconnus.*

se montraient beaucoup, il était fier de sa belle maîtresse. Maîtresse, elle l'était certes plus sûrement d'un boxeur peu jaloux; mais elle se faisait une réclame de sa liaison avec l'auteur célèbre. Photographiée avec lui, elle en maillot, lui en manches de chemise, appuyés l'un sur l'autre, elle scandalisa un peu Paris! Le photographe Liébert, pour avoir trop exposé cette image galante, eut un procès sur les bras : le dernier procès de Dumas pour sa dernière maîtresse.

Dumas fils, dans les moments où il était excédé, racontait qu'un jour, entrant dans le cabinet de travail de son père, il le trouva en train d'écrire furieusement, avec sur ses genoux la beauté équestre qui n'avait pas fait pour lui plus de frais de costume qu'elle n'en faisait pour les spectateurs de la Gaité. Cette chevauchée, si incommode qu'elle parût, fouettait évidemment l'imagination de l'écrivain : encore une chose que l'auteur de *la Dame aux Camélias* n'était pas fait pour comprendre. Il fit demi-tour en exprimant vertement son indignation. Peu de jours après, comme un ami demandait au père Dumas des nouvelles de son fils :

— Voilà assez longtemps que je ne l'ai vu, répondit-il.

— Tiens! pourquoi?

— J'aime autant ça. Il ne perd aucune occasion de me manquer de respect.

L'aventureuse Américaine devait mourir, deux ans avant lui, des suites d'une chute de cheval. Il ne resta plus pour consolation au vieux nabab ruiné que la chaste affection inspirée par Saturine, Aventurine, Valentine (selon les jours), jolie paysanne de vingt ans, arrivée du Vermandois pour lui servir de secrétaire, car elle savait par cœur *le Comte de Monte-Cristo* et elle avait belle écriture; il lui dictait.

Elle essaya bien de s'installer chez Alexandre Ier, mais, harcelée par Alexandre II, déguerpit.

Dumas déclinait, lui qui n'avait été pour ainsi dire jamais malade, bien qu'il ait prétendu plusieurs fois avoir « bien peur d'être flambé », bien qu'il se soit plaint vers la quarantaine d'une ophtalmie, de douleurs d'entrailles, et qu'il se soit fait opérer en Italie d'un anthrax au cou, à une date incertaine [1]. Des torpeurs l'amollissaient, le sommeil le prenait au milieu du jour; il était devenu tout blanc, même de visage; il avait les

[1]. Manuscrits de la Bibl. Nat. 24.641. — Il n'y a guère lieu de croire aux crachements de sang jadis déclarés à Mme Waldor.

jambes engourdies, le ventre gonflé. Il marchait avec peine.
Sur ordre d'un médecin, il alla passer l'été de 1869 à Roscoff.
Revenu pour l'automne et l'hiver à Paris, il descendit jouir
du printemps dans le Midi, soutenu pécuniairement par son
fils. Lorsqu'il rentra chez lui en juillet, la guerre était déjà
déclarée, cette guerre qu'il avait prévue en 1867 dans sa
Terreur prussienne, comme il y avait prévu d'ailleurs la diplomatie des chiffons de papier. Mais il échappa au siège : son fils
l'emmena à Puys (à vingt-cinq minutes de Dieppe) et l'installa avec Marie dans la grande villa qu'il possédait dans ce
bourg, lui donnant au rez-de-chaussée une chambre qui regardait la mer.

Dès lors, Dumas n'eut plus la moindre envie de reprendre la
plume. Son fils lui demandant un jour de novembre s'il voulait
se remettre à travailler, il secoua la tête en souriant malignement :

— Il n'y a pas de danger qu'on m'y reprenne, dit-il, je suis
trop bien comme ça [1]!

Il goûta donc, il aspira voluptueusement le repos. On lui
cachait la situation du pays. Il n'avait plus pour visiteurs que
le grand air et même le vent, qu'il aimait. « Supposez un
homme prenant un bain à même les éléments. » Il jouait aux
dominos avec ses petits-enfants, ou bien on l'asseyait dans un
fauteuil sur la plage. Comme J. Brunton, la vieille connaissance, courait un jour à lui, l'ancien voyageur, du plus loin qu'il
l'aperçut, mais ne retrouvant pas son nom, lui cria en tendant
les mains :

— Obergestelen, Genève, Francfort [2]!

Il mena intégralement une vie de famille, et ce fut d'une
telle nouveauté pour lui! la scène quotidienne d'un théâtre
dont il n'avait jamais eu l'idée... Quelle paix en pleine guerre!
« Il jouit doucement de se sentir libéré, gracié, expliquait son
fils. Tous les soucis, toutes les excitations, tous les énervements
de sa vie fiévreuse sont venus mourir à ma porte. » Puis la
fatigue du surhumain travail de toute une existence le terrassa,
et il entra dans une vie végétative.

Le mois de novembre 1870 s'achevait dans un froid intense,
Alexandre Dumas père ayant pris le lit ne le quitta plus. Il

---

1. Lettre de Dumas fils à Alfred Asseline, dans Ch. Glinel, *Alexandre
Dumas.* Les citations et détails suivants de cette page lui sont empruntés.
2. J. Brunton, *Choses et autres.*

avait recommandé qu'on appelât un prêtre, son dernier moment venu. Mais, le 5 décembre, il avait perdu sa connaissance lorsque l'abbé Andrieu, curé de la paroisse Saint-Georges de Dieppe, l'administra. Il mourut le soir, à dix heures, dans les bras de sa fille Marie [1], qu'il avait si peu aimée.

C'était le jour où les Allemands pénétraient dans la ville. Aussi l'enterrement eut-il lieu à Neuville, le 8, devant une délégation du Conseil municipal dieppois et quelques écrivains et artistes. M. Lebourgeois, un des conseillers délégués, prononça une allocution au cimetière; le directeur du Gymnase, Adolphe Lemoine-Montigny, replié à Puys, parla pour les écrivains et un peintre, Bénédict Masson, au nom des artistes. La foule n'avait pu tenir dans l'église.

L'occupation prussienne terminée en octobre 71, le corps fut exhumé le 14 avril 1872, transporté à Villers-Cotterêts et déposé dans l'église. Le 16, Paris arrivait, reçu par Alexandre Dumas fils sur le quai de la gare : About, Girardin, Chincholle, Meissonnier, le baron Taylor, Got, les sœurs Brohan, la comtesse Dash, la comtesse de Renneville étaient là; Maquet aussi. Alexandre Dumas fils et Mme Petel, qui devait disparaître à son tour quelques années plus tard, conduisirent le deuil, avec Mme Dumas fils, née princesse Narischkine, et ses deux filles [2].

Dans son allocution au cimetière, le fils du grand mort dit très simplement, après les discours d'amis cottéréziens, d'écrivains aujourd'hui oubliés et du représentant du ministre de l'Instruction publique : « Mon père avait toujours désiré d'être enterré ici. Il y avait laissé des amitiés, des souvenirs, et ce sont ces souvenirs et ces amitiés qui m'ont accueilli hier soir lorsque tant de bras dévoués se sont offerts pour suppléer les porteurs et conduire eux-mêmes à l'église le corps de leur grand ami... » Il dit aussi qu'il avait voulu que son père ne rentrât chez lui que dans une patrie libérée et qu'avec la lumière du printemps : « Je voulais que cette cérémonie fût moins un deuil qu'une fête, moins un ensevelissement qu'une résurrection. »

Alexandre Dumas avait pris place à côté de son père et de sa mère, chacun des trois sous sa pierre plate, entre des sapins géants.

1. Lettre du 17 mars 1871 à un ménage inconnu, manuscrits de la Bibl. Nat., n. a. fr. 24.269.
2. *Journal de l'Aisne*, 18 avril 1872, et *Figaro* du 5 novembre 1883.

CONCLUSION

« Le merveilleux Dumas père...
GUILLAUME APOLLINAIRE.

Résurrection! annonçait Dumas fils... Elle s'accomplit, au cinéma, à la radio, dans la presse, dans les lettres.

Quiconque a l'intention d'y aider devra penser que la première chose à faire est de donner la chasse aux légendes, aux historiettes suspectes, aux faits douteux qui ont trop longtemps fait respirer au Dumas posthume un air de Cannebière. C'est pourquoi ce livre ne s'est guère ouvert aux Viel-Castel, aux Villemessant, aux Véron, pas davantage à un Jules Lecomte, *alias* Van Engelgom, si habilement indiscret, mais triste aventurier. Ai-je exagéré la prudence? Maintenant que voilà le livre à son terme, on songera aux anecdotes peut-être fausses mais significatives, aux mots controuvés mais révélateurs, qu'on risque de perdre à jamais en ne les retenant pas : telle réplique fameuse, par exemple, que Dumas est censé avoir assénée avec le sourire à quelqu'un qui faisait allusion devant lui, dans un salon, à ses gouttes de sang nègre :

— J'en ai certainement. Mon père était un mulâtre, mon grand-père était un nègre et mon arrière-grand-père était singe;

28

vous voyez, Monsieur, que ma famille commence par où la
vôtre finit.

Une si preste présence d'esprit laisse sceptique, mais quelle
trouvaille! serait-elle de l'escalier... Il en a été conservé ici le
plus possible : on a seulement pris garde à leur provenance. A
ramasser les flèches de Dumas, on réveille l'esprit du boulevard,
on ressuscite un Paris très parisien dont Dumas ne peut se
séparer, et l'on plonge dans ce xixe siècle avec lequel Dumas
fait corps.

En compagnie d'Alexandre Dumas, à sa suite, nous traver-
sons les journées historiques de deux révolutions et d'un coup
d'État, nous assistons en littérature à la création de grands
genres, nous courons l'Europe. Il nous jette en plein tumulte.
Et il y ajoute encore, outre une œuvre innombrable, ses femmes,
les folies de son faste, ses tentatives de gagneur d'argent et ses
nobles générosités, le retentissement de ses ascensions et de
ses chutes. S'il a été un miroir de son temps dans les extraordinaires *Mémoires* dont ce livre a abondamment profité, il a été
aussi le roman fait homme, la tragi-comédie personnifiée, la
mère Gigogne dont les caricaturistes dessinaient les ampleurs
de jupes, le cyclope dans sa caverne, une montagne qui accouche,
un élément enfin et, comme le lui écrivit Michelet, « une des
grandes forces de la nature ».

Un des aspects de l'homme comme du producteur de drames
et de comédies, de romans, de contes, de récits de voyage, de
chroniques et de souvenirs écrits, a été l'accumulation... jusque
dans les amours. Sa vie d'amour ne ressemble qu'à lui seul. Ce
fut une activité dans laquelle il n'a jamais reculé devant le
cumul, et là aussi il y a eu abondance et ampleur. Ses jours en
ont pris un aspect de cirque à belles ou gaillardes écuyères,
de Mlle George, cette Junon, à Ida Ferrier, dont Delacroix mettait de l'impatience à faire mouler les bras, et de Bell Krebsamer, cette Vénus, à Marie Dorval qui disait : « Je ne suis pas
belle, je suis pire. »

L'athlète plein d'ardeur jaillie d'un croisement de races, qui
a fait feu des quatre pieds au théâtre et dans les procès, qui a
acheté des fusils pour Garibaldi et cru découvrir la Méditerranée, qui a émerveillé le plus vaste public comme architecte
et comme donneur de fêtes, comme cuisinier autant que comme
gastronome, qui a gagné des millions et les a reperdus dans les
hauts et les bas d'une éblouissante bohème, comment a-t-il pu

réaliser le prodige de faire représenter cinquante pièces de théâtre et de publier en librairie cinq cents volumes, avec tous les collaborateurs qu'on voudra? Mais quoi! écrire représentait-il pour lui un travail? Quand on arrivait à la porte du cabinet où il s'enfermait pour couvrir de sa tranquille écriture feuillets après feuillets de papier bleu ou rose, on entendait souvent parler et rire...

— Mais non, Monsieur n'a personne, prévenait le domestique, il s'amuse avec ses personnages.

La joie d'écrire, d'aimer, d'agir n'abandonnait jamais Alexandre Dumas; c'est elle qui a fait vivre et qui fera survivre une œuvre gigantesque qu'il est temps de ramener parmi nous.

Le fils a raconté que le père, dans ses derniers jours, s'inquiétait : « Crois-tu qu'il restera quelque chose de moi? » demandait-il. Certainement, il reste beaucoup de lui, même en renonçant à son théâtre, même en abandonnant comme déchet de larges lots de romans, et tous les défauts bien reconnus. Mais qu'on en finisse avec la malhonnêteté de puiser chez lui au hasard, puis de mettre le bon avec le mauvais, de laisser le mauvais déteindre sur le bon, et de juger là-dessus! A ce parti pris, substituons celui-ci : tenir ferme sur les qualités, les agréments, les réussites, les chefs-d'œuvre. Une seule précaution à prendre : reconnaître la part de Maquet. Pour pousser à la roue de ce retournement, le présent livre a rassemblé ce que j'appellerai les profils des beautés littéraires dumasiennes, et il constitue volontairement, par ses citations, un commencement d'anthologie.

Dumas, pour s'excuser de violer parfois l'histoire, disait qu'il lui faisait de beaux enfants et, en effet, il a donné à l'histoire de France une seconde existence. Ses étreintes avec l'imagination n'ont pas été moins fécondes. Par-dessus tout, il est un prodigieux raconteur d'histoires, histoires étonnamment variées : en avons-nous tellement que nous puissions nous permettre de mener la vie dure à la réputation de celui-là? Et puis Dumas, comme Rabelais ou Balzac, a créé des types : d'Artagnan, Gorenflot, Dantès. Le peuple lui en est reconnaissant, le monde entier ne l'ignore pas.

Sainte-Beuve néglige ces trois merveilleux présents dans son jugement des *Causeries du Lundi*, qui accorde à Dumas le « bonheur de mise en scène », le « récit qui court sans cesse et qui sait enlever l'obstacle sans jamais faiblir ». Munificent éloge, d'ailleurs, et que Sainte-Beuve pousse encore plus loin en ajoutant : « Il couvre d'immenses toiles sans fatiguer jamais ni son pinceau ni son lecteur. » Ainsi rejoint-il Delacroix et la « grande brosse ». A la bonne heure! N'est-ce pas là que se ramasse l'essentiel?

Il est vrai que le critique achève sur un trait qu'il a trempé dans du poison (mais le poison n'était pas mortel) : « Dumas embrasse, mais n'étreint pas comme M. de Balzac. » C'est exact. Gradation : embrasser, étreindre, posséder. Qui possède, en littérature, hormis les très grands? Et certes, Dumas ne serre pas, pénètre peu, ne creuse point ni n'épuise; il n'a pas le génie en profondeur. Mais, par contre, il l'a en étendue. Il peint en fresque, généreusement, largement, avec sympathie, quoiqu'un peu mollement. Il lui a fallu pour cela un sens rare du naturel dans le style comme dans les choses. Il en eut conscience, sans que cela lui nuisît, au point qu'une lettre nous a conservé de lui un mot étonnant : Flaubert, écrivait-il à son fils, c'est un travail de style à la Victor Hugo, mais en plus prétentieux, « attendu que chez Hugo le style est un vice naturel et que, chez Flaubert, c'est un vice acquis ». Rien de tel chez Dumas. Style, récit, invention, tout coule d'un mouvement fluvial, tout est fleuve. Son fils l'a justement dit, si l'on en croit les *Cahiers* de Barrès, en pensant avec pitié aux insulteurs, aux calomniateurs : « Mon père est un fleuve, on peut pisser dans un fleuve. »

Alexandre Dumas nous entraîne à l'extrême opposé de la littérature fatigante, harassante par ambition, ennuyeuse par éloignement idéologique de la vie. Son rôle reste donc d'actualité. Il entretient la fonction bienfaisante, démiurgique, de faire oublier la vie réelle et de la remplacer allégrement, magnifiquement, par des aventures inventées, comme ont fait, toutes proportions gardées, les auteurs de *l'Odyssée*, des *Mille et une nuits*, des romans moyenâgeux, du *Quichotte*.

Tout cela respire la force, a la vertu de la force. Alexandre Dumas participe du romantisme de force, nous l'avons dit en commençant, redisons-le en finissant. Il en participe par l'immensité de ses écrits et par l'épaisseur bouillonnante de leur flux. Comme Hugo, Balzac ou Michelet, même comme Lamartine, il est né quelque peu Pantagruel, avec pourtant ceci de différent et d'exceptionnel : qu'il a l'imagination et la verve « mulâtresses », ainsi que l'ont noté des connaisseurs, Marius et

Ary Leblond dans leurs *Belles et fières Antilles*. Il a donc le goût de la verroterie, il parade avec vanité, il est naïvement encombrant, mais il ose ajouter au réel.

La France possède en Alexandre Dumas une valeur nationale à maintenir et à répandre.

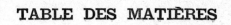

TABLE DES MATIÈRES

ACHEVÉ D'IMPRIMER
LE 7 FÉVRIER 1955
PAR L'IMPRIMERIE FLOCH
A MAYENNE (FRANCE)

(3032)

NUMÉRO D'ÉDITION : 2.102
DÉPOT LÉGAL : 1er TRIMESTRE 1955

IMPRIMÉ EN FRANCE

Ouvrages sur le Romantisme

Éditions Albin Michel

CI-CONTRE : PORTRAIT REPRODUIT D'APRÈS LE
PASTEL D'EUGÈNE GIRAUD (VERS 1840)
MUSÉE ALEXANDRE DUMAS, DE VILLERS-COTTERETS

PRINTED IN FRANCE   Imp. Kossuth, Paris